GABRIEL GARCÍA MÁRQUEZ

Vivir para contarla

GABRIEL GARCÍA MÁRQUEZ

Vivir para contarla

GRUPO EDITORIAL NORMA
http://www.norma.com
Bogotá Caracas Lima
Quito San José Santo Domingo

García Márquez, Gabriel, 1928-
Vivir para contarla / Gabriel García Márquez. — Bogotá : Editorial Norma, 2002.
584 p. ; 23 cm. — (Obras de García Márquez)
ISBN 958-04-7017-0
1. García Márquez, Gabriel, 1928- I. Tít. II. Serie
920 cd 19 ed.
AHM3113

CEP-Banco de la República-Biblioteca Luis-Angel Arango

http://www.norma.com
Apartado 53550
Bogotá D.C.

Impreso en Colombia por Cargraphics S.A. - Imprelibros

ISBN 958-04-7017-0
CC 22456

La vida no es la que uno vivió, sino la que uno recuerda y cómo la recuerda para contarla.

1

Mi madre me pidió que la acompañara a vender la casa. Había llegado a Barranquilla esa mañana desde el pueblo distante donde vivía la familia y no tenía la menor idea de cómo encontrarme. Preguntando por aquí y por allá entre los conocidos, le indicaron que me buscara en la librería Mundo o en los cafés vecinos, donde iba dos veces al día a conversar con mis amigos escritores. El que se lo dijo le advirtió: «Vaya con cuidado porque son locos de remate». Llegó a las doce en punto. Se abrió paso con su andar ligero por entre las mesas de libros en exhibición, se me plantó enfrente, mirándome a los ojos con la sonrisa pícara de sus días mejores, y antes que yo pudiera reaccionar, me dijo:

–Soy tu madre.

Algo había cambiado en ella que me impidió reconocerla a primera vista. Tenía cuarenta y cinco años. Sumando sus once partos, había pasado casi diez años encinta y por lo menos otros tantos amamantando a sus hijos. Había encanecido por completo antes de tiempo, los ojos se le veían más grandes y atónitos detrás de sus primeros lentes bifocales, y guardaba un luto cerrado y serio por la muerte de su madre, pero conservaba todavía la belleza romana de su retrato de bodas, ahora dignificada por un aura otoñal. Antes de nada, aun antes de abrazarme, me dijo con su estilo ceremonial de costumbre:

–Vengo a pedirte el favor de que me acompañes a vender la casa.

No tuvo que decirme cuál, ni dónde, porque para nosotros sólo existía una en el mundo: la vieja casa de los abuelos en Aracataca, donde tuve la buena suerte de nacer y donde no volví a vivir después de los ocho años. Acababa de abandonar la facultad de derecho al cabo de seis semestres, dedicados más que nada a leer lo que me cayera en las manos y recitar de memoria la poesía irrepetible del Siglo de Oro español. Había leído ya, traducidos y en ediciones prestadas, todos los libros que me habrían bastado para aprender la técnica de novelar, y había publicado seis cuentos en suplementos de periódicos, que merecieron el entusiasmo de mis amigos y la atención de algunos críticos. Iba a cumplir veintitrés años el mes siguiente, era ya infractor del servicio militar y veterano de dos blenorragias, y me fumaba cada día, sin premoniciones, sesenta cigarrillos de tabaco bárbaro. Alternaba mis ocios entre Barranquilla y Cartagena de Indias, en la costa caribe de Colombia, sobreviviendo a cuerpo de rey con lo que me pagaban por mis notas diarias en *El Heraldo*, que era casi menos que nada, y dormía lo mejor acompañado posible donde me sorprendiera la noche. Como si no fuera bastante la incertidumbre sobre mis pretensiones y el caos de mi vida, un grupo de amigos inseparables nos disponíamos a publicar una revista temeraria y sin recursos que Alfonso Fuenmayor planeaba desde hacía tres años. ¿Qué más podía desear?

Más por escasez que por gusto me anticipé a la moda en veinte años: bigote silvestre, cabellos alborotados, pantalones de vaquero, camisas de flores equívocas y sandalias de peregrino. En la oscuridad de un cine, y sin saber que yo estaba cerca, una amiga de entonces le dijo a alguien: «El pobre Gabito es un caso perdido». De modo que cuando mi madre me pidió que fuera con ella a vender la casa no tuve ningún estorbo para decirle que sí. Ella me planteó que no tenía dinero bastante y por orgullo le dije que pagaba mis gastos.

En el periódico en que trabajaba no era posible resolverlo. Me pagaban tres pesos por nota diaria y cuatro por un editorial cuando faltaba alguno de los editorialistas de planta, pero apenas me alcanzaban. Traté de hacer un préstamo, pero el gerente me recordó que mi deuda original ascendía a más de cincuenta pesos. Esa tarde cometí un abuso del cual ninguno de mis amigos habría sido capaz. A la salida del café Colombia, junto a la librería, me emparejé con don Ramón Vinyes, el viejo maestro y librero catalán, y le pedí prestados diez pesos. Sólo tenía seis.

Ni mi madre ni yo, por supuesto, hubiéramos podido imaginar siquiera que aquel cándido paseo de sólo dos días iba a ser tan determinante para mí, que la más larga y diligente de las vidas no me alcanzaría para acabar de contarlo. Ahora, con más de setenta y cinco años bien medidos, sé que fue la decisión más importante de cuantas tuve que tomar en mi carrera de escritor. Es decir: en toda mi vida.

Hasta la adolescencia, la memoria tiene más interés en el futuro que en el pasado, así que mis recuerdos del pueblo no estaban todavía idealizados por la nostalgia. Lo recordaba como era: un lugar bueno para vivir, donde se conocía todo el mundo, a la orilla de un río de aguas diáfanas que se precipitaban por un lecho de piedras pulidas, blancas y enormes como huevos prehistóricos. Al atardecer, sobre todo en diciembre, cuando pasaban las lluvias y el aire se volvía de diamante, la Sierra Nevada de Santa Marta parecía acercarse con sus picachos blancos hasta las plantaciones de banano de la orilla opuesta. Desde allí se veían los indios aruhacos corriendo en filas de hormiguitas por las cornisas de la sierra, con sus costales de jengibre a cuestas y masticando bolas de coca para entretener a la vida. Los niños teníamos entonces la ilusión de hacer pelotas con las nieves perpetuas y jugar a la guerra en las calles abrasantes. Pues el calor era tan inverosímil, sobre todo durante la siesta, que los adultos se quejaban de él como si fuera una sorpresa de cada día. Desde mi nacimiento oí repetir sin descanso que las vías del ferrocarril y los campamentos de la United Fruit Company fueron construidos de noche, porque de día era imposible agarrar las herramientas recalentadas al sol.

La única manera de llegar a Aracataca desde Barranquilla era en una destartalada lancha de motor por un caño excavado a brazo de esclavo durante la Colonia, y luego a través de una vasta ciénaga de aguas turbias y desoladas, hasta la misteriosa población de Ciénaga. Allí se tomaba el tren ordinario que había sido en sus orígenes el mejor del país, y en el cual se hacía el trayecto final por las inmensas plantaciones de banano, con muchas paradas ociosas en aldeas polvorientas y ardientes, y estaciones solitarias. Ése fue el camino que mi madre y yo emprendimos a las siete de la noche del sábado 18 de febrero de 1950 –vísperas del carnaval– bajo un aguacero diluvial fuera de tiempo y con treinta y dos pesos en efectivo que nos alcanzarían apenas para regresar si la casa no se vendía en las condiciones previstas.

Los vientos alisios estaban tan bravos aquella noche, que en el puerto fluvial me costó trabajo convencer a mi madre de que se embarcara. No le faltaba razón. Las lanchas eran imitaciones reducidas de los buques de vapor de Nueva Orleáns, pero con motores de gasolina que le transmitían un temblor de fiebre mala a todo lo que estaba a bordo. Tenían un saloncito con horcones para colgar hamacas en distintos niveles, y escaños de madera donde cada quien se acomodaba a codazos como pudiera con sus equipajes excesivos, bultos de mercancías, huacales de gallinas y hasta cerdos vivos. Tenían unos pocos camarotes sofocantes con dos literas de cuartel, casi siempre ocupados por putitas de mala muerte que prestaban servicios de emergencia durante el viaje. Como a última hora no encontramos ninguno libre, ni llevábamos hamacas, mi madre y yo nos tomamos por asalto dos sillas de hierro del corredor central y allí nos dispusimos a pasar la noche.

Tal como ella temía, la tormenta vapuleó la temeraria embarcación mientras atravesábamos el río Magdalena, que a tan corta distancia de su estuario tiene un temperamento oceánico. Yo había comprado en el puerto una buena provisión de cigarrillos de los más baratos, de tabaco negro y con un papel al que poco le faltaba para ser de estraza, y empecé a fumar a mi manera de entonces, encendiendo uno con la colilla del otro, mientras releía *Luz de agosto*, de William Faulkner, que era entonces el más fiel de mis demonios tutelares. Mi madre se aferró a su camándula como de un cabrestante capaz de desencallar un tractor o sostener un avión en el aire, y de acuerdo con su costumbre no pidió nada para ella, sino prosperidad y larga vida para sus once huérfanos. Su plegaria debió llegar a donde debía, porque la lluvia se volvió mansa cuando entramos en el caño y la brisa sopló apenas para espantar a los mosquitos. Mi madre guardó entonces el rosario y durante un largo rato observó en silencio el fragor de la vida que transcurría en torno de nosotros.

Había nacido en una casa modesta, pero creció en el esplendor efímero de la compañía bananera, del cual le quedó al menos una buena educación de niña rica en el colegio de la Presentación de la Santísima Virgen, en Santa Marta. Durante las vacaciones de Navidad bordaba en bastidor con sus amigas, tocaba el clavicordio en los bazares de caridad y asistía con una tía chaperona a los bailes más depurados de la timorata aristocracia local, pero nadie le había conocido novio alguno cuando se casó contra la voluntad de sus padres con el telegrafista del pueblo. Sus virtudes más notorias desde entonces eran el sentido del humor y la salud de hierro que las insidias de la adversidad no lograrían derrotar en su larga vida. Pero la más sorprendente, y también desde entonces la menos sospechable, era el talento exquisito con que lograba disimular la tremenda fuerza de su carácter: un Leo perfecto. Esto le había permitido establecer un poder matriarcal cuyo dominio alcanzaba hasta los parientes más remotos en los lugares menos pensados, como un sistema planetario que ella manejaba desde su cocina, con voz tenue y sin parpadear apenas, mientras hervía la marmita de los frijoles.

Viéndola sobrellevar sin inmutarse aquel viaje brutal, yo me preguntaba cómo había podido subordinar tan pronto y con tanto dominio las injusticias de la pobreza. Nada como aquella mala noche para ponerla a prueba. Los mosquitos carniceros, el calor denso y nauseabundo por el fango de los canales que la lancha iba revolviendo a su paso, el trajín de los pasajeros desvelados que no encontraban acomodo dentro del pellejo, todo parecía hecho a propósito para desquiciar la índole mejor templada. Mi madre lo soportaba inmóvil en su silla, mientras las muchachas de alquiler hacían la cosecha de carnaval en los camarotes cercanos, disfrazadas de hombres o de manolas. Una de ellas había entrado y salido del suyo varias veces, siempre con un cliente distinto, y al lado mismo del asiento de mi madre. Yo pensé que ella no la había visto. Pero a la cuarta o quinta vez que entró y salió en menos de una hora, la siguió con una mirada de lástima hasta el final del corredor.

–Pobres muchachas –suspiró–. Lo que tienen que hacer para vivir es peor que trabajar.

Así se mantuvo hasta la medianoche, cuando me cansé de leer con el temblor insoportable y las luces mezquinas del corredor, y me senté a fumar a su lado, tratando de salir a flote de las arenas movedizas del condado de Yoknapatawpha. Había desertado de la universidad el año anterior, con la ilusión temeraria de vivir del periodismo y la literatura sin necesidad de aprenderlos, animado por una frase que creo haber leído en Bernard Shaw: «Desde muy niño tuve que interrumpir mi educación para ir a la escuela». No fui capaz de discutirlo con nadie, porque sentía, sin poder explicarlo, que mis razones sólo podían ser válidas para mí mismo.

Tratar de convencer a mis padres de semejante locura cuando habían fundado en mí tantas esperanzas y habían gastado tantos dineros que no tenían, era tiempo perdido. Sobre todo a mi padre, que me habría perdonado lo que fuera, menos que no colgara en la pared cualquier diploma académico que él no pudo tener. La comunicación se interrumpió. Casi un año después seguía pensando en visitarlo para darle mis razones, cuando mi madre apareció para pedirme que la acompañara a vender la casa. Sin embargo, ella no hizo ninguna mención del asunto hasta después de la medianoche, en la lancha, cuando sintió como una revelación sobrenatural que había encontrado por fin la ocasión propicia para decirme lo que sin duda era el motivo real de su viaje, y empezó con el modo y el tono y las palabras milimétricas que debió madurar en la soledad de sus insomnios desde mucho antes de emprenderlo.

–Tu papá está muy triste –dijo.

Ahí estaba, pues, el infierno tan temido. Empezaba como siempre, cuando menos se esperaba, y con una voz sedante que no había de alterarse ante nada. Sólo por cumplir con el ritual, pues conocía de sobra la respuesta, le pregunté:

–¿Y eso por qué?

–Porque dejaste los estudios.

–No los dejé –le dije–. Sólo cambié de carrera.

La idea de una discusión a fondo le levantó el ánimo.

–Tu papá dice que es lo mismo –dijo.

A sabiendas de que era falso, le dije:

–También él dejó de estudiar para tocar el violín.

–No fue igual –replicó ella con una gran vivacidad–. El violín lo tocaba sólo en fiestas y serenatas. Si dejó sus estudios fue porque no tenía ni con qué comer. Pero en menos de un mes aprendió telegrafía, que entonces era una profesión muy buena, sobre todo en Aracataca.

–Yo también vivo de escribir en los periódicos –le dije.

–Eso lo dices para no mortificarme –dijo ella–. Pero la mala situación se te nota de lejos. Cómo será, que cuando te vi en la librería no te reconocí.

–Yo tampoco la reconocí a usted –le dije.

–Pero no por lo mismo –dijo ella–. Yo pensé que eras un limosnero. –Me miró las sandalias gastadas, y agregó–: Y sin medias.

–Es más cómodo –le dije–. Dos camisas y dos calzoncillos: uno puesto y otro secándose. ¿Qué más se necesita?

–Un poquito de dignidad –dijo ella. Pero enseguida lo suavizó en otro tono–: Te lo digo por lo mucho que te queremos.

–Ya lo sé –le dije–. Pero dígame una cosa: ¿usted en mi lugar no haría lo mismo?

–No lo haría –dijo ella– si con eso contrariara a mis padres.

Acordándome de la tenacidad con que logró forzar la oposición de su familia para casarse, le dije riéndome:

–Atrévase a mirarme.

Pero ella me esquivó con seriedad, porque sabía demasiado lo que yo estaba pensando.

–No me casé mientras no tuve la bendición de mis padres –dijo–. A la fuerza, de acuerdo, pero la tuve.

Interrumpió la discusión, no porque mis argumentos la hubieran vencido, sino porque quería ir al retrete y desconfiaba de sus condiciones higiénicas. Hablé con el contramaestre por si había un lugar más saludable, pero me explicó que él mismo usaba el retrete común. Y concluyó, como si acabara de leer a Conrad: «En el mar todos somos iguales». Así que mi madre se sometió a la ley de todos. Cuando salió, al contrario de lo que yo temía, apenas si lograba dominar la risa.

–Imagínate –me dijo–, ¿qué va a pensar tu papá si regreso con una enfermedad de la mala vida?

Pasada la medianoche tuvimos un retraso de tres horas, pues los tapones de anémonas del caño embotaron las hélices, la lancha encalló en un manglar y muchos pasajeros tuvieron que jalarla desde las orillas con las cabuyas de las hamacas. El calor y los zancudos se hicieron insoportables, pero mi madre los sorteó con unas ráfagas de sueños instantáneos e intermitentes, ya célebres en la familia, que le permitían descansar sin perder el hilo de la conversación. Cuando se reanudó el viaje y entró la brisa fresca, se despabiló por completo.

–De todos modos –suspiró–, alguna respuesta tengo que llevarle a tu papá.

–Mejor no se preocupe –le dije con la misma inocencia–. En diciembre iré, y entonces le explicaré todo.

–Faltan diez meses –dijo ella.

–A fin de cuentas, este año ya no se puede arreglar nada en la universidad –le dije.

–¿Prometes en serio que irás?

–Lo prometo –le dije. Y por primera vez vislumbré una cierta ansiedad en su voz:

–¿Puedo decirle a tu papá que vas a decirle que sí?

–No –le repliqué de un tajo–. Eso no.

Era evidente que buscaba otra salida. Pero no se la di.

–Entonces es mejor que le diga de una vez toda la verdad –dijo ella–. Así no parecerá un engaño.

–Bueno –le dije aliviado–. Dígasela.

Quedamos en eso, y alguien que no la conociera bien habría pensado que ahí terminaba todo, pero yo sabía que era una tregua para recobrar alientos. Poco después se durmió a fondo. Una brisa tenue espantó los zancudos y saturó el aire nuevo con un olor de flores. La lancha adquirió entonces la esbeltez de un velero.

Estábamos en la Ciénaga Grande, otro de los mitos de mi infancia. La había navegado varias veces, cuando mi abuelo el coronel Nicolás Ricardo Márquez Mejía –a quien sus nietos llamábamos Papalelo– me llevaba de Aracataca a Barranquilla para visitar a mis padres. «A la ciénaga no hay que tenerle miedo, pero sí respeto», me había dicho él, hablando de los humores imprevisibles de sus aguas, que lo mismo se comportaban como un estanque que como un océano indómito. En la estación de lluvias estaba a merced de las tormentas de la sierra. Desde diciembre hasta abril, cuando el tiempo debía ser manso, los alisios del norte la embestían con tales ímpetus que cada noche era una aventura. Mi abuela materna, Tranquilina Iguarán –Mina–, no se arriesgaba a la travesía sino en casos de urgencia mayor, después de un viaje de espantos en que tuvieron que buscar refugio hasta el amanecer en la desembocadura del Riofrío.

Aquella noche, por fortuna, era un remanso. Desde las ventanas de proa, donde salí a respirar poco antes del amanecer, las luces de los botes de pesca flotaban como estrellas en el agua. Eran incontables, y los pescadores invisibles conversaban como en una visita, pues las voces tenían una resonancia espectral en el ámbito de la ciénaga. Acodado en la barandilla, tratando de adivinar el perfil de la sierra, me sorprendió de pronto el primer zarpazo de la nostalgia.

En otra madrugada como ésa, mientras atravesábamos la Ciénaga Grande, Papalelo me dejó dormido en el camarote y se fue a la cantina. No sé qué hora sería cuando me despertó una bullaranga de mucha gente a través del zumbido del ventilador oxidado y el traqueteo de las latas del camarote. Yo no debía tener más de cinco años y sentí un gran susto, pero muy pronto se restableció la calma y pensé que pudo ser un sueño. Por la mañana, ya en el embarcadero de Ciénaga, mi abuelo estaba afeitándose a navaja con la puerta abierta y el espejo colgado en el marco. El recuerdo es preciso: no se había puesto todavía la camisa, pero tenía sobre la camiseta sus eternos cargadores elásticos, anchos y con rayas verdes. Mientras se afeitaba, seguía conversando con un hombre que todavía hoy podría reconocer a primera vista. Tenía un perfil de cuervo, inconfundible; un tatuaje de marinero en la mano derecha, y llevaba colgadas del cuello varias cadenas de oro pesado, y pulseras y esclavas, también de oro, en ambas muñecas. Yo acababa de vestirme y estaba sentado en la cama poniéndome las botas, cuando el hombre le dijo a mi abuelo:

–No lo dude, coronel. Lo que querían hacer con usted era echarlo al agua.

Mi abuelo sonrió sin dejar de afeitarse, y con una altivez muy suya, replicó:

–Más les valió no atreverse.

Entonces entendí el escándalo de la noche anterior y me sentí muy impresionado con la idea de que alguien hubiera echado al abuelo en la ciénaga.

El recuerdo de ese episodio nunca esclarecido me sorprendió aquella madrugada en que iba con mi madre a vender la casa, mientras contemplaba las nieves de la sierra que amanecían azules con los primeros soles. El retraso en los caños nos permitió ver a pleno día la barra de arenas luminosas que separa apenas el mar y la ciénaga, donde había aldeas de pescadores con las redes puestas a secar en la playa, y niños percudidos y escuálidos que jugaban al futbol con pelotas de trapo. Era impresionante ver en las calles los muchos pescadores con el brazo mutilado por no lanzar a tiempo los tacos de dinamita. Al paso de la lancha, los niños se echaban a bucear las monedas que les tiraban los pasajeros.

Iban a ser las siete cuando atracamos en un pantano pestilente a poca distancia de la población de Ciénaga. Cuadrillas de cargadores con el fango a la rodilla nos recibieron en brazos y nos llevaron chapaleando hasta el embarcadero, por entre un revuelo de gallinazos que se disputaban las inmundicias del lodazal. Desayunábamos despacio en las mesas del puerto, con las sabrosas mojarras de la ciénaga y tajadas fritas de plátano verde, cuando mi madre reanudó la ofensiva de su guerra personal.

–Entonces dime de una vez –me dijo, sin levantar la vista–, ¿qué le voy a decir a tu papá?

Traté de ganar tiempo para pensar.

–¿Sobre qué?

–Sobre lo único que le interesa –dijo ella un poco irritada–: Tus estudios.

Tuve la suerte de que un comensal impertinente, intrigado con la vehemencia del diálogo, quiso conocer mis razones. La respuesta inmediata de mi madre no sólo me intimidó un poco, sino que me sorprendió en ella, tan celosa de su vida privada.

–Es que quiere ser escritor –dijo.

–Un buen escritor puede ganar buen dinero –replicó el hombre con seriedad–. Sobre todo si trabaja con el gobierno.

No sé si fue por discreción que mi madre le escamoteó el tema, o por temor a los argumentos del interlocutor imprevisto, pero ambos terminaron compadeciéndose de las incertidumbres de mi generación, y repartiéndose las añoranzas. Al final, rastreando nombres de conocidos comunes, terminaron descubriendo que éramos parientes dobles por los Cotes y los Iguarán. Esto nos ocurría en aquella época con cada dos de tres personas que encontrábamos en la costa caribe y mi madre lo celebraba siempre como un acontecimiento insólito.

Fuimos a la estación del ferrocarril en un coche victoria de un solo caballo, tal vez el último de una estirpe legendaria ya extinguida en el resto del mundo. Mi madre iba absorta, mirando la árida llanura calcinada por el salitre que empezaba en el lodazal del puerto y se confundía con el horizonte. Para mí era un lugar histórico: a mis tres o cuatro años, en el curso de mi primer viaje a Barranquilla, el abuelo me había llevado de la mano a través de aquel yermo ardiente, caminando deprisa y sin decirme para qué, y de pronto nos encontramos frente a una vasta extensión de aguas verdes con eructos de espuma, donde flotaba todo un mundo de gallinas ahogadas.

–Es el mar –me dijo.

Desencantado, le pregunté qué había en la otra orilla, y él me contestó sin dudarlo:

–Del otro lado no hay orilla.

Hoy, después de tantos mares vistos al derecho y al revés, sigo pensando que aquélla fue una más de sus grandes respuestas. En todo caso, ninguna de mis imágenes previas se correspondía con aquel piélago sórdido, en cuya playa de caliche era imposible caminar por entre ramazones de mangles podridos y astillas de caracoles. Era horrible.

Mi madre debía pensar lo mismo del mar de Ciénaga, pues tan pronto como lo vio aparecer a la izquierda del coche, suspiró:

–¡No hay mar como el de Riohacha!

En esa ocasión le conté mi recuerdo de las gallinas ahogadas y, como a todos los adultos, le pareció que era una alucinación de la niñez. Luego siguió contemplando cada lugar que encontrábamos en el camino, y yo sabía lo que pensaba de cada uno por los cambios de su silencio. Pasamos frente al barrio de tolerancia al otro lado de la línea del tren, con casitas de colores con techos oxidados y los viejos loros de Paramaribo que llamaban a los clientes en portugués desde los aros colgados en los aleros. Pasamos por el abrevadero de las locomotoras, con la inmensa bóveda de hierro en la cual se refugiaban para dormir los pájaros migratorios y las gaviotas perdidas. Bordeamos la ciudad sin entrar, pero vimos las calles anchas y desoladas, y las casas del antiguo esplendor, de un solo piso con ventanas de cuerpo entero, donde los ejercicios de piano se repetían sin descanso desde el amanecer. De pronto, mi madre señaló con el dedo.

–Mira –me dijo–. Ahí fue donde se acabó el mundo.

Yo seguí la dirección de su índice y vi la estación: un edificio de maderas descascaradas, con techos de cinc de dos aguas y balcones corridos, y enfrente una plazoleta árida en la cual no podían caber más de doscientas personas. Fue allí, según me precisó mi madre aquel día, donde el ejército había matado en 1928 un número nunca establecido de jornaleros del banano. Yo conocía el episodio como si lo hubiera vivido, después de haberlo oído contado y mil veces repetido por mi abuelo desde que tuve memoria: el militar leyendo el decreto por el que los peones en huelga fueron declarados una partida de malhechores; los tres mil hombres, mujeres y niños inmóviles bajo el sol bárbaro después que el oficial les dio un plazo de cinco minutos para evacuar la plaza; la orden de fuego, el tableteo de las ráfagas de escupitajos incandescentes, la muchedumbre acorralada por el pánico mientras la iban disminuyendo palmo a palmo con las tijeras metódicas e insaciables de la metralla.

El tren llegaba a Ciénaga a las nueve de la mañana, recogía los pasajeros de las lanchas y los que bajaban de la sierra, y proseguía hacia el interior de la zona bananera un cuarto de hora después. Mi madre y yo llegamos a la estación pasadas las ocho, pero el tren estaba demorado. Sin embargo, fuimos los únicos pasajeros. Ella se dio cuenta desde que entró en el vagón vacío, y exclamó con un humor festivo:

–¡Qué lujo! ¡Todo el tren para nosotros solos!

Siempre he pensado que fue un júbilo fingido para disimular su desencanto, pues los estragos del tiempo se veían a simple vista en el estado de los vagones. Eran los antiguos de segunda clase, pero sin asientos de mimbre ni cristales de subir y bajar en las ventanas, sino con bancas de madera curtidas por los fondillos lisos y calientes de los pobres. En comparación con lo que fue en otro tiempo, no sólo aquel vagón sino todo el tren era un fantasma de sí mismo. Antes tenía tres clases. La tercera, donde viajaban los más pobres, eran los mismos huacales de tablas donde transportaban el banano o las reses de sacrificio, adaptados para pasajeros con bancas longitudinales de madera cruda. La segunda clase, con asientos de mimbre y marcos de bronce. La primera clase, donde viajaban las gentes del gobierno y altos empleados de la compañía bananera, con alfombras en el pasillo y poltronas forradas de terciopelo rojo que podían cambiar de posición. Cuando viajaba el superintendente de la compañía, o su familia, o sus invitados de nota, enganchaban en la cola del tren un vagón de lujo con ventanas de vidrios solares y cornisas doradas, y una terraza descubierta con mesitas para viajar tomando el té. No conocí ningún mortal que hubiera visto por dentro esa carroza de fantasía. Mi abuelo había sido alcalde dos veces y además tenía una noción alegre del dinero, pero sólo viajaba en segunda si iba con alguna mujer de la familia. Y cuando le preguntaban por qué viajaba en tercera, contestaba: «Porque no hay cuarta». Sin embargo, en otros tiempos, lo más recordable del tren había sido la puntualidad. Los relojes de los pueblos se ponían en la hora exacta por su silbato.

Aquel día, por un motivo o por otro, partió con una hora y media de retraso. Cuando se puso en marcha, muy despacio y con un chirrido lúgubre, mi madre se persignó, pero enseguida volvió a la realidad.

–A este tren le falta aceite en los resortes –dijo.

Éramos los únicos pasajeros, tal vez en todo el tren, y hasta ese momento no había nada que me causara un verdadero interés. Me sumergí en el sopor de *Luz de agosto*, fumando sin tregua, con rápidas miradas ocasionales para reconocer los lugares que íbamos dejando atrás. El tren atravesó con un silbido largo las marismas de la ciénaga, y entró a toda velocidad por un trepidante corredor de rocas bermejas, donde el estruendo de los vagones se volvió insoportable. Pero al cabo de unos quince minutos disminuyó la marcha, entró con un resuello sigiloso en la penumbra fresca de las plantaciones, y el tiempo se hizo más denso y no volvió a sentirse la brisa del mar. No tuve que interrumpir la lectura para saber que habíamos entrado en el reino hermético de la zona bananera.

El mundo cambió. A lado y lado de la vía férrea se extendían las avenidas simétricas e interminables de las plantaciones, por donde andaban las carretas de bueyes cargadas de racimos verdes. De pronto, en intempestivos espacios sin sembrar, había campamentos de ladrillos rojos, oficinas con anjeo en las ventanas y ventiladores de aspas colgados en el techo, y un hospital solitario en un campo de amapolas. Cada río tenía su pueblo y su puente de hierro por donde el tren pasaba dando alaridos, y las muchachas que se bañaban en las aguas heladas saltaban como sábalos a su paso para turbar a los viajeros con sus tetas fugaces.

En la población de Riofrío subieron varias familias de aruhacos cargados con mochilas repletas de aguacates de la sierra, los más apetitosos del país. Recorrieron el vagón a saltitos en ambos sentidos buscando dónde sentarse, pero cuando el tren reanudó la marcha sólo quedaban dos mujeres blancas con un niño recién nacido, y un cura joven. El niño no paró de llorar en el resto del viaje. El cura llevaba botas y casco de explorador, una sotana de lienzo basto con remiendos cuadrados, como una vela de marear, y hablaba al mismo tiempo que el niño lloraba y siempre como si estuviera en el púlpito. El tema de su prédica era la posibilidad de que la compañía bananera regresara. Desde que ésta se fue no se hablaba de otra cosa en la Zona y los criterios estaban divididos entre los que querían y los que no querían que volviera, pero todos lo daban por seguro. El cura estaba en contra, y lo expresó con una razón tan personal que a las mujeres les pareció disparatada:

–La compañía deja la ruina por donde pasa.

Fue lo único original que dijo, pero no logró explicarlo, y la mujer del niño acabó de confundirlo con el argumento de que Dios no podía estar de acuerdo con él.

La nostalgia, como siempre, había borrado los malos recuerdos y magnificado los buenos. Nadie se salvaba de sus estragos. Desde la ventanilla del vagón se veían los hombres sentados en la puerta de sus casas y bastaba con mirarles la cara para saber lo qué esperaban. Las lavanderas en las playas de caliche miraban pasar el tren con la misma esperanza. Cada forastero que llegaba con un maletín de negocios les parecía que era el hombre de la United Fruit Company que volvía a restablecer el pasado. En todo encuentro, en toda visita, en toda carta surgía tarde o temprano la frase sacramental: «Dicen que la compañía vuelve». Nadie sabía quién lo dijo, ni cuándo ni por qué, pero nadie lo ponía en duda.

Mi madre se creía curada de espantos, pues una vez muertos sus padres había cortado todo vínculo con Aracataca. Sin embargo, sus sueños la traicionaban. Al menos, cuando tenía alguno que le interesaba tanto como para contarlo al desayuno, estaba siempre relacionado con sus añoranzas de la zona bananera. Sobrevivió a sus épocas más duras sin vender la casa, con la ilusión de cobrar por ella hasta cuatro veces más cuando volviera la compañía. Al fin la había vencido la presión insoportable de la realidad. Pero cuando le oyó decir al cura en el tren que la compañía estaba a punto de regresar, hizo un gesto desolado y me dijo al oído:

–Lástima que no podamos esperar un tiempecito más para vender la casa por más plata.

Mientras el cura hablaba pasamos de largo por un lugar donde había una multitud en la plaza y una banda de músicos que tocaba una retreta alegre bajo el sol aplastante. Todos aquellos pueblos me parecieron siempre iguales. Cuando Papalelo me llevaba al flamante cine Olympia de don Antonio Daconte yo notaba que las estaciones de las películas de vaqueros se parecían a las de nuestro tren. Más tarde, cuando empecé a leer a

Faulkner, también los pueblos de sus novelas me parecían iguales a los nuestros. Y no era sorprendente, pues éstos habían sido construidos bajo la inspiración mesiánica de la United Fruit Company, y con su mismo estilo provisional de campamento de paso. Yo los recordaba todos con la iglesia en la plaza y las casitas de cuentos de hadas pintadas de colores primarios. Recordaba las cuadrillas de jornaleros negros cantando al atardecer, los galpones de las fincas donde se sentaban los peones a ver pasar los trenes de carga, las guardarrayas donde amanecían los macheteros decapitados en las parrandas de los sábados. Recordaba las ciudades privadas de los gringos en Aracataca y en Sevilla, al otro lado de la vía férrea, cercadas con mallas metálicas como enormes gallineros electrificados que en los días frescos del verano amanecían negras de golondrinas achicharradas. Recordaba sus lentos prados azules con pavorreales y codornices, las residencias de techos rojos y ventanas alambradas y mesitas redondas con sillas plegables para comer en las terrazas, entre palmeras y rosales polvorientos. A veces, a través de la cerca de alambre, se veían mujeres bellas y lánguidas, con trajes de muselina y grandes sombreros de gasa, que cortaban las flores de sus jardines con tijeras de oro.

Ya en mi niñez no era fácil distinguir unos pueblos de los otros. Veinte años después era todavía más difícil, porque en los pórticos de las estaciones se habían caído las tablillas con los nombres idílicos –Tucurinca, Guamachito, Neerlandia, Guacamayal– y todos eran más desolados que en la memoria. El tren se detuvo en Sevilla como a las once y media de la mañana para cambiar de locomotora y abastecerse de agua durante quince minutos interminables. Allí empezó el calor. Cuando reanudó la marcha, la nueva locomotora nos mandaba en cada vuelta una ráfaga de cisco que se metía por la ventana sin vidrios y nos dejaba cubiertos de una nieve negra. El cura y las mujeres se habían desembarcado en algún pueblo sin que nos diéramos cuenta y esto agravó mi impresión de que mi madre y yo íbamos solos en un tren de nadie. Sentada frente a mí, mirando por la ventanilla, ella había descabezado dos o tres sueños, pero se despabiló de pronto y me soltó una vez más la pregunta temible:

–Entonces, ¿qué le digo a tu papá?

Yo pensaba que no iba a rendirse jamás, en busca de un flanco por donde quebrantar mi decisión. Poco antes había sugerido algunas fórmulas de compromiso que descarté sin argumentos, pero sabía que su repliegue no sería muy largo. Aun así me tomó por sorpresa esta nueva tentativa. Preparado para otra batalla estéril, le contesté con más calma que en las veces anteriores:

–Dígale que lo único que quiero en la vida es ser escritor, y que lo voy a ser.

–Él no se opone a que seas lo que quieras –dijo ella–, siempre que te gradúes en cualquier cosa.

Hablaba sin mirarme, fingiendo interesarse menos en nuestro diálogo que en la vida que pasaba por la ventanilla.

–No sé por qué insiste tanto, si usted sabe muy bien que no voy a rendirme –le dije.

Al instante me miró a los ojos y me preguntó intrigada:

–¿Por qué crees que lo sé?

–Porque usted y yo somos iguales –dije.

El tren hizo una parada en una estación sin pueblo, y poco después pasó frente a la única finca bananera del camino que tenía el nombre escrito en el portal: *Macondo*. Esta palabra me había llamado la atención desde los primeros viajes con mi abuelo, pero sólo de adulto descubrí que me gustaba su resonancia poética. Nunca se lo escuché a nadie ni me pregunté siquiera qué significaba. Lo había usado ya en tres libros como nombre de un pueblo imaginario, cuando me enteré en una enciclopedia casual que es un árbol del trópico parecido a la ceiba, que no produce flores ni frutos, y cuya madera esponjosa sirve para hacer canoas y esculpir trastos de cocina. Más tarde descubrí en la Enciclopedia Británica que en Tanganyika existe la etnia errante de los makondos y pensé que aquél podía ser el origen de la palabra. Pero nunca lo averigüé ni conocí el árbol, pues muchas veces pregunté por él en la zona bananera y nadie supo decírmelo. Tal vez no existió nunca.

El tren pasaba a las once por la finca Macondo, y diez minutos después se detenía en Aracataca. El día en que iba con mi madre a vender la casa pasó con una hora y media de retraso. Yo estaba en el retrete cuando empezó a acelerar y entró por la ventana rota un viento ardiente y seco, revuelto con el estrépito de los viejos vagones y el silbato despavorido de la locomotora. El corazón me daba tumbos en el pecho y una náusea glacial me heló las entrañas. Salí a toda prisa, empujado por un pavor semejante al que se siente con un temblor de tierra, y encontré a mi madre imperturbable en su puesto, enumerando en voz alta los lugares que veía pasar por la ventana como ráfagas instantáneas de la vida que fue y que no volvería a ser nunca jamás.

–Ésos son los terrenos que le vendieron a papá con el cuento de que había oro –dijo.

Pasó como una exhalación la casa de los maestros adventistas, con su jardín florido y un letrero en el portal: *The sun shines for all.*

–Fue lo primero que aprendiste en inglés –dijo mi madre.

–Lo primero no –le dije–: Lo único.

Pasó el puente de cemento y la acequia con sus aguas turbias, de cuando los gringos desviaron el río para llevárselo a las plantaciones.

–El barrio de las mujeres de la vida, donde los hombres amanecían bailando la cumbiamba con mazos de billetes encendidos en vez de velas –dijo ella.

Las bancas del camellón, los almendros oxidados por el sol, el parque de la escuelita montessoriana donde aprendí a leer. Por un instante, la imagen total del pueblo en el luminoso domingo de febrero resplandeció en la ventanilla.

–¡La estación! –exclamó mi madre–. Cómo habrá cambiado el mundo que ya nadie espera el tren.

Entonces la locomotora acabó de pitar, disminuyó la marcha y se detuvo con un lamento largo. Lo primero que me impresionó fue el silencio. Un silencio material que hubiera podido identificar con los ojos vendados entre los otros silencios del mundo. La reverberación del calor era tan intensa que todo se veía como a través de un vidrio ondulante. No había memoria alguna de la vida humana hasta donde alcanzaba la vista, ni nada que no estuviera cubierto por un rocío tenue de polvo ardiente. Mi madre permaneció todavía unos minutos en el asiento, mirando el pueblo muerto y tendido en las calles desiertas, y por fin exclamó aterrada:

–¡Dios mío!

Fue lo único que dijo antes de bajar.

Mientras el tren permaneció allí tuve la sensación de que no estábamos solos por completo. Pero cuando arrancó, con una pitada instantánea y desgarradora, mi madre y yo nos quedamos desamparados bajo el sol infernal y toda la pesadumbre del pueblo se nos vino encima. Pero no nos dijimos nada. La vieja estación de madera y techo de cinc con un balcón corrido era como una versión tropical de las que conocíamos por las películas de vaqueros. Atravesamos la estación abandonada cuyas baldosas empezaban a cuartearse por la presión de la hierba, y nos sumergimos en el marasmo de la siesta buscando siempre la protección de los almendros.

Yo detestaba desde niño aquellas siestas inertes porque no sabíamos qué hacer. «Cállense, que estamos durmiendo», susurraban los durmientes sin despertar. Los almacenes, las oficinas públicas, las escuelas, se cerraban desde las doce y no volvían a abrirse hasta un poco antes de las tres. El interior de las casas quedaba flotando en un limbo de sopor. En algunas era tan insoportable que colgaban las hamacas en el patio o recostaban taburetes a la sombra de los almendros y dormían sentados en plena calle. Sólo permanecían abiertos el hotel frente a la estación, su cantina y su salón de billar, y la oficina del telégrafo detrás de la iglesia. Todo era idéntico a los recuerdos, pero más reducido y pobre, y arrasado por un ventarrón de fatalidad: las mismas casas carcomidas, los techos de cinc perforados por el óxido, el camellón con los escombros de las bancas de granito y los almendros tristes, y todo transfigurado por aquel polvo invisible y ardiente que engañaba la vista y calcinaba la piel. El paraíso privado de la compañía bananera, al otro lado de la vía férrea, ya sin la cerca de alambre electrificado, era un vasto matorral sin palmeras, con las casas destruidas entre las amapolas y los escombros del hospital incendiado. No había una puerta, una grieta de un muro, un rastro humano que no tuviera dentro de mí una resonancia sobrenatural.

Mi madre caminaba muy derecha, con su paso ligero, sudando apenas dentro del traje fúnebre y en un silencio absoluto, pero su palidez mortal y su perfil afilado delataban lo que le pasaba por dentro. Al final del camellón vimos el primer ser humano: una mujer menuda, de aspecto empobrecido, que apareció por la esquina de Jacobo Beracaza y pasó a nuestro lado con una ollita de peltre cuya tapa mal puesta marcaba el compás de su paso. Mi madre me susurró sin mirarla:

–Es Vita.

Yo la había reconocido. Trabajó desde niña en la cocina de mis abuelos, y por mucho que hubiéramos cambiado nos habría reconocido, si se hubiera dignado mirarnos. Pero no: pasó en otro mundo. Todavía hoy me pregunto si Vita no había muerto mucho antes de aquel día.

Cuando doblamos la esquina, el polvo me ardía en los pies por entre el tejido de las sandalias. La sensación de desamparo se me hizo insoportable. Entonces me vi a mí mismo y vi a mi madre, tal como vi de niño a la madre y la hermana del ladrón que María Consuegra había matado de un tiro una semana antes, cuando trataba de forzar la puerta de su casa.

A las tres de la madrugada la había despertado el ruido de alguien que trataba de forzar desde fuera la puerta de la calle. Se levantó sin encender la luz, buscó a tientas en el ropero un revólver arcaico que nadie había disparado desde la guerra de los Mil Días y localizó en la oscuridad no sólo el sitio donde estaba la puerta sino la altura exacta de la cerradura. Entonces apuntó el arma con las dos manos, cerró los ojos y apretó el gatillo. Nunca antes había disparado, pero el tiro dio en el blanco a través de la puerta.

Fue el primer muerto que vi. Cuando pasé para la escuela a las siete de la mañana estaba todavía el cuerpo tendido en el andén sobre una mancha de sangre seca, con el rostro desbaratado por el plomo que le deshizo la nariz y le salió por una oreja. Tenía una franela de marinero con rayas de colores, un pantalón ordinario con una cabuya en lugar de cinturón, y estaba descalzo. A su lado, en el suelo, encontraron la ganzúa artesanal con que había tratado de forzar la cerradura.

Los notables del pueblo acudieron a la casa de María Consuegra a darle el pésame por haber matado al ladrón. Fui esa noche con Papalelo, y la encontramos sentada en una poltrona de Manila que parecía un enorme pavorreal de mimbre, en medio del fervor de los amigos que le escuchaban el cuento mil veces repetido. Todos estaban de acuerdo con ella en que había disparado por puro miedo. Fue entonces cuando mi abuelo le preguntó si había oído algo después del disparo, y ella le contestó que había sentido primero un gran silencio, después el ruido metálico de la ganzúa al caer en el cemento del piso y enseguida una voz mínima y dolorida: «¡Ay, mi madre!». Al parecer, María Consuegra no había tomado conciencia de este lamento desgarrador hasta que mi abuelo le hizo la pregunta. Sólo entonces rompió a llorar.

Esto sucedió un lunes. El martes de la semana siguiente, a la hora de la siesta, estaba jugando trompos con Luis Carmelo Correa, mi amigo más antiguo en la vida, cuando nos sorprendió que los dormidos despertaban antes de tiempo y se asomaban a las ventanas. Entonces vimos en la calle desierta a una mujer de luto cerrado con una niña de unos doce años que llevaba un ramo de flores mustias envuelto en un periódico. Se protegían del sol abrasante con un paraguas negro, ajenas por completo a la impertinencia de la gente que las veía pasar. Eran la madre y la hermana menor del ladrón muerto, que llevaban flores para la tumba.

Aquella visión me persiguió durante muchos años, como un sueño unánime que todo el pueblo vio pasar por las ventanas, hasta que conseguí exorcizarla en un cuento. Pero la verdad es que no tomé conciencia del drama de la mujer y la niña, ni de su dignidad imperturbable, hasta el día en que fui con mi madre a vender la casa y me sorprendí a mí mismo caminando por la misma calle solitaria y a la misma hora mortal.

–Me siento como si yo fuera el ladrón –dije.

Mi madre no me entendió. Más aún: cuando pasamos frente a la casa de María Consuegra no miró siquiera la puerta donde todavía se notaba el remiendo de la madera en el boquete del balazo. Años después, rememorando con ella aquel viaje, comprobé que se acordaba de la tragedia, pero habría dado el alma por olvidarla. Esto fue aún más evidente cuando pasamos frente a la casa donde vivió don Emilio, más conocido como el Belga, un veterano de la primera guerra mundial que había perdido el uso de ambas piernas en un campo minado de Normandía, y que un domingo de Pentecostés se puso a salvo de los tormentos de la memoria con un sahumerio de cianuro de oro. Yo no tenía más de seis años, pero recuerdo como si hubiera sido ayer el revuelo que causó la noticia a las siete de la mañana. Tan memorable fue, que cuando volvíamos al pueblo para vender la casa, mi madre rompió por fin su mutismo al cabo de veinte años.

–El pobre Belga –suspiró–. Como tú dijiste, más nunca volvió a jugar ajedrez.

Nuestro propósito era ir derecho a la casa. Sin embargo, cuando estábamos a sólo una cuadra, mi madre se detuvo de pronto y dobló por la esquina anterior.

–Mejor vamos por aquí –me dijo. Y como quise saber por qué, me contestó–: Porque tengo miedo.

Así supe también la razón de mi náusea: era miedo, y no sólo de enfrentarme a mis fantasmas, sino miedo de todo. De manera que seguimos por una calle paralela para hacer un rodeo cuyo único motivo era no pasar por nuestra casa. «No hubiera tenido valor para verla sin antes hablar con alguien», me diría después mi madre. Así fue. Llevándome casi a rastras, entró sin ninguna advertencia en la botica del doctor Alfredo Barboza, una casa de esquina a menos de cien pasos de la nuestra.

Adriana Berdugo, la esposa del doctor, estaba cosiendo tan abstraída en su primitiva Domestic de manivela, que no sintió cuando mi madre llegó frente a ella y le dijo casi con un susurro:

–Comadre.

Adriana alzó la vista enrarecida por los gruesos lentes de présbita, se los quitó, vaciló un instante, y se levantó de un salto con los brazos abiertos y un gemido:

–¡Ay, comadre!

Mi madre estaba ya detrás del mostrador, y sin decirse nada más se abrazaron a llorar. Yo permanecí mirándolas desde fuera del mostrador, sin saber qué hacer, estremecido por la certidumbre de que aquel largo abrazo de lágrimas calladas era algo irreparable que estaba ocurriendo para siempre en mi propia vida.

La botica había sido la mejor en los tiempos de la compañía bananera, pero del antiguo botamen ya no quedaban en los armarios escuetos sino unos cuantos pomos de loza marcados con letras doradas. La máquina de coser, el granatario, el caduceo, el reloj de péndulo todavía vivo, el linóleo del juramento hipocrático, los mecedores desvencijados, todas las cosas que había visto de niño seguían siendo las mismas y estaban en su mismo lugar, pero transfiguradas por la herrumbre del tiempo.

La misma Adriana era una víctima. Aunque llevaba como antes un vestido de grandes flores tropicales, apenas si se le notaba algo de los ímpetus y la picardía que la habían hecho célebre hasta bien avanzada la madurez. Lo único intacto en torno suyo era el olor de la valeriana, que enloquecía a los gatos, y que seguí evocando por el resto de mi vida con un sentimiento de naufragio.

Cuando Adriana y mi madre se quedaron sin lágrimas, se oyó una tos espesa y breve detrás del tabique de madera que nos separaba de la trastienda. Adriana recobró algo de su gracia de otra época y habló para ser oída a través del tabique.

–Doctor –dijo–: Adivina quién está aquí.

Una voz granulosa de hombre duro preguntó sin interés desde el otro lado:

–¿Quién?

Adriana no contestó, sino que nos hizo señas de pasar a la trastienda. Un terror de la infancia me paralizó en seco y la boca se me anegó de una saliva lívida, pero entré con mi madre en el espacio abigarrado que antes fue laboratorio de botica y había sido acondicionado como dormitorio de emergencia. Ahí estaba el doctor Alfredo Barboza, más viejo que todos los hombres y todos los animales viejos de la tierra y del agua, tendido bocarriba en su eterna hamaca de lampazo, sin zapatos, y con su piyama legendaria de algodón crudo que más bien parecía una túnica de penitente. Tenía la vista fija en el techo, pero cuando nos sintió entrar giró la cabeza y nos fijó con sus diáfanos ojos amarillos, hasta que acabó de reconocer a mi madre.

–¡Luisa Santiaga! –exclamó.

Se sentó en la hamaca con una fatiga de mueble antiguo, se humanizó por completo y nos saludó con un apretón rápido de su mano ardiente. Él notó mi impresión, y me dijo: «Desde hace un año tengo una fiebre esencial». Entonces abandonó la hamaca, se sentó en la cama y nos dijo con un solo aliento:

–Ustedes no pueden imaginarse por las que ha pasado este pueblo.

Aquella sola frase, que resumió toda una vida, bastó para que lo viera como quizás fue siempre: un hombre solitario y triste. Era alto, escuálido, con una hermosa cabellera metálica cortada de cualquier modo y unos ojos amarillos e intensos que habían sido el más temible de los terrores de mi infancia. Por la tarde, cuando volvíamos de la escuela, nos subíamos en la ventana de su dormitorio atraídos por la fascinación del miedo. Allí estaba, meciéndose en la hamaca con fuertes bandazos para aliviarse del calor. El juego consistía en mirarlo fijo hasta que él se daba cuenta y se volvía a mirarnos de pronto con sus ojos ardientes.

Lo había visto por primera vez a mis cinco o seis años, una mañana en que me colé en el traspatio de su casa con otros compañeros de escuela para robar los mangos enormes de sus árboles. De pronto se abrió la puerta del excusado de tablas construido en un rincón del patio, y salió él amarrándose los calzones de lienzo. Lo vi como una aparición del otro mundo con un camisón blanco de hospital, pálido y óseo, y aquellos ojos amarillos como de perro del infierno que me miraron para siempre. Los otros escaparon por los portillos, pero yo quedé petrificado por su mirada inmóvil. Se fijó en los mangos que yo acababa de arrancar del árbol y me tendió la mano.

–¡Dámelos! –me ordenó, y agregó mirándome de cuerpo entero con un gran menosprecio–: Raterito de patio.

Tiré los mangos a sus pies y escapé despavorido.

Fue mi fantasma personal. Si andaba solo daba un largo rodeo para no pasar por su casa. Si iba con adultos me atrevía apenas a una mirada furtiva hacia la botica. Veía a Adriana condenada a cadena perpetua en la máquina de coser detrás del mostrador, y lo veía a él por la ventana del dormitorio meciéndose a grandes bandazos en la hamaca, y esa sola mirada me erizaba la piel.

Había llegado al pueblo a principios del siglo, entre los incontables venezolanos que lograban escapar por la frontera de La Guajira al despotismo feroz de Juan Vicente Gómez. El doctor había sido uno de los primeros arrastrados por dos fuerzas contrarias: la ferocidad del déspota de su país y la ilusión de la bonanza bananera en el nuestro. Desde su llegada se acreditó por su ojo clínico –como se decía entonces– y por las buenas maneras de su alma. Fue uno de los amigos más asiduos de la casa de mis abuelos, donde siempre estaba la mesa puesta sin saber quién llegaba en el tren. Mi madre fue madrina de su hijo mayor, y mi abuelo lo enseñó a volar con sus primeras alas. Crecí entre ellos, como seguí creciendo después entre los exiliados de la guerra civil española.

Los últimos vestigios del miedo que me causaba de niño aquel paria olvidado se me disiparon de pronto, mientras mi madre y yo, sentados junto a su cama, escuchábamos los pormenores de la tragedia que había abatido a la población. Tenía un poder de evocación tan intenso que cada cosa que contaba parecía hacerse visible en el cuarto enrarecido por el calor. El origen de todas las desgracias, por supuesto, había sido la matanza de los obreros por la fuerza pública, pero aún persistían las dudas sobre la verdad histórica: ¿tres muertos o tres mil? Quizás no habían sido tantos, dijo él, pero cada quien aumentaba la cifra de acuerdo con su propio dolor. Ahora la compañía se había ido por siempre jamás.

–Los gringos no vuelven nunca –concluyó.

Lo único cierto era que se llevaron todo: el dinero, las brisas de diciembre, el cuchillo del pan, el trueno de las tres de la tarde, el aroma de los jazmines, el amor. Sólo quedaron los almendros polvorientos, las calles reverberantes, las casas de madera y techos de cinc oxidado con sus gentes taciturnas, devastadas por los recuerdos.

La primera vez que el doctor se fijó en mí aquella tarde fue al verme sorprendido por la crepitación como una lluvia de gotas dispersas en el techo de cinc. «Son los gallinazos –me dijo–. Se la pasan caminando por los techos todo el día.» Luego señaló con un índice lánguido hacia la puerta cerrada, y concluyó:

–De noche es peor, porque se siente a los muertos que andan sueltos por esas calles.

Nos invitó a almorzar y no había inconveniente, pues el negocio de la casa sólo necesitaba formalizarse. Los mismos inquilinos eran los compradores, y los pormenores habían sido acordados por telégrafo. ¿Tendríamos tiempo?

–De sobra –dijo Adriana–. Ahora no se sabe ni cuándo regresa el tren.

Así que compartimos con ellos una comida criolla, cuya sencillez no tenía nada que ver con la pobreza sino con una dieta de sobriedad que él ejercía y predicaba no sólo para la mesa sino para todos los actos de la vida. Desde que probé la sopa tuve la sensación de que todo un mundo adormecido despertaba en mi memoria. Sabores que habían sido míos en la niñez y que había perdido desde que me fui del pueblo reaparecían intactos con cada cucharada y me apretaban el corazón.

Desde el principio de la conversación me sentí ante el doctor con la misma edad que tenía cuando le hacía burlas por la ventana, de modo que me intimidó cuando se dirigió a mí con la seriedad y el afecto con que le hablaba a mi madre. Cuando era niño, en situaciones difíciles, trataba de disimular mi ofuscación con un parpadeo rápido y continuo. Aquel reflejo incontrolable me volvió de pronto cuando el doctor me miró. El calor se había vuelto insoportable. Permanecí al margen de la conversación por un rato, preguntándome cómo era posible que aquel anciano afable y nostálgico hubiera sido el terror de mi infancia. De pronto, al cabo de una larga pausa y por cualquier referencia banal, me miró con una sonrisa de abuelo.

–Así que tú eres el gran Gabito –me dijo–. ¿Qué estudias?

Disimulé la ofuscación con un recuento espectral de mis estudios: bachillerato completo y bien calificado en un internado oficial, dos años y unos meses de derecho caótico, periodismo empírico. Mi madre me escuchó y enseguida buscó el apoyo del doctor.

–Imagínese, compadre –dijo–, quiere ser escritor.

Al doctor le resplandecieron los ojos en el rostro.

–¡Qué maravilla, comadre! –dijo–. Es un regalo del cielo. –Y se volvió hacia mí–: ¿Poesía?

–Novela y cuento –le dije, con el alma en un hilo.

Él se entusiasmó:

–¿Leíste *Doña Bárbara*?

–Por supuesto –le contesté–, y casi todo lo demás de Rómulo Gallegos.

Como resucitado por un entusiasmo súbito nos contó que lo había conocido en una conferencia que dictó en Maracaibo, y le pareció un digno autor de sus libros. La verdad es que en aquel momento, con mi fiebre de cuarenta grados por las sagas del Misisipí, empezaba a verle las costuras a la novela vernácula. Pero la comunicación tan fácil y cordial con el hombre que había sido el pavor de mi infancia me parecía un milagro, y preferí coincidir con su entusiasmo. Le hablé de «La Jirafa» –mi nota diaria en *El Heraldo*– y le avancé la primicia de que muy pronto pensábamos publicar una revista en la que fundábamos grandes esperanzas. Ya más seguro, le conté el proyecto y hasta le anticipé el nombre: *Crónica*.

Él me escrutó de arriba abajo.

–No sé cómo escribes –me dijo–, pero ya hablas como escritor.

Mi madre se apresuró a explicar la verdad: nadie se oponía a que fuera escritor, siempre que hiciera una carrera académica que me diera un piso firme. El doctor minimizó todo, y habló de la carrera de escritor. También él hubiera querido serlo, pero sus padres, con los mismos argumentos de ella, lo obligaron a estudiar medicina cuando no lograron que fuera militar.

–Pues mire usted, comadre –concluyó–. Médico soy, y aquí me tiene usted, sin saber cuántos de mis enfermos se han muerto por la voluntad de Dios y cuántos por mis medicinas.

Mi madre se sintió perdida.

–Lo peor –dijo– es que dejó de estudiar derecho después de tantos sacrificios que hicimos por sostenerlo.

Al doctor, por el contrario, le pareció la prueba espléndida de una vocación arrasadora: la única fuerza capaz de disputarle sus fueros al amor. Y en especial la vocación artística, la más misteriosa de todas, a la cual se consagra la vida íntegra sin esperar nada de ella.

–Es algo que se trae dentro desde que se nace y contrariarla es lo peor para la salud –dijo él. Y remató con una encantadora sonrisa de masón irredimible–: Así sea la vocación de cura.

Me quedé alucinado por la forma en que explicó lo que yo no había logrado nunca. Mi madre debió compartirlo, porque me contempló con un silencio lento, y se rindió a su suerte.

–¿Cuál será el mejor modo de decirle todo esto a tu papá? –me preguntó.

–Tal como acabamos de oírlo –le dije.

–No, así no dará resultado –dijo ella. Y al cabo de otra reflexión, concluyó–: Pero no te preocupes, ya encontraré una buena manera de decírselo.

No sé si lo hizo así, o de qué otro modo, pero allí terminó el debate. El reloj cantó la hora con dos campanadas como dos gotas de vidrio. Mi madre se sobresaltó. «Dios mío –dijo–. Se me había olvidado a qué hemos venido.» Y se puso de pie:

–Tenemos que irnos.

La primera visión de la casa, en la acera de enfrente, tenía muy poco que ver con mi recuerdo, y nada con mis nostalgias. Habían sido cortados de raíz los dos almendros tutelares que durante años fueron una seña de identidad inequívoca y la casa quedó a la intemperie. Lo que quedaba bajo el sol de fuego no tenía más de treinta metros de fachada: la mitad de material y techo de tejas que hacían pensar en una casa de muñecas, y la otra mitad de tablas sin cepillar. Mi madre tocó muy despacio en la puerta cerrada, luego más fuerte, y preguntó por la ventana:

–¿No hay gente?

La puerta se entreabrió muy despacio y una mujer preguntó desde su penumbra:

–¿Qué se le ofrece?

Mi madre respondió con una autoridad tal vez inconsciente:

–Soy Luisa Márquez.

Entonces la puerta de la calle acabó de abrirse, y una mujer vestida de luto, huesuda y pálida, nos miró desde otra vida. En el fondo de la sala, un hombre mayor se mecía en un sillón de inválido. Eran los inquilinos, que al cabo de muchos años habían propuesto comprar la casa, pero ni ellos tenían aspecto de compradores ni la casa estaba en estado de interesarle a nadie. De acuerdo con el telegrama que mi madre había recibido, los inquilinos aceptaban abonar en efectivo la mitad del precio mediante un recibo firmado por ella, y pagarían el resto cuando se firmaran las escrituras en el curso del año, pero nadie recordaba que hubiera una visita prevista. Al cabo de una larga conversación de sordos, lo único que se sacó en claro fue que no había ningún acuerdo. Agobiada por la insensatez y el calor infame, bañada en sudor, mi madre dio una mirada en su entorno, y se le escapó con un suspiro:

–Esta pobre casa está en las últimas –dijo.

–Es peor –dijo el hombre–: Si no se nos ha caído encima es por lo que hemos gastado en mantenerla.

Tenían una lista de reparaciones pendientes, además de otras que se habían deducido del alquiler, hasta el punto de que éramos nosotros quienes les debíamos dinero. Mi madre, que siempre fue de lágrima fácil, era también capaz de una entereza temible para enfrentar las trampas de la vida. Discutió bien, pero yo no intervine porque desde el primer tropiezo comprendí que la razón la tenían los compradores. Nada quedaba claro en el telegrama sobre la fecha y el modo de la venta, y en cambio se entendía que debería ser acordada. Era una situación típica de la vocación conjetural de la familia. Podía imaginarme cómo había sido la decisión, en la mesa del almuerzo, y en el mismo instante en que llegó el telegrama. Sin contarme a mí, eran diez hermanos con los mismos derechos. Al final mi madre reunió unos pesos de aquí y otros de acá, hizo su maleta de escolar y se fue sin más recursos que el pasaje de regreso.

Mi madre y la inquilina repasaron todo otra vez desde el principio, y en menos de media hora habíamos llegado a la conclusión de que no habría negocio. Entre otras razones insalvables, porque no recordábamos una hipoteca que pesaba sobre la casa y que no fue resuelta hasta muchos años después, cuando por fin se hizo la venta en firme. Así que cuando la inquilina trató de repetir una vez más el mismo argumento vicioso, mi madre lo cortó por lo sano con su talante inapelable.

–La casa no se vende –dijo–. Hagamos cuenta de que aquí nacimos y aquí morimos todos.

El resto de la tarde, mientras llegaba el tren de regreso, la pasamos recogiendo nostalgias en la casa fantasmal. Toda era nuestra, pero sólo estaba en servicio la parte alquilada que daba a la calle, donde estuvieron las oficinas del abuelo. El resto era un cascarón de tabiques carcomidos y techos de cinc oxidado a merced de los lagartos. Mi madre, petrificada en el umbral, exhaló una exclamación terminante:

—¡Ésta no es la casa!

Pero no dijo cuál, pues durante toda mi infancia la describían de tantos modos que eran por lo menos tres casas que cambiaban de forma y sentido, según quien las contara. La original, según le oí a mi abuela con su modo despectivo, era un rancho de indios. La segunda, construida por los abuelos, era de bahareque y techos de palma amarga, con una salita amplia y bien iluminada, un comedor en forma de terraza con flores de colores alegres, dos dormitorios, un patio con un castaño gigantesco, un huerto bien plantado y un corral donde vivían los chivos en comunidad pacífica con los cerdos y las gallinas. Según la versión más frecuente, ésta fue reducida a cenizas por un cohete que cayó en la techumbre de palma durante las celebraciones de un 20 de julio, día de la Independencia de quién sabe cuál año de tantas guerras. Lo único que quedó de ella fueron los pisos de cemento y el bloque de dos piezas con una puerta hacia la calle, donde estuvieron las oficinas en las varias veces en que Papalelo fue funcionario público.

Sobre los escombros todavía calientes construyó la familia su refugio definitivo. Una casa lineal de ocho habitaciones sucesivas, a lo largo de un corredor con un pasamanos de begonias donde se sentaban las mujeres de la familia a bordar en bastidor y a conversar en la fresca de la tarde. Los cuartos eran simples y no se distinguían entre sí, pero me bastó con una mirada para darme cuenta de que en cada uno de sus incontables detalles había un instante crucial de mi vida.

La primera habitación servía como sala de visitas y oficina personal del abuelo. Tenía un escritorio de cortina, una poltrona giratoria de resortes, un ventilador eléctrico y un librero vacío con un solo libro enorme y descosido: el diccionario de la lengua. Enseguida estaba el taller de platería donde el abuelo pasaba sus horas mejores fabricando los pescaditos de oro de cuerpo articulado y minúsculos ojos de esmeraldas, que más le daban de gozar que de comer. Allí se recibieron algunos personajes de nota, sobre todo políticos, desempleados públicos, veteranos de guerras. Entre ellos, en ocasiones distintas, dos visitantes históricos: los generales Rafael Uribe Uribe y Benjamín Herrera, quienes almorzaron en familia. Sin embargo, lo que mi abuela recordó de Uribe Uribe por el resto de su vida fue su sobriedad en la mesa: «Comía como un pajarito».

El espacio común de la oficina y la platería estaba vedado a las mujeres, por obra de nuestra cultura caribe, como lo estaban las cantinas del pueblo por orden de la ley. Sin embargo, con el tiempo terminó por ser un cuarto de hospital, donde murió la tía Petra y sobrellevó los últimos meses de una larga enfermedad Wenefrida Márquez, hermana de Papalelo. De allí en adelante empezaba el paraíso hermético de las muchas mujeres residentes y ocasionales que pasaron por la casa durante mi infancia. Yo fui el único varón que disfrutó de los privilegios de ambos mundos.

El comedor era apenas un tramo ensanchado del corredor con la baranda donde las mujeres de la casa se sentaban a coser, y una mesa para dieciséis comensales previstos o inesperados que llegaban a diario en el tren del mediodía. Mi madre contempló desde allí los tiestos rotos de las begonias, los rastrojos podridos y el tronco del jazminero carcomido por las hormigas, y recuperó el aliento.

–A veces no podíamos respirar por el olor caliente de los jazmines –dijo, mirando el cielo deslumbrante, y suspiró con toda el alma–. Sin embargo, lo que más me ha hecho falta desde entonces es el trueno de las tres de la tarde.

Me impresionó, porque yo también recordaba el estampido único que nos despertaba de la siesta como un reguero de piedras, pero nunca había sido consciente de que sólo fuera a las tres.

Después del corredor había una sala de recibo reservada para ocasiones especiales, pues las visitas cotidianas se atendían con cerveza helada en la oficina, si eran hombres, o en el corredor de las begonias, si eran mujeres. Allí empezaba el mundo mítico de los dormitorios. Primero el de los abuelos, con una puerta grande hacia el jardín, y un grabado de flores de madera con la fecha de la construcción: 1925. Allí, sin ningún anuncio, mi madre me dio la sorpresa menos pensada con un énfasis triunfal:

–¡Y aquí naciste tú!

No lo sabía hasta entonces, o lo había olvidado, pero en el cuarto siguiente encontramos la cuna donde dormí hasta los cuatro años, y que mi abuela conservó para siempre. La había olvidado, pero tan pronto como la vi me acordé de mí mismo llorando a gritos con el mameluco de florecitas azules que acababa de estrenar, para que alguien acudiera a quitarme los pañales embarrados de caca. Apenas si podía mantenerme en pie agarrado a los barrotes de la cuna, tan pequeña y frágil como la canastilla de Moisés. Esto ha sido motivo frecuente de discusión y burlas de parientes y amigos, a quienes mi angustia de aquel día les parece demasiado racional para una edad tan temprana. Y más aún cuando he insistido en que el motivo de mi ansiedad no era el asco de mis propias miserias, sino el temor de que se me ensuciara el mameluco nuevo. Es decir, que no se trataba de un prejuicio de higiene sino de una contrariedad estética, y por la forma como perdura en mi memoria creo que fue mi primera vivencia de escritor.

En aquel dormitorio había también un altar con santos de tamaño humano, más realistas y tenebrosos que los de la Iglesia. Allí durmió siempre la tía Francisca Simodosea Mejía, una prima hermana de mi abuelo a quien llamábamos la tía Mama, que vivía en la casa como dueña y señora desde que murieron sus padres. Yo dormí en la hamaca de al lado, aterrado con el parpadeo de los santos por la lámpara del Santísimo que no fue apagada hasta la muerte de todos, y también allí durmió mi madre de soltera, atormentada por el pavor de los santos.

Al fondo del corredor había dos cuartos que me estaban prohibidos. En el primero vivía mi prima Sara Emilia Márquez, una hija de mi tío Juan de Dios antes de su matrimonio, que fue criada por los abuelos. Además de una prestancia natural desde muy niña, tenía una personalidad fuerte que me abrió mis primeros apetitos literarios con una preciosa colección de cuentos de Calleja, ilustrados a todo color, a la que nunca me dio acceso por temor de que se la desordenara. Fue mi primera y amarga frustración de escritor.

El último cuarto era un depósito de trastos y baúles jubilados, que mantuvieron en vilo mi curiosidad durante años, pero que nunca me dejaron explorar. Más tarde supe que allí estaban también las setenta bacinillas que compraron mis abuelos cuando mi madre invitó a sus compañeras de curso a pasar vacaciones en la casa.

Frente a esos dos aposentos, en el mismo corredor, estaba la cocina grande, con anafes primitivos de piedras calcinadas, y el gran horno de obra de la abuela, panadera y repostera de oficio, cuyos animalitos de caramelo saturaban el amanecer con su aroma suculento. Era el reino de las mujeres que vivían o servían en la casa, y cantaban a coro con la abuela mientras la ayudaban en sus trabajos múltiples. Otra voz era la de Lorenzo el Magnífico, el loro de cien años heredado de los bisabuelos, que gritaba consignas contra España y cantaba canciones de la guerra de Independencia. Tan cegato estaba que se había caído dentro de la olla del sancocho y se salvó de milagro porque apenas empezaba a calentarse el agua. Un 20 de julio, a las tres de la tarde, alborotó la casa con chillidos de pánico:

–¡El toro, el toro! ¡Ya viene el toro!

En la casa no estaban sino las mujeres, pues los hombres se habían ido a la corraleja de la fiesta patria, y pensaron que los gritos del loro no eran más que un delirio de su demencia senil. Las mujeres de la casa, que sabían hablar con él, sólo entendieron lo que gritaba cuando un toro cimarrón escapado de los toriles de la plaza irrumpió en la cocina con bramidos de buque y embistiendo a ciegas los muebles de la panadería y las ollas de los fogones. Yo iba en sentido contrario del ventarrón de mujeres despavoridas que me levantaron en vilo y me encerraron con ellas en el cuarto de la despensa. Los bramidos del toro perdido en la cocina y los trancos de sus pezuñas en el cemento del corredor estremecían la casa. De pronto se asomó por una claraboya de ventilación y el resoplido de fuego de su aliento y sus grandes ojos inyectados me helaron la sangre. Cuando los picadores lograron llevárselo al toril, ya había empezado en la casa la parranda del drama, que se prolongó por más de una semana con ollas interminables de café y pudines de boda para acompañar el relato mil veces repetido y cada vez más heroico de las sobrevivientes alborotadas.

El patio no parecía muy grande, pero tenía una gran variedad de árboles, un baño general sin techo con una alberca de cemento para el agua de lluvia y una plataforma elevada a la cual se subía por una frágil escalera de unos tres metros de altura. Allí estaban los dos grandes toneles que el abuelo llenaba al amanecer con una bomba manual. Más allá estaba la caballeriza de tablones sin cepillar y los cuartos del servicio, y por último el traspatio enorme de árboles frutales con la letrina única donde las indias del servicio vaciaban de día y de noche las bacinillas de la casa. El árbol más frondoso y hospitalario era un castaño al margen del mundo y el tiempo, bajo cuyas frondas arcaicas debieron de morir orinando más de dos coroneles jubilados de las tantas guerras civiles del siglo anterior.

La familia había llegado a Aracataca diecisiete años antes de mi nacimiento, cuando empezaban las trapisondas de la United Fruit Company para hacerse con el monopolio del banano. Llevaban a su hijo Juan de Dios, de veintiún años, y a sus dos hijas, Margarita María Miniata de Alacoque, de diecinueve, y Luisa Santiaga, mi madre, de cinco. Antes de ella habían perdido dos gemelas por un aborto accidental a los cuatro meses de gestación. Cuando tuvo a mi madre, la abuela anunció que sería su último parto, pues había cumplido cuarenta y dos años. Casi medio siglo después, a la misma edad y en circunstancias idénticas, mi madre dijo lo mismo cuando nació Eligio Gabriel, su hijo número once.

La mudanza para Aracataca estaba prevista por los abuelos como un viaje al olvido. Llevaban a su servicio dos indios guajiros –Alirio y Apolinar– y una india –Meme–, comprados en su tierra por cien pesos cada uno cuando ya la esclavitud había sido abolida. El coronel llevaba todo lo necesario para rehacer el pasado lo más lejos posible de sus malos recuerdos, perseguido por el remordimiento siniestro de haber matado a un hombre en un lance de honor. Conocía la región desde mucho antes, cuando pasó rumbo a Ciénaga en campaña de guerra y asistió en su condición de intendente general a la firma del tratado de Neerlandia.

La nueva casa no les devolvió el sosiego, porque el remordimiento era tan pernicioso que había de contaminar todavía a algún tataranieto extraviado. Las evocaciones más frecuentes e intensas, con las cuales habíamos conformado una versión ordenada, las hacía la abuela Mina, ya ciega y medio lunática. Sin embargo, en medio del rumor implacable de la tragedia inminente, ella fue la única que no tuvo noticias del duelo hasta después de consumado.

El drama fue en Barrancas, un pueblo pacífico y próspero en las estribaciones de la Sierra Nevada donde el coronel aprendió de su padre y su abuelo el oficio del oro, y adonde había regresado para quedarse cuando se firmaron los tratados de paz. El adversario era un gigante dieciséis años menor que él, liberal de hueso colorado, como él, católico militante, agricultor pobre, casado reciente y con dos hijos, y con un nombre de hombre bueno: Medardo Pacheco. Lo más triste para el coronel debió ser que no fuera ninguno de los numerosos enemigos sin rostro que se le atravesaron en los campos de batalla, sino un antiguo amigo, copartidario y soldado suyo en la guerra de los Mil Días, al que tuvo que enfrentar a muerte cuando ya ambos creían ganada la paz.

Fue el primer caso de la vida real que me revolvió los instintos de escritor y aún no he podido conjurarlo. Desde que tuve uso de razón me di cuenta de la magnitud y el peso que aquel drama tenía en nuestra casa, pero sus pormenores se mantenían entre brumas. Mi madre, con apenas tres años, lo recordó siempre como un sueño improbable. Los adultos lo embrollaban delante de mí para confundirme, y nunca pude armar el acertijo completo porque cada quien, de ambos lados, colocaba las piezas a su modo. La versión más confiable era que la madre de Medardo Pacheco lo había instigado a que vengara su honra, ofendida por un comentario infame que le atribuían a mi abuelo. Éste lo desmintió como un infundio y les dio satisfacciones públicas a los ofendidos, pero Medardo Pacheco persistió en el encono y terminó por pasar de ofendido a ofensor con un grave insulto al abuelo sobre su conducta de liberal. Nunca supe a ciencia cierta cuál fue. Herido en su honor, el abuelo lo desafió a muerte sin fecha fija.

Una muestra ejemplar de la índole del coronel fue el tiempo que dejó pasar entre el desafío y el duelo. Arregló sus asuntos con un sigilo absoluto para garantizar la seguridad de su familia en la única alternativa que le deparaba el destino: la muerte o la cárcel. Empezó por vender sin la menor prisa lo poco que le quedó para subsistir después de la última guerra: el taller de platería y una pequeña finca que heredó de su padre, en la cual criaba chivos de sacrificio y cultivaba una parcela de caña de azúcar. Al cabo de seis meses guardó en el fondo de un armario la plata reunida, y esperó en silencio el día que él mismo se había señalado: 12 de octubre de 1908, aniversario del descubrimiento de América.

Medardo Pacheco vivía en las afueras del pueblo, pero el abuelo sabía que no podía faltar aquella tarde a la procesión de la Virgen del Pilar. Antes de salir a buscarlo, escribió a su mujer una carta breve y tierna, en la cual le decía dónde tenía escondido su dinero, y le dio algunas instrucciones finales sobre el porvenir de los hijos. La dejó debajo de la almohada común, donde sin duda la encontraría su mujer cuando se acostara a dormir, y sin ninguna clase de adioses salió al encuentro de su mala hora.

Aun las versiones menos válidas coinciden en que era un lunes típico del octubre caribe, con una lluvia triste de nubes bajas y un viento funerario. Medardo Pacheco, vestido de domingo, acababa de entrar en un callejón ciego cuando el coronel Márquez le salió al paso. Ambos estaban armados. Años después, en sus divagaciones lunáticas, mi abuela solía decir: «Dios le dio a Nicolasito la ocasión de perdonarle la vida a ese pobre hombre, pero no supo aprovecharla». Quizás lo pensaba porque el coronel le dijo que había visto un relámpago de pesadumbre en los ojos del adversario tomado de sorpresa. También le dijo que cuando el enorme cuerpo de ceiba se derrumbó sobre los matorrales, emitió un gemido sin palabras, «como el de un gatito mojado». La tradición oral atribuyó a Papalelo una frase retórica en el momento de entregarse al alcalde: «La bala del honor venció a la bala del poder». Es una sentencia fiel al estilo liberal de la época pero no he podido conciliarla con el talante del abuelo. La verdad es que no hubo testigos. Una versión autorizada habrían sido los testimonios judiciales del abuelo y sus contemporáneos de ambos bandos, pero del expediente, si lo hubo, no quedaron ni sus luces. De las numerosas versiones que escuché hasta hoy no encontré dos que coincidieran.

El hecho dividió a las familias del pueblo, incluso a la del muerto. Una parte de ésta se propuso vengarlo, mientras que otros acogieron en sus casas a Tranquilina Iguarán con sus hijos, hasta que amainaron los riesgos de una venganza. Estos detalles me impresionaban tanto en la niñez que no sólo asumí el peso de la culpa ancestral como si fuera propia, sino que todavía ahora, mientras lo escribo, siento más compasión por la familia del muerto que por la mía.

A Papalelo lo trasladaron a Riohacha para mayor seguridad, y más tarde a Santa Marta, donde lo condenaron a un año: la mitad en reclusión y la otra en régimen abierto. Tan pronto como fue libre viajó con la familia por breve tiempo a la población de Ciénaga, luego a Panamá, donde tuvo otra hija con un amor casual, y por fin al insalubre y arisco corregimiento de Aracataca, con el empleo de colector de hacienda departamental. Nunca más estuvo armado en la calle, aun en los peores tiempos de la violencia bananera, y sólo tuvo el revólver bajo la almohada para defender la casa.

Aracataca estaba muy lejos de ser el remanso con que soñaban después de la pesadilla de Medardo Pacheco. Había nacido como un caserío chimila y entró en la historia con el pie izquierdo como un remoto corregimiento sin Dios ni ley del municipio de Ciénaga, más envilecido que acaudalado por la fiebre del banano. Su nombre no es de pueblo sino de río, que se dice *ara* en lengua chimila, y *Cataca*, que es la palabra con que la comunidad conocía al que mandaba. Por eso entre nativos no la llamamos Aracataca sino como debe ser: Cataca.

Cuando el abuelo trató de entusiasmar a la familia con la fantasía de que allí el dinero corría por las calles, Mina había dicho: «La plata es el cagajón del diablo». Para mi madre fue el reino de todos los terrores. El más antiguo que recordaba era la plaga de langosta que devastó los sembrados cuando aún era muy niña. «Se oían pasar como un viento de piedras», me dijo cuando fuimos a vender la casa. La población aterrorizada tuvo que atrincherarse en sus cuartos, y el flagelo sólo pudo ser derrotado por artes de hechicería.

En cualquier tiempo nos sorprendían unos huracanes secos que desentechaban ranchos y arremetían contra el banano nuevo y dejaban el pueblo cubierto de un polvo astral. En verano se ensañaban con el ganado unas sequías terribles, o caían en invierno unos aguaceros universales que dejaban las calles convertidas en ríos revueltos. Los ingenieros gringos navegaban en botes de caucho, por entre colchones ahogados y vacas muertas. La United Fruit Company, cuyos sistemas artificiales de regadío eran responsables del desmadre de las aguas, desvió el cauce del río cuando el más grave de aquellos diluvios desenterró los cuerpos del cementerio.

La más siniestra de las plagas, sin embargo, era la humana. Un tren que parecía de juguete arrojó en sus arenas abrasantes una hojarasca de aventureros de todo el mundo que se tomaron a mano armada el poder de la calle. Su prosperidad atolondrada llevaba consigo un crecimiento demográfico y un desorden social desmadrados. Estaba a sólo cinco leguas de la colonia penal de Buenos Aires, sobre el río Fundación, cuyos reclusos solían escaparse los fines de semana para jugar al terror en Aracataca. A nada nos parecíamos tanto como a los pueblos emergentes de las películas del Oeste, desde que los ranchos de palma y cañabrava de los chimilas empezaron a ser reemplazados por las casas de madera de la United Fruit Company, con techos de cinc de dos aguas, ventanas de anjeo y cobertizos adornados con enredaderas de flores polvorientas. En medio de aquel ventisquero de caras desconocidas, de toldos en la vía pública, de hombres cambiándose de ropa en la calle, de mujeres sentadas en los baúles con los paraguas abiertos, y de mulas y mulas y mulas muriéndose de hambre en las cuadras del hotel, los que habían llegado primero eran los últimos. Éramos los forasteros de siempre, los advenedizos.

Las matanzas no eran sólo por las reyertas de los sábados. Una tarde cualquiera oímos gritos en la calle y vimos pasar un hombre sin cabeza montado en un burro. Había sido decapitado a machete en los arreglos de cuentas de las fincas bananeras y la cabeza había sido arrastrada por las corrientes heladas de la acequia. Esa noche le escuché a mi abuela la explicación de siempre: «Una cosa tan horrible sólo pudo hacerla un cachaco».

Los cachacos eran los nativos del altiplano, y no sólo los distinguíamos del resto de la humanidad por sus maneras lánguidas y su dicción viciosa, sino por sus ínfulas de emisarios de la Divina Providencia. Esa imagen llegó a ser tan aborrecible que después de las represiones feroces de las huelgas bananeras por militares del interior, a los hombres de tropa no los llamábamos soldados sino cachacos. Los veíamos como los usufructuarios únicos del poder político, y muchos de ellos se comportaban como si lo fueran. Sólo así se explica el horror de «La noche negra de Aracataca», una degollina legendaria con un rastro tan incierto en la memoria popular que no hay evidencia cierta de si en realidad sucedió.

Empezó un sábado peor que los otros cuando un nativo de bien cuya identidad no pasó a la historia entró en una cantina a pedir un vaso de agua para un niño que llevaba de la mano. Un forastero que bebía solo en el mostrador quiso obligar al niño a beberse un trago de ron en vez del agua. El padre trató de impedirlo, pero el forastero persistió en lo suyo, hasta que el niño, asustado y sin proponérselo, le derramó el trago de un manotazo. El forastero, sin más vueltas, lo mató de un tiro.

Fue otro de los fantasmas de mi infancia. Papalelo me lo recordaba a menudo cuando entrábamos juntos a tomar un refresco en las cantinas, pero de un modo tan irreal que ni él mismo parecía creerlo. Debió ocurrir poco después de que llegó a Aracataca, pues mi madre sólo lo recordaba por el espanto que suscitaba en sus mayores. Del agresor sólo se supo que hablaba con el acento relamido de los andinos, así que las represalias del pueblo no fueron sólo contra él, sino contra cualquiera de los forasteros numerosos y aborrecidos que hablaban con su mismo acento. Cuadrillas de nativos armados con machetes de zafra se echaron a las calles en tinieblas, agarraban el bulto invisible que sorprendían en la oscuridad y le ordenaban:

–¡Hable!

Sólo por la dicción lo destazaban a machete, sin tomar en cuenta la imposibilidad de ser justos entre modos de hablar tan diversos. Don Rafael Quintero Ortega, esposo de mi tía Wenefrida Márquez, el más crudo y querido de los cachacos, estuvo a punto de celebrar sus cien años de vida porque mi abuelo lo encerró en una despensa hasta que se apaciguaron los ánimos.

La desdicha familiar culminó a los dos años de vivir en Aracataca, con la muerte de Margarita María Miniata, que era la luz de la casa. Su daguerrotipo estuvo expuesto durante años en la sala, y su nombre ha venido repitiéndose de una generación a otra como una más de las muchas señas de identidad familiar. Las generaciones recientes no parecen conmovidas por aquella infanta de faldas rizadas, botitas blancas y una trenza larga hasta la cintura, que nunca harán coincidir con la imagen retórica de una bisabuela, pero tengo la impresión de que bajo el peso de los remordimientos y las ilusiones frustradas de un mundo mejor, aquel estado de alarma perpetua era para mis abuelos lo más parecido a la paz. Hasta la muerte continuaron sintiéndose forasteros en cualquier parte.

Lo eran, en rigor, pero en las muchedumbres del tren que nos llegaron del mundo era difícil hacer distinciones inmediatas. Con el mismo impulso de mis abuelos y su prole habían llegado los Fergusson, los Durán, los Beracaza, los Daconte, los Correa, en busca de una vida mejor. Con las avalanchas revueltas siguieron llegando los italianos, los canarios, los sirios –que llamábamos turcos– infiltrados por las fronteras de la Provincia en busca de la libertad y otros modos de vivir perdidos en sus tierras. Había de todos los pelajes y condiciones. Algunos eran prófugos de la isla del Diablo –la colonia penal de Francia en las Guayanas–, más perseguidos por sus ideas que por crímenes comunes. Uno de ellos, René Belvenoit, fue un periodista francés condenado por motivos políticos, que pasó fugitivo por la zona bananera y reveló en un libro magistral los horrores de su cautiverio. Gracias a todos –buenos y malos–, Aracataca fue desde sus orígenes un país sin fronteras.

Pero la colonia inolvidable para nosotros fue la venezolana, en una de cuyas casas se bañaban a baldazos en las albercas glaciales del amanecer dos estudiantes adolescentes en vacaciones: Rómulo Betancourt y Raúl Leoni, que medio siglo después serían presidentes sucesivos de su país. Entre los venezolanos, la más cercana a nosotros fue misia Juana de Freytes, una matrona rozagante que tenía el don bíblico de la narración. El primer cuento formal que conocí fue «Genoveva de Brabante», y se lo escuché a ella junto con las obras maestras de la literatura universal, reducidas por ella a cuentos infantiles: la *Odisea*, *Orlando furioso*, *Don Quijote*, *El conde de Montecristo* y muchos episodios de la Biblia.

La casta del abuelo era una de las más respetables pero también la menos poderosa. Sin embargo, se distinguía por una respetabilidad reconocida aun por los jerarcas nativos de la compañía bananera. Era la de los veteranos liberales de las guerras civiles, que se quedaron allí después de los dos últimos tratados, con el buen ejemplo del general Benjamín Herrera, en cuya finca de Neerlandia se escuchaban en la tardes los valses melancólicos de su clarinete de paz.

Mi madre se hizo mujer en aquel moridero y ocupó el espacio de todos los amores desde que el tifo se llevó a Margarita María Miniata. También ella era enfermiza. Había crecido en una infancia incierta de fiebres tercianas, pero cuando se curó de la última fue del todo y para siempre, con una salud que le permitió celebrar los noventa y siete años con once hijos suyos y cuatro más de su esposo, y con sesenta y cinco nietos, ochenta y ocho bisnietos y catorce tataranietos. Sin contar los que nunca se supieron. Murió de muerte natural el 9 de junio de 2002 a las ocho y media de la noche, cuando ya estábamos preparándonos para celebrar su primer siglo de vida, y el mismo día y casi a la misma hora en que puse el punto final de estas memorias.

Había nacido en Barrancas el 25 de julio de 1905, cuando la familia empezaba a reponerse apenas del desastre de las guerras. El primer nombre se lo pusieron en memoria de Luisa Mejía Vidal, la madre del coronel, que aquel día cumplía un mes de muerta. El segundo le cayó en suerte por ser el día del apóstol Santiago, el Mayor, decapitado en Jerusalén. Ella ocultó este nombre durante media vida, porque le parecía masculino y aparatoso, hasta que un hijo infidente la delató en una novela.

Fue una alumna aplicada salvo en la clase de piano, que su madre le impuso porque no podía concebir una señorita decente que no fuera una pianista virtuosa. Luisa Santiaga lo estudió por obediencia durante tres años y lo abandonó en un día por el tedio de los ejercicios diarios en el bochorno de la siesta. Sin embargo, la única virtud que le sirvió en la flor de sus veinte años fue la fuerza de su carácter, cuando la familia descubrió que estaba arrebatada de amor por el joven y altivo telegrafista de Aracataca.

La historia de esos amores contrariados fue otro de los asombros de mi juventud. De tanto oírla contada por mis padres, juntos y separados, la tenía casi completa cuando escribí *La hojarasca,* mi primera novela, a los veintisiete años, pero también era consciente de que todavía me faltaba mucho que aprender sobre el arte de novelar. Ambos eran narradores excelentes, con la memoria feliz del amor, pero llegaron a apasionarse tanto en sus relatos que cuando al fin me decidí a usarla en *El amor en los tiempos del cólera*, con más de cincuenta años, no pude distinguir los límites entre la vida y la poesía.

De acuerdo con la versión de mi madre se habían encontrado por primera vez en el velorio de un niño que ni él ni ella lograron precisarme. Ella estaba cantando en el patio con sus amigas, de acuerdo con la costumbre popular de sortear con canciones de amor las nueve noches de los inocentes. De pronto, una voz de hombre se incorporó al coro. Todas se volvieron a mirarlo y se quedaron perplejas ante su buena pinta. «Vamos a casarnos con él», cantaron en estribillo al compás de las palmas. A mi madre no la impresionó, y así lo dijo: «Me pareció un forastero más». Y lo era. Acababa de llegar de Cartagena de Indias después de interrumpir los estudios de medicina y farmacia por falta de recursos, y había emprendido una vida un tanto trivial por varios pueblos de la región, con el oficio reciente de telegrafista. Una foto de esos días lo muestra con un aire equívoco de señorito pobre. Llevaba un vestido de tafetán oscuro con un saco de cuatro botones, muy ceñido a la moda del día, con cuello duro, corbata ancha y un sombrero canotié. Llevaba además unos espejuelos de moda, redondos y con montura fina, y vidrios naturales. Quienes lo conocieron en esa época lo veían como un bohemio trasnochador y mujeriego, que sin embargo no se bebió un trago de alcohol ni se fumó un cigarrillo en su larga vida.

Fue la primera vez que mi madre lo vio. En cambio él la había visto en la misa de ocho del domingo anterior, custodiada por la tía Francisca Simodosea que fue su dama de compañía desde que regresó del colegio. Había vuelto a verlas el martes siguiente, cosiendo bajo los almendros en la puerta de la casa, de modo que la noche del velorio sabía ya que era la hija del coronel Nicolás Márquez, para quien llevaba varias cartas de presentación. También ella supo desde entonces que era soltero y enamoradizo, y tenía un éxito inmediato por su labia inagotable, su versificación fácil, la gracia con que bailaba la música de moda y el sentimentalismo premeditado con que tocaba el violín. Mi madre me contaba que cuando uno lo oía de madrugada no se podían resistir las ganas de llorar. Su tarjeta de presentación en sociedad había sido «Cuando el baile se acabó», un valse de un romanticismo agotador que él llevó en su repertorio y se volvió indispensable en las serenatas. Estos salvoconductos cordiales y su simpatía personal le abrieron las puertas de la casa y un lugar frecuente en los almuerzos familiares. La tía Francisca, oriunda del Carmen de Bolívar, lo adoptó sin reservas cuando supo que había nacido en Sincé, un pueblo cercano al suyo. Luisa Santiaga se divertía en las fiestas sociales con sus artimañas de seductor, pero nunca le pasó por la mente que él pretendiera algo más. Al contrario: sus buenas relaciones se fincaron sobre todo en que ella le servía de pantalla en sus amores escondidos con una compañera del colegio, y había aceptado apadrinarlo en la boda. Desde entonces él la llamaba madrina y ella lo llamaba ahijado. En ese tono es fácil imaginarse cuál sería la sorpresa de Luisa Santiaga una noche de baile en la que el telegrafista atrevido se quitó la flor que llevaba en el ojal de la solapa, y le dijo:

–Le entrego mi vida en esta rosa.

No fue una improvisación, me dijo él muchas veces, sino que después de conocer a todas había llegado a la conclusión de que Luisa Santiaga estaba hecha para él. Ella entendió la rosa como una más de las bromas galantes que él solía hacer a sus amigas. Tanto, que al salir la dejó olvidada en cualquier parte y él se dio cuenta. Ella había tenido un solo pretendiente secreto, poeta sin suerte y buen amigo, que nunca logró llegarle al corazón con sus versos ardientes. Sin embargo, la rosa de Gabriel Eligio le perturbó el sueño con una furia inexplicable. En nuestra primera conversación formal sobre sus amores, ya cargada de hijos, me confesó: «No podía dormir por la rabia de estar pensando en él, pero lo que más rabia me daba era que mientras más rabia sentía, más pensaba». En el resto de la semana resistió a duras penas el terror de verlo y el tormento de no poder verlo. De madrina y ahijado que habían sido pasaron a tratarse como desconocidos. Una de esas tardes, mientras cosían bajo los almendros, la tía Francisca azuzó a la sobrina con su malicia india:

–Me han dicho que te dieron una rosa.

Pues, como suele ser, Luisa Santiaga sería la última en enterarse de que las tormentas de su corazón eran ya del dominio público. En las numerosas conversaciones que sostuve con ella y con mi padre, estuvieron de acuerdo en que el amor fulminante tuvo tres ocasiones decisivas. La primera fue un Domingo de Ramos en la misa mayor. Ella estaba sentada con la tía Francisca en un escaño del lado de la Epístola, cuando reconoció los pasos de sus tacones flamencos en los ladrillos del piso y lo vio pasar tan cerca que percibió la ráfaga tibia de su loción de novio. La tía Francisca no parecía haberlo visto y él tampoco pareció haberlas visto. Pero en verdad todo fue premeditado por él, que las había seguido cuando pasaron por la telegrafía. Permaneció de pie junto a la columna más cercana de la puerta, de modo que él la veía a ella de espaldas pero ella no podía verlo. Al cabo de unos minutos intensos Luisa Santiaga no resistió la ansiedad, y miró hacia la puerta por encima del hombro. Entonces creyó morir de rabia, pues él estaba mirándola, y sus miradas se encontraron. «Era justo lo que yo había planeado», decía mi padre, feliz, cuando me repetía el cuento en su vejez. Mi madre, en cambio, nunca se cansó de repetir que durante tres días no había podido dominar la furia de haber caído en la trampa.

La segunda ocasión fue una carta que él le escribió. No la que ella hubiera esperado de un poeta y violinista de madrugadas furtivas, sino una esquela imperiosa, que exigía una respuesta antes de que él viajara a Santa Marta la semana siguiente. Ella no le contestó. Se encerró en su cuarto, decidida a matar el gusano que no le daba aliento para vivir, hasta que la tía Francisca trató de convencerla de que capitulara de una buena vez antes de que fuera demasiado tarde. Tratando de vencer su resistencia le contó la historia ejemplar de Juventino Trillo, el pretendiente que montaba guardia bajo el balcón de su amada imposible, todas las noches, desde las siete hasta las diez. Ella lo agredió con cuantos desaires se le ocurrieron, y terminó por vaciarle encima desde el balcón, noche tras noche, una bacinilla de orines. Pero no consiguió ahuyentarlo. Al cabo de toda clase de agresiones bautismales –conmovida por la abnegación de aquel amor invencible– se casó con él. La historia de mis padres no llegó a esos extremos.

La tercera ocasión del asedio fue una boda de grandes vuelos, a la cual ambos fueron invitados como padrinos de honor. Luisa Santiaga no encontró pretexto para faltar a un compromiso tan cercano a la familia. Pero Gabriel Eligio había pensado lo mismo y acudió a la fiesta dispuesto para todo. Ella no pudo dominar su corazón cuando lo vio atravesar la sala con una determinación demasiado ostensible y la invitó a bailar la primera pieza. «La sangre me golpeaba tan fuerte por dentro del cuerpo que ya no supe si era de rabia o de susto», me dijo ella. Él se dio cuenta y le asestó un zarpazo brutal: «Ya no tiene que decirme que sí, porque su corazón me lo está diciendo».

Ella, sin más vueltas, lo dejó plantado en la sala a la mitad de la pieza. Pero mi padre lo entendió a su manera.

–Quedé feliz –me dijo.

Luisa Santiaga no pudo resistir el rencor que sentía contra sí misma cuando la despertaron en la madrugada los requiebros del valse envenenado: «Cuando el baile se acabó». Al día siguiente a primera hora le devolvió a Gabriel Eligio todos sus regalos. Este desaire inmerecido, y la comadrería del plantón en la boda, como las plumas echadas al aire, ya no tenía vientos de regreso. Todo el mundo dio por hecho que era el final sin gloria de una tormenta de verano. La impresión se fortaleció porque Luisa Santiaga tuvo una recaída en las fiebres tercianas de la infancia y su madre la llevó a temperar en la población de Manaure, un recodo paradisíaco en las estribaciones de la Sierra Nevada. Ambos negaron siempre que hubieran tenido comunicación alguna en aquellos meses, pero no es muy creíble, pues cuando ella regresó repuesta de sus males se les veía a ambos repuestos también de sus recelos. Mi padre decía que fue a esperarla en la estación porque había leído el telegrama con que Mina anunció el regreso a casa, y en la forma en que Luisa Santiaga le estrechó la mano al saludarlo sintió algo como una seña masónica que él interpretó como un mensaje de amor. Ella lo negó siempre con el pudor y el rubor con que evocaba aquellos años. Pero la verdad es que desde entonces se les vio juntos con menos reticencias. Sólo le faltaba el final que le dio la tía Francisca la semana siguiente, mientras cosían en el corredor de las begonias:

–Ya Mina lo sabe.

Luisa Santiaga dijo siempre que fue la oposición de la familia lo que hizo saltar los diques del torrente que llevaba reprimido en el corazón desde la noche en que dejó al pretendiente plantado en mitad del baile. Fue una guerra encarnizada. El coronel intentó mantenerse al margen, pero no pudo eludir la culpa que Mina le echó en cara cuando se dio cuenta de que tampoco él era tan inocente como aparentaba. Para todo el mundo parecía claro que la intolerancia no era de él sino de ella, cuando en realidad estaba inscrita en el código de la tribu, para quien todo novio era un intruso. Este prejuicio atávico, cuyos rescoldos perduran, ha hecho de nosotros una vasta hermandad de mujeres solteras y hombres desbraguetados con numerosos hijos callejeros.

Los amigos se dividieron según la edad, a favor o en contra de los enamorados, y a quienes no tenían una posición radical se la impusieron los hechos. Los jóvenes se hicieron cómplices jubilosos. Sobre todo de él, que disfrutó a placer con su condición de víctima propiciatoria de los prejuicios sociales. En cambio la mayoría de los adultos veían a Luisa Santiaga como la prenda más preciada de una familia rica y poderosa, a la que un telegrafista advenedizo no pretendía por amor sino por interés. Ella misma, de obediente y sumisa que había sido, se enfrentó a sus opositores con una ferocidad de leona parida. En la más ácida de sus muchas disputas domésticas, Mina perdió los estribos y levantó contra la hija el cuchillo de la panadería. Luisa Santiaga la afrontó impávida. Consciente de pronto del ímpetu criminal de su cólera, Mina soltó el cuchillo y gritó espantada: «¡Dios mío!». Y puso la mano en las brasas del fogón como una penitencia brutal.

Entre los argumentos fuertes contra Gabriel Eligio estaba su condición de hijo natural de una soltera que lo había tenido a la módica edad de catorce años por un tropiezo casual con un maestro de escuela. Se llamaba Argemira García Paternina, una blanca esbelta de espíritu libre, que tuvo otros cinco hijos y dos hijas de tres padres distintos con los que nunca se casó ni convivió bajo un mismo techo. Vivía en la población de Sincé, donde había nacido, y estaba criando a su prole con las uñas y con un ánimo independiente y alegre que bien hubiéramos querido sus nietos para un Domingo de Ramos. Gabriel Eligio era un ejemplar distinguido de aquella estirpe descamisada. Desde los diecisiete años había tenido cinco amantes vírgenes, según le reveló a mi madre como un acto de penitencia en su noche de bodas a bordo de la azarosa goleta de Riohacha vapuleada por la borrasca. Le confesó que con una de ellas, siendo telegrafista en la población de Achí a los dieciocho años, había tenido un hijo, Abelardo, que iba a cumplir tres. Con otra, siendo telegrafista de Ayapel, a los veinte años, tenía una hija de meses a la que no conocía y se llamaba Carmen Rosa. A la madre de ésta le había prometido volver para casarse, y mantenía vivo el compromiso cuando se le torció el rumbo de la vida por el amor de Luisa Santiaga. Al mayor lo había reconocido ante notario, y más tarde lo haría con la hija, pero no eran más que formalidades bizantinas sin consecuencia alguna ante la ley. Es sorprendente que aquella conducta irregular pudiera causarle inquietudes morales al coronel Márquez, que además de sus tres hijos oficiales había tenido otros nueve de distintas madres, antes y después del matrimonio, y todos eran recibidos por su esposa como si fueran suyos.

No me es posible establecer cuándo tuve las primeras noticias de estos hechos, pero en todo caso las trasgresiones de los antepasados no me importaban para nada. En cambio, los nombres de la familia me llamaban la atención porque me parecían únicos. Primero los de la línea materna: Tranquilina, Wenefrida, Francisca Simodosea. Más tarde, el de mi abuela paterna: Argemira, y los de sus padres: Lozana y Aminadab. Tal vez de allí me viene la creencia firme de que los personajes de mis novelas no caminan con sus propios pies mientras no tengan un nombre que se identifique con su modo de ser.

Las razones contra Gabriel Eligio se agravaban por ser miembro activo del Partido Conservador, contra el cual había peleado sus guerras el coronel Nicolás Márquez. La paz estaba hecha sólo a medias desde la firma de los acuerdos de Neerlandia y Wisconsin, pues el centralismo primíparo seguía en el poder y había de pasar todavía mucho tiempo antes de que godos y liberales dejaran de mostrarse los dientes. Quizás el conservatismo del pretendiente era más por contagio familiar que por convicción doctrinaria, pero lo tomaban más en cuenta que otros signos de su buena índole, como su inteligencia siempre alerta y su honradez probada.

Papá era un hombre difícil de vislumbrar y complacer. Siempre fue mucho más pobre de lo que parecía y tuvo a la pobreza como un enemigo abominable al que nunca se resignó ni pudo derrotar. Con el mismo coraje y la misma dignidad sobrellevó la contrariedad de sus amores con Luisa Santiaga, en la trastienda de la telegrafía de Aracataca, donde siempre tuvo colgada una hamaca para dormir solo. Sin embargo, también tenía a su lado un catre de soltero con los resortes bien aceitados para lo que le deparara la noche. En una época tuve una cierta tentación por sus costumbres de cazador furtivo, pero la vida me enseñó que es la forma más árida de la soledad, y sentí una gran compasión por él.

Hasta muy poco antes de su muerte le oí contar que uno de aquellos días difíciles tuvo que ir con varios amigos a la casa del coronel, y a todos los invitaron a sentarse, menos a él. La familia de ella lo negó siempre y se lo atribuyó a un rescoldo del resentimiento de mi padre, o al menos a un falso recuerdo, pero a mi abuela se le escapó alguna vez en los desvaríos cantados de sus casi cien años, que no parecían evocados sino vueltos a vivir.

–Ahí está ese pobre hombre parado en la puerta de la sala y Nicolasito no lo ha invitado a sentarse –dijo, dolida de veras.

Siempre pendiente de sus revelaciones alucinantes, le pregunté quién era el hombre, y ella me contestó en seco:

–García, el del violín.

En medio de tantos despropósitos, lo menos parecido al modo de ser de mi padre fue que compró un revólver por lo que pudiera ocurrir con un guerrero en reposo como el coronel Márquez. Era un venerable Smith & Wesson .38 largo, con quién sabe cuántos dueños anteriores y cuántos muertos a cuestas. Lo único seguro es que nunca lo disparó ni siquiera por precaución o curiosidad. Sus hijos mayores lo encontramos años después con sus cinco balas originales en un armario de trastos inútiles, junto con el violín de las serenatas.

Ni Gabriel Eligio ni Luisa Santiaga se amilanaron con el rigor de la familia. Al principio podían encontrarse a escondidas en casas de amigos, pero cuando el cerco se cerró en torno a ella, el único contacto fueron las cartas recibidas y enviadas por conductos ingeniosos. Se veían de lejos cuando a ella no le permitían asistir a fiestas donde él fuera invitado. Pero la represión llegó a ser tan severa que nadie se atrevió a desafiar las iras de Tranquilina Iguarán, y los enamorados desaparecieron de la vista pública. Cuando no quedó ni un resquicio para las cartas furtivas, los novios inventaron recursos de náufragos. Ella logró esconder una tarjeta de felicitación en un pudín que alguien había encargado para el cumpleaños de Gabriel Eligio, y éste no desaprovechó ocasión de mandarle telegramas falsos e inocuos con el verdadero mensaje cifrado o escrito con tinta simpática. La complicidad de la tía Francisca se hizo entonces tan evidente, a pesar de sus negativas terminantes, que afectó por primera vez su autoridad en la casa, y sólo le permitieron acompañar a la sobrina mientras cosía a la sombra de los almendros. Entonces Gabriel Eligio mandaba mensajes de amor desde la ventana del doctor Alfredo Barboza, en la acera de enfrente, con la telegrafía manual de los sordomudos. Ella la aprendió tan bien que en los descuidos de la tía lograba conversaciones íntimas con el novio. Era apenas uno de los numerosos trucos inventados por Adriana Berdugo, comadre de sacramento de Luisa Santiaga y su cómplice más recursiva y audaz.

Aquellos manejos de consolación les habrían bastado para sobrevivir a fuego lento, hasta que Gabriel Eligio recibió una carta alarmante de Luisa Santiaga, que lo obligó a una reflexión definitiva. La había escrito a las carreras en el papel del retrete, con la mala noticia de que los padres habían resuelto llevársela a Barrancas, de pueblo en pueblo, como un remedio brutal para su mal de amores. No sería el viaje ordinario de una mala noche en la goleta de Riohacha, sino por la ruta bárbara de las estribaciones de la Sierra Nevada en mulas y carretas, a través de la vasta provincia de Padilla.

«Hubiera preferido morirme», me dijo mi madre el día en que fuimos a vender la casa. Y lo había intentado de veras, encerrada con tranca en su cuarto, a pan y agua durante tres días, hasta que se le impuso el terror reverencial que sentía por su padre. Gabriel Eligio se dio cuenta de que la tensión había llegado a sus límites, y tomó una decisión también extrema pero manejable. Atravesó la calle a zancadas desde la casa del doctor Barboza hasta la sombra de los almendros y se plantó frente a las dos mujeres, que lo esperaron aterradas con la labor en el regazo.

–Hágame el favor de dejarme solo un momento con la señorita –le dijo a la tía Francisca–. Tengo algo importante que decirle a ella sola.

–¡Atrevido! –le replicó la tía–. No hay nada de ella que yo no pueda oír.

–Entonces no se lo digo –dijo él–, pero le advierto que usted será responsable de lo que pase.

Luisa Santiaga le suplicó a la tía que los dejara solos, y asumió el riesgo. Entonces Gabriel Eligio le expresó su acuerdo de que hiciera el viaje con sus padres, en la forma y por el tiempo que fuera, pero con la condición de que le prometiera bajo la gravedad del juramento que se casaría con él. Ella lo hizo complacida y agregó de su cuenta y riesgo que sólo la muerte podría impedírselo.

Ambos tuvieron casi un año para demostrar la seriedad de sus promesas, pero ni el uno ni la otra se imaginaban cuánto iba a costarles. La primera parte del viaje en una caravana de arrieros duró dos semanas a lomo de mula por las cornisas de la Sierra Nevada. Los acompañaba Chon –diminutivo afectuoso de Encarnación–, la criada de Wenefrida, que se incorporó a la familia desde que se fueron de Barrancas. El coronel conocía de sobra aquella ruta escarpada, donde había dejado un rastro de hijos en las noches desperdigadas de sus guerras, pero su esposa la había preferido sin conocerla por los malos recuerdos de la goleta. Para mi madre, que además montaba una mula por primera vez, fue una pesadilla de soles desnudos y aguaceros feroces, con el alma en un hilo por el vaho adormecedor de los precipicios. Pensar en un novio incierto, con sus trajes de medianoche y el violín de madrugada, parecía una burla de la imaginación. Al cuarto día, incapaz de sobrevivir, amenazó a la madre con tirarse al precipicio si no volvían a casa. Mina, más asustada que ella, lo decidió. Pero el patrón de la cordada le demostró en el mapa que regresar o proseguir daba lo mismo. El alivio les llegó a los once días, cuando divisaron desde la última cornisa la llanura radiante de Valledupar.

Antes de que culminara la primera etapa, Gabriel Eligio se había asegurado una comunicación permanente con la novia errante, gracias a la complicidad de los telegrafistas de los siete pueblos donde ella y su madre iban a demorarse antes de llegar a Barrancas. También Luisa Santiaga hizo lo suyo. Toda la Provincia estaba saturada de Iguaranes y Cotes, cuya conciencia de casta tenía el poder de una maraña impenetrable, y ella logró ponerla de su lado. Esto le permitió mantener una correspondencia febril con Gabriel Eligio desde Valledupar, donde permaneció tres meses, hasta el término del viaje, casi un año después. Le bastaba con pasar por la telegrafía de cada pueblo, con la complicidad de una parentela joven y entusiasta, para recibir y contestar sus mensajes. Chon, la sigilosa, jugó un papel invaluable, porque llevaba mensajes escondidos entre sus trapos sin inquietar a Luisa Santiaga ni herir su pudor, porque no sabía leer ni escribir y podía hacerse matar por un secreto.

Casi sesenta años después, cuando trataba de saquear estos recuerdos para *El amor en los tiempos del cólera*, mi quinta novela, le pregunté a mi papá si en la jerga de los telegrafistas existía una palabra específica para el acto de enlazar una oficina con otra. Él no tuvo que pensarla: *enclavijar*. La palabra está en los diccionarios, no para el uso específico que me hacía falta, pero me pareció perfecta para mis dudas, pues la comunicación con las distintas oficinas se establecía mediante la conexión de una clavija en un tablero de terminales telegráficas. Nunca lo comenté con mi padre. Sin embargo, poco antes de su muerte le preguntaron en una entrevista de prensa si él hubiera querido escribir una novela, y contestó que sí, pero que había desistido cuando le hice la consulta sobre el verbo enclavijar porque entonces descubrió que el libro que yo estaba escribiendo era el mismo que él pensaba escribir.

En esa ocasión recordó además un dato oculto que habría podido cambiar el rumbo de nuestras vidas. Y fue que a los seis meses de viaje, cuando mi madre estaba en San Juan del César, le llegó a Gabriel Eligio el soplo confidencial de que Mina llevaba el encargo de preparar el regreso definitivo de la familia a Barrancas, una vez cicatrizados los rencores por la muerte de Medardo Pacheco. Le pareció absurdo, cuando los malos tiempos habían quedado atrás y el imperio absoluto de la compañía bananera empezaba a parecerse al sueño de la tierra prometida. Pero también era razonable que la tozudez de los Márquez Iguarán los llevara a sacrificar la propia felicidad con tal de librar a la hija de las garras del gavilán. La decisión inmediata de Gabriel Eligio fue gestionar su traslado para la telegrafía de Riohacha, a unas veinte leguas de Barrancas. No estaba disponible pero le prometieron tomar en cuenta la solicitud.

Luisa Santiaga no pudo averiguar las intenciones secretas de su madre, pero tampoco se atrevió a negarlas, porque le había llamado la atención que cuanto más se acercaban a Barrancas más suspirante y apacible le parecía. Chon, confidente de todos, no le dio tampoco ninguna pista. Para sacar verdades, Luisa Santiaga le dijo a su madre que le encantaría quedarse a vivir en Barrancas. La madre tuvo un instante de vacilación pero no se decidió a decir nada, y la hija quedó con la impresión de haber pasado muy cerca del secreto. Inquieta, se libró al azar de las barajas con una gitana callejera que no le dio ninguna pista sobre su futuro en Barrancas. Pero a cambio le anunció que no habría ningún obstáculo para una vida larga y feliz con un hombre remoto que apenas conocía pero que iba a amarla hasta morir. La descripción que hizo de él le devolvió el alma al cuerpo, porque le encontró rasgos comunes con su prometido, sobre todo en el modo de ser. Por último le predijo sin un punto de duda que tendría seis hijos con él. «Me morí de susto», me dijo mi madre la primera vez que me lo contó, sin imaginarse siquiera que sus hijos serían cinco más. Ambos tomaron la predicción con tanto entusiasmo, que la correspondencia telegráfica dejó de ser entonces un concierto de intenciones ilusorias y se volvió metódica y práctica, y más intensa que nunca. Fijaron fechas, establecieron modos y empeñaron sus vidas en la determinación común de casarse sin consultarlo con nadie, donde fuera y como fuera, cuando volvieran a encontrarse.

Luisa Santiaga fue tan fiel al compromiso que en la población de Fonseca no le pareció correcto asistir a un baile de gala sin el consentimiento del novio. Gabriel Eligio estaba en la hamaca sudando una fiebre de cuarenta grados cuando sonó la señal de una cita telegráfica urgente. Era su colega de Fonseca. Para seguridad completa, ella preguntó quién estaba operando el manipulador al final de la cadena. Más atónito que halagado, el novio transmitió una frase de identificación: «Dígale que soy su ahijado». Mi madre reconoció el santo y seña, y estuvo en el baile hasta las siete de la mañana, cuando tuvo que cambiarse de ropa a las volandas para no llegar tarde a la misa.

En Barrancas no encontraron el menor rastro de inquina contra la familia. Al contrario, entre los allegados de Medardo Pacheco prevalecía un ánimo cristiano de perdón y olvido diecisiete años después de la desgracia. La recepción de la parentela fue tan entrañable que entonces fue Luisa Santiaga quien pensó en la posibilidad de que la familia regresara a aquel remanso de la sierra tan distinto del calor y el polvo, y los sábados sangrientos y los fantasmas decapitados de Aracataca. Alcanzó a insinuárselo a Gabriel Eligio, siempre que éste lograra su traslado a Riohacha, y él estuvo de acuerdo. Sin embargo, por esos días se supo por fin que la versión de la mudanza no sólo carecía de fundamento sino que nadie la quería menos que Mina. Así quedó establecido en una carta de respuesta que ella le mandó a su hijo Juan de Dios, cuando éste le escribió atemorizado de que volvieran a Barrancas cuando aún no se habían cumplido veinte años de la muerte de Medardo Pacheco. Pues siempre estuvo tan convencido del fatalismo de la ley guajira, que se opuso a que su hijo Eduardo hiciera el servicio de medicina social en Barrancas medio siglo después.

Contra todos los temores, fue allí donde se desataron en tres días todos los nudos de la situación. El mismo martes en que Luisa Santiaga le confirmó a Gabriel Eligio que Mina no pensaba en mudarse para Barrancas, le anunciaron a él que estaba a su disposición la telegrafía de Riohacha por muerte repentina del titular. El día siguiente, Mina vació las gavetas de la despensa buscando unas tijeras de destazar y destapó sin necesidad la caja de galletas inglesas donde la hija escondía sus telegramas de amor. Fue tanta su rabia que sólo acertó a decirle uno de los improperios célebres que solía improvisar en sus malos momentos: «Dios lo perdona todo menos la desobediencia». Ese fin de semana viajaron a Riohacha para alcanzar el domingo la goleta de Santa Marta. Ninguna de las dos fue consciente de la noche terrible vapuleada por el ventarrón de febrero: la madre aniquilada por la derrota y la hija asustada pero feliz.

La tierra firme le devolvió a Mina el aplomo perdido por el hallazgo de las cartas. Siguió sola para Aracataca al día siguiente, y dejó a Luisa Santiaga en Santa Marta bajo el amparo de su hijo Juan de Dios, segura de ponerla a salvo de los diablos del amor. Fue al contrario: Gabriel Eligio viajaba entonces de Aracataca a Santa Marta para verla cada vez que podía. El tío Juanito, que sufrió la misma intransigencia de sus padres en sus amores con Dilia Caballero, había resuelto no tomar partido en los amores de su hermana, pero a la hora de la verdad se encontró entrampado entre la adoración de Luisa Santiaga y la veneración de los padres, y se refugió en una fórmula propia de su bondad proverbial: admitió que los novios se vieran fuera de su casa, pero nunca a solas y sin que él se enterara. Dilia Caballero, su esposa, que perdonaba pero no olvidaba, urdió para su cuñada las mismas casualidades infalibles y las martingalas maestras con que ella burlaba la vigilancia de sus suegros. Gabriel y Luisa empezaron por verse en casas de amigos, pero poco a poco fueron arriesgándose a lugares públicos poco concurridos. Al final se atrevieron a conversar por la ventana cuando el tío Juanito no estaba, la novia en la sala y el novio en la calle, fieles al compromiso de no verse dentro de la casa. La ventana parecía hecha aposta para amores contrariados, a través de una reja andaluza de cuerpo entero y con un marco de enredaderas, en las que no faltó alguna vez un vapor de jazmines en el sopor de la noche. Dilia lo había previsto todo, incluso la complicidad de algunos vecinos con silbidos cifrados para alertar a los novios de un peligro inminente. Sin embargo, una noche fallaron todos los seguros, y Juan de Dios se rindió ante la verdad. Dilia aprovechó la ocasión para invitar a los novios a que se sentaran en la sala con las ventanas abiertas para que compartieran su amor con el mundo. Mi madre no olvidó nunca el suspiro del hermano: «¡Qué alivio!».

Por esos días recibió Gabriel Eligio el nombramiento formal para la telegrafía de Riohacha. Inquieta por una nueva separación, mi madre apeló entonces a monseñor Pedro Espejo, actual vicario de la diócesis, con la esperanza de que la casara sin el permiso de sus padres. La respetabilidad de monseñor había alcanzado tanta fuerza que muchos feligreses la confundían con la santidad, y algunos acudían a sus misas sólo para comprobar si era cierto que se alzaba varios centímetros sobre el nivel del suelo en el momento de la Elevación. Cuando Luisa Santiaga solicitó su ayuda, él dio una muestra más de que la inteligencia es uno de los privilegios de la santidad. Se negó a intervenir en el fuero interno de una familia tan celosa de su intimidad, pero optó por la alternativa secreta de informarse sobre la de mi padre a través de la curia. El párroco de Sincé pasó por alto las liberalidades de Argemira García, y respondió con una fórmula benévola: «Se trata de una familia respetable, aunque poco devota». Monseñor conversó entonces con los novios, juntos y por separado, y escribió una carta a Nicolás y Tranquilina en la cual les expresó su certidumbre emocionada de que no había poder humano capaz de derrotar aquel amor empedernido. Mis abuelos, vencidos por el poder de Dios, acordaron darle la vuelta a la doliente página y le otorgaron a Juan de Dios plenos poderes para organizar la boda en Santa Marta. Pero no asistieron, sino que mandaron de madrina a Francisca Simodosea.

Se casaron el 11 de junio de 1926 en la catedral de Santa Marta, con cuarenta minutos de retraso, porque la novia se olvidó de la fecha y tuvieron que despertarla pasadas las ocho de la mañana. Esa misma noche abordaron una vez más la goleta pavorosa para que Gabriel Eligio tomara posesión de la telegrafía de Riohacha y pasaron su primera noche en castidad derrotados por el mareo.

Mi madre añoraba tanto la casa donde pasó la luna de miel, que sus hijos mayores hubiéramos podido describirla cuarto por cuarto como si la hubiéramos vivido y todavía hoy sigue siendo uno de mis falsos recuerdos. Sin embargo, la primera vez que fui en realidad a la península de La Guajira, poco antes de mis sesenta años, me sorprendió que la casa de la telegrafía no tenía nada que ver con la de mi recuerdo. Y la Riohacha idílica que llevaba desde niño en el corazón, con sus calles de salitre que bajaban hacia un mar de lodo, no eran más que ensueños prestados por mis abuelos. Más aún: ahora que conozco Riohacha no consigo visualizarla como es, sino como la había construido piedra por piedra en mi imaginación.

Dos meses después de la boda, Juan de Dios recibió un telegrama de mi papá con el anuncio de que Luisa Santiaga estaba encinta. La noticia estremeció hasta los cimientos la casa de Aracataca, donde Mina no se reponía aún de su amargura, y tanto ella como el coronel depusieron sus armas para que los recién casados volvieran con ellos. No fue fácil. Al cabo de una resistencia digna y razonada de varios meses, Gabriel Eligio aceptó que la esposa diera a luz en casa de sus padres.

Poco después lo recibió mi abuelo en la estación del tren con una frase que quedó con un marco de oro en el prontuario histórico de la familia: «Estoy dispuesto a darle todas las satisfacciones que sean necesarias». La abuela renovó la alcoba que hasta entonces había sido suya, y allí instaló a mis padres. En el curso del año, Gabriel Eligio renunció a su buen oficio de telegrafista y consagró su talento de autodidacta a una ciencia venida a menos: la homeopatía. El abuelo, por gratitud o por remordimiento, gestionó ante las autoridades que la calle donde vivíamos en Aracataca llevara el nombre que aún lleva: avenida Monseñor Espejo.

Fue así y allí donde nació el primero de siete varones y cuatro mujeres, el domingo 6 de marzo de 1927, a las nueve de la mañana y con un aguacero torrencial fuera de estación, mientras el cielo de Tauro se alzaba en el horizonte. Estaba a punto de ser estrangulado por el cordón umbilical, pues la partera de la familia, Santos Villero, perdió el dominio de su arte en el peor momento. Pero más aún lo perdió la tía Francisca, que corrió hasta la puerta de la calle dando alaridos de incendio:

–¡Varón! ¡Varón! –Y enseguida, como tocando a rebato–: ¡Ron, que se ahoga!

La familia supone que el ron no era para celebrar sino para reanimar con fricciones al recién nacido. Misia Juana de Freytes, que hizo su entrada providencial en la alcoba, me contó muchas veces que el riesgo más grave no era el cordón umbilical, sino una mala posición de mi madre en la cama. Ella se la corrigió a tiempo, pero no fue fácil reanimarme, de modo que la tía Francisca me echó el agua bautismal de emergencia. Debí de llamarme Olegario, que era el santo del día, pero nadie tuvo a la mano el santoral, así que me pusieron de urgencia el primer nombre de mi padre seguido por el de José, el carpintero, por ser el patrono de Aracataca y por estar en su mes de marzo. Misia Juana de Freytes propuso un tercer nombre en memoria de la reconciliación general que se lograba entre familias y amigos con mi venida al mundo, pero en el acta del bautismo formal que me hicieron tres años después olvidaron ponerlo: Gabriel José de la Concordia.

2

El día en que fui con mi madre a vender la casa recordaba todo lo que había impresionado mi infancia, pero no estaba seguro de qué era antes y qué era después, ni qué significaba nada de eso en mi vida. Apenas si era consciente de que en medio del falso esplendor de la compañía bananera, el matrimonio de mis padres estaba ya inscrito dentro del proceso que había de rematar la decadencia de Aracataca. Desde que empecé a recordar, oí repetirse –primero con mucho sigilo y después en voz alta y con alarma– la frase fatídica: «Dicen que la compañía se va». Sin embargo, o nadie lo creía o nadie se atrevió a pensar en sus estragos.

La versión de mi madre tenía cifras tan exiguas y el escenario era tan pobre para un drama tan grandioso como el que yo había imaginado, que me causó un sentimiento de frustración. Más tarde hablé con sobrevivientes y testigos y escarbé en colecciones de prensa y documentos oficiales, y me di cuenta de que la verdad no estaba de ningún lado. Los conformistas decían, en efecto, que no hubo muertos. Los del extremo contrario afirmaban sin un temblor en la voz que fueron más de cien, que los habían visto desangrándose en la plaza y que se los llevaron en un tren de carga para echarlos en el mar como el banano de rechazo. Así que mi verdad quedó extraviada para siempre en algún punto improbable de los dos extremos. Sin embargo, fue tan persistente que en una de mis novelas referí la matanza con la precisión y el horror con que la había incubado durante años en mi imaginación. Fue así como la cifra de muertos la mantuve en tres mil, para conservar las proporciones épicas del drama, y la vida real terminó por hacerme justicia: hace poco, en uno de los aniversarios de la tragedia, el orador de turno en el Senado pidió un minuto de silencio en memoria de los tres mil mártires anónimos sacrificados por la fuerza pública.

La matanza de las bananeras fue la culminación de otras anteriores, pero con el argumento adicional de que los líderes fueron señalados como comunistas, y tal vez lo eran. Al más destacado y perseguido, Eduardo Mahecha, lo conocí por azar en la cárcel Modelo de Barranquilla por los días en que fui con mi madre a vender la casa, y tuve con él una buena amistad desde que me presenté como el nieto de Nicolás Márquez. Fue él quien me reveló que el abuelo no había sido neutral sino mediador en la huelga de 1928, y lo consideraba un hombre justo. De modo que me completó la idea que siempre tuve de la masacre y me formé una concepción más objetiva del conflicto social. La única discrepancia entre los recuerdos de todos fue sobre el número de muertos, que de todos modos no será la única incógnita de nuestra historia.

Tantas versiones encontradas han sido la causa de mis recuerdos falsos. Entre ellos, el más persistente es el de mí mismo en la puerta de la casa con un casco prusiano y una escopetita de juguete, viendo desfilar bajo los almendros el batallón de cachacos sudorosos. Uno de los oficiales que los comandaba en uniforme de parada me saludó al pasar:

–Adiós, capitán Gabi.

El recuerdo es nítido, pero no hay ninguna posibilidad de que sea cierto. El uniforme, el casco y la escopeta coexistieron, pero unos dos años después de la huelga y cuando ya no había tropas de guerra en Cataca. Múltiples casos como ése me crearon en casa la mala reputación de que tenía recuerdos intrauterinos y sueños premonitorios.

Ése era el estado del mundo cuando empecé a tomar conciencia de mi ámbito familiar y no logro evocarlo de otro modo: pesares, añoranzas, incertidumbres, en la soledad de una casa inmensa. Durante años me pareció que aquella época se me había convertido en una pesadilla recurrente de casi todas las noches, porque amanecía con el mismo terror que en el cuarto de los santos. Durante la adolescencia, interno en un colegio helado de los Andes, despertaba llorando en medio de la noche. Necesité esta vejez sin remordimientos para entender que la desdicha de los abuelos en la casa de Cataca fue que siempre estuvieron encallados en sus nostalgias, y tanto más cuanto más se empeñaban en conjurarlas.

Más simple aún: estaban en Cataca pero seguían viviendo en la provincia de Padilla, que todavía llamamos la Provincia, sin más datos, como si no hubiera otra en el mundo. Tal vez sin pensarlo siquiera, habían construido la casa de Cataca como una réplica ceremonial de la casa de Barrancas, desde cuyas ventanas se veía, al otro lado de la calle, el cementerio triste donde yacía Medardo Pacheco. En Cataca eran amados y complacidos, pero sus vidas estaban sometidas a la servidumbre de la tierra en que nacieron. Se atrincheraron en sus gustos, sus creencias, sus prejuicios, y cerraron filas contra todo lo que fuera distinto.

Sus amistades más próximas eran antes que nadie las que llegaban de la Provincia. La lengua doméstica era la que sus abuelos habían traído de España a través de Venezuela en el siglo anterior, revitalizada con localismos caribes, africanismos de esclavos y retazos de la lengua guajira, que iban filtrándose gota a gota en la nuestra. La abuela se servía de ella para despistarme sin saber que yo la entendía mejor por mis tratos directos con la servidumbre. Aún recuerdo muchos: *atunkeshi*, tengo sueño; *jamusaitshi taya*, tengo hambre; *ipuwots*, la mujer encinta; *aríjuna*, el forastero, que mi abuela usaba en cierto modo para referirse al español, al hombre blanco y en fin de cuentas al enemigo. Los guajiros, por su lado, hablaron siempre una especie de castellano sin huesos con destellos radiantes, como el dialecto propio de Chon, con una precisión viciosa que mi abuela le prohibió porque remitía sin remedio a un equívoco: «Los labios de la boca».

El día estaba incompleto mientras no llegaran las noticias de quién nació en Barrancas, a cuántos mató el toro en la corraleja de Fonseca, quién se casó en Manaure o murió en Riohacha, cómo amaneció el general Socarrás que estaba grave en San Juan del César. En el comisariato de la compañía bananera se vendían a precios de ocasión las manzanas de California envueltas en papel de seda, los pargos petrificados en hielo, los jamones de Galicia, las aceitunas griegas. Sin embargo, nada se comía en casa que no estuviera sazonado en el caldo de las añoranzas: la malanga para la sopa tenía que ser de Riohacha, el maíz para las arepas del desayuno debía ser de Fonseca, los chivos eran criados con la sal de La Guajira y las tortugas y las langostas las llevaban vivas de Dibuya.

De modo que la mayoría de los visitantes que llegaban a diario en el tren iban de la Provincia o mandados por alguien de allá. Siempre los mismos apellidos: los Riasco, los Noguera, los Ovalle, cruzados a menudo con las tribus sacramentales de los Cotes y los Iguarán. Iban de paso, sin nada más que la mochila al hombro, y aunque no anunciaran la visita estaba previsto que se quedaban a almorzar. Nunca he olvidado la frase casi ritual de la abuela al entrar en la cocina: «Hay que hacer de todo, porque no se sabe qué les gustará a los que vengan».

Aquel espíritu de evasión perpetua se sustentaba en una realidad geográfica. La Provincia tenía la autonomía de un mundo propio y una unidad cultural compacta y antigua, en un cañón feraz entre la Sierra Nevada de Santa Marta y la sierra del Perijá, en el Caribe colombiano. Su comunicación era más fácil con el mundo que con el resto del país, pues su vida cotidiana se identificaba mejor con las Antillas por el tráfico fácil con Jamaica o Curazao, y casi se confundía con la de Venezuela por una frontera de puertas abiertas que no hacía distinciones de rangos y colores. Del interior del país, que se cocinaba a fuego lento en su propia sopa, llegaba apenas el óxido del poder: las leyes, los impuestos, los soldados, las malas noticias incubadas a dos mil quinientos metros de altura y a ocho días de navegación por el río Magdalena en un buque de vapor alimentado con leña.

Aquella naturaleza insular había generado una cultura estanca con carácter propio que los abuelos implantaron en Cataca. Más que un hogar, la casa era un pueblo. Siempre había varios turnos en la mesa, pero los dos primeros eran sagrados desde que cumplí tres años: el coronel en la cabecera y yo en la esquina de su derecha. Los sitios restantes se ocupaban primero con los hombres y luego con las mujeres, pero siempre separados. Estas reglas se rompían durante las fiestas patrias del 20 de julio, y el almuerzo por turnos se prolongaba hasta que comieran todos. De noche no se servía la mesa, sino que se repartían tazones de café con leche en la cocina, con la exquisita repostería de la abuela. Cuando se cerraban las puertas cada quien colgaba su hamaca donde podía, a distintos niveles, hasta en los árboles del patio.

Una de la grandes fantasías de aquellos años la viví un día en que llegó a la casa un grupo de hombres iguales con ropas, polainas y espuelas de jinete, y todos con una cruz de ceniza pintada en la frente. Eran los hijos engendrados por el coronel a lo largo de la Provincia durante la guerra de los Mil Días, que iban desde sus pueblos para felicitarlo por su cumpleaños con más de un mes de retraso. Antes de ir a la casa habían oído la misa del Miércoles de Ceniza, y la cruz que el padre Angarita les dibujó en la frente me pareció un emblema sobrenatural cuyo misterio habría de perseguirme durante años, aun después de que me familiaricé con la liturgia de la Semana Santa.

La mayoría de ellos había nacido después del matrimonio de mis abuelos. Mina los registraba con sus nombres y apellidos en una libreta de apuntes desde que tenía noticia de sus nacimientos, y con una indulgencia difícil terminaba por asentarlos de todo corazón en la contabilidad de la familia. Pero ni a ella ni a nadie le fue fácil distinguirlos antes de aquella visita ruidosa en la que cada uno reveló su modo de ser peculiar. Eran serios y laboriosos, hombres de su casa, gente de paz, que sin embargo no temían perder la cabeza en el vértigo de la parranda. Rompieron la vajilla, desgreñaron los rosales persiguiendo un novillo para mantearlo, mataron a tiros a las gallinas para el sancocho y soltaron un cerdo ensebado que atropelló a las bordadoras del corredor, pero nadie lamentó esos percances por el ventarrón de felicidad que llevaban consigo.

Seguí viendo con frecuencia a Esteban Carrillo, gemelo de la tía Elvira y diestro en las artes manuales, que viajaba con una caja de herramientas para reparar de favor cualquier avería en las casas que visitaba. Con su sentido del humor y su buena memoria me llenó numerosos vacíos que parecían insalvables en la historia de la familia. También frecuenté en la adolescencia a mi tío Nicolás Gómez, un rubio intenso de pecas coloradas que siempre mantuvo muy en alto su buen oficio de tendero en la antigua colonia penal de Fundación. Impresionado por mi buena reputación de caso perdido, me despedía con una bolsa de mercado bien provista para proseguir el viaje. Rafael Arias llegaba siempre de paso y deprisa en una mula y en ropas de montar, apenas con el tiempo para un café de pie en la cocina. A los otros los encontré desperdigados en los viajes de nostalgia que hice más tarde por los pueblos de la Provincia para escribir mis primeras novelas, y siempre eché de menos la cruz de ceniza en la frente como una señal inconfundible de la identidad familiar.

Años después de muertos los abuelos y abandonada a su suerte la casa señorial, llegué a Fundación en el tren de la noche y me senté en el único puesto de comida abierto a esas horas en la estación. Quedaba poco que servir, pero la dueña improvisó un buen plato en mi honor. Era dicharachera y servicial, y en el fondo de esas virtudes mansas me pareció percibir el carácter fuerte de las mujeres de la tribu. Lo confirmé años después: la guapa mesonera era Sara Noriega, otra de mis tías desconocidas.

Apolinar, el antiguo esclavo pequeño y macizo a quien siempre recordé como un tío, desapareció de la casa durante años, y una tarde reapareció sin motivo, vestido de luto con un traje de paño negro y un sombrero enorme, también negro, hundido hasta los ojos taciturnos. Al pasar por la cocina dijo que venía para el entierro, pero nadie lo entendió hasta el día siguiente, cuando llegó la noticia de que el abuelo acababa de morir en Santa Marta, adonde lo habían llevado de urgencia y en secreto.

El único de los tíos que tuvo una resonancia pública fue el mayor de todos y el único conservador, José María Valdeblánquez, que había sido senador de la República durante la guerra de los Mil Días, y en esa condición asistió a la firma de la rendición liberal en la cercana finca de Neerlandia. Frente a él, en el lado de los vencidos, estaba su padre.

Creo que la esencia de mi modo de ser y de pensar se la debo en realidad a las mujeres de la familia y a las muchas de la servidumbre que pastorearon mi infancia. Eran de carácter fuerte y corazón tierno, y me trataban con la naturalidad del paraíso terrenal. Entre las muchas que recuerdo, Lucía fue la única que me sorprendió con su malicia pueril, cuando me llevó al callejón de los sapos y se alzó la bata hasta la cintura para mostrarme su pelambre cobriza y desgreñada. Sin embargo, lo que en realidad me llamó la atención fue la mancha de carate que se extendía por su vientre como un mapamundi de dunas moradas y océanos amarillos. Las otras parecían arcángeles de la pureza: se cambiaban de ropa delante de mí, me bañaban mientras se bañaban, me sentaban en mi bacinilla y se sentaban en las suyas frente a mí para desahogarse de sus secretos, sus penas, sus rencores, como si yo no entendiera, sin darse cuenta de que lo sabía todo porque ataba los cabos que ellas mismas me dejaban sueltos.

Chon era de la servidumbre y de la calle. Había llegado de Barrancas con los abuelos cuando todavía era niña, había acabado de criarse en la cocina pero asimilada a la familia, y el trato que le daban era el de una tía chaperona desde que hizo la peregrinación a la Provincia con mi madre enamorada. En sus últimos años se mudó a un cuarto propio en la parte más pobre del pueblo, por la gracia de su real gana, y vivía de vender en la calle desde el amanecer las bolas de maíz molido para las arepas, con un pregón que se volvió familiar en el silencio de la madrugada: «Las masitas heladas de la vieja Chon…».

Tenía un bello color de india y desde siempre pareció en los puros huesos, y andaba a pie descalzo, con un turbante blanco y envuelta en sábanas almidonadas. Caminaba muy despacio por la mitad de la calle, con una escolta de perros mansos y callados que avanzaban dando vueltas alrededor de ella. Terminó incorporada al folclor del pueblo. En unos carnavales apareció un disfraz idéntico a ella, con sus sábanas y su pregón, aunque no lograron amaestrar una guardia de perros como la suya. Su grito de las masitas heladas se volvió tan popular que fue motivo de una canción de acordeoneros. Una mala mañana dos perros bravos atacaron a los suyos, y éstos se defendieron con tal ferocidad que Chon cayó por tierra con la espina dorsal fracturada. No sobrevivió, a pesar de los muchos recursos médicos que le procuró mi abuelo.

Otro recuerdo revelador en aquel tiempo fue el parto de Matilde Armenta, una lavandera que trabajó en la casa cuando yo tenía unos seis años. Entré en su cuarto por equivocación y la encontré desnuda y despernancada en una cama de lienzo, y aullando de dolor entre una pandilla de comadres sin orden ni razón que se habían repartido su cuerpo para ayudarla a parir a gritos. Una le enjugaba el sudor de la cara con una toalla mojada, otras le sujetaban a la fuerza los brazos y las piernas y le daban masajes en el vientre para apresurar el parto. Santos Villero, impasible en medio del desorden, murmuraba oraciones de buena mar con los ojos cerrados mientras parecía excavar entre los muslos de la parturienta. El calor era insoportable en el cuarto lleno de humo por las ollas de agua hirviendo que llevaban de la cocina. Permanecí en un rincón, repartido entre el susto y la curiosidad, hasta que la partera sacó por los tobillos una cosa en carne viva como un ternero de vientre con una tripa sanguinolenta colgada del ombligo. Una de las mujeres me descubrió entonces en el rincón y me sacó a rastras del cuarto.

–Estás en pecado mortal –me dijo. Y me ordenó con un dedo amenazante–: No vuelvas a acordarte de lo que viste.

En cambio, la mujer que de verdad me quitó la inocencia no se lo propuso ni lo supo nunca. Se llamaba Trinidad, era hija de alguien que trabajaba en la casa, y empezaba apenas a florecer en una primavera mortal. Tenía unos trece años, pero todavía usaba los trajes de cuando tenía nueve, y le quedaban tan ceñidos al cuerpo que parecía más desnuda que sin ropa. Una noche en que estábamos solos en el patio irrumpió de pronto una música de banda en la casa vecina y Trinidad me sacó a bailar con un abrazo tan apretado que me dejó sin aire. No sé qué fue de ella, pero todavía hoy me despierto en mitad de la noche perturbado por la conmoción, y sé que podría reconocerla en la oscuridad por el tacto de cada pulgada de su piel y su olor de animal. En un instante tomé conciencia de mi cuerpo con una clarividencia de los instintos que nunca más volví a sentir, y que me atrevo a recordar como una muerte exquisita. Desde entonces supe de alguna manera confusa e irreal que había un misterio insondable que yo no conocía, pero me perturbaba como si lo supiera. Por el contrario, las mujeres de la familia me condujeron siempre por el rumbo árido de la castidad.

La pérdida de la inocencia me enseñó al mismo tiempo que no era el Niño Dios quien nos traía los juguetes en la Navidad, pero tuve el cuidado de no decirlo. A los diez años, mi padre me lo reveló como un secreto de adultos, porque daba por hecho que lo sabía, y me llevó a las tiendas de la Nochebuena para escoger los juguetes de mis hermanos. Lo mismo me había sucedido con el misterio del parto antes de asistir al de Matilde Armenta: me atoraba de risa cuando decían que a los niños los traía de París una cigüeña. Pero debo confesar que ni entonces ni ahora he logrado relacionar el parto con el sexo. En todo caso, pienso que mi intimidad con la servidumbre pudo ser el origen de un hilo de comunicación secreta que creo tener con las mujeres, y que a lo largo de la vida me ha permitido sentirme más cómodo y seguro entre ellas que entre hombres. También de allí puede venir mi convicción de que son ellas las que sostienen el mundo, mientras los hombres lo desordenamos con nuestra brutalidad histórica.

Sara Emilia Márquez, sin saberlo, tuvo algo que ver con mi destino. Perseguida desde muy joven por pretendientes que ni siquiera se dignaba mirar, se decidió por el primero que le pareció bien, y para siempre. El elegido tenía algo en común con mi padre, pues era un forastero que llegó no se sabía de dónde ni cómo, con una buena hoja de vida, pero sin recursos conocidos. Se llamaba José del Carmen Uribe Vergel, pero a veces sólo se firmaba como J. del C. Pasó algún tiempo antes de saberse quién era en realidad y de dónde venía, hasta que se supo por los discursos de encargo que escribía para funcionarios públicos, y por los versos de amor que publicaba en su propia revista cultural, cuya frecuencia dependía de la voluntad de Dios. Desde que apareció en la casa sentí una grande admiración por su fama de escritor, el primero que conocí en mi vida. De inmediato quise ser igual a él, y no estuve contento hasta que la tía Mama aprendió a peinarme como él.

Fui el primero de la familia que supo de sus amores secretos, una noche en que entró en la casa de enfrente donde yo jugaba con amigos. Me llamó aparte, en un estado de tensión evidente, y me dio una carta para Sara Emilia. Yo sabía que estaba sentada en la puerta de nuestra casa atendiendo la visita de una amiga. Atravesé la calle, me escondí detrás de uno de los almendros y arrojé la carta con tal precisión que le cayó en el regazo. Asustada, levantó las manos, pero el grito se le quedó en la garganta cuando reconoció la letra del sobre. Sara Emilia y J. del C. fueron amigos míos desde entonces.

Elvira Carrillo, hermana gemela del tío Esteban, torcía y exprimía una caña de azúcar con las dos manos y le sacaba el jugo con la fuerza de un trapiche. Tenía más fama por su franqueza brutal que por la ternura con que sabía entretener a los niños, sobre todo a mi hermano Luis Enrique, un año menor que yo, de quien fue al mismo tiempo soberana y cómplice, y quien la bautizó con el nombre inescrutable de tía Pa. Su especialidad fueron siempre los problemas imposibles. Ella y Esteban fueron los primeros que llegaron a la casa de Cataca, pero mientras él encontró su rumbo en toda clase de oficios y negocios fructíferos, ella se quedó de tía indispensable en la familia sin darse cuenta nunca de que lo fue. Desaparecía cuando no era necesaria, pero cuando lo era no se supo nunca cómo ni de dónde salía. En sus malos momentos hablaba sola mientras meneaba la olla, y revelaba en voz alta dónde estaban las cosas que se daban por perdidas. Se quedó en la casa cuando acabó de enterrar a los mayores, mientras la maleza devoraba el espacio palmo a palmo y los animales erraban por los dormitorios, perturbada desde la medianoche por una tos de ultratumba en el cuarto vecino.

Francisca Simodosea –la tía Mama–, la generala de la tribu que murió virgen a los setenta y nueve años, era distinta de todos en sus hábitos y su lenguaje. Pues su cultura no era de la Provincia, sino del paraíso feudal de las sabanas de Bolívar, adonde su padre, José María Mejía Vidal, había emigrado muy joven desde Riohacha con sus artes de orfebrería. Se había dejado crecer hasta las corvas su cabellera de cerdas retintas que se resistieron a las canas hasta muy avanzada la vejez. Se la lavaba con aguas de esencias una vez por semana, y se sentaba a peinarse en la puerta de su dormitorio en un ceremonial sagrado de varias horas, consumiendo sin sosiego unas calillas de tabaco basto que fumaba al revés, con el fuego dentro de la boca, como lo hacían las tropas liberales para no ser descubiertos por el enemigo en la oscuridad de la noche. También su modo de vestir era distinto, con pollerines y corpiños de hilo inmaculado y babuchas de pana.

Al contrario del purismo castizo de la abuela, la lengua de Mama era la más suelta de la jerga popular. No la disimulaba ante nadie ni en circunstancia alguna, y a cada quien le cantaba las verdades en su cara. Incluida una monja, maestra de mi madre en el internado de Santa Marta, a quien paró en seco por una impertinencia baladí: «Usted es de las que confunden el culo con las témporas». Sin embargo, siempre se las arregló de tal modo que nunca pareció grosera ni insultante.

Durante media vida fue la depositaria de las llaves del cementerio, asentaba y expedía las partidas de defunción y hacía en casa las hostias para la misa. Fue la única persona de la familia, de cualquier sexo, que no parecía tener atravesada en el corazón una pena de amor contrariado. Tomamos conciencia de eso una noche en que el médico se preparaba a ponerle una sonda, y ella se lo impidió por una razón que entonces no entendí: «Quiero advertirle, doctor, que nunca conocí hombre».

Desde entonces seguí oyéndosela con frecuencia, pero nunca me pareció gloriosa ni arrepentida, sino como un hecho cumplido que no dejó rastro alguno en su vida. En cambio, era una casamentera redomada que debió sufrir en su juego doble de hacerle el cuarto a mis padres sin ser desleal con Mina.

Tengo la impresión de que se entendía mejor con los niños que con los adultos. Fue ella quien se ocupó de Sara Emilia hasta que ésta se mudó sola al cuarto de los cuadernos de Calleja. Entonces nos acogió a Margot y a mí en su lugar, aunque la abuela siguió a cargo de mi aseo personal y el abuelo se ocupaba de mi formación de hombre.

Mi recuerdo más inquietante de aquellos tiempos es el de la tía Petra, hermana mayor del abuelo, que se fue de Riohacha a vivir con ellos cuando se quedó ciega. Vivía en el cuarto contiguo a la oficina, donde más tarde estuvo la platería, y desarrolló una destreza mágica para manejarse en sus tinieblas sin ayuda de nadie. Aún la recuerdo como si hubiera sido ayer, caminando sin bastón como con sus dos ojos, lenta pero sin dudas, y guiándose sólo por los distintos olores. Reconocía su cuarto por el vapor del ácido muriático en la platería contigua, el corredor por el perfume de los jazmines del jardín, el dormitorio de los abuelos por el olor del alcohol de madera que ambos usaban para frotarse el cuerpo antes de dormir, el cuarto de la tía Mama por el olor del aceite en las lámparas del altar y, al final del corredor, el olor suculento de la cocina. Era esbelta y sigilosa, con una piel de azucenas marchitas, una cabellera radiante color de nácar que llevaba suelta hasta la cintura, y de la cual se ocupaba ella misma. Sus pupilas verdes y diáfanas de adolescente cambiaban de luz con sus estados de ánimo. De todos modos eran paseos casuales, pues estaba todo el día en el cuarto con la puerta entornada y casi siempre sola. A veces cantaba en susurros para sí misma, y su voz podía confundirse con la de Mina, pero sus canciones eran distintas y más tristes. A alguien le oí decir que eran romanzas de Riohacha, pero sólo de adulto supe que en realidad las inventaba ella misma a medida que las cantaba. Dos o tres veces no pude resistir la tentación de entrar en su cuarto sin que nadie se diera cuenta, pero no la encontré. Años después, durante una de mis vacaciones de bachiller, le conté aquellos recuerdos a mi madre, y ella se apresuró a persuadirme de mi error. Su razón era absoluta, y pude comprobarla sin cenizas de duda: la tía Petra había muerto cuando yo no tenía dos años.

A la tía Wenefrida la llamábamos Nana, y era la más alegre y simpática de la tribu, pero sólo consigo evocarla en su lecho de enferma. Estaba casada con Rafael Quintero Ortega –el tío Quinte–, un abogado de pobres nacido en Chía, a unas quince leguas de Bogotá y a la misma altura sobre el nivel del mar. Pero se adaptó tan bien al Caribe que en el infierno de Cataca necesitaba botellas de agua caliente en los pies para dormir en la fresca de diciembre. La familia se había repuesto ya de la desgracia de Medardo Pacheco cuando al tío Quinte le tocó padecer la suya por matar al abogado de la parte contraria en un litigio judicial. Tenía una imagen de hombre bueno y pacífico, pero el adversario lo hostigó sin tregua, y no le quedó más recurso que armarse. Era tan menudo y óseo que calzaba zapatos de niño, y sus amigos le hacían burlas cordiales porque el revólver le abultaba como un cañón debajo de la camisa. El abuelo lo previno en serio con su frase célebre: «Usted no sabe lo que pesa un muerto». Pero el tío Quinte no tuvo tiempo de pensarlo cuando el enemigo le cerró el paso con gritos de energúmeno en la antesala del juzgado, y se le echó encima con su cuerpo descomunal. «Ni siquiera me di cuenta de cómo saqué el revólver y disparé al aire con las dos manos y los ojos cerrados», me dijo el tío Quinte poco antes de su muerte centenaria. «Cuando abrí los ojos –me contó– todavía lo vi de pie, grande y pálido, y fue como desmoronándose muy despacio hasta que quedó sentado en el suelo.» Hasta entonces no se había dado cuenta el tío Quinte de que le había acertado en el centro de la frente. Le pregunté qué había sentido cuando lo vio caer, y me sorprendió su franqueza:

–¡Un inmenso alivio!

Mi último recuerdo de su esposa Wenefrida fue el de una noche de grandes lluvias en que la exorcizó una hechicera. No era una bruja convencional sino una mujer simpática, bien vestida a la moda, que espantaba con un ramo de ortigas los malos humores del cuerpo mientras cantaba un conjuro como una canción de cuna. De pronto, Nana se retorció con una convulsión profunda, y un pájaro del tamaño de un pollo y de plumas tornasoladas escapó de entre las sábanas. La mujer lo atrapó en el aire con un zarpazo maestro y lo envolvió en un trapo negro que llevaba preparado. Ordenó encender una hoguera en el traspatio, y sin ninguna ceremonia arrojó el pájaro entre las llamas. Pero Nana no se repuso de sus males.

Poco después, la hoguera del patio volvió a encenderse cuando una gallina puso un huevo fantástico que parecía una bola de pimpón con un apéndice como el de un gorro frigio. Mi abuela lo identificó de inmediato: «Es un huevo de basilisco». Ella misma lo arrojó al fuego murmurando oraciones de conjuro.

Nunca pude concebir a los abuelos a una edad distinta de la que tenían en mis recuerdos de esa época. La misma de los retratos que les hicieron en los albores de la vejez, y cuyas copias cada vez más desvaídas se han transmitido como un rito tribal a través de cuatro generaciones prolíficas. Sobre todo los de la abuela Tranquilina, la mujer más crédula e impresionable que conocí jamás, por el espanto que le causaban los misterios de la vida diaria. Trataba de amenizar sus oficios cantando con toda la voz viejas canciones de enamorados, pero las interumpía de pronto con su grito de guerra contra la fatalidad:

—¡Ave María Purísima!

Pues veía que los mecedores se mecían solos, que el fantasma de la fiebre puerperal se había metido en las alcobas de las parturientas, que el olor de los jazmines del jardín era como un fantasma invisible, que un cordón tirado al azar en el suelo tenía la forma de los números que podían ser el premio mayor de la lotería, que un pájaro sin ojos se había extraviado dentro del comedor y sólo pudieron espantarlo con *La Magnífica* cantada. Creía descifrar con claves secretas la identidad de los protagonistas y los lugares de las canciones que le llegaban de la Provincia. Se imaginaba desgracias que tarde o temprano sucedían, presentía quién iba a llegar de Riohacha con un sombrero blanco, o de Manaure con un cólico que sólo podía curarse con hiel de gallinazo, pues además de profeta de oficio era curandera furtiva.

Tenía un sistema muy personal para interpretar los sueños propios y ajenos que regían la conducta diaria de cada uno de nosotros y determinaban la vida de la casa. Sin embargo, estuvo a punto de morir sin presagios cuando quitó de un tirón las sábanas de su cama y se disparó el revólver que el coronel escondía bajo la almohada para tenerlo a mano mientras dormía. Por la trayectoria del proyectil que se incrustó en el techo se estableció que le había pasado a la abuela muy cerca de la cara.

Desde que tuve memoria sufrí la tortura matinal de que Mina me cepillara los dientes, mientras ella gozaba del privilegio mágico de quitarse los suyos para lavarlos, y dejarlos en un vaso de agua mientras dormía. Convencido de que era su dentadura natural que se quitaba y ponía por artes guajiras, hice que me mostrara el interior de la boca para ver cómo era por dentro el revés de los ojos, del cerebro, de la nariz, de los oídos, y sufrí la desilusión de no ver nada más que el paladar. Pero nadie me descifró el prodigio y por un buen tiempo me empeciné en que el dentista me hiciera lo mismo que a la abuela, para que ella me cepillara los dientes mientras yo jugaba en la calle.

Teníamos una especie de código secreto mediante el cual nos comunicábamos ambos con un universo invisible. De día, su mundo mágico me resultaba fascinante, pero en la noche me causaba un terror puro y simple: el miedo a la oscuridad, anterior a nuestro ser, que me ha perseguido durante toda la vida en caminos solitarios y aun en antros de baile del mundo entero. En la casa de los abuelos cada santo tenía su cuarto y cada cuarto tenía su muerto. Pero la única casa conocida de modo oficial como «La casa del muerto» era la vecina de la nuestra, y su muerto era el único que en una sesión de espiritismo se había identificado con su nombre humano: Alfonso Mora. Alguien cercano a él se tomó el trabajo de identificarlo en los registros de bautismos y defunciones, y encontró numerosos homónimos, pero ninguno dio señales de ser el nuestro. Aquélla fue durante años la casa cural, y prosperó el infundio de que el fantasma era el mismo padre Angarita para espantar a los curiosos que lo espiaban en sus andanzas nocturnas.

No alcancé a conocer a Meme, la esclava guajira que la familia llevó de Barrancas y que en una noche de tormenta se escapó con Alirio, su hermano adolescente, pero siempre oí decir que fueron ellos los que más salpicaron el habla de la casa con su lengua nativa. Su castellano enrevesado fue asombro de poetas, desde el día memorable en que encontró los fósforos que se le habían perdido al tío Juan de Dios y se los devolvió con su jerga triunfal:

–Aquí estoy, fósforo tuyo.

Costaba trabajo creer que la abuela Mina, con sus mujeres despistadas, fuera el sostén económico de la casa cuando empezaron a fallar los recursos. El coronel tenía algunas tierras dispersas que fueron ocupadas por colonos cachacos y él se negó a expulsarlos. En un apuro para salvar la honra de uno de sus hijos tuvo que hipotecar la casa de Cataca, y le costó una fortuna no perderla. Cuando ya no hubo para más, Mina siguió sosteniendo la familia a pulso con la panadería, los animalitos de caramelo que se vendían en todo el pueblo, las gallinas jabadas, los huevos de pato, las hortalizas del traspatio. Hizo un corte radical del servicio y se quedó con las más útiles. El dinero en efectivo terminó por no tener sentido en la tradición oral de la casa. De modo que cuando tuvieron que comprar un piano para mi madre a su regreso de la escuela, la tía Pa sacó la cuenta exacta en moneda doméstica: «Un piano cuesta quinientos huevos».

En medio de aquella tropa de mujeres evangélicas, el abuelo era para mí la seguridad completa. Sólo con él desaparecía la zozobra y me sentía con los pies sobre la tierra y bien establecido en la vida real. Lo raro, pensándolo ahora, es que yo quería ser como él, realista, valiente, seguro, pero nunca pude resistir la tentación constante de asomarme al mundo de la abuela. Lo recuerdo rechoncho y sanguíneo, con unas pocas canas en el cráneo reluciente, bigote de cepillo, bien cuidado, y unos espejuelos redondos con montura de oro. Era de hablar pausado, comprensivo y conciliador en tiempos de paz, pero sus amigos conservadores lo recordaban como un enemigo temible en las contrariedades de la guerra.

Nunca usó uniforme militar, pues su grado era revolucionario y no académico, pero hasta mucho después de las guerras usaba el liquilique, que era de uso común entre los veteranos del Caribe. Desde que se promulgó la ley de pensiones de guerra llenó los requisitos para obtener la suya, y tanto él como su esposa y sus herederos más cercanos siguieron esperándola hasta la muerte. Mi abuela Tranquilina, que murió lejos de aquella casa, ciega, decrépita y medio venática, me dijo en sus últimos momentos de lucidez: «Muero tranquila, porque sé que ustedes recibirán la pensión de Nicolasito».

Fue la primera vez que oí aquella palabra mítica que sembró en la familia el germen de las ilusiones eternas: la jubilación. Había entrado en la casa antes de mi nacimiento, cuando el gobierno estableció las pensiones para los veteranos de la guerra de los Mil Días. El abuelo en persona compuso el expediente, aun con exceso de testimonios jurados y documentos probatorios, y los llevó él mismo a Santa Marta para firmar el protocolo de la entrega. De acuerdo con los cálculos menos alegres, era una cantidad bastante para él y sus descendientes hasta la segunda generación. «No se preocupen –nos decía la abuela–, la plata de la jubilación ha de alcanzar para todo.» El correo, que nunca fue algo urgente en la familia, se convirtió entonces en un enviado de la Divina Providencia.

Yo mismo no conseguí eludirlo, con la carga de incertidumbre que llevaba dentro. Sin embargo, en ocasiones Tranquilina era de un temple que no correspondía en nada con su nombre. En la guerra de los Mil Días mi abuelo fue encarcelado en Riohacha por un primo hermano de ella que era oficial del ejército conservador. La parentela liberal, y ella misma, lo entendieron como un acto de guerra ante el cual no valía para nada el poder familiar. Pero cuando la abuela se enteró de que al marido lo tenían en el cepo como un criminal común, se le enfrentó al primo con un perrero y lo obligó a entregárselo sano y salvo.

El mundo del abuelo era otro bien distinto. Aun en sus últimos años parecía muy ágil cuando andaba por todos lados con su caja de herramientas para reparar los daños de la casa, o cuando hacía subir el agua del baño durante horas con la bomba manual del traspatio, o cuando se trepaba por las escaleras empinadas para comprobar la cantidad de agua en los toneles, pero en cambio me pedía que le atara los cordones de las botas porque se quedaba sin aliento cuando quería hacerlo él mismo. No murió por milagro una mañana en que trató de coger el loro cegato que se había trepado hasta los toneles. Había alcanzado a atraparlo por el cuello cuando resbaló en la pasarela y cayó a tierra desde una altura de cuatro metros. Nadie se explicó cómo pudo sobrevivir con sus noventa kilos y sus cincuenta y tantos años. Ése fue para mí el día memorable en que el médico lo examinó desnudo en la cama, palmo a palmo, y le preguntó qué era una vieja cicatriz de media pulgada que le descubrió en la ingle.

–Fue un balazo en la guerra –dijo el abuelo.

Todavía no me repongo de la emoción. Como no me repongo del día en que se asomó a la calle por la ventana de su oficina para conocer un famoso caballo de paso que querían venderle, y de pronto sintió que el ojo se le llenaba de agua. Trató de protegerse con la mano y le quedaron en la palma unas pocas gotas de un líquido diáfano. No sólo perdió el ojo derecho, sino que mi abuela no permitió que comprara el caballo habitado por el diablo. Usó por poco tiempo un parche de pirata sobre la cuenca nublada hasta que el oculista se lo cambió por unos espejuelos bien graduados y le recetó un bastón de carreto que terminó por ser una seña de identidad, como el relojito de chaleco con leontina de oro, cuya tapa se abría con un sobresalto musical. Siempre fue del dominio público que las perfidias de los años que empezaban a inquietarlo no afectaron para nada sus mañas de seductor secreto y buen amante.

En el baño ritual de las seis de la mañana, que en sus últimos años tomó siempre conmigo, nos echábamos agua de la alberca con una totuma y terminábamos empapados del Agua Florida de Lanman y Kemps, que los contrabandistas de Curazao vendían por cajas a domicilio, como el brandy y las camisas de seda china. Alguna vez se le oyó decir que era el único perfume que usaba porque sólo lo sentía quien lo llevaba, pero no volvió a creerlo cuando alguien lo reconoció en una almohada ajena. Otra historia que oí repetir durante años fue la de una noche en que se había ido la luz y el abuelo se echó un frasco de tinta en la cabeza creyendo que era su Agua Florida.

Para los oficios diarios dentro de la casa usaba pantalones de dril con sus tirantes elásticos de siempre, zapatos suaves y una gorra de pana con visera. Para la misa del domingo, a la que faltó muy pocas veces y sólo por razones de fuerza mayor, o para cualquier efemérides o memorial diario, llevaba un vestido completo de lino blanco, con cuello de celuloide y corbata negra. Estas ocasiones escasas le valieron sin duda su fama de botarate y petulante. La impresión que tengo hoy es que la casa con todo lo que tenía dentro sólo existía para él, pues era un matrimonio ejemplar del machismo en una sociedad matriarcal, en la que el hombre es rey absoluto de su casa, pero la que gobierna es su mujer. Dicho sin más vueltas, él era el macho. Es decir: un hombre de una ternura exquisita en privado, de la cual se avergonzaba en público, mientras que su esposa se incineraba por hacerlo feliz.

Los abuelos hicieron otro viaje a Barranquilla por los días en que se celebró el primer centenario de la muerte de Simón Bolívar en diciembre de 1930, para asistir al nacimiento de mi hermana Aida Rosa, la cuarta de la familia. De regreso a Cataca llevaron consigo a Margot, con poco más de un año, y mis padres se quedaron con Luis Enrique y la recién nacida. Me costó trabajo acostumbrarme al cambio, porque Margot llegó a la casa como un ser de otra vida, raquítica y montuna, y con un mundo interior impenetrable. Cuando la vio Abigaíl –la madre de Luis Carmelo Correa– no entendió que mis abuelos se hubieran hecho cargo de semejante compromiso. «Esta niña es una moribunda», dijo. De todos modos decían lo mismo de mí, porque comía poco, porque parpadeaba, porque las cosas que contaba les parecían tan enormes que las creían mentiras, sin pensar que la mayoría eran ciertas de otro modo. Sólo años después me enteré de que el doctor Barboza era el único que me había defendido con un argumento sabio: «Las mentiras de los niños son señales de un gran talento».

Pasó mucho tiempo antes de que Margot se rindiera a la vida familiar. Se sentaba en el mecedorcito a chuparse el dedo en el rincón menos pensado. Nada le llamaba la atención, salvo la campana del reloj, que a cada hora buscaba con sus grandes ojos de alucinada. No lograron que comiera en varios días. Rechazaba la comida sin dramatismo y a veces la tiraba en los rincones. Nadie entendía cómo estaba viva sin comer, hasta que se dieron cuenta de que sólo le gustaban la tierra húmeda del jardín y las tortas de cal que arrancaba de las paredes con las uñas. Cuando la abuela lo descubrió puso hiel de vaca en los recodos más apetitosos del jardín y escondió ajíes picantes en las macetas. El padre Angarita la bautizó en la misma ceremonia con que ratificó el bautismo de emergencia que me habían hecho al nacer. Lo recibí de pie sobre una silla y soporté con valor civil la sal de cocina que el padre me puso en la lengua y la jarra de agua que me derramó en la cabeza. Margot, en cambio, se sublevó por los dos con un chillido de fiera herida y una rebelión del cuerpo entero que padrinos y madrinas lograron controlar a duras penas sobre la pila bautismal.

Hoy pienso que ella, en su relación conmigo, tenía más uso de razón que los adultos entre ellos. Nuestra complicidad era tan rara que en más de una ocasión nos adivinábamos el pensamiento. Una mañana estábamos ella y yo jugando en el jardín cuando sonó el silbato del tren, como todos los días a las once. Pero esa vez sentí al oírlo la revelación inexplicable de que en ese tren llegaba el médico de la compañía bananera que meses antes me había dado una pócima de ruibarbo que me causó una crisis de vómitos. Corrí por toda la casa con gritos de alarma, pero nadie lo creyó. Salvo mi hermana Margot, que permaneció escondida conmigo hasta que el médico acabó de almorzar y se fue en el tren de regreso. «¡Ave María Purísima! –exclamó mi abuela cuando nos encontraron escondidos debajo de su cama–, con estos niños no se necesitan telegramas.»

Nunca pude superar el miedo de estar solo, y mucho menos en la oscuridad, pero me parece que tenía un origen concreto, y es que en la noche se materializaban las fantasías y los presagios de la abuela. Todavía a los setenta años he vislumbrado en sueños el ardor de los jazmines en el corredor y el fantasma de los dormitorios sombríos, y siempre con el sentimiento que me estropeó la niñez: el pavor de la noche. Muchas veces he presentido, en mis insomnios del mundo entero, que yo también arrastro la condena de aquella casa mítica en un mundo feliz donde moríamos cada noche.

Lo más raro es que la abuela sostenía la casa con su sentido de la irrealidad. ¿Cómo era posible mantener aquel tren de vida con tan escasos recursos? Las cuentas no dan. El coronel había aprendido el oficio de su padre, quien a su vez lo había aprendido del suyo, y a pesar de la celebridad de sus pescaditos de oro que se veían por todas partes, no eran un buen negocio. Más aún: cuando yo era niño me daba la impresión de que sólo los hacía por ratos o cuando preparaba un regalo de bodas. La abuela decía que él sólo trabajaba para regalar. Sin embargo, su fama de buen funcionario quedó bien sentada cuando el Partido Liberal ganó el poder, y fue tesorero durante años y administrador de hacienda varias veces.

No puedo imaginarme un medio familiar más propicio para mi vocación que aquella casa lunática, en especial por el carácter de las numerosas mujeres que me criaron. Los únicos hombres éramos mi abuelo y yo, y él me inició en la triste realidad de los adultos con relatos de batallas sangrientas y explicaciones escolares del vuelo de los pájaros y los truenos del atardecer, y me alentó en mi afición al dibujo. Al principio dibujaba en las paredes, hasta que las mujeres de la casa pusieron el grito en el cielo: la pared y la muralla son el papel de la canalla. Mi abuelo se enfureció, e hizo pintar de blanco un muro de su platería y me compró lápices de colores, y más tarde un estuche de acuarelas, para que pintara a gusto, mientras él fabricaba sus célebres pescaditos de oro. Alguna vez le oí decir que el nieto iba a ser pintor, y no me llamó la atención, porque yo creía que los pintores eran sólo los que pintaban puertas.

Quienes me conocieron a los cuatro años dicen que era pálido y ensimismado, y que sólo hablaba para contar disparates, pero mis relatos eran en gran parte episodios simples de la vida diaria, que yo hacía más atractivos con detalles fantásticos para que los adultos me hicieran caso. Mi mejor fuente de inspiración eran las conversaciones que los mayores sostenían delante de mí, porque pensaban que no las entendía, o las que cifraban aposta para que no las entendiera. Y era todo lo contrario: yo las absorbía como una esponja, las desmontaba en piezas, las trastocaba para escamotear el origen, y cuando se las contaba a los mismos que las habían contado se quedaban perplejos por las coincidencias entre lo que yo decía y lo que ellos pensaban.

A veces no sabía qué hacer con mi conciencia y trataba de disimularlo con parpadeos rápidos. Tanto era así, que algún racionalista de la familia decidió que me viera un médico de la vista, el cual atribuyó mis parpadeos a una afección de las amígdalas, y me recetó un jarabe de rábano yodado que me vino muy bien para aliviar a los adultos. La abuela, por su parte, llegó a la conclusión providencial de que el nieto era adivino. Eso la convirtió en mi víctima favorita, hasta el día en que sufrió un vahído porque soñé de veras que al abuelo le había salido un pájaro vivo por la boca. El susto de que se muriera por culpa mía fue el primer elemento moderador de mi desenfreno precoz. Ahora pienso que no eran infamias de niño, como podía pensarse, sino técnicas rudimentarias de narrador en ciernes para hacer la realidad más divertida y comprensible.

Mi primer paso en la vida real fue el descubrimiento del futbol en medio de la calle o en algunas huertas vecinas. Mi maestro era Luis Carmelo Correa, que nació con un instinto propio para los deportes y un talento congénito para las matemáticas. Yo era cinco meses mayor, pero él se burlaba de mí porque crecía más, y más rápido que yo. Empezamos a jugar con pelotas de trapo y alcancé a ser un buen portero, pero cuando pasamos al balón de reglamento sufrí un golpe en el estómago con un tiro suyo tan potente, que hasta allí me llegaron las ínfulas. Las veces en que nos hemos encontrado de adultos he comprobado con una gran alegría que seguimos tratándonos como cuando éramos niños. Sin embargo, mi recuerdo más impresionante de esa época fue el paso fugaz del superintendente de la compañía bananera en un suntuoso automóvil descubierto, junto a una mujer de largos cabellos dorados, sueltos al viento, y con un pastor alemán sentado como un rey en el asiento de honor. Eran apariciones instantáneas de un mundo remoto e inverosímil que nos estaba vedado a los mortales.

Empecé a ayudar la misa sin demasiada credulidad, pero con un rigor que tal vez me lo abonen como un ingrediente esencial de la fe. Debió ser por esas buenas virtudes que me llevaron a los seis años con el padre Angarita para iniciarme en los misterios de la primera comunión. Me cambió la vida. Empezaron a tratarme como a un adulto, y el sacristán mayor me enseñó a ayudar la misa. Mi único problema fue que no pude entender en qué momento debía tocar la campana, y la tocaba cuando se me ocurría por pura y simple inspiración. A la tercera vez, el padre se volvió hacia mí y me ordenó de un modo áspero que no la tocara más. La parte buena del oficio era cuando el otro monaguillo, el sacristán y yo nos quedábamos solos para poner orden en la sacristía y nos comíamos las hostias sobrantes con un vaso de vino.

La víspera de la primera comunión el padre me confesó sin preámbulos, sentado como un Papa de verdad en la poltrona tronal, y yo arrodillado frente a él en un cojín de peluche. Mi conciencia del bien y del mal era bastante simple, pero el padre me asistió con un diccionario de pecados para que yo contestara cuáles había cometido y cuáles no. Creo que contesté bien hasta que me preguntó si no había hecho cosas inmundas con animales. Tenía la noción confusa de que algunos mayores cometían con las burras algún pecado que nunca había entendido, pero sólo aquella noche aprendí que también era posible con las gallinas. De ese modo, mi primer paso para la primera comunión fue otro tranco grande en la pérdida de la inocencia, y no encontré ningún estímulo para seguir de monaguillo.

Mi prueba de fuego fue cuando mis padres se mudaron para Cataca con Luis Enrique y Aida, mis otros dos hermanos. Margot, que apenas se acordaba de papá, le tenía terror. Yo también, pero conmigo fue siempre más cauteloso. Sólo una vez se quitó el cinturón para azotarme, y yo me paré en posición de firmes, me mordí los labios y lo miré a los ojos dispuesto a soportar lo que fuera para no llorar. Él bajó el brazo, y empezó a ponerse el cinturón mientras me recriminaba entre dientes por lo que había hecho. En nuestras largas conversaciones de adultos me confesó que le dolía mucho azotarnos, pero que tal vez lo hacía por el terror de que saliéramos torcidos. En sus buenos momentos era divertido. Le encantaba contar chistes en la mesa, y algunos muy buenos, pero los repetía tanto que un día Luis Enrique se levantó y dijo:

–Me avisan cuando acaben de reírse.

Sin embargo, la azotaina histórica fue la noche en que no apareció en la casa de los padres ni en la de los abuelos, y lo buscaron en medio pueblo hasta que lo encontraron en el cine. Celso Daza, el vendedor de refrescos, le había servido uno de zapote a las ocho de la noche y él había desaparecido sin pagar y con el vaso. La fritanguera le vendió una empanada y lo vio poco después conversando con el portero del cine, que lo dejó entrar gratis porque le había dicho que su papá lo esperaba dentro. La película era *Drácula*, con Carlos Villarías y Lupita Tovar, dirigida por George Melford. Durante años me contó Luis Enrique su terror en el instante en que se encendieron las luces del teatro cuando el conde Drácula iba a hincar sus colmillos de vampiro en el cuello de la bella. Estaba en el sitio más escondido que encontró libre en la galería, y desde allí vio a papá y al abuelo buscando fila por fila en las lunetas, con el dueño del cine y dos agentes de la policía. Estaban a punto de rendirse cuando Papalelo lo descubrió en la última fila del gallinero y lo señaló con el bastón:

—¡Ahí está!

Papá lo sacó agarrado por el pelo, y la cueriza que le dio en la casa quedó como un escarmiento legendario en la historia de la familia. Mi terror y admiración por aquel acto de independencia de mi hermano me quedaron vivos para siempre en la memoria. Pero él parecía sobrevivir a todo cada vez más heroico. Sin embargo, hoy me intriga que su rebeldía no se manifestaba en las raras épocas en que papá no estuvo en la casa.

Me refugié más que nunca en la sombra del abuelo. Siempre estábamos juntos, durante las mañanas en la platería o en su oficina de administrador de hacienda, donde me asignó un oficio feliz: dibujar los hierros de las vacas que se iban a sacrificar, y lo tomaba con tanta seriedad que me cedía el puesto en el escritorio. A la hora del almuerzo, con todos los invitados, nos sentábamos siempre en la cabecera, él con su jarro grande de aluminio para el agua helada y yo con una cuchara de plata que me servía para todo. Llamaba la atención que si quería un pedazo de hielo metía la mano en el jarro para cogerlo, y en el agua quedaba una nata de grasa. Mi abuelo me defendía: «Él tiene todos los derechos».

A las once íbamos a la llegada del tren, pues su hijo Juan de Dios, que seguía viviendo en Santa Marta, le mandaba una carta cada día con el conductor de turno, que cobraba cinco centavos. El abuelo la contestaba por otros cinco centavos en el tren de regreso. En la tarde, cuando bajaba el sol, me llevaba de la mano a hacer sus diligencias personales. Íbamos a la peluquería –que era el cuarto de hora más largo de la infancia–; a ver los cohetes de las fiestas patrias –que me aterrorizaban–; a las procesiones de la Semana Santa –con el Cristo muerto que desde siempre creí de carne y hueso–. Yo usaba entonces una cachucha a cuadros escoceses, igual a una del abuelo, que Mina me había comprado para que me pareciera más a él. Tan bien lo logró que el tío Quinte nos veía como una sola persona con dos edades distintas.

A cualquier hora del día el abuelo me llevaba de compras al comisariato suculento de la compañía bananera. Allí conocí los pargos, y por primera vez puse la mano sobre el hielo y me estremeció el descubrimiento de que era frío. Era feliz comiendo lo que se me antojaba, pero me aburrían las partidas de ajedrez con el Belga y las conversaciones políticas. Ahora me doy cuenta, sin embargo, de que en aquellos largos paseos veíamos dos mundos distintos. Mi abuelo veía el suyo en su horizonte, y yo veía el mío a la altura de mis ojos. Él saludaba a sus amigos en los balcones y yo anhelaba los juguetes de los cacharreros expuestos en los andenes.

A la prima noche nos demorábamos en el fragor universal de Las Cuatro Esquinas, él conversando con don Antonio Daconte, que lo recibía de pie en la puerta de su tienda abigarrada, y yo asombrado con las novedades del mundo entero. Me enloquecían los magos de feria que sacaban conejos de los sombreros, los tragadores de candela, los ventrílocuos que hacían hablar a los animales, los acordeoneros que cantaban a gritos las cosas que sucedían en la Provincia. Hoy me doy cuenta de que uno de ellos, muy viejo y con una barba blanca, podía ser el legendario Francisco el Hombre.

Cada vez que la película le parecía apropiada, don Antonio Daconte nos invitaba a la función tempranera de su salón Olympia, para alarma de la abuela, que lo tenía como un libertinaje impropio para un nieto inocente. Pero Papalelo persistió, y al día siguiente me hacía contar la película en la mesa, me corregía los olvidos y errores y me ayudaba a reconstruir los episodios difíciles. Eran atisbos de arte dramático que sin duda de algo me sirvieron, sobre todo cuando empecé a dibujar tiras cómicas desde antes de aprender a escribir. Al principio me lo celebraban como gracias pueriles, pero me gustaban tanto los aplausos fáciles de los adultos, que éstos terminaron por huirme cuando me sentían llegar. Más tarde me sucedió lo mismo con las canciones que me obligaban a cantar en bodas y cumpleaños.

Antes de dormir pasábamos un buen rato por el taller del Belga, un anciano pavoroso que apareció en Aracataca después de la primera guerra mundial, y no dudo de que fuera belga por el recuerdo que tengo de su acento aturdido y sus nostalgias de navegante. El otro ser vivo en su casa era un gran danés, sordo y pederasta, que se llamaba como el presidente de los Estados Unidos: Woodrow Wilson. Al Belga lo conocí a mis cuatro años, cuando mi abuelo iba a jugar con él unas partidas de ajedrez mudas e interminables. Desde la primera noche me asombró que no había en su casa nada que yo supiera para qué servía. Pues era un artista de todo que sobrevivía entre el desorden de sus propias obras: paisajes marinos al pastel, fotografías de niños en cumpleaños y primeras comuniones, copias de joyas asiáticas, figuras hechas con cuernos de vaca, muebles de épocas y estilos dispersos, encaramados unos encima de otros.

Me llamó la atención su pellejo pegado al hueso, del mismo color amarillo solar del cabello y con un mechón que le caía en la cara y le estorbaba para hablar. Fumaba una cachimba de lobo de mar que sólo encendía para el ajedrez, y mi abuelo decía que era una trampa para aturdir al adversario. Tenía un ojo de vidrio desorbitado que parecía más pendiente del interlocutor que el ojo sano. Estaba inválido desde la cintura, encorvado hacia delante y torcido hacia su izquierda, pero navegaba como un pescado por entre los escollos de sus talleres, más colgado que sostenido en las muletas de palo. Nunca le oí hablar de sus navegaciones, que al parecer eran muchas e intrépidas. La única pasión que se le conocía fuera de su casa era la del cine, y no faltaba a ninguna película de cualquier clase los fines de semana.

Nunca lo quise, y menos durante las partidas de ajedrez en que se demoraba horas para mover una pieza mientras yo me derrumbaba de sueño. Una noche lo vi tan desvalido que me asaltó el presagio de que iba a morirse muy pronto, y sentí lástima por él. Pero con el tiempo llegó a pensar tanto las jugadas que terminé queriendo de todo corazón que se muriera.

Por esa época el abuelo colgó en el comedor el cuadro del Libertador Simón Bolívar en cámara ardiente. Me costó trabajo entender que no tuviera el sudario de los muertos que yo había visto en los velorios, sino que estaba tendido en un escritorio de oficina con el uniforme de sus días de gloria. Mi abuelo me sacó de dudas con una frase terminal:

–Él era distinto.

Luego, con una voz trémula que no parecía la suya, me leyó un largo poema colgado junto al cuadro, del cual sólo recordé para siempre los versos finales: «Tú, Santa Marta, fuiste hospitalaria, y en tu regazo, tú le diste siquiera ese pedazo de las playas del mar para morir». Desde entonces, y por muchos años, me quedó la idea de que a Bolívar lo habían encontrado muerto en la playa. Fue mi abuelo quien me enseñó y me pidió no olvidar jamás que aquél fue el hombre más grande que nació en la historia del mundo. Confundido por la discrepancia de su frase con otra que la abuela me había dicho con un énfasis igual, le pregunté al abuelo si Bolívar era más grande que Jesucristo. Él me contestó moviendo la cabeza sin la convicción de antes:

–Una cosa no tiene nada que ver con la otra.

Ahora sé que había sido mi abuela quien le impuso a su marido que me llevara con él en sus paseos vespertinos, pues estaba segura de que eran pretextos para visitar a sus amantes reales o supuestas. Es probable que algunas veces le sirviera de coartada, pero la verdad es que nunca fue conmigo a ningún lugar que no estuviera en el itinerario previsto. Sin embargo, tengo la imagen nítida de una noche en que pasé por azar de la mano de alguien frente a una casa desconocida, y vi al abuelo sentado como dueño y señor en la sala. Nunca pude entender por qué me estremeció la clarividencia de que no debía contárselo a nadie. Hasta el sol de hoy.

Fue también el abuelo quien me hizo el primer contacto con la letra escrita a los cinco años, una tarde en que me llevó a conocer los animales de un circo que estaba de paso en Cataca bajo una carpa grande como una iglesia. El que más me llamó la atención fue un rumiante maltrecho y desolado con una expresión de madre espantosa.

–Es un camello –me dijo el abuelo.

Alguien que estaba cerca le salió al paso:

–Perdón, coronel, es un dromedario.

Puedo imaginarme ahora cómo debió sentirse el abuelo porque alguien lo hubiera corregido en presencia del nieto. Sin pensarlo siquiera, lo superó con una pregunta digna:

–¿Cuál es la diferencia?

–No la sé –le dijo el otro–, pero éste es un dromedario.

El abuelo no era un hombre culto, ni pretendía serlo, pues se había fugado de la escuela pública de Riohacha para irse a tirar tiros en una de las incontables guerras civiles del Caribe. Nunca volvió a estudiar, pero toda la vida fue consciente de sus vacíos y tenía una avidez de conocimientos inmediatos que compensaba de sobra sus defectos. Aquella tarde del circo volvió abatido a la oficina y consultó el diccionario con una atención infantil. Entonces supo él y supe yo para siempre la diferencia entre un dromedario y un camello. Al final me puso el glorioso tumbaburros en el regazo y me dijo:

–Este libro no sólo lo sabe todo, sino que es el único que nunca se equivoca.

Era un mamotreto ilustrado con un atlante colosal en el lomo, y en cuyos hombros se asentaba la bóveda del universo. Yo no sabía leer ni escribir, pero podía imaginarme cuánta razón tenía el coronel si eran casi dos mil páginas grandes, abigarradas y con dibujos preciosos. En la iglesia me había asombrado el tamaño del misal, pero el diccionario era más grueso. Fue como asomarme al mundo entero por primera vez.

–¿Cuántas palabras tendrá? –pregunté.

–Todas –dijo el abuelo.

La verdad es que yo no necesitaba entonces de la palabra escrita, porque lograba expresar con dibujos todo lo que me impresionaba. A los cuatro años había dibujado a un mago que le cortaba la cabeza a su mujer y se la volvía a pegar, como lo había hecho Richardine a su paso por el salón Olympia. La secuencia gráfica empezaba con la decapitación a serrucho, seguía con la exhibición triunfal de la cabeza sangrante y terminaba con la mujer que agradecía los aplausos con la cabeza puesta. Las historietas gráficas estaban ya inventadas pero sólo las conocí más tarde en el suplemento en colores de los periódicos dominicales. Entonces empecé a inventar cuentos dibujados y sin diálogos. Sin embargo, cuando el abuelo me regaló el diccionario me despertó tal curiosidad por las palabras que lo leía como una novela, en orden alfabético y sin entenderlo apenas. Así fue mi primer contacto con el que habría de ser el libro fundamental en mi destino de escritor.

A los niños se les cuenta un primer cuento que en realidad les llama la atención, y cuesta mucho trabajo que quieran escuchar otro. Creo que éste no es el caso de los niños narradores, y no fue el mío. Yo quería más. La voracidad con que oía los cuentos me dejaba siempre esperando uno mejor al día siguiente, sobre todo los que tenían que ver con los misterios de la historia sagrada.

Cuanto me sucedía en la calle tenía una resonancia enorme en la casa. Las mujeres de la cocina se lo contaban a los forasteros que llegaban en el tren –que a su vez traían otras cosas que contar– y todo junto se incorporaba al torrente de la tradición oral. Algunos hechos se conocían primero por los acordeoneros que los cantaban en las ferias, y que los viajeros recontaban y enriquecían. Sin embargo, el más impresionante de mi infancia me salió al paso un domingo muy temprano, cuando íbamos para la misa, en una frase descaminada de mi abuela:

–El pobre Nicolasito se va a perder la misa de Pentecostés.

Me alegré, porque la misa de los domingos era demasiado larga para mi edad, y los sermones del padre Angarita, a quien tanto quise de niño, me parecían soporíferos. Pero fue una ilusión vana, pues el abuelo me llevó casi a rastras hasta el taller del Belga, con mi vestido de pana verde que me habían puesto para la misa, y me apretaba en la entrepierna. Los agentes de guardia reconocieron al abuelo desde lejos y le abrieron la puerta con la fórmula ritual:

–Pase usted, coronel.

Sólo entonces me enteré de que el Belga había aspirado una pócima de cianuro de oro –que compartió con su perro– después de ver *Sin novedad en el frente*, la película de Lewis Milestone sobre la novela de Erich Maria Remarque. La intuición popular, que siempre encuentra la verdad hasta donde no es posible, entendió y proclamó que el Belga no había resistido la conmoción de verse a sí mismo revolcándose con su patrulla descuartizada en un pantano de Normandía.

La pequeña sala de recibo estaba en penumbra por las ventanas cerradas, pero la luz temprana del patio iluminaba el dormitorio, donde el alcalde con otros dos agentes esperaban al abuelo. Allí estaba el cadáver cubierto con una manta en un catre de campamento, y las muletas al alcance de la mano, donde el dueño las dejó antes de acostarse a morir. A su lado, sobre un banquillo de madera, estaba la cubeta donde había vaporizado el cianuro y un papel con letras grandes dibujadas a pincel: «No culpen a ninguno, me mato por majadero». Los trámites legales y los pormenores del entierro, resueltos deprisa por el abuelo, no duraron más de diez minutos. Para mí, sin embargo, fueron los diez minutos más impresionantes que habría de recordar en mi vida.

Lo primero que me estremeció desde la entrada fue el olor del dormitorio. Sólo mucho después vine a saber que era el olor de las almendras amargas del cianuro que el Belga había inhalado para morir. Pero ni ésa ni ninguna otra impresión habría de ser más intensa y perdurable que la visión del cadáver cuando el alcalde apartó la manta para mostrárselo al abuelo. Estaba desnudo, tieso y retorcido, con el pellejo áspero cubierto de pelos amarillos, y los ojos de aguas mansas que nos miraban como si estuvieran vivos. Ese pavor de ser visto desde la muerte me estremeció durante años cada vez que pasaba junto a las tumbas sin cruces de los suicidas enterrados fuera del cementerio por disposición de la Iglesia. Sin embargo, lo que más volvió a mi memoria con su carga de horror a la vista del cadáver fue el tedio de las noches en su casa. Tal vez por eso le dije a mi abuelo cuando abandonamos la casa:

–El Belga ya no volverá a jugar ajedrez.

Fue una idea fácil, pero mi abuelo la contó en familia como una ocurrencia genial. Las mujeres la divulgaban con tanto entusiasmo que durante algún tiempo huía de las visitas por el temor de que lo contaran delante de mí o me obligaran a repetirlo. Esto me reveló, además, una condición de los adultos que había de serme muy útil como escritor: cada quien lo contaba con detalles nuevos, añadidos por su cuenta, hasta el punto de que las diversas versiones terminaban por ser distintas de la original. Nadie se imagina la compasión que siento desde entonces por los pobres niños declarados genios por sus padres, que los hacen cantar en las visitas, imitar voces de pájaros e incluso mentir por divertir. Hoy me doy cuenta, sin embargo, de que aquella frase tan simple fue mi primer éxito literario.

Ésa era mi vida en 1932, cuando se anunció que las tropas del Perú, bajo el régimen militar del general Luis Miguel Sánchez Cerro, se habían tomado la desguarnecida población de Leticia, a orillas del río Amazonas, en el extremo sur de Colombia. La noticia retumbó en el ámbito del país. El gobierno decretó la movilización nacional y una colecta pública para recoger de casa en casa las joyas familiares de más valor. El patriotismo exacerbado por el ataque artero de las tropas peruanas provocó una respuesta popular sin precedentes. Los recaudadores no se daban abasto para recibir los tributos voluntarios casa por casa, sobre todo los anillos matrimoniales, tan estimados por su precio real como por su valor simbólico.

Para mí, en cambio, fue una de las épocas más felices por lo que tuvo de desorden. Se rompió el rigor estéril de las escuelas y fue sustituido en las calles y en las casas por la creatividad popular. Se formó un batallón cívico con lo más granado de la juventud, sin distinciones de clases ni colores, se crearon las brigadas femeninas de la Cruz Roja, se improvisaron himnos de guerra a muerte contra el malvado agresor, y un grito unánime retumbó en el ámbito de la patria: «¡Viva Colombia, abajo el Perú!».

Nunca supe en qué terminó aquella gesta porque al cabo de un cierto tiempo se aplacaron los ánimos sin explicaciones bastantes. La paz se consolidó con el asesinato del general Sánchez Cerro a manos de algún opositor de su reinado sangriento, y el grito de guerra se volvió de rutina para celebrar las victorias del futbol escolar. Pero mis padres, que habían contribuido para la guerra con sus anillos de boda, no se restablecieron nunca de su candor.

Hasta donde recuerdo, mi vocación por la música se reveló en esos años por la fascinación que me causaban los acordeoneros con sus canciones de caminantes. Algunas las sabía de memoria, como las que cantaban a escondidas las mujeres de la cocina porque mi abuela las consideraba canciones de la guacherna. Sin embargo, mi urgencia de cantar para sentirme vivo me la infundieron los tangos de Carlos Gardel, que contagiaron a medio mundo. Me hacía vestir como él, con sombrero de fieltro y bufanda de seda, y no necesitaba demasiadas súplicas para que soltara un tango a todo pecho. Hasta la mala mañana en que la tía Mama me despertó con la noticia de que Gardel había muerto en el choque de dos aviones en Medellín. Meses antes yo había cantado «Cuesta abajo» en una velada de beneficencia, acompañado por las hermanas Echeverri, bogotanas puras, que eran maestras de maestros y alma de cuanta velada de beneficencia y conmemoración patriótica se celebraba en Cataca. Y canté con tanto carácter que mi madre no se atrevió a contrariarme cuando le dije que quería aprender el piano en vez del acordeón repudiado por la abuela.

Aquella misma noche me llevó con las señoritas Echeverri para que me enseñaran. Mientras ellas conversaban yo miraba el piano desde el otro extremo de la sala con una devoción de perro sin dueño, calculaba si mis piernas llegarían a los pedales, y dudaba de que mi pulgar y mi meñique alcanzaran para los intervalos desorbitados o si sería capaz de descifrar los jeroglíficos del pentagrama. Fue una visita de bellas esperanzas durante dos horas. Pero inútil, pues las maestras nos dijeron al final que el piano estaba fuera de servicio y no sabían hasta cuándo. La idea quedó aplazada hasta que regresara el afinador del año, pero no se volvió a hablar de ella hasta media vida después, cuando le recordé a mi madre en una charla casual el dolor que sentí por no aprender el piano. Ella suspiró:

–Y lo peor –dijo– es que no estaba dañado.

Entonces supe que se había puesto de acuerdo con las maestras en el pretexto del piano dañado para evitarme la tortura que ella había padecido durante cinco años de ejercicios bobalicones en el colegio de la Presentación. El consuelo fue que en Cataca habían abierto por esos años la escuela montessoriana, cuyas maestras estimulaban los cinco sentidos mediante ejercicios prácticos y enseñaban a cantar. Con el talento y la belleza de la directora Rosa Elena Fergusson estudiar era algo tan maravilloso como jugar a estar vivos. Aprendí a apreciar el olfato, cuyo poder de evocaciones nostálgicas es arrasador. El paladar, que afiné hasta el punto de que he probado bebidas que saben a ventana, panes viejos que saben a baúl, infusiones que saben a misa. En teoría es difícil entender estos placeres subjetivos, pero quienes los hayan vivido los comprenderán de inmediato.

No creo que haya método mejor que el montessoriano para sensibilizar a los niños en las bellezas del mundo y para despertarles la curiosidad por los secretos de la vida. Se le ha reprochado que fomenta el sentido de independencia y el individualismo –y tal vez en mi caso fuera cierto–. En cambio, nunca aprendí a dividir o a sacar raíz cuadrada, ni a manejar ideas abstractas. Éramos tan jóvenes que sólo recuerdo a dos condiscípulos. Una era Juanita Mendoza, que murió de tifo a los siete años, poco después de inaugurada la escuela, y me impresionó tanto que nunca he podido olvidarla con corona y velos de novia en el ataúd. El otro es Guillermo Valencia Abdala, mi amigo desde el primer recreo, y mi médico infalible para las resacas de los lunes.

Mi hermana Margot debió ser muy infeliz en aquella escuela, aunque no recuerdo que alguna vez lo haya dicho. Se sentaba en su silla del curso elemental y allí permanecía callada –aun durante las horas de recreo– sin mover la vista de un punto indefinido hasta que sonaba la campana del final. Nunca supe a tiempo que mientras permanecía sola en el salón vacío masticaba la tierra del jardín de la casa que llevaba escondida en el bolsillo de su delantal.

Me costó mucho aprender a leer. No me parecía lógico que la letra *m* se llamara *eme*, y sin embargo con la vocal siguiente no se dijera *emea* sino *ma*. Me era imposible leer así. Por fin, cuando llegué al Montessori la maestra no me enseñó los nombres sino los sonidos de las consonantes. Así pude leer el primer libro que encontré en un arcón polvoriento del depósito de la casa. Estaba descosido e incompleto, pero me absorbió de un modo tan intenso que el novio de Sara soltó al pasar una premonición aterradora: «¡Carajo!, este niño va a ser escritor».

Dicho por él, que vivía de escribir, me causó una gran impresión. Pasaron varios años antes de saber que el libro era *Las mil y una noches*. El cuento que más me gustó –uno de los más cortos y el más sencillo que he leído– siguió pareciéndome el mejor por el resto de mi vida, aunque ahora no estoy seguro de que fuera allí donde lo leí, ni nadie ha podido aclarármelo. El cuento es éste: un pescador prometió a una vecina regalarle el primer pescado que sacara si le prestaba un plomo para su atarraya, y cuando la mujer abrió el pescado para freírlo tenía dentro un diamante del tamaño de una almendra.

Siempre he relacionado la guerra del Perú con la decadencia de Cataca, pues una vez proclamada la paz mi padre se extravió en un laberinto de incertidumbres que terminó por fin con el traslado de la familia a su pueblo natal de Sincé. Para Luis Enrique y yo, que lo acompañamos en su viaje de exploración, fue en realidad una nueva escuela de vida, con una cultura tan diferente de la nuestra que parecían ser de dos planetas distintos. Desde el día siguiente de la llegada nos llevaron a las huertas vecinas y allí aprendimos a montar en burro, a ordeñar vacas, a capar terneros, a armar trampas de codornices, a pescar con anzuelo y a entender por qué los perros se quedaban enganchados con sus hembras. Luis Enrique iba siempre muy por delante de mí en el descubrimiento del mundo que Mina nos mantuvo vedado, y del cual la abuela Argemira nos hablaba en Sincé sin la menor malicia. Tantos tíos y tías, tantos primos de colores distintos, tantos parientes de apellidos raros hablando en jergas tan diversas nos transmitían al principio más confusión que novedad, hasta que lo entendimos como otro modo de querer. El papá de papá, don Gabriel Martínez, que era un maestro de escuela legendario, nos recibió a Luis Enrique y a mí en su patio de árboles inmensos con los mangos más famosos de la población por su sabor y su tamaño. Los contaba uno por uno todos los días desde el primero de la cosecha anual y los arrancaba uno por uno con su propia mano en el momento de venderlos al precio fabuloso de un centavo cada uno. Al despedirnos, después de una charla amistosa sobre su memoria de buen maestro, arrancó un mango del árbol más frondoso y nos lo dio para los dos.

Papá nos había vendido aquel viaje como un paso importante en la integración familiar, pero desde la llegada nos dimos cuenta de que su propósito secreto era el de establecer una farmacia en la gran plaza principal. Mi hermano y yo fuimos matriculados en la escuela del maestro Luis Gabriel Mesa, donde nos sentimos más libres y mejor integrados a una nueva comunidad. Tomamos en alquiler una casa enorme en la mejor esquina de la población, con dos pisos y un balcón corrido sobre la plaza, por cuyos dormitorios desolados cantaba toda la noche el fantasma invisible de un alcaraván.

Todo estaba listo para el desembarco feliz de la madre y las hermanas, cuando llegó el telegrama con la noticia de que el abuelo Nicolás Márquez había muerto. Lo había sorprendido un malestar en la garganta que fue diagnosticado como un cáncer terminal, y apenas si tuvieron tiempo de llevarlo a Santa Marta para morir. Al único de nosotros que vio en su agonía fue al hermano Gustavo, con seis meses de nacido, a quien alguien puso en la cama del abuelo para que se despidiera de él. El abuelo agonizante le hizo una caricia de adiós.

Necesité muchos años para tomar conciencia de lo que significaba para mí aquella muerte inconcebible.

La mudanza para Sincé se hizo de todos modos, no sólo con los hijos, sino con la abuela Mina, la tía Mama, ya enferma, y ambas al buen cargo de la tía Pa. Pero la alegría de la novedad y el fracaso del proyecto ocurrieron casi al mismo tiempo, y en menos de un año regresamos todos a la vieja casa de Cataca «azotando el sombrero», como decía mi madre en las situaciones sin remedio. Papá se quedó en Barranquilla estudiando el modo de instalar su cuarta farmacia.

Mi último recuerdo de la casa de Cataca por aquellos días atroces fue el de la hoguera del patio donde quemaron las ropas de mi abuelo. Sus liquiliques de guerra y sus linos blancos de coronel civil se parecían a él como si continuara vivo dentro de ellos mientras ardían. Sobre todo las muchas gorras de pana de distintos colores que habían sido la seña de identidad que mejor lo distinguía a distancia. Entre ellas reconocí la mía a cuadros escoceses, incinerada por descuido, y me estremeció la revelación de que aquella ceremonia de exterminio me confería un protagonismo cierto en la muerte del abuelo. Hoy lo veo claro: algo mío había muerto con él. Pero también creo, sin duda alguna, que en ese momento era ya un escritor de escuela primaria al que sólo le faltaba aprender a escribir.

Fue ese mismo estado de ánimo el que me alentó a seguir vivo cuando salí con mi madre de la casa que no pudimos vender. Como el tren de regreso podía llegar a cualquier hora, nos fuimos a la estación sin pensar siquiera en saludar a nadie más. «Otro día volvemos con más tiempo», dijo ella, con el único eufemismo que se le ocurrió para decir que no volvería jamás. Por mi parte, yo sabía entonces que nunca más en el resto de mi vida dejaría de añorar el trueno de las tres de la tarde.

Fuimos los únicos fantasmas en la estación, aparte del empleado de overol que vendía los billetes y hacía además lo que en nuestro tiempo requería veinte o treinta hombres apresurados. El calor era de hierro. Al otro lado de las vías del tren sólo quedaban los restos de la ciudad prohibida de la compañía bananera, sus antiguas mansiones sin sus tejados rojos, las palmeras marchitas entre la maleza y los escombros del hospital, y en el extremo del camellón, la casa del Montessori abandonada entre almendros decrépitos y la placita de caliche frente a la estación sin el mínimo rastro de grandeza histórica.

Cada cosa, con sólo mirarla, me suscitaba una ansiedad irresistible de escribir para no morir. La había padecido otras veces, pero sólo aquella mañana la reconocí como un trance de inspiración, esa palabra abominable pero tan real que arrasa todo cuanto encuentra a su paso para llegar a tiempo a sus cenizas.

No recuerdo que habláramos algo más, ni siquiera en el tren de regreso. Ya en la lancha, en la madrugada del lunes, con la brisa fresca de la ciénaga dormida, mi madre se dio cuenta de que tampoco yo dormía, y me preguntó:

–¿En qué piensas?

–Estoy escribiendo –le contesté. Y me apresuré a ser más amable–: Mejor dicho, estoy pensando lo que voy a escribir cuando llegue a la oficina.

–¿No te da miedo de que tu papá se muera de pesar?

Me escapé con una larga verónica.

–Ha tenido tantos motivos para morirse, que éste ha de ser el menos mortal.

No era la época más propicia para aventurarme en una segunda novela después de estar empantanado en la primera y de haber intentado con fortuna o sin ella otras formas de ficción, pero yo mismo me lo impuse aquella noche como un compromiso de guerra: escribirla o morir. O como Rilke había dicho: «Si usted cree que es capaz de vivir sin escribir, no escriba».

Desde el taxi que nos llevó hasta el muelle de las lanchas, mi vieja ciudad de Barranquilla me pareció extraña y triste en las primeras luces de aquel febrero providencial. El capitán de la lancha *Eline Mercedes* me invitó a que acompañara a mi madre hasta la población de Sucre, donde vivía la familia desde hacía diez años. No lo pensé siquiera. La despedí con un beso, y ella me miró a los ojos, me sonrió por primera vez desde la tarde anterior y me preguntó con su picardía de siempre:

–Entonces, ¿qué le digo a tu papá?

Le contesté con el corazón en la mano:

–Dígale que lo quiero mucho y que gracias a él voy a ser escritor. –Y me anticipé sin compasión a cualquier alternativa–: Nada más que escritor.

Me gustaba decirlo, unas veces en broma y otras en serio, pero nunca con tanta convicción como aquel día. Permanecí en el muelle respondiendo a los adioses lentos que me hacía mi madre desde la baranda, hasta que la lancha desapareció entre escombros de barcos. Entonces me precipité a la oficina de *El Heraldo*, excitado por la ansiedad que me carcomía las entrañas, y sin respirar apenas empecé la nueva novela con la frase de mi madre: «Vengo a pedirte el favor de que me acompañes a vender la casa».

Mi método de entonces era distinto del que adopté después como escritor profesional. Escribía sólo con los índices –como sigo haciéndolo– pero no rompía cada párrafo hasta dejarlo a gusto –como ahora–, sino que soltaba todo lo que llevaba en bruto dentro de mí. Pienso que el sistema estaba impuesto por las medidas del papel, que eran bandas verticales recortadas de las bobinas para imprenta, y que bien podían tener cinco metros. El resultado eran unos originales largos y angostos como papiros que salían en cascada de la máquina de escribir y se extendían en el piso a medida que uno escribía. El jefe de redacción no encargaba los artículos por cuartillas, ni por palabras o letras, sino por centímetros de papel. «Un reportaje de metro y medio», se decía. Volví a añorar este formato en plena madurez, cuando caí en la cuenta de que en la práctica era igual a la pantalla de la computadora.

El ímpetu con que empecé la novela era tan irresistible que perdí el sentido del tiempo. A las diez de la mañana llevaría escrito más de un metro, cuando Alfonso Fuenmayor abrió de golpe la puerta principal, y se quedó de piedra con la llave en la cerradura, como si la hubiera confundido con la del baño. Hasta que me reconoció.

–¡Y usted, qué carajo hace aquí a esta hora! –me dijo sorprendido.

–Estoy escribiendo la novela de mi vida –le dije.

–¿Otra? –dijo Alfonso con su humor impío–. Pues tiene usted más vidas que un gato.

–Es la misma, pero de otro modo –le dije para no darle explicaciones inútiles.

No nos tuteábamos, por la rara costumbre colombiana de tutearse desde el primer saludo y pasar al usted sólo cuando se logra una mayor confianza –como entre esposos.

Sacó libros y papeles del maletín maltrecho y los puso en el escritorio. Mientras tanto, escuchó con su curiosidad insaciable el trastorno emocional que traté de transmitirle con el relato frenético de mi viaje. Al final, como síntesis, no pude evitar mi desgracia de reducir a una frase irreversible lo que no soy capaz de explicar.

–Es lo más grande que me ha sucedido en la vida –le dije.

–Menos mal que no será lo último –dijo Alfonso.

Ni siquiera lo pensó, pues tampoco él era capaz de aceptar una idea sin haberla reducido a su tamaño justo. Sin embargo, lo conocía bastante para darme cuenta de que tal vez mi emoción del viaje no lo había enternecido tanto como yo esperaba, pero sin duda lo había intrigado. Así fue: desde el día siguiente empezó a hacerme toda suerte de preguntas casuales pero muy lúcidas sobre el curso de la escritura, y un simple gesto suyo era suficiente para ponerme a pensar que algo debía ser corregido.

Mientras hablábamos había recogido mis papeles para dejar libre el escritorio, pues Alfonso debía escribir esa mañana la primera nota editorial de *Crónica*. Pero la noticia que llevaba me alegró el día: el primer número, previsto para la semana siguiente, se aplazaba una quinta vez por incumplimientos en los suministros de papel. Con suerte, dijo Alfonso, saldríamos dentro de tres semanas.

Pensé que aquel plazo providencial me alcanzaría para definir el principio del libro, pues todavía estaba yo demasiado biche para darme cuenta de que las novelas no empiezan como uno quiere sino como ellas quieren. Tanto, que seis meses después, cuando me creía en la recta final, tuve que rehacer a fondo las diez páginas del principio para que el lector se las creyera, y todavía hoy no me parecen válidas. El plazo debió ser también un alivio para Alfonso, porque en lugar de lamentarlo se quitó la chaqueta y se sentó al escritorio para seguir corrigiendo la edición reciente del diccionario de la Real Academia, que nos había llegado por esos días. Era su ocio favorito desde que encontró un error casual en un diccionario inglés, y mandó la corrección documentada a sus editores de Londres, tal vez sin más gratificación que hacerles un chiste de los nuestros en la carta de remisión: «Por fin Inglaterra nos debe un favor a los colombianos». Los editores le respondieron con una carta muy amable en la que reconocían su falta y le pedían que siguiera colaborando con ellos. Así fue, por varios años, y no sólo dio con otros tropiezos en el mismo diccionario, sino en otros de distintos idiomas. Cuando la relación envejeció, había contraído ya el vicio solitario de corregir diccionarios en español, inglés o francés, y si tenía que hacer antesalas o esperar en los autobuses o en cualquiera de las tantas colas de la vida, se entretenía en la tarea milimétrica de cazar gazapos entre los matorrales de las lenguas.

El bochorno era insoportable a las doce. El humo de los cigarrillos de ambos había nublado la poca luz de las dos únicas ventanas, pero ninguno se tomó el trabajo de ventilar la oficina, tal vez por la adicción secundaria de seguir fumando el mismo humo hasta morir. Con el calor era distinto. Tengo la suerte congénita de poder ignorarlo hasta los treinta grados a la sombra. Alfonso, en cambio, iba quitándose la ropa pieza por pieza a medida que apretaba el calor, sin interrumpir la tarea: la corbata, la camisa, la camiseta. Con la otra ventaja de que la ropa permanecía seca mientras él se consumía en el sudor, y podía ponérsela otra vez cuando bajaba el sol, tan aplanchada y fresca como en el desayuno. Ése debió ser el secreto que le permitió aparecer siempre en cualquier parte con sus linos blancos, sus corbatas de nudos torcidos y su duro cabello de indio dividido en el centro del cráneo por una línea matemática. Así estaba otra vez a la una de la tarde, cuando salió del baño como si acabara de levantarse de un sueño reparador. Al pasar junto a mí, me preguntó:

–¿Almorzamos?

–No hay hambre, maestro –le dije.

La réplica era directa en el código de la tribu: si decía que sí era porque estaba en un apuro urgente, tal vez con dos días de pan y agua, y en ese caso me iba con él sin más comentarios y quedaba claro que se las arreglaba para invitarme. La respuesta –no hay hambre– podía significar cualquier cosa, pero era mi modo de decirle que no tenía problemas con el almuerzo. Quedamos en vernos en la tarde, como siempre, en la librería Mundo.

Poco después del mediodía llegó un hombre joven que parecía un artista de cine. Muy rubio, de piel cuarteada por la intemperie, los ojos de un azul misterioso y una cálida voz de armonio. Mientras hablábamos sobre la revista de aparición inminente, trazó en la cubierta del escritorio el perfil de un toro bravo con seis trazos magistrales, y lo firmó con un mensaje para Fuenmayor. Luego tiró el lápiz en la mesa y se despidió con un portazo. Yo estaba tan embebido en la escritura, que no miré siquiera el nombre en el dibujo. Así que escribí el resto del día sin comer ni beber, y cuando se acabó la luz de la tarde tuve que salir a tientas con los primeros esbozos de la nueva novela, feliz con la certidumbre de haber encontrado por fin un camino distinto de algo que escribía sin esperanzas desde hacía más de un año.

Sólo esa noche supe que el visitante de la tarde era el pintor Alejandro Obregón, recién llegado de otro de sus muchos viajes a Europa. No sólo era desde entonces uno de los grandes pintores de Colombia, sino uno de los hombres más queridos por sus amigos, y había anticipado su regreso para participar en el lanzamiento de *Crónica*. Lo encontré con sus íntimos en una cantina sin nombre en el callejón de la Luz, en pleno Barrio Abajo, que Alfonso Fuenmayor había bautizado con el título de un libro reciente de Graham Greene: *El tercer hombre*. Sus regresos eran siempre históricos, y el de aquella noche culminó con el espectáculo de un grillo amaestrado que obedecía como un ser humano las órdenes de su dueño. Se paraba en dos patas, extendía las alas, cantaba con silbos rítmicos y agradecía los aplausos con reverencias teatrales. Al final, ante el domador embriagado con la salva de aplausos, Obregón agarró el grillo por las alas, con la punta de los dedos, y ante el asombro de todos se lo metió en la boca y lo masticó vivo con un deleite sensual. No fue fácil reparar con toda clase de mimos y dádivas al domador inconsolable. Más tarde me enteré de que no era el primer grillo que Obregón se comía vivo en espectáculo público, ni sería el último.

Nunca como en aquellos días me sentí tan integrado a aquella ciudad y a la media docena de amigos que empezaban a ser conocidos en los medios periodísticos e intelectuales del país como el grupo de Barranquilla. Eran escritores y artistas jóvenes que ejercían un cierto liderazgo en la vida cultural de la ciudad, de la mano del maestro catalán don Ramón Vinyes, dramaturgo y librero legendario, consagrado en la Enciclopedia Espasa desde 1924.

Los había conocido en setiembre del año anterior cuando fui desde Cartagena –donde vivía entonces– por recomendación urgente de Clemente Manuel Zabala, jefe de redacción del diario *El Universal*, donde escribía mis primeras notas editoriales. Pasamos una noche hablando de todo y quedamos en una comunicación tan entusiasta y constante, de intercambio de libros y guiños literarios, que terminé trabajando con ellos. Tres del grupo original se distinguían por su independencia y el poder de sus vocaciones: Germán Vargas, Alfonso Fuenmayor y Álvaro Cepeda Samudio. Teníamos tantas cosas en común que se decía de mala leche que éramos hijos de un mismo padre, pero estábamos señalados y nos querían poco en ciertos medios por nuestra independencia, nuestras vocaciones irresistibles, una determinación creativa que se abría paso a codazos y una timidez que cada uno resolvía a su manera y no siempre con fortuna.

Alfonso Fuenmayor era un excelente escritor y periodista de veintiocho años que mantuvo por largo tiempo en *El Heraldo* una columna de actualidad –«Aire del día»– con el seudónimo shakespeareano de Puck. Cuanto más conocíamos su informalidad y su sentido del humor, menos entendíamos que hubiera leído tantos libros en cuatro idiomas de cuantos temas era posible imaginar. Su última experiencia vital, a los casi cincuenta años, fue la de un automóvil enorme y maltrecho que conducía con todo riesgo a veinte kilómetros por hora. Los taxistas, sus grandes amigos y lectores más sabios, lo reconocían a distancia y se apartaban para dejarle la calle libre.

Germán Vargas Cantillo era columnista del vespertino *El Nacional*, crítico literario certero y mordaz, con una prosa tan servicial que podía convencer al lector de que las cosas sucedían sólo porque él las contaba. Fue uno de los mejores locutores de radio y sin duda el más culto en aquellos buenos tiempos de oficios nuevos, y un ejemplo difícil del reportero natural que me habría gustado ser. Rubio y de huesos duros, y ojos de un azul peligroso, nunca fue posible entender en qué tiempo estaba al minuto en todo lo que era digno de ser leído. No cejó un instante en su obsesión temprana de descubrir valores literarios ocultos en rincones remotos de la Provincia olvidada para exponerlos a la luz pública. Fue una suerte que nunca aprendiera a conducir en aquella cofradía de distraídos, pues teníamos el temor de que no resistiera la tentación de leer manejando.

Álvaro Cepeda Samudio, en cambio, era antes que nada un chofer alucinado –tanto de automóviles como de las letras–; cuentista de los buenos cuando bien tenía la voluntad de sentarse a escribirlos; crítico magistral de cine, y sin duda el más culto, y promotor de polémicas atrevidas. Parecía un gitano de la Ciénaga Grande, de piel curtida y con una hermosa cabeza de bucles negros y alborotados, y unos ojos de loco que no ocultaban su corazón fácil. Su calzado favorito eran unas sandalias de trapo de las más baratas, y llevaba apretado entre los dientes un puro enorme y casi siempre apagado. Había hecho en *El Nacional* sus primeras letras de periodista, y publicado sus primeros cuentos. Aquel año estaba en Nueva York terminando un curso superior de periodismo en la Universidad de Columbia.

Un miembro itinerante del grupo, y el más distinguido junto con don Ramón, era José Félix Fuenmayor, el papá de Alfonso. Periodista histórico y narrador de los más grandes, había publicado un libro de versos, *Musas del trópico*, en 1910, y dos novelas: *Cosme*, en 1927, y *Una triste aventura de catorce sabios*, en 1928. Ninguno fue éxito de librería, pero la crítica especializada tuvo siempre a José Félix como uno de los mejores cuentistas, sofocado por las frondas de la Provincia.

Nunca había oído hablar de él cuando lo conocí, un mediodía en que coincidimos solos en el Japy, y de inmediato me deslumbró por la sabiduría y la sencillez de su conversación. Era veterano y sobreviviente de una mala cárcel en la guerra de los Mil Días. No tenía la formación de Vinyes, pero era más cercano a mí por su modo de ser y su cultura caribe. Sin embargo, lo que más me gustaba de él era su extraña virtud de transmitir su sabiduría como si fueran asuntos de coser y cantar. Era un conversador invencible y un maestro de la vida, y su modo de pensar era distinto de todo cuanto había conocido hasta entonces. Álvaro Cepeda y yo pasábamos horas escuchándolo, sobre todo por su principio básico de que las diferencias de fondo entre la vida y la literatura eran simples errores de forma. Más tarde, no recuerdo dónde, Álvaro escribió una ráfaga certera: «Todos venimos de José Félix».

El grupo se había formado de un modo espontáneo, casi por la fuerza de gravedad, en virtud de una afinidad indestructible pero difícil de entender a primera vista. Muchas veces nos preguntaron cómo siendo tan distintos estábamos siempre de acuerdo, y teníamos que improvisar cualquier respuesta para no contestar la verdad: no siempre lo estábamos, pero entendíamos las razones. Éramos conscientes de que fuera de nuestro ámbito teníamos una imagen de prepotentes, narcisistas y anárquicos. Sobre todo por nuestras definiciones políticas. Alfonso era visto como un liberal ortodoxo, Germán como un librepensador a regañadientes, Álvaro como un anarquista arbitrario y yo como un comunista incrédulo y un suicida en potencia. Sin embargo, creo sin la menor duda que nuestra fortuna mayor fue que aun en los apuros más extremos podíamos perder la paciencia pero nunca el sentido del humor.

Nuestras pocas discrepancias serias las discutíamos sólo entre nosotros, y a veces alcanzaban temperaturas peligrosas que sin embargo se olvidaban tan pronto como nos levantábamos de la mesa, o si llegaba algún amigo ajeno. La lección menos olvidable la aprendí para siempre en el bar Los Almendros, una noche de recién llegado en que Álvaro y yo nos enmarañamos en una discusión sobre Faulkner. Los únicos testigos en la mesa eran Germán y Alfonso, y se mantuvieron al margen en un silencio de mármol que llegó a extremos insoportables. No recuerdo en qué momento, pasado de rabia y aguardiente bruto, desafié a Álvaro a que resolviéramos la discusión a trompadas. Ambos iniciamos el impulso para levantarnos de la mesa y echarnos al medio de la calle, cuando la voz impasible de Germán Vargas nos frenó en seco con una lección para siempre:

–El que se levante primero ya perdió.

Ninguno llegaba entonces a los treinta años. Yo, con veintitrés cumplidos, era el menor del grupo, y había sido adoptado por ellos desde que llegué para quedarme en el pasado diciembre. Pero en la mesa de don Ramón Vinyes nos comportábamos los cuatro como los promotores y postuladores de la fe, siempre juntos, hablando de lo mismo y burlándonos de todo, y tan de acuerdo en llevar la contraria que habíamos terminado por ser vistos como si sólo fuéramos uno.

La única mujer que considerábamos como parte del grupo era Meira Delmar, que se iniciaba en el ímpetu de la poesía, pero sólo departíamos con ella en las escasas ocasiones en que nos salíamos de nuestra órbita de malas costumbres. Eran memorables las veladas en su casa con los escritores y artistas famosos que pasaban por la ciudad. Otra amiga con menos tiempo y frecuencia era la pintora Cecilia Porras, que iba desde Cartagena de vez en cuando, y nos acompañaba en nuestros periplos nocturnos, pues le importaba un rábano que las mujeres fueran mal vistas en cafés de borrachos y casas de perdición.

Los del grupo nos encontrábamos dos veces al día en la librería Mundo, que terminó convertida en un centro de reunión literaria. Era un remanso de paz en medio del fragor de la calle San Blas, la arteria comercial bulliciosa y ardiente por donde se vaciaba el centro de la ciudad a las seis de la tarde. Alfonso y yo escribíamos hasta la prima noche en nuestra oficina contigua a la sala de redacción de *El Heraldo*, como alumnos aplicados, él sus editoriales juiciosos y yo mis notas despelucadas. Con frecuencia nos intercambiábamos ideas de una máquina a otra, nos prestábamos adjetivos, nos consultábamos datos de ida y vuelta, hasta el punto de que en algunos casos era difícil saber cuál párrafo era de quién.

Nuestra vida diaria fue casi siempre previsible, salvo en las noches de los viernes que estábamos a merced de la inspiración y a veces empalmábamos con el desayuno del lunes. Si el interés nos atrapaba, los cuatro emprendíamos una peregrinación literaria sin freno ni medida. Empezaba en El Tercer Hombre con los artesanos del barrio y los mecánicos de un taller de automóviles, además de funcionarios públicos descarrilados y otros que lo eran menos. El más raro de todos era un ladrón de domicilios que llegaba poco antes de la medianoche con el uniforme del oficio: pantalones de ballet, zapatos de tenis, gorra de pelotero y un maletín de herramientas ligeras. Alguien que lo sorprendió robando en su casa alcanzó a retratarlo y publicó la foto en la prensa por si alguien lo identificaba. Lo único que obtuvo fueron varias cartas de lectores indignados por jugarles sucio a los pobres rateros.

El ladrón tenía una vocación literaria bien asumida, no perdía palabra en las conversaciones sobre artes y libros, y sabíamos que era autor vergonzante de poemas de amor que declamaba para la clientela cuando no estábamos nosotros. Después de la medianoche se iba a robar en los barrios altos, como si fuera un empleo, y tres o cuatro horas después nos traía de regalo algunas baratijas apartadas del botín mayor. «Para las niñas», nos decía, sin preguntar siquiera si las teníamos. Cuando un libro le llamaba la atención nos lo llevaba de regalo, y si valía la pena se lo donábamos a la biblioteca departamental que dirigía Meira Delmar.

Aquellas cátedras itinerantes nos habían merecido una reputación turbia entre las buenas comadres que encontrábamos al salir de la misa de cinco, y cambiaban de acera para no cruzarse con borrachos amanecidos. Pero la verdad es que no había parrandas más honradas y fructíferas. Si alguien lo supo de inmediato fui yo, que los acompañaba en sus gritos de los burdeles sobre la obra de John Dos Passos o los goles desperdiciados por el Deportivo Junior. Tanto, que una de las graciosas hetairas de El Gato Negro, harta de toda una noche de disputas gratuitas, nos había gritado al pasar:

–¡Si ustedes tiraran tanto como gritan, nosotras estaríamos bañadas en oro!

Muchas veces íbamos a ver el nuevo sol en un burdel sin nombre del barrio chino donde vivió durante años Orlando Rivera, Figurita, mientras pintaba un mural que hizo época. No recuerdo alguien más disparatero, con su mirada lunática, su barba de chivo y su bondad de huérfano. Desde la escuela primaria le había picado la ventolera de ser cubano, y terminó por serlo más y mejor que si lo hubiera sido. Hablaba, comía, pintaba, se vestía, se enamoraba, bailaba y vivía su vida como un cubano, y cubano se murió sin conocer Cuba.

No dormía. Cuando lo visitábamos de madrugada bajaba a saltos de los andamios, más pintorreteado él mismo que el mural, y blasfemando en lengua de mambises en la resaca de la marihuana. Alfonso y yo le llevábamos artículos y cuentos para ilustrar, y teníamos que contárselos de viva voz porque no tenía paciencia para entenderlos leídos. Hacía los dibujos en un instante con técnicas de caricatura, que eran las únicas en que creía. Casi siempre le quedaban bien, aunque Germán Vargas decía de buena leche que eran mucho mejores cuando le quedaban mal.

Así era Barranquilla, una ciudad que no se parecía a ninguna, sobre todo de diciembre a marzo, cuando los alisios del norte compensaban los días infernales con unos ventarrones nocturnos que se arremolinaban en los patios de las casas y se llevaban a las gallinas por los aires. Sólo permanecían vivos los hoteles de paso y las cantinas de vaporinos alrededor del puerto. Algunas pajaritas nocturnas esperaban noches enteras la clientela siempre incierta de los buques fluviales. Una banda de cobres tocaba un valse lánguido en la alameda, pero nadie la escuchaba, por los gritos de los choferes que discutían de futbol entre los taxis parados en batería en la calzada del paseo Bolívar. El único local posible era el café Roma, una tasca de refugiados españoles que no cerraba nunca por la razón simple de que no tenía puertas. Tampoco tenía techos, en una ciudad de aguaceros sacramentales, pero nunca se oyó decir que alguien dejara de comerse una tortilla de papas o de concertar un negocio por culpa de la lluvia. Era un remanso a la intemperie, con mesitas redondas pintadas de blanco y silletas de hierro bajo frondas de acacias floridas. A las once, cuando cerraban los periódicos matutinos –*El Heraldo* y *La Prensa*–, los redactores nocturnos se reunían a comer. Los refugiados españoles estaban desde las siete, después de escuchar en casa el diario hablado del profesor Juan José Pérez Domenech, que seguía dando noticias de la guerra civil española doce años después de haberla perdido. Una noche de suerte, el escritor Eduardo Zalamea había anclado allí de regreso de La Guajira, y se disparó un tiro de revólver en el pecho sin consecuencias graves. La mesa quedó como una reliquia histórica que los meseros les mostraban a los turistas sin permiso para ocuparla. Años después, Zalamea publicó el testimonio de su aventura en *Cuatro años a bordo de mí mismo*, una novela que abrió horizontes insospechables en nuestra generación.

Yo era el más desvalido de la cofradía, y muchas veces me refugié en el café Roma para escribir hasta el amanecer en un rincón apartado, pues los dos empleos juntos tenían la virtud paradójica de ser importantes y mal pagados. Allí me sorprendía el amanecer, leyendo sin piedad, y cuando me acosaba el hambre me tomaba un chocolate grueso con un sanduiche de buen jamón español y paseaba con las primeras luces del alba bajo los matarratones floridos del paseo Bolívar. Las primeras semanas había escrito hasta muy tarde en la redacción del periódico, y dormido unas horas en la sala desierta de la redacción o sobre los rodillos del papel de imprenta, pero con el tiempo me vi forzado a buscar un sitio menos original.

La solución, como tantas otras del futuro, me la dieron los alegres taxistas del paseo Bolívar, en un hotel de paso a una cuadra de la catedral, donde se dormía solo o acompañado por un peso y medio. El edificio era muy antiguo pero bien mantenido, a costa de las putitas de solemnidad que merodeaban por el paseo Bolívar desde las seis de la tarde al acecho de amores extraviados. El portero se llamaba Lácides. Tenía un ojo de vidrio con el eje torcido y tartamudeaba por timidez, y todavía lo recuerdo con una inmensa gratitud desde la primera noche en que llegué. Echó el peso con cincuenta centavos en la gaveta del mostrador, llena ya con los billetes sueltos y arrugados de la prima noche, y me dio la llave del cuarto número seis.

Nunca había estado en un lugar tan tranquilo. Lo más que se oía eran los pasos apagados, un murmullo incomprensible y muy de vez en cuando el crujido angustioso de resortes oxidados. Pero ni un susurro, ni un suspiro: nada. Lo único difícil era el calor de horno por la ventana clausurada con crucetas de madera. Sin embargo, desde la primera noche leí muy bien a William Irish, casi hasta el amanecer.

Había sido una mansión de antiguos navieros, con columnas enchapadas de alabastro y frisos de oropeles, alrededor de un patio interior cubierto por un vitral pagano que irradiaba un resplandor de invernadero. En la planta baja estaban las notarías de la ciudad. En cada uno de los tres pisos de la casa original había seis grandes aposentos de mármol, convertidos en cubículos de cartón –iguales al mío– donde hacían su cosecha las nocherniegas del sector. Aquel desnucadero feliz había tenido alguna vez el nombre de hotel Nueva York, y Alfonso Fuenmayor lo llamó más tarde el Rascacielos, en memoria de los suicidas que por aquellos años se tiraban desde las azoteas del Empire State.

En todo caso, el eje de nuestras vidas era la librería Mundo, a las doce del día y las seis de la tarde, en la cuadra más concurrida de la calle San Blas. Germán Vargas, amigo íntimo del propietario, don Jorge Rondón, fue quien lo convenció de instalar aquel negocio que en poco tiempo se convirtió en el centro de reunión de periodistas, escritores y políticos jóvenes. Rondón carecía de experiencia en el negocio, pero aprendió pronto, y con un entusiasmo y una generosidad que lo convirtieron en un mecenas inolvidable. Germán, Álvaro y Alfonso fueron sus asesores en los pedidos de libros, sobre todo en las novedades de Buenos Aires, cuyos editores habían empezado a traducir, imprimir y distribuir en masa las novedades literarias de todo el mundo después de la guerra mundial. Gracias a ellos podíamos leer a tiempo los libros que de otro modo no habrían llegado a la ciudad. Ellos mismos entusiasmaban a la clientela y lograron que Barranquilla volviera a ser el centro de lectura que había decaído años antes, cuando dejó de existir la librería histórica de don Ramón.

No pasó mucho tiempo desde mi llegada cuando ingresé en aquella cofradía que esperaba como enviados del cielo a los vendedores viajeros de las editoriales argentinas. Gracias a ellos fuimos admiradores precoces de Jorge Luis Borges, de Julio Cortázar, de Felisberto Hernández y de los novelistas ingleses y norteamericanos bien traducidos por la cuadrilla de Victoria Ocampo. *La forja de un rebelde*, de Arturo Barea, fue el primer mensaje esperanzador de una España remota silenciada por dos guerras. Uno de aquellos viajeros, el puntual Guillermo Dávalos, tenía la buena costumbre de compartir nuestras parrandas nocturnas y regalarnos los muestrarios de sus novedades después de terminar sus negocios en la ciudad.

El grupo, que vivía lejos del centro, no iba de noche al café Roma si no era por motivos concretos. Para mí, en cambio, era la casa que no tenía. Trabajaba por la mañana en la apacible redacción de *El Heraldo*, almorzaba como pudiera, cuando pudiera y donde pudiera, pero casi siempre invitado dentro del grupo por amigos buenos y políticos interesados. En la tarde escribía «La Jirafa», mi nota diaria, y cualquier otro texto de ocasión. A las doce del día y a las seis de la tarde era el más puntual en la librería Mundo. El aperitivo del almuerzo, que el grupo tomó durante años en el café Colombia, se trasladó más tarde al café Japy, en la acera de enfrente, por ser el más ventilado y alegre sobre la calle San Blas. Lo usábamos para visitas, oficina, negocios, entrevistas, y como un lugar fácil para encontrarnos.

La mesa de don Ramón en el Japy tenía unas leyes inviolables impuestas por la costumbre. Era el primero que llegaba por su horario de maestro hasta las cuatro de la tarde. No cabíamos más de seis en la mesa. Habíamos escogido nuestros sitios en relación con el suyo, y se consideraba de mal gusto arrimar otras sillas donde no cabían. Por la antigüedad y el rango de su amistad, Germán se sentó a su derecha desde el primer día. Era el encargado de sus asuntos materiales. Se los resolvía aunque no se los encomendara, porque el sabio tenía la vocación congénita de no entenderse con la vida práctica. Por aquellos días, el asunto principal era la venta de sus libros a la biblioteca departamental, y el remate de otras cosas antes de viajar a Barcelona. Más que un secretario, Germán parecía un buen hijo.

Las relaciones de don Ramón con Alfonso, en cambio, se fundaban en problemas literarios y políticos más difíciles. En cuanto a Álvaro, siempre me pareció que se inhibía cuando lo encontraba solo en la mesa y necesitaba la presencia de otros para empezar a navegar. El único ser humano que tenía derecho libre de lugar en la mesa era José Félix. En la noche, don Ramón no iba al Japy sino al cercano café Roma, con sus amigos del exilio español.

El último que llegó a su mesa fui yo, y desde el primer día me senté sin derecho propio en la silla de Álvaro Cepeda mientras estuvo en Nueva York. Don Ramón me recibió como un discípulo más porque había leído mis cuentos en *El Espectador*. Sin embargo, nunca hubiera imaginado que llegaría a tener con él la confianza de pedirle prestado el dinero para mi viaje a Aracataca con mi madre. Poco después, por una casualidad inconcebible, tuvimos la primera y única conversación a solas cuando fui al Japy más temprano que los otros para pagarle sin testigos los seis pesos que me había prestado.

–Salud, genio –me saludó como siempre. Pero algo en mi cara lo alarmó–: ¿Está enfermo?

–Creo que no, señor –le dije inquieto–. ¿Por qué?

–Le noto demacrado –dijo él–, pero no me haga caso, por estos días todos andamos *fotuts del cul*.

Se guardó los seis pesos en la cartera con un gesto reticente como si fuera dinero mal habido por él.

–Se lo recibo –me explicó ruborizado– como recuerdo de un joven muy pobre que fue capaz de pagar una deuda sin que se la cobraran.

No supe qué decir, sumergido en un silencio que soporté como un pozo de plomo en la algarabía del salón. Nunca soñé con la fortuna de aquel encuentro. Tenía la impresión de que en las charlas de grupo cada quien ponía su granito de arena en el desorden, y las gracias y carencias de cada uno se confundían con las de los otros, pero nunca se me ocurrió que pudiera hablar a solas de las artes y la gloria con un hombre que vivía desde hacía años en una enciclopedia. Muchas madrugadas, mientras leía en la soledad de mi cuarto, imaginaba diálogos excitantes que habría querido sostener con él sobre mis dudas literarias, pero se derretían sin dejar rescoldos a la luz del sol. Mi timidez se agravaba cuando Alfonso irrumpía con una de sus ideas descomunales, o Germán desaprobaba una opinión apresurada del maestro, o Álvaro se desgañitaba con un proyecto que nos sacaba de quicio.

Por fortuna, aquel día en el Japy fue don Ramón quien tomó la iniciativa de preguntarme cómo iban mis lecturas. Para entonces yo había leído todo lo que pude encontrar de la generación perdida, en español, con un cuidado especial para Faulkner, al que rastreaba con un sigilo sangriento de cuchilla de afeitar, por mi raro temor de que a la larga no fuera más que un retórico astuto. Después de decirlo me estremeció el pudor de que pareciera una provocación, y traté de matizarlo, pero don Ramón no me dio tiempo.

–No se preocupe, Gabito –me contestó impasible–. Si Faulkner estuviera en Barranquilla estaría en esta mesa.

Por otra parte, le llamaba la atención que Ramón Gómez de la Serna me interesara tanto que lo citaba en «La Jirafa» a la par de otros novelistas indudables. Le aclaré que no lo hacía por sus novelas, pues aparte de *El chalet de las rosas*, que me había gustado mucho, lo que me interesaba de él era la audacia de su ingenio y su talento verbal, pero sólo como gimnasia rítmica para aprender a escribir. En ese sentido, no recuerdo un género más inteligente que sus famosas greguerías. Don Ramón me interrumpió con su sonrisa mordaz:

–El peligro para usted es que sin darse cuenta aprenda también a escribir mal.

Sin embargo, antes de cerrar el tema reconoció que en medio de su desorden fosforescente, Gómez de la Serna era un buen poeta. Así eran sus réplicas, inmediatas y sabias, y apenas si me alcanzaban los nervios para asimilarlas, ofuscado por el temor de que alguien interrumpiera aquella ocasión única. Pero él sabía cómo manejarla. Su mesero habitual le llevó la Coca-Cola de las once y media, y él pareció no darse cuenta, pero se la tomó a sorbos con el pitillo de papel sin interrumpir sus explicaciones. La mayoría de los clientes lo saludaban en voz alta desde la puerta: «Cómo está, don Ramón». Y él les contestaba sin mirarlos con un aleteo de su mano de artista.

Mientras hablaba, don Ramón dirigía miradas furtivas a la carpeta de piel que mantuve apretada con ambas manos mientras lo escuchaba. Cuando acabó de tomarse la primera Coca-Cola, torció el pitillo como un destornillador y ordenó la segunda. Yo pedí la mía muy a sabiendas de que en aquella mesa cada quien pagaba lo suyo. Por fin me preguntó qué era la carpeta misteriosa a la cual me aferraba como a una tabla de náufrago.

Le conté la verdad: era el primer capítulo todavía en borrador de la novela que había empezado al regreso de Cataca con mi madre. Con un atrevimiento del que nunca volvería a ser capaz en una encrucijada de vida o muerte, puse en la mesa la carpeta abierta frente a él, como una provocación inocente. Fijó en mí sus pupilas diáfanas de un azul peligroso, y me preguntó un poco asombrado:

–¿Usted permite?

Estaba escrita a máquina con incontables correcciones, en bandas de papel de imprenta plegadas como un fuelle de acordeón. Él se puso sin prisa los lentes de leer, desplegó las tiras de papel con una maestría profesional y las acomodó en la mesa. Leyó sin un gesto, sin un matiz de la piel, sin un cambio de la respiración, con un mechón de cacatúa movido apenas por el ritmo de sus pensamientos. Cuando terminó dos tiras completas las volvió a plegar en silencio con un arte medieval, y cerró la carpeta. Entonces se guardó los lentes en la funda y se los puso en el bolsillo del pecho.

–Se ve que es un material todavía crudo, como es lógico –me dijo con una gran sencillez–. Pero va bien.

Hizo algunos comentarios marginales sobre el manejo del tiempo, que era mi problema de vida o muerte, y sin duda el más difícil, y agregó:

–Usted debe ser consciente de que el drama ya sucedió y que los personajes no están allí sino para evocarlo, de modo que tiene que lidiar con dos tiempos.

Después de una serie de precisiones técnicas que no logré valorar por mi inexperiencia, me aconsejó que la ciudad de la novela no se llamara Barranquilla, como yo lo tenía decidido en el borrador, porque era un nombre tan condicionado por la realidad que le dejaría al lector muy poco espacio para soñar. Y terminó con su tono de burla:

–O hágase el palurdo y espere a que le caiga del cielo. Al fin y al cabo, la Atenas de Sófocles no fue nunca la misma de Antígona.

Pero lo que seguí para siempre al pie de la letra fue la frase con que se despidió de mí aquella tarde:

–Le agradezco su deferencia, y voy a corresponderle con un consejo: no muestre nunca a nadie el borrador de algo que esté escribiendo.

Fue mi única conversación a solas con él, pero valió por todas, porque viajó a Barcelona el 15 de abril de 1950, como estaba previsto desde hacía más de un año, enrarecido por el traje de paño negro y el sombrero de magistrado. Fue como embarcar a un niño de escuela.

Estaba bien de salud y con la lucidez intacta a los sesenta y ocho años, pero quienes lo acompañamos al aeropuerto lo despedimos como a alguien que volvía a su tierra natal para asistir a su propio entierro.

Sólo al día siguiente, cuando llegamos a nuestra mesa del Japy, nos dimos cuenta del vacío que quedó en su silla, y que nadie se decidió a ocupar mientras no llegamos al acuerdo de que fuera Germán. Necesitamos algunos días para acostumbrarnos al nuevo ritmo de la conversación diaria, hasta que llegó la primera carta de don Ramón, que parecía escrita de viva voz, con su caligrafía minuciosa en tinta morada. Así se inició una correspondencia con todos a través de Germán, frecuente e intensa, en la que contaba muy poco de su vida y mucho de una España que seguiría considerando como tierra enemiga mientras viviera Franco y mantuviera el imperio español sobre Cataluña.

La idea del semanario era de Alfonso Fuenmayor, y muy anterior a aquellos días, pero tengo la impresión de que la precipitó el viaje del sabio catalán. Reunidos a propósito en el café Roma tres noches después, Alfonso nos informó que tenía todo listo para el despegue. Sería un semanario tabloide de veinte páginas, periodístico y literario, cuyo nombre –*Crónica*– no diría mucho a nadie. A nosotros mismos nos parecía un delirio que después de cuatro años de no obtener recursos donde los había de sobra, Alfonso Fuenmayor los hubiera conseguido entre artesanos, mecánicos de automóviles, magistrados en retiro y hasta cantineros cómplices que aceptaron pagar anuncios con ron de caña. Pero había razones para pensar que sería bien recibido en una ciudad que en medio de sus tropeles industriales y sus ínfulas cívicas mantenía viva la devoción por sus poetas.

Además de nosotros serían pocos los colaboradores regulares. El único profesional con una buena experiencia era Carlos Osío Noguera –el Vate Osío–, un poeta y periodista de una simpatía muy propia y un cuerpo descomunal, funcionario del gobierno y censor en *El Nacional*, donde había trabajado con Álvaro Cepeda y Germán Vargas. Otro sería Roberto (Bob) Prieto, un raro erudito de la alta clase social, que podía pensar en inglés o francés tan bien como en español y tocar al piano de memoria obras varias de grandes maestros. El menos comprensible de la lista que se le ocurrió a Alfonso Fuenmayor fue Julio Mario Santodomingo. Lo impuso sin reservas por sus propósitos de ser un hombre distinto, pero lo que pocos entendíamos era que figurara en la lista del consejo editorial, cuando parecía destinado a ser un Rockefeller latino, inteligente, culto y cordial, pero condenado sin remedio a las brumas del poder. Muy pocos sabían, como lo sabíamos los cuatro promotores de la revista, que el sueño secreto de sus veinticinco años era ser escritor.

El director, por derecho propio, sería Alfonso. Germán Vargas sería antes que nada el reportero grande con quien yo esperaba compartir el oficio, no cuando tuviera tiempo –que nunca tuvimos–, sino cuando se me cumpliera el sueño de aprenderlo. Álvaro Cepeda mandaría colaboraciones en sus horas libres de la Universidad de Columbia, en Nueva York. Al final de la cola, nadie estaba más libre y ansioso que yo para ser nombrado jefe de redacción de un semanario independiente e incierto, y así se hizo.

Alfonso tenía reservas de archivo desde hacía años y mucho trabajo adelantado en los últimos seis meses con notas editoriales, materiales literarios, reportajes maestros y promesas de anuncios comerciales de sus amigos ricos. El jefe de redacción, sin horario definido y con un sueldo mejor que el de cualquier periodista de mi categoría, pero condicionado a las ganancias del futuro, estaba también preparado para tener la revista bien y a tiempo. Por fin, el sábado de la semana siguiente, cuando entré en nuestro cubículo de *El Heraldo* a las cinco de la tarde, Alfonso Fuenmayor ni siquiera levantó la vista para terminar su editorial.

–Apúrese con sus vainas, maestro –me dijo–, que la semana entrante sale *Crónica*.

No me asusté, porque ya había oído la frase dos veces anteriores. Sin embargo, la tercera fue la vencida. El mayor acontecimiento periodístico de la semana –con una ventaja absoluta– había sido la llegada del futbolista brasileño Heleno de Freitas para el Deportivo Junior, pero no lo trataríamos en competencia con la prensa especializada, sino como una noticia grande de interés cultural y social. *Crónica* no se dejaría encasillar por esa clase de distinciones, y menos tratándose de algo tan popular como el futbol. La decisión fue unánime y el trabajo eficaz.

Habíamos preparado tanto material en la espera, que lo único de última hora fue el reportaje de Heleno, escrito por Germán Vargas, maestro del género y fanático del futbol. El primer número amaneció puntual en los puestos de venta el sábado 29 de abril de 1950, día de Santa Catalina de Siena, escritora de cartas azules en la plaza más bella del mundo. *Crónica* se imprimió con una divisa mía de última hora debajo del nombre: «Su mejor weekend». Sabíamos que estábamos desafiando el purismo indigesto que prevalecía en la prensa colombiana de aquellos años, pero lo que queríamos decir con la divisa no tenía un equivalente con los mismos matices en lengua española. La portada era un dibujo a tinta de Heleno de Freitas hecho por Alfonso Melo, el único retratista de nuestros tres dibujantes.

La edición, a pesar de las prisas de última hora y la falta de promoción, se agotó mucho antes de que la redacción en pleno llegara al estadio municipal el día siguiente –domingo 30 de abril–, donde se jugaba el partido estelar entre el Deportivo Junior y el Sporting, ambos de Barranquilla. La revista misma estaba dividida porque Germán y Álvaro eran partidarios del Sporting, y Alfonso y yo lo éramos del Junior. Sin embargo, el solo nombre de Heleno y el excelente reportaje de Germán Vargas sustentaron el equívoco de que *Crónica* era por fin la gran revista deportiva que Colombia esperaba.

Había lleno hasta las banderas. A los seis minutos del primer tiempo, Heleno de Freitas colocó su primer gol en Colombia con un remate de izquierda desde el centro del campo. Aunque al final ganó el Sporting por 3 a 2, la tarde fue de Heleno, y después de nosotros, por el acierto de la portada premonitoria. Sin embargo, no hubo poder humano ni divino capaz de hacerle entender a ningún público que *Crónica* no era una revista deportiva sino un semanario cultural que honraba a Heleno de Freitas como una de las grandes noticias del año.

No era una chiripa de novatos. Tres de los nuestros solían tratar temas de futbol en sus columnas de interés general, incluido Germán Vargas, por supuesto. Alfonso Fuenmayor era un aficionado puntual del futbol y Álvaro Cepeda fue durante años corresponsal en Colombia del *Sporting News*, de Saint Louis, Missouri. Sin embargo, los lectores que anhelábamos no acogieron con los brazos abiertos los números siguientes, y los fanáticos de los estadios nos abandonaron sin dolor.

Tratando de remendar el roto decidimos en consejo editorial que yo escribiera el reportaje central con Sebastián Berascochea, otra de las estrellas brasileñas del Deportivo Junior, con la esperanza de que conciliara futbol y literatura, como tantas veces había tratado de hacerlo con otras ciencias ocultas en mi columna diaria. La fiebre del balón que Luis Carmelo Correa me había contagiado en los potreros de Cataca se me había bajado casi a cero. Además, yo era de los fanáticos precoces del béisbol caribe –o el juego de pelota, como decíamos en lengua vernácula–. Sin embargo, asumí el reto.

Mi modelo, por supuesto, fue el reportaje de Germán Vargas. Me reforcé con otros, y me sentí aliviado por una larga conversación con Berascochea, un hombre inteligente y amable, y con muy buen sentido de la imagen que deseaba dar a su público. Lo malo fue que lo identifiqué y describí como un vasco ejemplar, sólo por su apellido, sin parar mientes en el detalle de que era un negro retinto de la mejor estirpe africana. Fue la gran pifia de mi vida y en el peor momento para la revista. Tanto, que me identifiqué hasta el alma con la carta de un lector que me definió como un periodista deportivo incapaz de distinguir la diferencia entre un balón y un tranvía. El mismo Germán Vargas, tan meticuloso en sus juicios, afirmó años después en un libro de conmemoraciones que el reportaje de Berascochea era lo peor de todo lo que yo he escrito. Creo que exageraba, pero no demasiado, porque nadie conocía el oficio como él, con crónicas y reportajes escritos en un tono tan fluido que parecían dictados de viva voz al linotipista.

No renunciamos al futbol o al béisbol porque ambos eran populares en la costa caribe, pero aumentamos los temas de actualidad y las novedades literarias. Todo fue inútil: nunca logramos superar el equívoco de que *Crónica* fuera una revista deportiva, pero en cambio los fanáticos del estadio superaron el suyo y nos abandonaron a nuestra suerte. Así que seguimos haciéndola como nos habíamos propuesto, aunque desde la tercera semana se quedó flotando en el limbo de su ambigüedad.

No me amilané. El viaje a Cataca con mi madre, la conversación histórica con don Ramón Vinyes y mi vínculo entrañable con el grupo de Barranquilla me habían infundido un aliento nuevo que me duró para siempre. Desde entonces no me gané un centavo que no fuera con la máquina de escribir, y esto me parece más meritorio de lo que podría pensarse, pues los primeros derechos de autor que me permitieron vivir de mis cuentos y novelas me los pagaron a los cuarenta y tantos años, después de haber publicado cuatro libros con beneficios ínfimos. Antes de eso mi vida estuvo siempre perturbada por una maraña de trampas, gambetas e ilusiones para burlar los incontables señuelos que trataban de convertirme en cualquier cosa que no fuera escritor.

3

Consumado el desastre de Aracataca, muerto el abuelo y extinguido lo que pudo quedar de sus poderes inciertos, quienes vivíamos de ellos estábamos a merced de las añoranzas. La casa se quedó sin alma desde que no volvió nadie en el tren. Mina y Francisca Simodosea permanecieron al amparo de Elvira Carrillo, que se hizo cargo de ellas con una devoción de sierva. Cuando la abuela acabó de perder la vista y la razón mis padres se la llevaron con ellos para que al menos tuviera mejor vida para morir. La tía Francisca, virgen y mártir, siguió siendo la misma de los desparpajos insólitos y los refranes ríspidos, que se negó a entregar las llaves del cementerio y la fábrica de hostias para consagrar, con la razón de que Dios la habría llamado si ésa fuera su voluntad. Un día cualquiera se sentó en la puerta de su cuarto con varias de sus sábanas inmaculadas y cosió su propia mortaja cortada a su medida, y con tanto primor que la muerte esperó más de dos semanas hasta que la tuvo terminada. Esa noche se acostó sin despedirse de nadie, sin enfermedad ni dolor algunos, y se echó a morir en su mejor estado de salud. Sólo después se dieron cuenta de que la noche anterior había llenado los formularios de defunción y cumplido los trámites de su propio entierro. Elvira Carrillo, que tampoco conoció varón por voluntad propia, se quedó sola en la soledad inmensa de la casa. A medianoche la despertaba el espanto de la tos eterna en los dormitorios vecinos, pero nunca le importó, porque estaba acostumbrada a compartir también las angustias de la vida sobrenatural.

Por el contrario, su hermano gemelo, Esteban Carrillo, se mantuvo lúcido y dinámico hasta muy viejo. En cierta ocasión en que desayunaba con él me acordé con todos los detalles visuales que a su padre habían tratado de tirarlo por la borda en la lancha de Ciénaga, levantado en hombros de la muchedumbre y manteado como Sancho Panza por los arrieros. Para entonces Papalelo había muerto, y le conté el recuerdo al tío Esteban porque me pareció divertido. Pero él se levantó de un salto, furioso porque no se lo hubiera contado a nadie tan pronto como ocurrió, y ansioso de que lograra identificar en la memoria al hombre que conversaba con el abuelo en aquella ocasión, para que le dijera quiénes eran los que trataron de ahogarlo. Tampoco entendía que Papalelo no se hubiera defendido, si era un buen tirador que durante dos guerras civiles había estado muchas veces en la línea de fuego, que dormía con el revólver debajo de la almohada, y que ya en tiempos de paz había matado en duelo a un enemigo. En todo caso, me dijo Esteban, nunca sería tarde para que él y sus hermanos castigaran la afrenta. Era la ley guajira: el agravio a un miembro de la familia tenían que pagarlo todos los varones de la familia del agresor. Tan decidido estaba mi tío Esteban, que se sacó el revólver del cinto y lo puso en la mesa para no perder tiempo mientras acababa de interrogarme. Desde entonces, cada vez que nos encontrábamos en nuestras errancias le volvía la esperanza de que me hubiera acordado. Una noche se presentó en mi cubículo del periódico, por la época en que yo andaba escudriñando el pasado de la familia para una primera novela que no terminé, y me propuso que hiciéramos juntos una investigación del atentado. Nunca se rindió. La última vez que lo vi en Cartagena de Indias, ya viejo y con el corazón agrietado, se despidió de mí con una sonrisa triste:

–No sé cómo has podido ser escritor con tan mala memoria.

Cuando no hubo nada más que hacer en Aracataca, mi padre nos llevó a vivir en Barranquilla una vez más, para instalar otra farmacia sin un centavo de capital, pero con un buen crédito de los mayoristas que habían sido socios suyos en negocios anteriores. No era la quinta botica, como decíamos en familia, sino la única de siempre que llevábamos de una ciudad a otra según los pálpitos comerciales de papá: dos veces en Barranquilla, dos en Aracataca y una en Sincé. En todas había tenido beneficios precarios y deudas salvables. La familia sin abuelos ni tíos ni criados se redujo entonces a los padres y los hijos, que ya éramos seis –tres varones y tres mujeres– en nueve años de matrimonio.

Me sentí muy inquieto por esa novedad en mi vida. Había estado en Barranquilla varias veces para visitar a mis padres, de niño y siempre de paso, y mis recuerdos de entonces son muy fragmentarios. La primera visita fue a los tres años, cuando me llevaron para el nacimiento de mi hermana Margot. Recuerdo el tufo de fango del puerto al amanecer, el coche de un caballo cuyo auriga espantaba con su látigo a los maleteros que trataban de subirse en el pescante en las calles desoladas y polvorientas. Recuerdo las paredes ocres y las maderas verdes de puertas y ventanas de la casa de maternidad donde nació la niña, y el fuerte aire de medicina que se respiraba en el cuarto. La recién nacida estaba en una cama de hierro muy sencilla al fondo de una habitación desolada, con una mujer que sin duda era mi madre, y de la que sólo consigo recordar una presencia sin rostro que me tendió una mano lánguida, y suspiró:

–Ya no te acuerdas de mí.

Nada más. Pues la primera imagen concreta que tengo de ella es de varios años después, nítida e indudable, pero no he logrado situarla en el tiempo. Debió ser en alguna visita que hizo a Aracataca después del nacimiento de Aida Rosa, mi segunda hermana. Yo estaba en el patio, jugando con un cordero recién nacido que Santos Villero me había llevado en brazos desde Fonseca, cuando llegó corriendo la tía Mama y me avisó con un grito que me pareció de espanto:

–¡Vino tu mamá!

Me llevó casi a rastras hasta la sala, donde todas las mujeres de la casa y algunas vecinas estaban sentadas como en un velorio en sillas alineadas contra las paredes. La conversación se interrumpió por mi entrada repentina. Permanecí petrificado en la puerta, sin saber cuál de todas era mi madre, hasta que ella me abrió los brazos con la voz más cariñosa de que tengo memoria:

–¡Pero si ya eres un hombre!

Tenía una bella nariz romana, y era digna y pálida, y más distinguida que nunca por la moda del año: vestido de seda color de marfil con el talle en las caderas, collar de perlas de varias vueltas, zapatos plateados de trabilla y tacón alto, y un sombrero de paja fina con forma de campana como los del cine mudo. Su abrazo me envolvió con el olor propio que le sentí siempre, y una ráfaga de culpa me estremeció de cuerpo y alma, porque sabía que mi deber era quererla pero sentí que no era cierto.

En cambio, el recuerdo más antiguo que conservo de mi padre es comprobado y nítido del 1 de diciembre de 1934, día en que cumplió treinta y tres años. Lo vi entrar caminando a zancadas rápidas y alegres en la casa de los abuelos en Cataca, con un vestido entero de lino blanco y el sombrero canotié. Alguien que lo felicitó con un abrazo le preguntó cuántos años cumplía. Su respuesta no la olvidé nunca porque en el momento no la entendí:

–La edad de Cristo.

Siempre me he preguntado por qué aquel recuerdo me parece tan antiguo, si es indudable que para entonces debía haber estado con mi padre muchas veces.

Nunca habíamos vivido en una misma casa, pero después del nacimiento de Margot adoptaron mis abuelos la costumbre de llevarme a Barranquilla, de modo que cuando nació Aida Rosa ya era menos extraño. Creo que fue una casa feliz. Allí tuvieron una farmacia, y más adelante abrieron otra en el centro comercial. Volvimos a ver a la abuela Argemira –la mamá Gime– y a dos de sus hijos, Julio y Ena, que era muy bella, pero famosa en la familia por su mala suerte. Murió a los veinticinco años, no se sabe de qué, y todavía se dice que fue por el maleficio de un novio contrariado. A medida que crecíamos, la mamá Gime seguía pareciéndome más simpática y deslenguada.

En esa misma época mis padres me causaron un percance emocional que me dejó una cicatriz difícil de borrar. Fue un día en que mi madre sufrió una ráfaga de nostalgia y se sentó a teclear en el piano «Cuando el baile se acabó», el valse histórico de sus amores secretos, y a papá se le ocurrió la travesura romántica de desempolvar el violín para acompañarla, aunque le faltaba una cuerda. Ella se acopló fácil a su estilo de madrugada romántica, y tocó mejor que nunca, hasta que lo miró complacida por encima del hombro y se dio cuenta de que él tenía los ojos húmedos de lágrimas. «¿De quién te estás acordando?», le preguntó mi madre con una inocencia feroz. «De la primera vez que lo tocamos juntos», contestó él, inspirado por el valse. Entonces mi madre dio un golpe de rabia con ambos puños en el teclado.

–¡No fue conmigo, jesuita! –gritó a toda voz–. Tú sabes muy bien con quién lo tocaste y estás llorando por ella.

No dijo el nombre, ni entonces ni nunca más, pero el grito nos petrificó de pánico a todos en distintos sitios de la casa. Luis Enrique y yo, que siempre tuvimos razones ocultas para temer, nos escondimos debajo de las camas. Aida huyó a la casa vecina y Margot contrajo una fiebre súbita que la mantuvo en delirio por tres días. Aun los hermanos menores estaban acostumbrados a aquellas explosiones de celos de mi madre, con los ojos en llamas y la nariz romana afilada como un cuchillo. La habíamos visto descolgar con una rara serenidad los cuadros de la sala y estrellarlos uno tras otro contra el piso en una estrepitosa granizada de vidrio. La habíamos sorprendido olfateando las ropas de papá pieza por pieza antes de echarlas en el canasto de lavar. Nada más sucedió después de la noche del dueto trágico, pero el afinador florentino se llevó el piano para venderlo, y el violín –con el revólver– acabó de pudrirse en el ropero.

Barranquilla era entonces una adelantada del progreso civil, el liberalismo manso y la convivencia política. Factores decisivos de su crecimiento y su prosperidad fueron el término de más de un siglo de guerras civiles que asolaron el país desde la independencia de España, y más tarde el derrumbe de la zona bananera malherida por la represión feroz que se ensañó contra ella después de la huelga grande.

Sin embargo, hasta entonces nada podía contra el espíritu emprendedor de sus gentes. En 1919, el joven industrial Mario Santodomingo –el padre de Julio Mario– se había ganado la gloria cívica de inaugurar el correo aéreo nacional con cincuenta y siete cartas en un saco de lona que tiró en la playa de Puerto Colombia, a cinco leguas de Barranquilla, desde un avión elemental piloteado por el norteamericano William Knox Martin. Al término de la primera guerra mundial llegó un grupo de aviadores alemanes –entre ellos Helmuth von Krohn– que establecieron las rutas aéreas con Junkers F-13, los primeros anfibios que recorrían el río Magdalena como saltamontes providenciales con seis pasajeros intrépidos y las sacas del correo. Ése fue el embrión de la Sociedad Colombo-Alemana de Transportes Aéreos –SCADTA–, una de las más antiguas del mundo.

Nuestra última mudanza para Barranquilla no fue para mí un simple cambio de ciudad y de casa, sino un cambio de papá a los once años. El nuevo era un gran hombre, pero con un sentido de la autoridad paterna muy distinto del que nos había hecho felices a Margarita y a mí en la casa de los abuelos. Acostumbrados a ser dueños y señores de nosotros mismos, nos costó mucho trabajo adaptarnos a un régimen ajeno. Por su lado más admirable y conmovedor, papá fue un autodidacta absoluto, y el lector más voraz que he conocido, aunque también el menos sistemático. Desde que renunció a la escuela de medicina se consagró a estudiar a solas la homeopatía, que en aquel tiempo no requería formación académica, y obtuvo su licencia con honores. Pero en cambio no tenía el temple de mi madre para sobrellevar las crisis. Las peores las pasó en la hamaca de su cuarto leyendo cuanto papel impreso le cayera en las manos y resolviendo crucigramas. Pero su problema con la realidad era insoluble. Tenía una devoción casi mítica por los ricos, pero no por los inexplicables sino por los que habían hecho su dinero a fuerza de talento y honradez. Desvelado en su hamaca aun a pleno día, acumulaba fortunas colosales en la imaginación con empresas tan fáciles que no entendía cómo no se le habían ocurrido antes. Le gustaba citar como ejemplo la riqueza más rara de que tuvo noticia en el Darién: doscientas leguas de puercas paridas. Sin embargo, esos emporios insólitos no se encontraban en los lugares donde vivíamos, sino en paraísos extraviados de los que había oído hablar en sus errancias de telegrafista. Su irrealismo fatal nos mantuvo en vilo entre descalabros y reincidencias, pero también con largas épocas en que no nos cayeron del cielo ni las migajas del pan de cada día. En todo caso, tanto en las buenas como en las malas, nuestros padres nos enseñaron a que celebráramos las unas o soportáramos las otras con una sumisión y una dignidad de católicos a la antigua.

La única prueba que me faltaba era viajar solo con mi papá, y la tuve completa cuando me llevó a Barranquilla para que lo ayudara a instalar la farmacia y a preparar el desembarco de la familia. Me sorprendió que a solas me tratara como a una persona mayor, con cariño y respeto, hasta el punto de encomendarme tareas que no parecían fáciles para mis años, pero las hice bien y encantado, aunque él no estuvo siempre de acuerdo. Tenía la costumbre de contarnos historias de la niñez en su pueblo natal, pero las repetía año con año para los nuevos nacidos, de modo que iban perdiendo gracia para los que ya las conocíamos. Hasta el punto de que los mayores nos levantábamos cuando empezaba a contarlas de sobremesa. Luis Enrique, en uno más de sus ataques de franqueza, lo ofendió cuando dijo al retirarse:

–Me avisan cuando vuelva a morirse el abuelo.

Aquellos arranques tan espontáneos exasperaban a mi padre y se sumaban a los motivos que ya estaba acumulando para mandar a Luis Enrique al reformatorio de Medellín. Pero conmigo en Barranquilla se volvió otro. Archivó el repertorio de anécdotas populares y me contaba episodios interesantes de su vida difícil con su madre, de la tacañería legendaria de su padre y de sus dificultades para estudiar. Aquellos recuerdos me permitieron soportar mejor algunos de sus caprichos y entender algunas de sus incomprensiones.

En esa época hablamos de libros leídos y por leer, e hicimos en los puestos leprosos del mercado público una buena cosecha de historietas de Tarzán y de detectives y guerras del espacio. Pero también estuve a punto de ser víctima de su sentido práctico, sobre todo cuando decidió que hiciéramos una sola comida al día. Nuestro primer tropiezo lo sufrimos cuando me sorprendió rellenando con gaseosas y panes de dulce los huecos del atardecer siete horas después del almuerzo, y no supe decirle de dónde había sacado la plata para comprarlos. No me atreví a confesarle que mi madre me había dado algunos pesos a escondidas en previsión del régimen trapense que él imponía en sus viajes. Aquella complicidad con mi madre se prolongó mientras ella dispuso de medios. Cuando fui interno a la escuela secundaria me ponía en la maleta cosas diversas de baño y tocador, y una fortuna de diez pesos dentro de una caja de jabón de Reuter con la ilusión de que la abriera en un momento de apuro. Así fue, pues mientras estudiábamos lejos de casa cualquier momento era ideal para encontrar diez pesos.

Papá se las arreglaba para no dejarme solo de noche en la farmacia de Barranquilla, pero sus soluciones no eran siempre las más divertidas para mis doce años. Las visitas nocturnas a familias amigas se me hacían agotadoras, porque las que tenían hijos de mi edad los obligaban a acostarse a las ocho y me dejaban atormentado por el aburrimiento y el sueño en el yermo de las cháchara sociales. Una noche debí quedarme dormido en la visita a la familia de un médico amigo y no supe cómo ni a qué hora desperté caminando por una calle desconocida. No tenía la menor idea de dónde estaba, ni cómo había llegado hasta allí, y sólo pudo entenderse como un acto de sonambulismo. No había ningún precedente familiar ni se repitió hasta hoy, pero sigue siendo la única explicación posible. Lo primero que me sorprendió al despertar fue la vitrina de una peluquería con espejos radiantes donde atendían a tres o cuatro clientes bajo un reloj a las ocho y diez, que era una hora impensable para que un niño de mi edad estuviera solo en la calle. Aturdido por el susto confundí los nombres de la familia donde estábamos de visita y recordaba mal la dirección de la casa, pero algunos transeúntes pudieron atar cabos para llevarme a la dirección correcta. Encontré el vecindario en estado de pánico por toda clase de conjeturas sobre mi desaparición. Lo único que sabían de mí era que me había levantado de la silla en medio de la conversación y pensaron que había ido al baño. La explicación del sonambulismo no convenció a nadie, y menos a mi padre, que lo entendió sin más vueltas como una travesura que me salió mal.

Por fortuna logré rehabilitarme días después en otra casa donde me dejó una noche mientras asistía a una comida de negocios. La familia en pleno sólo estaba pendiente de un concurso popular de adivinanzas de la emisora Atlántico, que aquella vez parecía insoluble: «¿Cuál es el animal que al voltearse cambia de nombre?». Por un raro milagro yo había leído la respuesta aquella misma tarde en la última edición del *Almanaque Bristol* y me pareció un mal chiste: el único animal que cambia de nombre es el escarabajo, porque al voltearse se convierte en escararriba. Se lo dije en secreto a una de las niñas de la casa, y la mayor se precipitó al teléfono y dio la respuesta a la emisora Atlántico. Ganó el primer premio, que habría alcanzado para pagar tres meses del alquiler de la casa: cien pesos. La sala se llenó de vecinos bulliciosos que habían escuchado el programa y se precipitaron a felicitar a las ganadoras, pero lo que le interesaba a la familia, más que el dinero, era la victoria en sí misma en un concurso que hizo época en la radio de la costa caribe. Nadie se acordó de que yo estaba ahí. Cuando papá volvió a recogerme se sumó al júbilo familiar, y brindó por la victoria, pero nadie le contó quién había sido el verdadero ganador.

Otra conquista de aquella época fue el permiso de mi padre para ir solo a la matiné de los domingos en el teatro Colombia. Por primera vez se pasaban seriales con un episodio cada domingo, y se creaba una tensión que no permitía tener un instante de sosiego durante la semana. *La invasión de Mongo* fue la primera epopeya interplanetaria que sólo pude reemplazar en mi corazón muchos años después con la *Odisea del espacio*, de Stanley Kubrick. Sin embargo, el cine argentino, con las películas de Carlos Gardel y Libertad Lamarque, terminó por derrotar a todos.

En menos de dos meses terminamos de armar la farmacia y conseguimos y amueblamos la residencia de la familia. La primera era una esquina muy concurrida en el puro centro comercial y a sólo cuatro cuadras del paseo Bolívar. La residencia, por el contrario, estaba en una calle marginal del degradado y alegre Barrio Abajo, pero el precio del alquiler no correspondía a lo que era sino a lo que pretendía: una quinta gótica pintada de alfajores amarillos y rojos, y con dos alminares de guerra.

El mismo día en que nos entregaron el local de la farmacia colgamos las hamacas en los horcones de la trastienda y allí dormíamos a fuego lento en una sopa de sudor. Cuando ocupamos la residencia descubrimos que no había argollas para hamacas, pero tendimos los colchones en el suelo y dormimos lo mejor posible desde que conseguimos un gato prestado para ahuyentar los ratones. Cuando llegó mi madre con el resto de la tropa, el mobiliario estaba todavía incompleto y no había útiles de cocina ni muchas otras cosas para vivir.

A pesar de sus pretensiones artísticas, la casa era ordinaria y apenas suficiente para nosotros, con sala, comedor, dos dormitorios y un patiecito empedrado. En rigor no debía valer un tercio del alquiler que pagábamos por ella. Mi madre se espantó al verla, pero el esposo la tranquilizó con el señuelo de un porvenir dorado. Así fueron siempre. Era imposible concebir dos seres tan distintos que se entendieran tan bien y se quisieran tanto.

El aspecto de mi madre me impresionó. Estaba encinta por séptima vez, y me pareció que sus párpados y sus tobillos estaban tan hinchados como su cintura. Entonces tenía treinta y tres años y era la quinta casa que amueblaba. Me impresionó su mal estado de ánimo, que se agravó desde la primera noche, aterrada por la idea que ella misma inventó, sin fundamento alguno, de que allí había vivido la Mujer X antes de que la acuchillaran. El crimen se había cometido hacía siete años, en la estancia anterior de mis padres, y fue tan aterrador que mi madre se había propuesto no volver a vivir en Barranquilla. Tal vez lo había olvidado cuando regresó aquella vez, pero le volvió de golpe desde la primera noche en una casa sombría en la que había detectado al instante un cierto aire del castillo de Drácula.

La primera noticia de la Mujer X había sido el hallazgo del cuerpo desnudo e irreconocible por su estado de descomposición. Apenas se pudo establecer que era una mujer menor de treinta años, de cabello negro y rasgos atractivos. Se creyó que la habían enterrado viva porque tenía la mano izquierda sobre los ojos con un gesto de terror, y el brazo derecho alzado sobre la cabeza. La única pista posible de su identidad eran dos cintas azules y una peineta adornada con lo que pudo ser un peinado de trenzas. Entre las muchas hipótesis, la que pareció más probable fue la de una bailarina francesa de vida fácil que había desaparecido desde la fecha posible del crimen.

Barranquilla tenía la fama justa de ser la ciudad más hospitalaria y pacífica del país, pero con la desgracia de un crimen atroz cada año. Sin embargo, no había precedentes de uno que hubiera estremecido tanto y por tanto tiempo a la opinión pública como el de la acuchillada sin nombre. El diario *La Prensa*, uno de los más importantes del país en aquel tiempo, se tenía como el pionero de las historietas gráficas dominicales –Buck Rogers, Tarzán de los Monos–, pero desde sus primeros años se impuso como uno de los grandes precursores de la crónica roja. Durante varios meses mantuvo en vilo a la ciudad con grandes titulares y revelaciones sorprendentes que hicieron famoso en el país, con razón o sin ella, al cronista olvidado.

Las autoridades trataban de reprimir sus informaciones con el argumento de que entorpecían la investigación, pero los lectores terminaron por creer menos en ellas que en las revelaciones de *La Prensa*. La confrontación los mantuvo con el alma en un hilo durante varios días, y por lo menos una vez obligó a los investigadores a cambiar de rumbo. La imagen de la Mujer X estaba entonces implantada con tanta fuerza en la imaginación popular, que en muchas casas se aseguraban las puertas con cadenas y se mantenían vigilancias nocturnas especiales, en previsión de que el asesino suelto intentara proseguir su programa de crímenes atroces, y se dispuso que las adolescentes no salieran solas de su casa después de las seis de la tarde.

La verdad, sin embargo, no la descubrió nadie, sino que fue revelada al cabo de algún tiempo por el mismo autor del crimen, Efraín Duncan, quien confesó haber matado a su esposa, Ángela Hoyos, en la fecha calculada por Medicina Legal, y haberla enterrado en el lugar donde encontraron el cadáver acuchillado. Los familiares reconocieron las cintas color azul y la peineta que llevaba Ángela cuando salió de casa con su esposo el 5 de abril para un supuesto viaje a Calamar. El caso se cerró sin más dudas por una casualidad final e inconcebible que parecía sacada de la manga por un autor de novelas fantásticas: Ángela Hoyos tenía una hermana gemela exacta a ella que permitió identificarla sin ninguna duda.

El mito de la Mujer X se vino abajo convertido en un crimen pasional corriente, pero el misterio de la hermana idéntica quedó flotando en las casas, porque llegó a pensarse que fuera la misma Mujer X devuelta a la vida por artes de brujería. Las puertas se cerraban con trancas y parapetos de muebles para impedir que entrara en la noche el asesino fugado de la cárcel con recursos de magia. En los barrios de ricos se pusieron de moda los perros de caza amaestrados contra asesinos capaces de atravesar paredes. En realidad, mi madre no logró superar el miedo hasta que los vecinos la convencieron de que la casa del Barrio Abajo no había sido construida en tiempos de la Mujer X.

El 10 de julio de 1939 mi madre dio a luz una niña con un bello perfil de india, a la que bautizaron con el nombre de Rita por la devoción inagotable que se tenía en la casa por santa Rita de Casia, fundada, entre otras muchas gracias, en la paciencia con que sobrellevó el mal carácter del marido extraviado. Mi madre nos contaba que éste llegó una noche a su casa, enloquecido por el alcohol, un minuto después de que una gallina había plantado su cagarruta en la mesa del comedor. Sin tiempo de limpiar el mantel inmaculado, la esposa alcanzó a taparla con un plato para evitar que la viera el marido, y se apresuró a distraerlo con la pregunta de rigor:

–¿Qué quieres comer?

El hombre soltó un gruñido:

–Mierda.

La esposa levantó entonces el plato y le dijo con su santa dulzura:

–Aquí la tienes.

La historia dice que el propio marido se convenció entonces de la santidad de la esposa y se convirtió a la fe de Cristo.

La nueva botica de Barranquilla fue un fracaso espectacular, atenuado apenas por la rapidez con que mi padre lo presintió. Después de varios meses de defenderse al por menor, abriendo dos huecos para tapar uno, se reveló más errático de lo que parecía hasta entonces. Un día hizo sus alforjas y se fue a buscar las fortunas yacentes en los pueblos menos pensados del río Magdalena. Antes de irse me llevó con sus socios y amigos y les hizo saber con una cierta solemnidad que a falta de él estaría yo. Nunca supe si lo dijo en chanza, como le gustaba decirlo aun en ocasiones graves, o si lo dijo en serio como le divertía decirlo en ocasiones banales. Supongo que cada quien lo entendió como quiso, pues a los doce años yo era raquítico y pálido y apenas bueno para dibujar y cantar. La mujer que nos fiaba la leche le dijo a mi madre delante de todos, y de mí, sin una pizca de maldad:

–Perdone que se lo diga, señora, pero creo que este niño no se le va a criar.

El susto me dejó por largo tiempo a la espera de una muerte repentina, y soñaba a menudo que al mirarme en el espejo no me veía a mí mismo sino a un ternero de vientre. El médico de la escuela me diagnosticó paludismo, amigdalitis y bilis negra por el abuso de lecturas mal dirigidas. No traté de aliviar la alarma de nadie. Al contrario, exageraba mi condición de minusválido para eludir deberes. Sin embargo, mi padre se saltó la ciencia a la torera y antes de irse me proclamó responsable de casa y familia durante su ausencia:

–Como si fuera yo mismo.

El día del viaje nos reunió en la sala, nos dio instrucciones y regaños preventivos por lo que pudiéramos hacer mal en ausencia suya, pero nos dimos cuenta de que eran artimañas para no llorar. Nos dio una moneda de cinco centavos a cada uno, que era una pequeña fortuna para cualquier niño de entonces, y nos prometió cambiárnoslas por dos iguales si las teníamos intactas a su regreso. Por último se dirigió a mí con un tono evangélico:

–En tus manos los dejo, en tus manos los encuentre.

Me partió el alma verlo salir de la casa con las polainas de montar y las alforjas al hombro, y fui el primero que se rindió a las lágrimas cuando nos miró por última vez antes de doblar la esquina y se despidió con la mano. Sólo entonces, y para siempre, me di cuenta de cuánto lo quería.

No fue difícil cumplir su encargo. Mi madre empezaba a acostumbrarse a aquellas soledades intempestivas e inciertas y las manejaba a disgusto pero con una gran facilidad. La cocina y el orden de la casa hicieron necesario que hasta los menores ayudaran en las tareas domésticas, y lo hicieron bien. Por esa época tuve mi primer sentimiento de adulto cuando me di cuenta de que mis hermanos empezaron a tratarme como a un tío.

Nunca logré manejar la timidez. Cuando tuve que afrontar en carne viva la encomienda que nos dejó el padre errante, aprendí que la timidez es un fantasma invencible. Cada vez que debía solicitar un crédito, aun de los acordados de antemano en tiendas de amigos, me demoraba horas alrededor de la casa, reprimiendo las ganas de llorar y los apremios del vientre, hasta que me atrevía por fin con las mandíbulas tan apretadas que no me salía la voz. No faltaba algún tendero sin corazón que acabara de aturdirme: «Niño pendejo, no se puede hablar con la boca cerrada». Más de una vez regresé a casa con las manos vacías y una excusa inventada por mí. Pero nunca volví a ser tan desgraciado como la primera vez que quise hablar por teléfono en la tienda de la esquina. El dueño me ayudó con la operadora, pues aún no existía el servicio automático. Sentí el soplo de la muerte cuando me dio la bocina. Esperaba una voz servicial y lo que oí fue el ladrido de alguien que hablaba en la oscuridad al mismo tiempo que yo. Pensé que mi interlocutor tampoco me entendía y alcé la voz hasta donde pude. El otro, enfurecido, elevó también la suya:

—¡Y tú, por qué carajo me gritas!

Colgué aterrado. Debo admitir que a pesar de mi fiebre de comunicación tengo que reprimir todavía el pavor al teléfono y al avión, y no sé si me venga de aquellos días. ¿Cómo podía llegar a hacer algo? Por fortuna, mamá repetía a menudo la respuesta: «Hay que sufrir para servir».

La primera noticia de papá nos llegó a las dos semanas en una carta más destinada a entretenernos que a informarnos de nada. Mi madre lo entendió así y aquel día lavó los platos cantando para subirnos la moral. Sin mi papá era distinta: se identificaba con las hijas como si fuera una hermana mayor. Se acomodaba a ellas tan bien que era la mejor en los juegos infantiles, aun con las muñecas, y llegaba a perder los estribos y se peleaba con ellas de igual a igual. En el mismo sentido de la primera llegaron otras dos cartas de mi papá con proyectos tan promisorios que nos ayudaron a dormir mejor.

Un problema grave era la rapidez con que se nos quedaba la ropa. A Luis Enrique no lo heredaba nadie, ni hubiera sido posible porque llegaba de la calle arrastrado y con el vestido en piltrafas, y nunca entendimos por qué. Mi madre decía que era como si caminara por entre alambradas de púas. Las hermanas –entre siete y nueve años– se las arreglaban unas con otras como podían con prodigios de ingenio, y siempre he creído que las urgencias de aquellos días las volvieron adultas prematuras. Aida era recursiva y Margot había superado en gran parte su timidez y se mostró cariñosa y servicial con la recién nacida. El más difícil fui yo, no sólo porque tenía que hacer diligencias distinguidas, sino porque mi madre, protegida por el entusiasmo de todos, asumió el riesgo de mermar los fondos domésticos para matricularme en la escuela Cartagena de Indias, a unas diez cuadras a pie desde la casa.

De acuerdo con la convocatoria, unos veinte aspirantes acudimos a las ocho de la mañana para el concurso de ingreso. Por fortuna no era un examen escrito, sino que había tres maestros que nos llamaban en el orden en que nos habíamos inscrito la semana anterior, y hacían un examen sumario de acuerdo con nuestros certificados de estudios anteriores. Yo era el único que no los tenía, por falta de tiempo para pedirlos al Montessori y a la escuela primaria de Aracataca, y mi madre pensaba que no sería admitido sin papeles. Pero decidí hacerme el loco. Uno de los maestros me sacó de la fila cuando le confesé que no los tenía, pero otro se hizo cargo de mi suerte y me llevó a su oficina para examinarme sin requisito previo. Me preguntó qué cantidad era una gruesa, cuántos años eran un lustro y un milenio, me hizo repetir las capitales de los departamentos, los principales ríos nacionales y los países limítrofes. Todo me pareció de rutina hasta que me preguntó qué libros había leído. Le llamó la atención que citara tantos y tan variados a mi edad, y que hubiera leído *Las mil y una noches*, en una edición para adultos en la que no se habían suprimido algunos de los episodios escabrosos que escandalizaban al padre Angarita. Me sorprendió saber que era un libro importante, pues siempre había pensado que los adultos serios no podían creer que salieran genios de las botellas o que las puertas se abrieran al conjuro de las palabras. Los aspirantes que habían pasado antes de mí no habían tardado más de un cuarto de hora cada uno, admitidos o rechazados, y yo estuve más de media hora conversando con el maestro sobre toda clase de temas. Revisamos juntos un estante de libros apretujados detrás de su escritorio, en el que se distinguía por su número y esplendor *El tesoro de la juventud*, del cual había oído hablar, pero el maestro me convenció de que a mi edad era más útil el *Quijote*. No lo encontró en la biblioteca, pero me prometió prestármelo más tarde. Al cabo de media hora de comentarios rápidos sobre *Simbad el Marino* o *Robinson Crusoe*, me acompañó hasta la salida sin decirme si estaba admitido. Pensé que no, por supuesto, pero en la terraza me despidió con un apretón de mano hasta el lunes a las ocho de la mañana, para matricularme en el curso superior de la escuela primaria: el cuarto año.

Era el director general. Se llamaba Juan Ventura Casalins y lo recuerdo como a un amigo de la infancia, sin nada de la imagen terrorífica que se tenía de los maestros de la época. Su virtud inolvidable era tratarnos a todos como adultos iguales, aunque todavía me parece que se ocupaba de mí con una atención particular. En las clases solía hacerme más preguntas que a los otros, y me ayudaba para que mis respuestas fueran certeras y fáciles. Me permitía llevarme los libros de la biblioteca escolar para leerlos en casa. Dos de ellos, *La isla del tesoro* y *El conde de Montecristo*, fueron mi droga feliz en aquellos años pedregosos. Los devoraba letra por letra con la ansiedad de saber qué pasaba en la línea siguiente y al mismo tiempo con la ansiedad de no saberlo para no romper el encanto. Con ellos, como con *Las mil y una noches*, aprendí para no olvidarlo nunca que sólo deberían leerse los libros que nos fuerzan a releerlos.

En cambio, mi lectura del *Quijote* me mereció siempre un capítulo aparte, porque no me causó la conmoción prevista por el maestro Casalins. Me aburrían las peroratas sabias del caballero andante y no me hacían la menor gracia las burradas del escudero, hasta el extremo de pensar que no era el mismo libro de que tanto se hablaba. Sin embargo, me dije que un maestro tan sabio como el nuestro no podía equivocarse, y me esforcé por tragármelo como un purgante a cucharadas. Hice otras tentativas en el bachillerato, donde tuve que estudiarlo como tarea obligatoria, y lo aborrecí sin remedio, hasta que un amigo me aconsejó que lo pusiera en la repisa del inodoro y tratara de leerlo mientras cumplía con mis deberes cotidianos. Sólo así lo descubrí, como una deflagración, y lo gocé al derecho y al revés hasta recitar de memoria episodios enteros.

Aquella escuela providencial me dejó además recuerdos históricos de una ciudad y una época irrecuperables. Era la única casa en la cúspide de una colina verde, desde cuya terraza se divisaban los dos extremos del mundo. A la izquierda, el barrio del Prado, el más distinguido y caro, que desde la primera visión me pareció una copia fiel del gallinero electrificado de la United Fruit Company. No era casual: lo estaba construyendo una empresa de urbanistas norteamericanos con sus gustos y normas y precios importados, y era una atracción turística infalible para el resto del país. A la derecha, en cambio, el arrabal polvoriento de nuestro Barrio Abajo, con las calles de polvo ardiente y las casas de bahareque con techos de palma que nos recordaban a toda hora que éramos nada más que mortales de carne y hueso. Por fortuna, desde la terraza de la escuela teníamos una visión panorámica del futuro: el delta histórico del río Magdalena, que es uno de los grandes del mundo, y el piélago gris de las Bocas de Ceniza.

El 28 de mayo de 1935 vimos el petrolero *Taralite*, de bandera canadiense que entró con bramidos de júbilo por los tajamares de roca viva y atracó en el puerto de la ciudad entre estruendos de música y cohetes al mando del capitán D. F. McDonald. Así culminó una proeza cívica de muchos años y muchos pesos para convertir a Barranquilla en el único puerto marítimo y fluvial del país.

Poco después, un avión al mando del capitán Nicolás Reyes Manotas pasó rozando las azoteas en busca de un claro para un aterrizaje de emergencia, no sólo para salvar el propio pellejo sino el de los cristianos con los que tropezara en su caída. Era uno de los pioneros de la aviación colombiana. El avión primitivo se lo habían regalado en México, y lo llevó en solitario de punta a punta de la América Central. Una muchedumbre concentrada en el aeropuerto de Barranquilla le había preparado una bienvenida triunfal con pañuelos y banderas y la banda de músicos, pero Reyes Manotas quiso dar otras dos vueltas de saludo sobre la ciudad y sufrió un fallo de motor. Alcanzó a recuperarlo con una pericia de milagro para aterrizar en la azotea de un edificio del centro comercial, pero quedó enredado en los cables de la electricidad y colgado de un poste. Mi hermano Luis Enrique y yo lo perseguimos entre la multitud alborotada hasta donde nos dieron las fuerzas, pero sólo alcanzamos a ver al piloto cuando ya lo habían desembarcado a duras penas pero sano y salvo y con una ovación de héroe.

La ciudad tuvo también la primera emisora de radio, un acueducto moderno que se convirtió en una atracción turística y pedagógica para mostrar el novedoso proceso de purificación de las aguas, y un cuerpo de bomberos cuyas sirenas y campanas eran una fiesta para niños y adultos desde que empezaban a oírse. También entraron por allí los primeros automóviles convertibles que se lanzaban por las calles a velocidades de locos y se hacían tortilla en las nuevas carreteras pavimentadas. La agencia funeraria La Equitativa, inspirada por el humor de la muerte, colocó un anuncio enorme a la salida de la ciudad: «No corra, nosotros lo esperamos».

En las noches, cuando no había más refugios que la casa, mi madre nos reunía para leernos las cartas de papá. La mayoría eran obras maestras de distracción, pero hubo una muy explícita sobre el entusiasmo que despertaba la homeopatía entre la gente mayor del bajo Magdalena. «Hay casos aquí que parecerían milagros», decía mi padre. A veces nos dejaba la impresión de que muy pronto iba a revelarnos algo grande, pero lo que seguía era otro mes de silencio. En la Semana Santa, cuando dos hermanos menores contrajeron una varicela perniciosa, no tuvimos modo de comunicarnos con él porque ni los baquianos más diestros sabían de su rastro.

Fue en aquellos meses cuando entendí en la vida real una de las palabras más usadas por mis abuelos: la pobreza. Yo la interpretaba como la situación que vivíamos en su casa desde que empezó a desmantelarse la compañía bananera. Se quejaban de ella a todas horas. Ya no eran dos y hasta tres turnos en la mesa, como antes, sino un turno único. Por no renunciar al rito sagrado de los almuerzos, aun cuando ya no tenían recursos para mantenerlos, terminaron por comprar la comida en las fondas del mercado, que era buena y mucho más barata, y con la sorpresa de que a los niños nos gustaba más. Pero se acabaron para siempre cuando Mina supo que algunos comensales asiduos resolvieron no volver a casa porque ya no se comía tan bien como antes.

La pobreza de mis padres en Barranquilla, por el contrario, era agotadora, pero me permitió la fortuna de hacer una relación excepcional con mi madre. Sentía por ella, más que el amor filial comprensible, una admiración pasmosa por su carácter de leona callada pero feroz frente a la adversidad, y por su relación con Dios, que no parecía de sumisión sino de combate. Dos virtudes ejemplares que le infundieron en la vida una confianza que nunca le falló. En los peores momentos se reía de sus propios recursos providenciales. Como la vez en que compró una rodilla de buey y la hirvió día tras día para el caldo cotidiano cada vez más aguado, hasta que ya no dio para más. Una noche de tempestad pavorosa se gastó la manteca de cerdo de todo el mes para hacer mechones de trapo, pues la luz se fue hasta el amanecer y ella misma les había inculcado a los menores el miedo a la oscuridad para que no se movieran de la cama.

Mis padres visitaban al principio a las familias amigas emigradas de Aracataca por la crisis del banano y el deterioro del orden público. Eran visitas circulares en las que se giraba siempre sobre los temas de la desgracia que se había cebado en el pueblo. Pero cuando la pobreza nos apretó a nosotros en Barranquilla no volvimos a quejarnos en casa ajena. Mi madre redujo su reticencia a una sola frase: «La pobreza se nota en los ojos».

Hasta los cinco años, la muerte había sido para mí un fin natural que les sucedía a los otros. Las delicias del cielo y los tormentos del infierno sólo me parecían lecciones para aprender de memoria en el catecismo del padre Astete. Nada tenían que ver conmigo, hasta que aprendí de soslayo en un velorio que los piojos estaban escapando del cabello del muerto y caminaban sin rumbo por las almohadas. Lo que me inquietó desde entonces no fue el miedo de la muerte sino la vergüenza de que también a mí se me escaparan los piojos a la vista de mis deudos en mi velorio. Sin embargo, en la escuela primaria de Barranquilla no me di cuenta de que estaba cundido de piojos hasta que ya había contagiado a toda la familia. Mi madre dio entonces una prueba más de su carácter. Desinfectó a los hijos uno por uno con insecticida de cucarachas, en limpiezas a fondo que bautizó con un nombre de gran estirpe: la policía. Lo malo fue que no bien estábamos limpios cuando ya empezábamos a cundirnos de nuevo, porque yo volvía a contagiarme en la escuela. Entonces mi madre decidió cortar por lo sano y me obligó a pelarme a coco. Fue un acto heroico aparecer el lunes en la escuela con un gorro de trapo, pero sobreviví con honor a las burlas de los compañeros y coroné el año final con las calificaciones más altas. No volví a ver nunca al maestro Casalins pero me quedó la gratitud eterna.

Un amigo de mi papá a quien nunca conocimos me consiguió un empleo de vacaciones en una imprenta cercana a la casa. El sueldo era muy poco más que nada, y mi único estímulo fue la idea de aprender el oficio. Sin embargo, no me quedaba un minuto para ver la imprenta, porque el trabajo consistía en ordenar láminas litografiadas para que las encuadernaran en otra sección. Un consuelo fue que mi madre me autorizó para que comprara con mi sueldo el suplemento dominical de *La Prensa* que tenía las tiras cómicas de Tarzán, de Buck Rogers –que se llamaba Rogelio el Conquistador– y la de Mutt and Jeff –que se llamaban Benitín y Eneas–. En el ocio de los domingos aprendí a dibujarlos de memoria y continuaba por mi cuenta los episodios de la semana. Logré entusiasmar con ellos a algunos adultos de la cuadra y llegué a venderlos hasta por dos centavos.

El empleo era fatigante y estéril, y por mucho que me esmerara, los informes de mis superiores me acusaban de falta de entusiasmo en el trabajo. Debió ser por consideración a mi familia que me relevaron de la rutina del taller y me nombraron repartidor callejero de láminas de propaganda de un jarabe para la tos recomendado por los más famosos artistas de cine. Me pareció bien, porque los volantes eran preciosos, con fotos de los actores a todo color y en papel satinado. Sin embargo, desde el principio caí en la cuenta de que repartirlos no era tan fácil como yo pensaba, porque la gente los veía con recelo por ser regalados, y la mayoría se crispaba para no recibirlos como si estuvieran electrificados. Los primeros días regresé al taller con los sobrantes para que me los completaran. Hasta que me encontré con unos condiscípulos de Aracataca, cuya madre se escandalizó de verme en aquel oficio que le pareció de mendigos. Me regañó casi a gritos por andar en la calle con unas sandalias de trapo que mi madre me había comprado para no gastar los botines de pontifical.

–Dile a Luisa Márquez –me dijo– que piense en lo que dirían sus padres si vieran a su nieto preferido repartiendo propaganda para tísicos en el mercado.

No transmití el mensaje para ahorrarle disgustos a mi madre, pero lloré de rabia y de vergüenza en mi almohada durante varias noches. El final del drama fue que no volví a repartir los volantes, sino que los echaba en los caños del mercado sin prever que eran de aguas mansas y el papel satinado se quedaba flotando hasta formar en la superficie una colcha de hermosos colores que se convirtió en un espectáculo insólito desde el puente.

Algún mensaje de sus muertos debió recibir mi madre en un sueño revelador, porque antes de dos meses me sacó de la imprenta sin explicaciones. Yo me oponía por no perder la edición dominical de *La Prensa* que recibíamos en familia como una bendición del cielo, pero mi madre la siguió comprando aunque tuviera que echar una papa menos en la sopa. Otro recurso salvador fue la cuota de consuelo que durante los meses más ásperos nos mandó tío Juanito. Seguía viviendo en Santa Marta con sus escasas ganancias de contador juramentado, y se impuso el deber de mandarnos una carta cada semana con dos billetes de a peso. El capitán de la lancha *Aurora*, viejo amigo de la familia, me la entregaba a las siete de la mañana, y yo regresaba a casa con un mercado básico para varios días.

Un miércoles no pude hacer el mandado y mi madre se lo encomendó a Luis Enrique, que no resistió a la tentación de multiplicar los dos pesos en la máquina de monedas de una cantina de chinos. No tuvo la determinación de parar cuando perdió las dos primeras fichas, y siguió tratando de recuperarlas hasta que perdió hasta la penúltima moneda. «Fue tal el pánico –me contó ya de adulto– que tomé la decisión de no volver nunca más a la casa.» Pues sabía bien que los dos pesos alcanzaban para el mercado básico de una semana. Por fortuna, con la última ficha sucedió algo en la máquina que se estremeció con un temblor de fierros en las entrañas y vomitó en un chorro imparable las fichas completas de los dos pesos perdidos. «Entonces me iluminó el diablo –me contó Luis Enrique– y me atreví a arriesgar una ficha más.» Ganó. Arriesgó otra y ganó, y otra y otra y ganó. «El susto de entonces era más grande que el de haber perdido y se me aflojaron las tripas –me contó–, pero seguí jugando.» Al final había ganado dos veces los dos pesos originales en monedas de a cinco, y no se atrevió a cambiarlas por billetes en la caja por temor de que el chino lo enredara en algún cuento chino. Le abultaban tanto en los bolsillos que antes de darle a mamá los dos pesos de tío Juanito en monedas de a cinco, enterró en el fondo del patio los cuatro ganados por él, donde solía esconder cuanto centavo encontraba fuera de lugar. Se los gastó poco a poco sin confesarle a nadie el secreto hasta muchos años después, y atormentado por haber caído en la tentación de arriesgar los últimos cinco centavos en la tienda del chino.

Su relación con el dinero era muy personal. En una ocasión en que mi madre lo sorprendió rasguñando en su cartera la plata del mercado, su defensa fue algo bárbara pero lúcida: la plata que uno saca sin permiso de las carteras de los padres no puede ser un robo, porque es la misma plata de todos, que nos niegan por la envidia de no poder hacer con ella lo que hacen los hijos. Llegué a defender su argumento hasta el extremo de confesar que yo mismo había saqueado los escondites domésticos por necesidades urgentes. Mi madre perdió los estribos. «No sean tan insensatos –casi me gritó–: ni tú ni tu hermano me roban nada, porque yo misma dejo la plata donde sé que irán a buscarla cuando estén en apuros.» En algún ataque de rabia le oí murmurar desesperada que Dios debería permitir el robo de ciertas cosas para alimentar a los hijos.

El encanto personal de Luis Enrique para las travesuras era muy útil para resolver problemas comunes, pero no alcanzó para hacerme cómplice de sus pilatunas. Al contrario, se las arregló siempre para que no recayera sobre mí la menor sospecha, y eso afianzó un afecto de verdad que duró para siempre. Nunca le dejé saber, en cambio, cuánto envidiaba su audacia y cuánto sufría con las cuerizas que le aplicaba papá. Mi comportamiento era muy distinto del suyo, pero a veces me costaba trabajo moderar la envidia. En cambio, me inquietaba la casa de los padres en Cataca, donde sólo me llevaban a dormir cuando me iban a dar purgantes vermífugos o aceite de ricino. Tanto, que aborrecí las monedas de a veinte centavos que me pagaban por la dignidad con que me los tomaba.

Creo que el colmo de la desesperación de mi madre fue mandarme con una carta para un hombre que tenía fama de ser el más rico y a la vez el filántropo más generoso de la ciudad. Las noticias de su buen corazón se publicaban con tanto despliegue como sus triunfos financieros. Mi madre le escribió una carta de angustia sin ambages para solicitar una ayuda económica urgente no en su nombre, pues ella era capaz de soportar cualquier cosa, sino por el amor de sus hijos. Hay que haberla conocido para comprender lo que aquella humillación significaba en su vida, pero la ocasión lo exigía. Me advirtió que el secreto debía quedar entre nosotros dos, y así fue, hasta este momento en que lo escribo.

Toqué al portón de la casa, que tenía algo de iglesia, y casi al instante se abrió un ventanuco por donde asomó una mujer de la que sólo recuerdo el hielo de sus ojos. Recibió la carta sin decir una palabra y volvió a cerrar. Debían ser las once de la mañana, y esperé sentado en el quicio hasta las tres de la tarde, cuando decidí tocar otra vez en busca de una respuesta. La misma mujer volvió a abrir, me reconoció sorprendida, y me pidió esperar un momento. La respuesta fue que volviera el martes de la semana siguiente a la misma hora. Así lo hice, pero la única respuesta fue que no habría ninguna antes de una semana. Debí volver tres veces más, siempre para la misma respuesta, hasta un mes y medio después, cuando una mujer más áspera que la anterior me contestó, de parte del señor, que aquélla no era una casa de caridad.

Di vueltas por las calles ardientes tratando de encontrar el coraje para llevarle a mi madre una respuesta que la pusiera a salvo de sus ilusiones. Ya a plena noche, con el corazón adolorido, me enfrenté a ella con la noticia seca de que el buen filántropo había muerto desde hacía varios meses. Lo que más me dolió fue el rosario que rezó mi madre por el eterno descanso de su alma.

Cuatro o cinco años después, cuando escuchamos por radio la noticia verdadera de que el filántropo había muerto el día anterior, me quedé petrificado a la espera de la reacción de mi madre. Sin embargo, nunca podré entender cómo fue que la oyó con una atención conmovida, y suspiró con el alma:

–¡Dios lo guarde en su Santo Reino!

A una cuadra de la casa nos hicimos amigos de los Mosquera, una familia que gastaba fortunas en revistas de historietas gráficas, y las apilaba hasta el techo en un galpón del patio. Nosotros fuimos los únicos privilegiados que pudimos pasar allí días enteros leyendo Dick Tracy y Buck Rogers. Otro hallazgo afortunado fue un aprendiz que pintaba anuncios de películas para el cercano cine de las Quintas. Yo lo ayudaba por el simple placer de pintar letras, y él nos colaba gratis dos y tres veces por semana en las buenas películas de tiros y trompadas. El único lujo que nos hacía falta era un aparato de radio para escuchar música a cualquier hora con sólo tocar un botón. Hoy es difícil imaginarse qué escasos eran en las casas de pobres. Luis Enrique y yo nos sentábamos en una banca que tenían en la tienda de la esquina para la tertulia de la clientela ociosa, y pasábamos tardes enteras escuchando los programas de música popular, que eran casi todos. Llegamos a tener en la memoria un repertorio completo de Miguelito Valdés con la orquesta Casino de la Playa, Daniel Santos con la Sonora Matancera y los boleros de Agustín Lara en la voz de Toña la Negra. La distracción de las noches, sobre todo en las dos ocasiones en que nos cortaron la luz por falta de pago, era enseñarles las canciones a mi madre y a mis hermanos. Sobre todo a Ligia y a Gustavo, que las aprendían como loros sin entenderlas y nos divertían a reventar con sus disparates líricos. No había excepciones. Todos heredamos de padre y madre una memoria especial para la música y un buen oído para aprender una canción a la segunda vez. Sobre todo Luis Enrique, que nació músico y se especializó por su cuenta en solos de guitarra para serenatas de amores contrariados. No tardamos en descubrir que todos los niños sin radio de las casas vecinas las aprendían también de mis hermanos, y sobre todo de mi madre, que terminó por ser una hermana más en aquella casa de niños.

Mi programa favorito era *La hora de todo un poco*, del compositor, cantante y maestro Ángel María Camacho y Cano, que acaparaba la audiencia desde la una de la tarde con toda clase de variedades ingeniosas, y en especial con su hora de aficionados para menores de quince años. Bastaba con inscribirse en las oficinas de La Voz de la Patria y llegar al programa con media hora de anticipación. El maestro Camacho y Cano en persona acompañaba al piano y un asistente suyo cumplía con la sentencia inapelable de interrumpir la canción con una campana de iglesia cuando el aficionado cometía un ínfimo error. El premio para la canción mejor cantada era más de lo que podíamos soñar –cinco pesos–, pero mi madre fue explícita en que lo más importante era la gloria de cantarla bien en un programa de tanto prestigio.

Hasta entonces me había identificado con el solo apellido de mi padre –García– y mis dos nombres de pila –Gabriel José–, pero en aquella ocasión histórica mi madre me pidió que me inscribiera también con su apellido –Márquez– para que nadie dudara de mi identidad. Fue un acontecimiento en casa. Me hicieron vestir de blanco como en la primera comunión, y antes de salir me dieron una pócima de bromuro de potasio. Llegué a La Voz de la Patria con dos horas de anticipación y el efecto del sedante me pasó de largo mientras esperaba en un parque cercano porque no permitían entrar en los estudios hasta un cuarto de hora antes del programa. Cada minuto sentía crecer dentro de mí las arañas del terror, y por fin entré con el corazón desbocado. Tuve que hacer un esfuerzo supremo para no regresar a casa con el cuento de que no me habían dejado concursar por cualquier pretexto. El maestro me hizo una prueba rápida con el piano para establecer mi tono de voz. Antes llamaron a siete por el orden de inscripción, les tocaron la campana a tres por distintos tropiezos y a mí me anunciaron con el nombre simple de Gabriel Márquez. Canté «El cisne», una canción sentimental sobre un cisne más blanco que un copo de nieve asesinado junto con su amante por un cazador desalmado. Desde los primeros compases me di cuenta de que el tono era muy alto para mí en algunas notas que no pasaron por el ensayo, y tuve un momento de pánico cuando el ayudante hizo un gesto de duda y se puso en guardia para agarrar la campana. No sé de dónde saqué valor para hacerle una seña enérgica de que no la tocara, pero fue tarde: la campana sonó sin corazón. Los cinco pesos del premio, además de varios regalos de propaganda, fueron para una rubia muy bella que había masacrado un trozo de *Madame Butterfly*. Volví a casa abrumado por la derrota, y nunca logré consolar a mi madre de su desilusión. Pasaron muchos años antes de que ella me confesara que la causa de su vergüenza era que había avisado a sus parientes y amigos para que me oyeran cantar, y no sabía cómo eludirlos.

En medio de aquel régimen de risas y lágrimas, nunca falté a la escuela. Aun en ayunas. Pero el tiempo de mis lecturas en casa se me iba en diligencias domésticas y no teníamos presupuesto de luz para leer hasta la medianoche. De todos modos me desembrollaba. En el camino de la escuela había varios talleres de autobuses de pasajeros, y en uno de ellos me demoraba horas viendo cómo pintaban en los flancos los letreros de las rutas y los destinos. Un día le pedí al pintor que me dejara pintar unas letras para ver si era capaz. Sorprendido por mi aptitud natural, me permitió ayudarlo a veces por unos pesos sueltos que en algo ayudaban al presupuesto familiar. Otra ilusión fue mi amistad casual con tres hermanos García, hijos de un navegante del río Magdalena, que habían organizado un trío de música popular para animar por puro amor al arte las fiestas de los amigos. Completé con ellos el Cuarteto García para concursar en la hora de aficionados de la emisora Atlántico. Ganamos desde el primer día con un estruendo de aplausos, pero no nos pagaron los cinco pesos del premio por una falta insalvable en la inscripción. Seguimos ensayando juntos por el resto del año y cantando de favor en fiestas familiares, hasta que la vida acabó por dispersarnos.

Nunca compartí la versión maligna de que la paciencia con que mi padre manejaba la pobreza tenía mucho de irresponsable. Al contrario: creo que eran pruebas homéricas de una complicidad que nunca falló entre él y su esposa, y que les permitía mantener el aliento hasta el borde del precipicio. Él sabía que ella manejaba el pánico aun mejor que la desesperación, y que ése fue el secreto de nuestra supervivencia. Lo que quizás no pensó es que a él le aliviaba las penas mientras que ella iba dejando en el camino lo mejor de su vida. Nunca pudimos entender la razón de sus viajes. De pronto, como solía ocurrir, nos despertaron un sábado a medianoche para llevarnos a la agencia local de un campamento petrolero del Catatumbo, donde nos esperaba una llamada de mi padre por radioteléfono. Nunca olvidaré a mi madre bañada en llanto, en una conversación embrollada por la técnica.

–Ay, Gabriel –dijo mi madre–, mira cómo me has dejado con este cuadro de hijos, que varias veces hemos llegado a no comer.

Él le respondió con la mala noticia de que tenía el hígado hinchado. Le sucedía a menudo, pero mi madre no lo tomaba muy en serio porque alguna vez lo usó para ocultar sus perrerías.

–Eso siempre te pasa cuando te portas mal –le dijo en broma.

Hablaba viendo el micrófono como si papá estuviera ahí y al final se aturdió tratando de mandarle un beso, y besó el micrófono. Ella misma no pudo con sus carcajadas, y nunca logró contar el cuento completo porque terminaba bañada en lágrimas de risa. Sin embargo, aquel día permaneció absorta y por fin dijo en la mesa como hablando para nadie:

–Le noté a Gabriel algo raro en la voz.

Le explicamos que el sistema de radio no sólo distorsiona las voces sino que enmascara la personalidad. La noche siguiente dijo dormida: «De todos modos se le oía la voz como si estuviera mucho más flaco». Tenía la nariz afilada de sus malos días, y se preguntaba entre suspiros cómo serían esos pueblos sin Dios ni ley por donde andaba su hombre suelto de madrina. Sus motivos ocultos fueron más evidentes en una segunda conversación por radio, cuando le hizo prometer a mi padre que regresaría a casa de inmediato si no resolvía nada en dos semanas. Sin embargo, antes del plazo recibimos desde los Altos del Rosario un telegrama dramático de una sola palabra: «Indeciso». Mi madre vio en el mensaje la confirmación de sus presagios más lúcidos, y dictó su veredicto inapelable:

–O vienes antes del lunes, o ahora mismo me voy para allá con toda la prole.

Santo remedio. Mi padre conocía el poder de sus amenazas, y antes de una semana estaba de regreso en Barranquilla. Nos impresionó su entrada, vestido de cualquier modo, con la piel verdosa y sin afeitar, hasta el punto de que mi madre creyó que estaba enfermo. Pero fue una impresión momentánea, porque en dos días rescató el proyecto juvenil de instalar una farmacia múltiple en la población de Sucre, un recodo idílico y próspero a una noche y un día de navegación desde Barranquilla. Había estado allá en sus mocedades de telegrafista, y el corazón se le encogía al recordar el viaje por canales crepusculares y ciénagas doradas, y los bailes eternos. En una época se había obstinado en conseguir aquella plaza, pero sin la suerte que tuvo para otras, como Aracataca, aún más apetecidas. Volvió a pensar en ella unos cinco años después, cuando la tercera crisis del banano, pero la encontró copada por los mayoristas de Magangué. Sin embargo, un mes antes de volver a Barranquilla se había encontrado por casualidad con uno de ellos, que no sólo le pintó una realidad contraria, sino que le ofreció un buen crédito para Sucre. No lo aceptó porque estaba a punto de conseguir el sueño dorado de los Altos del Rosario, pero cuando lo sorprendió la sentencia de la esposa, localizó al mayorista de Magangué, que todavía andaba perdido por los pueblos del río, y cerraron el trato.

Al cabo de unas dos semanas de estudios y arreglos con mayoristas amigos, se fue con el aspecto y el talante restablecidos, y su impresión de Sucre resultó tan intensa, que la dejó escrita en la primera carta: «La realidad fue mejor que la nostalgia». Alquiló una casa de balcón en la plaza principal y desde allí recuperó las amistades de antaño que lo recibieron con las puertas abiertas. La familia debía vender lo que se pudiera, empacar el resto, que no era mucho, y llevárselo consigo en uno de los vapores que hacían el viaje regular del río Magdalena. En el mismo correo mandó un giro bien calculado para los gastos inmediatos, y anunció otro para los gastos de viaje. No puedo imaginarme unas noticias más apetitosas para el carácter ilusorio de mi madre, así que su contestación no sólo fue bien pensada para sustentar el ánimo del esposo, sino para azucararle la noticia de que estaba encinta por octava vez.

Hice los trámites y reservaciones en el *Capitán de Caro*, un buque legendario que hacía en una noche y medio día el trayecto de Barranquilla a Magangué. Luego proseguiríamos en lancha de motor por el río San Jorge y el caño idílico de la Mojana hasta nuestro destino.

—Con tal de irnos de aquí, aunque sea para el infierno —exclamó mi madre, que siempre desconfió del prestigio babilónico de Sucre—. No se debe dejar un marido solo en un pueblo como ése.

Tanta prisa nos impuso, que desde tres días antes del viaje dormíamos por los suelos, pues ya habíamos rematado las camas y cuantos muebles pudimos vender. Todo lo demás estaba dentro de los cajones, y la plata de los pasajes asegurada en algún escondrijo de mi madre, bien contada y mil veces vuelta a contar.

El empleado que me atendió en las oficinas del buque era tan seductor que no tuve que apretar las quijadas para entenderme con él. Tengo la seguridad absoluta de que anoté al pie de la letra las tarifas que él me dictó con la dicción clara y relamida de los caribes serviciales. Lo que más me alegró y olvidé menos fue que hasta los doce años se pagaba sólo la mitad de la tarifa ordinaria. Es decir, todos los hijos menos yo. Sobre esa base, mi madre puso aparte el dinero del viaje, y se gastó hasta el último céntimo en desmontar la casa.

El viernes fui a comprar los pasajes y el empleado me recibió con la sorpresa de que los menores de doce años no tenían un descuento de la mitad sino sólo del treinta por ciento, lo cual hacía una diferencia insalvable para nosotros. Alegaba que yo había anotado mal, pues los datos estaban impresos en una tablilla oficial que puso ante mis ojos. Volví a casa atribulado, y mi madre no hizo ningún comentario sino que se puso el vestido con que había guardado luto a su padre y nos fuimos a la agencia fluvial. Quiso ser justa: alguien se había equivocado y bien podía ser su hijo, pero eso no importaba. El hecho era que no teníamos más dinero. El agente le explicó que no había nada que hacer.

«Dese cuenta, señora», le dijo. «No es que uno quiera o no quiera servirle, es el reglamento de una empresa seria que no puede manejarse como una veleta.»

«Pero si son unos niños», dijo mi madre, y me señaló a mí como ejemplo. «Imagínese, el mayor es éste, y tiene apenas doce años.» Y señaló con la mano:

–Son así de grandes.

No era cuestión de estatura, alegó el agente, sino de edad. Nadie pagaba menos, salvo los recién nacidos, que viajaban gratis. Mi madre buscó cielos más altos:

–¿Con quién hay que hablar para que esto se arregle?

El empleado no alcanzó a contestar. El gerente, un hombre mayor y de un vientre maternal, se asomó a la puerta de la oficina en mitad del alegato, y el empleado se puso de pie al verlo. Era inmenso, de aspecto respetable, y su autoridad, aun en mangas de camisa y ensopado de sudor, era más que evidente. Escuchó a mi madre con atención y le respondió con una voz tranquila que una decisión como aquélla sólo era posible con una reforma de los reglamentos en asamblea de socios.

–Créame que lo siento mucho –concluyó.

Mi madre sintió el soplo del poder, y refinó su argumento.

«Usted tiene razón, señor», dijo, «pero el problema es que su empleado no se lo explicó bien a mi hijo, o mi hijo lo entendió mal, y yo procedí sobre ese error. Ahora tengo todo empacado y listo para embarcar, estamos durmiendo en el santo suelo, la plata del mercado nos alcanza hasta hoy y el lunes entrego la casa a los nuevos inquilinos.» Se dio cuenta de que los empleados del salón la escuchaban con un gran interés, y entonces se dirigió a ellos: «¿Qué puede significar eso para una empresa tan importante?» Y sin esperar respuesta, le preguntó al gerente mirándolo directo a los ojos:

–¿Usted cree en Dios?

El gerente se ofuscó. La oficina entera estaba en vilo por un silencio demasiado largo. Entonces mi madre se estiró en el asiento, juntó las rodillas que empezaban a temblarle, apretó la cartera en el regazo con las dos manos, y dijo con una determinación propia de sus grandes causas:

–Pues de aquí no me muevo mientras no me lo resuelvan.

El gerente quedó pasmado, y todo el personal suspendió el trabajo para mirar a mi madre. Estaba impasible, con la nariz afilada, pálida y perlada de sudor. Se había quitado el luto de su padre, pero lo había asumido en aquel momento porque le pareció el vestido más propio para aquella diligencia. El gerente no volvió a mirarla, sino que miró a sus empleados sin saber qué hacer, y al fin exclamó para todos:

–¡Esto no tiene precedentes!

Mi madre no pestañeó. «Tenía las lágrimas atoradas en la garganta pero tuve que resistir porque habría quedado muy mal», me contó. Entonces el gerente le pidió al empleado que le llevara los documentos a su oficina. Éste lo hizo, y a los cinco minutos volvió a salir, regañado y furioso, pero con todos los tiquetes en regla para viajar.

La semana siguiente desembarcamos en la población de Sucre como si hubiéramos nacido en ella. Debía tener unos dieciséis mil habitantes, como tantos municipios del país en aquellos tiempos, y todos se conocían, no tanto por sus nombres como por sus vidas secretas.

No sólo el pueblo sino la región entera era un piélago de aguas mansas que cambiaban de colores por los mantos de flores que las cubrían según la época, según el lugar y según nuestro propio estado de ánimo. Su esplendor recordaba el de los remansos de ensueño del sudeste asiático. Durante los muchos años en que la familia vivió allí no hubo un solo automóvil. Habría sido inútil, pues las calles rectas de tierra aplanada parecían tiradas a cordel para los pies descalzos y muchas casas tenían en las cocinas su muelle privado con las canoas domésticas para el transporte local.

Mi primera emoción fue la de una libertad inconcebible. Todo lo que a los niños nos había faltado o lo que habíamos añorado se nos puso de pronto al alcance de la mano. Cada quien comía cuando tenía hambre o dormía a cualquier hora, y no era fácil ocuparse de nadie, pues a pesar del rigor de sus leyes los adultos andaban tan embolatados con su tiempo personal que no les alcanzaba para ocuparse ni de ellos mismos. La única condición de seguridad para los niños fue que aprendieran a nadar antes de caminar, pues el pueblo estaba dividido en dos por un caño de aguas oscuras que servía al mismo tiempo de acueducto y albañal. Los echaban desde el primer año por los balcones de las cocinas, primero con salvavidas para que le perdieran el miedo al agua y después sin salvavidas para que le perdieran el respeto a la muerte. Años después, mi hermano Jaime y mi hermana Ligia, que sobrevivieron a los riesgos iniciáticos, se lucieron en campeonatos infantiles de natación.

Lo que me convirtió a Sucre en una población inolvidable fue el sentimiento de libertad con que nos movíamos los niños en la calle. En dos o tres semanas sabíamos quién vivía en cada casa, y nos comportábamos en ellas como conocidos de siempre. Las costumbres sociales –simplificadas por el uso– eran las de una vida moderna dentro de una cultura feudal: los ricos –ganaderos e industriales del azúcar– en la plaza mayor, y los pobres donde pudieran. Para la administración eclesiástica era un territorio de misiones con jurisdicción y mando en un vasto imperio lacustre. En el centro de aquel mundo, la iglesia parroquial, en la plaza mayor de Sucre, era una versión de bolsillo de la catedral de Colonia, copiada de memoria por un párroco español doblado de arquitecto. El manejo del poder era inmediato y absoluto. Todas las noches, después del rosario, daban en la torre de la iglesia las campanadas correspondientes a la calificación moral de la película anunciada en el cine contiguo, de acuerdo con el catálogo de la Oficina Católica para el Cine. Un misionero de turno, sentado en la puerta de su despacho, vigilaba el ingreso al teatro desde la acera de enfrente, para sancionar a los infractores.

Mi gran frustración fue por la edad en que llegué a Sucre. Me faltaban todavía tres meses para cruzar la línea fatídica de los trece años, y en la casa ya no me soportaban como niño pero tampoco me reconocían como adulto, y en aquel limbo de la edad terminé por ser el único de los hermanos que no aprendió a nadar. No sabían si sentarme a la mesa de los pequeños o a la de los grandes. Las mujeres del servicio ya no se cambiaban la ropa delante de mí ni con las luces apagadas, pero una de ellas durmió desnuda varias veces en mi cama sin perturbarme el sueño. No había tenido tiempo de saciarme con aquel desafuero del libre albedrío cuando tuve que volver a Barranquilla en enero del año siguiente para empezar el bachillerato, porque en Sucre no había un colegio bastante para las calificaciones excelentes del maestro Casalins.

Al cabo de largas discusiones y consultas, con muy escasa participación mía, mis padres se decidieron por el colegio San José de la Compañía de Jesús en Barranquilla. No me explico de dónde sacaron tantos recursos en tan pocos meses, si la farmacia y el consultorio homeopático estaban todavía por verse. Mi madre dio siempre una razón que no requería pruebas: «Dios es muy grande». En los gastos de la mudanza debía de estar prevista la instalación y el sostén de la familia, pero no mis avíos de colegio. De no tener sino un par de zapatos rotos y una muda de ropa que usaba mientras me lavaban la otra, mi madre me equipó de ropa nueva con un baúl del tamaño de un catafalco sin prever que en seis meses ya habría crecido una cuarta. Fue también ella quien decidió por su cuenta que empezara a usar los pantalones largos, contra la disposición social acatada por mi padre de que no podían llevarse mientras no se empezara a cambiar de voz.

La verdad es que en las discusiones sobre la educación de cada hijo me sostuvo siempre la ilusión de que papá, en una de sus rabias homéricas, decretara que ninguno de nosotros volviera al colegio. No era imposible. Él mismo fue un autodidacta por la fuerza mayor de su pobreza, y su padre estaba inspirado por la moral de acero de don Fernando VII, que proclamaba la enseñanza individual en casa para preservar la integridad de la familia. Yo le temía al colegio como a un calabozo, me espantaba la sola idea de vivir sometido al régimen de una campana, pero también era mi única posibilidad de gozar de mi vida libre desde los trece años, en buenas relaciones con la familia, pero lejos de su orden, de su entusiasmo demográfico, de sus días azarosos, y leyendo sin tomar aliento hasta donde me alcanzara la luz.

Mi único argumento contra el colegio San José, uno de los más exigentes y costosos del Caribe, era su disciplina marcial, pero mi madre me paró con un alfil: «Allí se hacen los gobernadores». Cuando ya no hubo retroceso posible, mi padre se lavó las manos:

–Conste que yo no dije ni que sí ni que no.

Él habría preferido el colegio Americano para que aprendiera inglés, pero mi madre lo descartó con la razón viciada de que era un cubil de luteranos. Hoy tengo que admitir en honor de mi padre que una de las fallas de mi vida de escritor ha sido no hablar inglés.

Volver a ver Barranquilla desde el puente del mismo *Capitán de Caro* en que habíamos viajado tres meses antes, me turbó el corazón como si hubiera presentido que regresaba solo a la vida real. Por fortuna, mis padres me habían hecho arreglos de alojamiento y comida con mi primo José María Valdeblánquez y su esposa Hortensia, jóvenes y simpáticos, que compartieron conmigo su vida apacible en un salón sencillo, un dormitorio y un patiecito empedrado que siempre estaba en sombras por la ropa puesta a secar en alambres. Dormían en el cuarto con su niña de seis meses. Yo dormía en el sofá de la sala, que de noche se transformaba en cama.

El colegio San José estaba a unas seis cuadras, en un parque de almendros donde había estado el cementerio más antiguo de la ciudad y todavía se encontraban huesecillos sueltos y piltrafas de ropa muerta a ras del empedrado. El día en que entré al patio principal había una ceremonia del primer año, con el uniforme dominical de pantalones blancos y saco de paño azul, y no pude reprimir el terror de que ellos supieran todo lo que yo ignoraba. Pero pronto me di cuenta de que estaban tan crudos y asustados como yo, ante las incertidumbres del porvenir.

Un fantasma personal fue el hermano Pedro Reyes, prefecto de la división elemental, quien se empeñó en convencer a los superiores del colegio de que yo no estaba preparado para el bachillerato. Se convirtió en una conduerma que me salía al paso en los lugares menos pensados, y me hacía exámenes instantáneos con emboscadas diabólicas: «¿Crees que Dios puede hacer una piedra tan pesada que no la pueda cargar?», me preguntaba sin tiempo para pensar. O esta otra trampa maldita: «Si le pusiéramos al ecuador un cinturón de oro de cincuenta centímetros de espesor, ¿cuánto aumentaría el peso de la Tierra?». No atinaba ni en una, aunque supiera las respuestas, porque la lengua me trastabillaba de pavor como mi primer día en el teléfono. Era un terror fundado porque el hermano Reyes tenía razón. Yo no estaba preparado para el bachillerato, pero no podía renunciar a la suerte de que me hubieran recibido sin examen. Temblaba sólo de verlo. Algunos compañeros le daban interpretaciones maliciosas al asedio pero no tuve motivos para pensarlo. Además, la conciencia me ayudaba porque mi primer examen oral lo aprobé sin oposición cuando recité como agua corriente a fray Luis de León y dibujé en el tablero con tizas de colores un Cristo que parecía en carne viva. El tribunal quedó tan complacido que se olvidó también de la aritmética y la historia patria.

El problema con el hermano Reyes se arregló porque en Semana Santa necesitó unos dibujos para su clase de botánica y se los hice sin parpadear. No sólo desistió de su asedio, sino que a veces se entretenía en los recreos para enseñarme las respuestas bien fundadas de las preguntas que no había podido contestarle, o de algunas más raras que luego aparecían como por casualidad en los exámenes siguientes de mi primer año. Sin embargo, cada vez que me encontraba en grupo se burlaba muerto de risa de que yo era el único de tercero elemental al que le iba bien en el bachillerato. Hoy me doy cuenta de que tenía razón. Sobre todo por la ortografía, que fue mi calvario a todo lo largo de mis estudios y sigue asustando a los correctores de mis originales. Los más benévolos se consuelan con creer que son torpezas de mecanógrafo.

Un alivio en mis sobresaltos fue el nombramiento del pintor y escritor Héctor Rojas Herazo en la cátedra de dibujo. Debía tener unos veinte años. Entró en el aula acompañado por el padre prefecto, y su saludo resonó como un portazo en el bochorno de las tres de la tarde. Tenía la belleza y la elegancia fácil de un artista de cine, con una chaqueta de pelo de camello, muy ceñida, y con botones dorados, chaleco de fantasía y una corbata de seda estampada. Pero lo más insólito era el sombrero melón, con treinta grados a la sombra. Era tan alto como el dintel, de modo que debía inclinarse para dibujar en el tablero. A su lado, el padre prefecto parecía abandonado de la mano de Dios.

De entrada se vio que no tenía método ni paciencia para la enseñanza, pero su humor malicioso nos mantenía en vilo, como nos asombraban los dibujos magistrales que pintaba en el tablero con tizas de colores. No duró más de tres meses en la cátedra, nunca supimos por qué, pero era presumible que su pedagogía mundana no se compadeciera con el orden mental de la Compañía de Jesús.

Desde mis comienzos en el colegio gané fama de poeta, primero por la facilidad con que me aprendía de memoria y recitaba a voz en cuello los poemas de clásicos y románticos españoles de los libros de texto, y después por las sátiras en versos rimados que dedicaba a mis compañeros de clase en la revista del colegio. No los habría escrito o les habría prestado un poco más de atención si hubiera imaginado que iban a merecer la gloria de la letra impresa. Pues en realidad eran sátiras amables que circulaban en papelitos furtivos en las aulas soporíferas de las dos de la tarde. El padre Luis Posada –prefecto de la segunda división– capturó uno, lo leyó con ceño adusto y me soltó la reprimenda de rigor, pero se lo guardó en el bolsillo. El padre Arturo Mejía me citó entonces en su oficina para proponerme que las sátiras decomisadas se publicaran en la revista *Juventud*, órgano oficial de los alumnos del colegio. Mi reacción inmediata fue un retortijón de sorpresa, vergüenza y felicidad, que resolví con un rechazo nada convincente:

–Son bobadas mías.

El padre Mejía tomó nota de la respuesta, y publicó los versos con ese título –«Bobadas mías»– y con la firma de *Gabito*, en el número siguiente de la revista y con la autorización de las víctimas. En dos números sucesivos tuve que publicar otra serie a petición de mis compañeros de clase. De modo que esos versos infantiles –quiéralo o no– son en rigor mi *opera prima*.

El vicio de leer lo que me cayera en las manos ocupaba mi tiempo libre y casi todo el de las clases. Podía recitar poemas completos del repertorio popular que entonces eran de uso corriente en Colombia, y los más hermosos del Siglo de Oro y el romanticismo españoles, muchos de ellos aprendidos en los mismos textos del colegio. Estos conocimientos extemporáneos a mi edad exasperaban a los maestros, pues cada vez que me hacían en clase alguna pregunta mortal les contestaba con una cita literaria o alguna idea libresca que ellos no estaban en condiciones de evaluar. El padre Mejía lo dijo: «Es un niño redicho», por no decir insoportable. Nunca tuve que forzar la memoria, pues los poemas y algunos trozos de buena prosa clásica se me quedaban grabados en tres o cuatro relecturas. El primer estilógrafo que tuve se lo gané al padre prefecto porque le recité sin tropiezos las cincuenta y siete décimas de «El vértigo» de Gaspar Núñez de Arce.

Leía en las clases, con el libro abierto sobre las rodillas, y con tal descaro que mi impunidad sólo parecía posible por la complicidad de los maestros. Lo único que no logré con mis marrullerías bien rimadas fue que me perdonaran la misa diaria a las siete de la mañana. Además de escribir mis bobadas, hacía de solista en el coro, dibujaba caricaturas de burla, recitaba poemas en las sesiones solemnes, y tantas cosas más fuera de horas y lugar, que nadie entendía a qué horas estudiaba. La razón era la más simple: no estudiaba.

En medio de tanto dinamismo superfluo, todavía no entiendo por qué los maestros se ocupaban tanto de mí sin dar voces de escándalo por mi mala ortografía. Al contrario de mi madre, que le escondía a papá algunas de mis cartas para mantenerlo vivo, y otras me las devolvía corregidas y a veces con sus parabienes por ciertos progresos gramaticales y el buen uso de las palabras. Pero al cabo de dos años no hubo mejoras a la vista. Hoy mi problema sigue siendo el mismo: nunca pude entender por qué se admiten letras mudas o dos letras distintas con el mismo sonido, y tantas otras normas ociosas.

Fue así como me descubrí una vocación que me iba a acompañar toda la vida: el gusto de conversar con alumnos mayores que yo. Aún hoy, en reuniones de jóvenes que podrían ser mis nietos, tengo que hacer un esfuerzo para no sentirme menor que ellos. Así me hice amigo de dos condiscípulos mayores que más tarde fueron mis compañeros en trechos históricos de mi vida. El uno era Juan B. Fernández, hijo de uno de los tres fundadores y propietarios del periódico *El Heraldo*, en Barranquilla, donde hice mis primeros chapuzones de prensa, y donde él se formó desde sus primeras letras hasta la dirección general. El otro era Enrique Scopell, hijo de un fotógrafo cubano legendario en la ciudad, y él mismo reportero gráfico. Sin embargo, mi gratitud con él no fue tanto por nuestros trabajos comunes en la prensa, sino por su oficio de curtidor de pieles salvajes que exportaba para medio mundo. En alguno de mis primeros viajes al exterior me regaló la de un caimán de tres metros de largo.

–Esta piel cuesta un dineral –me dijo sin dramatismos–, pero te aconsejo que no la vendas mientras no sientas que te vas a morir de hambre.

Todavía me pregunto hasta qué punto el sabio Quique Scopell sabía que estaba dándome un amuleto eterno, pues en realidad habría tenido que venderla muchas veces en mis años de faminas recurrentes. Sin embargo, todavía la conservo, polvorienta y casi petrificada, porque desde que la llevo en la maleta por el mundo entero no volvió a faltarme un centavo para comer.

Los maestros jesuitas, tan severos en clases, eran distintos en los recreos, donde nos enseñaban lo que no decían dentro y se desahogaban con lo que en realidad hubieran querido enseñar. Hasta donde era posible a mi edad, creo recordar que esa diferencia se notaba demasiado y nos ayudaba más. El padre Luis Posada, un cachaco muy joven de mentalidad progresista, que trabajó muchos años en sectores sindicales, tenía un archivo de tarjetas con toda clase de pistas enciclopédicas comprimidas, en especial sobre libros y autores. El padre Ignacio Zaldívar era un vasco montañés que seguí frecuentando en Cartagena hasta su buena vejez en el convento de San Pedro Claver. El padre Eduardo Núñez tenía ya muy avanzada una historia monumental de la literatura colombiana, de cuya suerte nunca tuve noticia. El viejo padre Manuel Hidalgo, maestro de canto, ya muy mayor, detectaba las vocaciones por su cuenta y se permitía incursiones en músicas paganas que no estaban previstas.

Con el padre Pieschacón, el rector, tuve algunas charlas casuales, y de ellas me quedó la certidumbre de que me veía como a un adulto, no sólo por los temas que se planteaban sino por sus explicaciones atrevidas. En mi vida fue decisivo para clarificar la concepción sobre el cielo y el infierno, que no lograba conciliar con los datos del catecismo por simples obstáculos geográficos. Contra esos dogmas el rector me alivió con sus ideas audaces. El cielo era, sin más complicaciones teológicas, la presencia de Dios. El infierno, por supuesto, era lo contrario. Pero en dos ocasiones me confesó su problema de que «de todos modos en el infierno había fuego», pero no lograba explicarlo. Más por esas lecciones en los recreos que por las clases formales, terminé el año con el pecho acorazado de medallas.

Mis primeras vacaciones en Sucre empezaron un domingo a las cuatro de la tarde, en un muelle adornado con guirnaldas y globos de colores, y una plaza convertida en un bazar de Pascua. No bien pisé tierra firme, una muchacha muy bella, rubia y de una espontaneidad abrumadora se colgó de mi cuello y me sofocó a besos. Era mi hermana Carmen Rosa, la hija de mi papá antes de su matrimonio, que había ido a pasar una temporada con su familia desconocida. También llegó en esa ocasión otro hijo de papá, Abelardo, un buen sastre de oficio que instaló su taller a un lado de la plaza mayor y fue mi maestro de vida en la pubertad.

La casa nueva y recién amueblada tenía un aire de fiesta y un hermano nuevo: Jaime, nacido en mayo bajo el buen signo de Géminis, y además seismesino. No lo supe hasta la llegada, pues los padres parecían resueltos a moderar los nacimientos anuales, pero mi madre se apresuró a explicarme que aquél era un tributo a santa Rita por la prosperidad que había entrado en la casa. Estaba rejuvenecida y alegre, más cantora que siempre, y papá flotaba en un aire de buen humor, con el consultorio repleto y la farmacia bien surtida, sobre todo los domingos en que llegaban los pacientes de los montes vecinos. No sé si supo nunca que aquella afluencia obedecía en efecto a su fama de buen curador, aunque la gente del campo no se la atribuía a las virtudes homeopáticas de sus globulitos de azúcar y sus aguas prodigiosas, sino a sus buenas artes de brujo.

Sucre estaba mejor que en el recuerdo, por la tradición de que en las fiestas de Navidad la población se dividía en sus dos grandes barrios: Zulia, al sur, y Congoveo, al norte. Aparte de otros desafíos secundarios, se establecía un concurso de carrozas alegóricas que representaban en torneos artísticos la rivalidad histórica de los barrios. En la Nochebuena, por fin, se concentraban en la plaza principal, en medio de grandes controversias, y el público decidía cuál de los dos barrios era el vencedor del año.

Carmen Rosa contribuyó desde su llegada a un nuevo esplendor de la Pascua. Era moderna y coqueta, y se hizo la dueña de los bailes con una cauda de pretendientes alborotados. Mi madre, tan celosa de sus hijas, no lo era con ella, y por el contrario le facilitaba los noviazgos que introdujeron una nota insólita en la casa. Fue una relación de cómplices, como nunca la tuvo mi madre con sus propias hijas. Abelardo, por su parte, resolvió su vida de otro modo, en un taller de un solo espacio dividido por un cancel. Como sastre le fue bien, pero no tan bien como le fue con su parsimonia de garañón, pues más era el tiempo que se le iba bien acompañado en la cama detrás del cancel, que solo y aburrido en la máquina de coser.

Mi padre tuvo en aquellas vacaciones la rara idea de prepararme para los negocios. «Por si acaso», me advirtió. Lo primero fue enseñarme a cobrar a domicilio las deudas de la farmacia. Un día de ésos me mandó a cobrar varias de La Hora, un burdel sin prejuicios en las afueras del pueblo.

Me asomé por la puerta entreabierta de un cuarto que daba a la calle, y vi a una de las mujeres de la casa durmiendo la siesta en una cama de viento, descalza y con una combinación que no alcanzaba a taparle los muslos. Antes de que le hablara se sentó en la cama, me miró adormilada y me preguntó qué quería. Le dije que llevaba un recado de mi padre para don Eligio Molina, el propietario. Pero en vez de orientarme me ordenó que entrara y pusiera la tranca en la puerta, y me hizo con el índice una señal que me lo dijo todo:

–Ven acá.

Allá fui, y a medida que me acercaba, su respiración afanada iba llenando el cuarto como una creciente de río, hasta que pudo agarrarme del brazo con la mano derecha y me deslizó la izquierda dentro de la bragueta. Sentí un terror delicioso.

–Así que tú eres hijo del doctor de los globulitos –me dijo, mientras me toqueteaba por dentro del pantalón con cinco dedos ágiles que se sentían como si fueran diez. Me quitó el pantalón sin dejar de susurrarme palabras tibias en el oído, se sacó la combinación por la cabeza y se tendió bocarriba en la cama con sólo el calzón de flores coloradas–. Éste sí me lo quitas tú –me dijo–. Es tu deber de hombre.

Le zafé la jareta, pero en la prisa no pude quitárselo, y tuvo que ayudarme con las piernas bien estiradas y un movimiento rápido de nadadora. Después me levantó en vilo por los sobacos y me puso encima de ella al modo académico del misionero. El resto lo hizo de su cuenta, hasta que me morí solo encima de ella, chapaleando en la sopa de cebollas de sus muslos de potranca.

Se reposó en silencio, de medio lado, mirándome fijo a los ojos y yo le sostenía la mirada con la ilusión de volver a empezar, ahora sin susto y con más tiempo. De pronto me dijo que no me cobraba los dos pesos de su servicio porque yo no iba preparado. Luego se tendió bocarriba y me escrutó la cara.

–Además –me dijo–, eres el hermano juicioso de Luis Enrique, ¿no es cierto? Tienen la misma voz.

Tuve la inocencia de preguntarle por qué lo conocía.

–No seas bobo –se rió ella–. Si hasta tengo aquí un calzoncillo suyo que le tuve que lavar la última vez.

Me pareció una exageración por la edad de mi hermano, pero cuando me lo mostró me di cuenta de que era cierto. Luego saltó desnuda de la cama con una gracia de ballet, y mientras se vestía me explicó que en la puerta siguiente de la casa, a la izquierda, estaba don Eligio Molina. Por fin me preguntó:

–¿Es tu primera vez, no es cierto?

El corazón me dio un salto.

–Qué va –le mentí–, llevo ya como siete.

–De todos modos –dijo ella con un gesto de ironía–, deberías decirle a tu hermano que te enseñe un poquito.

El estreno me dio un impulso vital. Las vacaciones eran de diciembre a febrero, y me pregunté cuántas veces dos pesos debería conseguir para volver con ella. Mi hermano Luis Enrique, que ya era un veterano del cuerpo, se reventaba de risa porque alguien de nuestra edad tuviera que pagar por algo que hacían dos al mismo tiempo y los hacía felices a ambos.

Dentro del espíritu feudal de La Mojana, los señores de la tierra se complacían en estrenar a las vírgenes de sus feudos y después de unas cuantas noches de mal uso las dejaban a merced de su suerte. Había para escoger entre las que salían a cazarnos en la plaza después de los bailes. Sin embargo, todavía en aquellas vacaciones me causaban el mismo miedo que el teléfono y las veía pasar como nubes en el agua. No tenía un instante de sosiego por la desolación que me dejó en el cuerpo mi primera aventura casual. Todavía hoy no creo que sea exagerado creer que ésa fuera la causa del ríspido estado de ánimo con que regresé al colegio, y obnubilado por completo por un disparate genial del poeta bogotano don José Manuel Marroquín, que enloquecía al auditorio desde la primera estrofa:

Ahora que los ladros perran, ahora que los cantos gallan,
ahora que albando la toca las altas suenas campanan;
y que los rebuznos burran y que los gorjeos pájaran,
y que los silbos serenan y que los gruños marranan,
y que la aurorada rosa los extensos doros campa,
perlando líquidas viertas cual yo lágrimo derramas
y friando de tirito si bien el abrasa almada,
vengo a suspirar mis lanzos ventano de tus debajas.

No sólo introducía el desorden por donde pasaba recitando las ristras interminables del poema, sino que aprendí a hablar con la fluidez de un nativo de quién sabe dónde. Me sucedía con frecuencia: contestaba cualquier cosa, pero casi siempre era tan extraña o divertida, que los maestros se escabullían. Alguien debió inquietarse por mi salud mental, cuando le di en un examen una respuesta acertada, pero indescifrable al primer golpe. No recuerdo que hubiera algo de mala fe en esas bromas fáciles que a todos divertían.

Me llamó la atención que los curas me hablaban como si hubieran perdido la razón, y yo les seguía la corriente. Otro motivo de alarma fue que inventé parodias de los corales sacros con letras paganas que por fortuna nadie entendió. Mi acudiente, de acuerdo con mis padres, me llevó con un especialista que me hizo un examen agotador pero muy divertido, porque además de su rapidez mental tenía una simpatía personal y un método irresistibles. Me hizo leer una cartilla con frases enrevesadas que yo debía enderezar. Lo hice con tanto entusiasmo, que el médico no resistió la tentación de inmiscuirse en mi juego, y se nos ocurrieron pruebas tan ingeniosas que tomó notas para incorporarlas a sus exámenes futuros. Al término de una indagatoria minuciosa de mis costumbres me preguntó cuántas veces me masturbaba. Le contesté lo primero que se me ocurrió: nunca me había atrevido. No me creyó, pero me comentó como al descuido que el miedo era un factor negativo para la salud sexual, y su misma incredulidad me pareció más bien una incitación. Me pareció un hombre estupendo, al que quise ver de adulto cuando ya era periodista en *El Heraldo*, para que me contara las conclusiones privadas que había sacado de mi examen, y lo único que supe fue que se había mudado a los Estados Unidos desde hacía años. Uno de sus antiguos compañeros fue más explícito y me dijo con un gran afecto que no tenía nada de raro que estuviera en un manicomio de Chicago, porque siempre le pareció peor que sus pacientes.

El diagnóstico fue una fatiga nerviosa agravada por leer después de las comidas. Me recomendó un reposo absoluto de dos horas durante la digestión, y una actividad física más fuerte que los deportes de rigor. Todavía me sorprende la seriedad con que mis padres y mis maestros tomaron sus órdenes. Me reglamentaron las lecturas, y más de una vez me quitaron el libro cuando me encontraron leyendo en clase por debajo del pupitre. Me dispensaron de las materias difíciles y me obligaron a tener más actividad física de varias horas diarias. Así, mientras los demás estaban en clase, yo jugaba solo en el patio de basquetbol haciendo canastas bobas y recitando de memoria. Mis compañeros de clase se dividieron desde el primer momento: los que en realidad pensaban que había estado loco desde siempre, los que creían que me hacía el loco para gozar la vida y los que siguieron tratándome sobre la base de que los locos eran los maestros. De entonces viene la versión de que fui expulsado del colegio porque le tiré un tintero al maestro de aritmética mientras escribía ejercicios de regla de tres en el tablero. Por fortuna, papá lo entendió de un modo simple y decidió que volviera a casa sin terminar el año ni gastarle más tiempo y dinero a una molestia que sólo podía ser una afección hepática.

Para mi hermano Abelardo, en cambio, no había problemas de la vida que no se resolvieran en la cama. Mientras mis hermanas me daban tratamientos de compasión, él me enseñó la receta mágica desde que me vio entrar en su taller:

–A ti lo que te hace falta es una buena pierna.

Lo tomó tan en serio que casi todos los días se iba media hora al billar de la esquina y me dejaba detrás del cancel de la sastrería con amigas suyas de todos los pelajes, y nunca con la misma. Fue una temporada de desafueros creativos, que parecieron confirmar el diagnóstico clínico de Abelardo, pues al año siguiente volví al colegio en mi sano juicio.

Nunca olvidé la alegría con que me recibieron de regreso en el colegio San José y la admiración con que celebraron los globulitos de mi padre. Esta vez no fui a vivir donde los Valdeblánquez, que ya no cabían en su casa por el nacimiento de su segundo hijo, sino a la casa de don Eliécer García, un hermano de mi abuela paterna, famoso por su bondad y su honradez. Trabajó en un banco hasta la edad de retiro, y lo que más me conmovió fue su pasión eterna por la lengua inglesa. La estudió a lo largo de su vida desde el amanecer, y en la noche hasta muy tarde, como ejercicios cantados con muy buena voz y buen acento, hasta que se lo permitió la edad. Los días de fiesta se iba al puerto a cazar turistas para hablar con ellos, y llegó a tener tanto dominio como el que tuvo siempre en castellano, pero su timidez le impidió hablarlo con nadie conocido. Sus tres hijos varones, todos mayores que yo, y su hija Valentina, no pudieron escucharlo jamás.

Por Valentina –que fue mi gran amiga y una lectora inspirada– descubrí la existencia del movimiento Arena y Cielo, formado por un grupo de poetas jóvenes que se habían propuesto renovar la poesía de la costa caribe con el buen ejemplo de Pablo Neruda. En realidad eran una réplica local del grupo Piedra y Cielo que reinaba por aquellos años en los cafés de poetas de Bogotá y en los suplementos literarios dirigidos por Eduardo Carranza, a la sombra del español Juan Ramón Jiménez, con la determinación saludable de arrasar con las hojas muertas del siglo XIX. No eran más de media docena apenas salidos de la adolescencia, pero habían irrumpido con tanta fuerza en los suplementos literarios de la costa que empezaban a ser vistos como una gran promesa artística.

El capitán de Arena y Cielo se llamaba César Augusto del Valle, de unos veintidós años, que había llevado su ímpetu renovador no sólo a los temas y los sentimientos sino también a la ortografía y las leyes gramaticales de sus poemas. A los puristas les parecía un hereje, a los académicos les parecía un imbécil y a los clásicos les parecía un energúmeno. La verdad, sin embargo, era que por encima de su militancia contagiosa –como Neruda– era un romántico incorregible.

Mi prima Valentina me llevó un domingo a la casa donde César vivía con sus padres, en el barrio de San Roque, el más parrandero de la ciudad. Era de huesos firmes, prieto y flaco, de grandes dientes de conejo y el cabello alborotado de los poetas de su tiempo. Y, sobre todo, parrandero y desbraguetado. Su casa, de clase media pobre, estaba tapizada de libros sin espacio para uno más. Su padre era un hombre serio y más bien triste, con aires de funcionario en retiro, y parecía atribulado por la vocación estéril de su hijo. Su madre me acogió con una cierta lástima como a otro hijo aquejado del mismo mal que tanto la había hecho llorar por el suyo.

Aquella casa fue para mí la revelación de un mundo que quizás intuía a mis catorce años, pero nunca había imaginado hasta qué punto. Desde aquel primer día me volví su visitante más asiduo, y le quitaba tanto tiempo al poeta que todavía hoy no me explico cómo podía soportarme. He llegado a pensar que me usaba para practicar sus teorías literarias, tal vez arbitrarias pero deslumbrantes, con un interlocutor asombrado pero inofensivo. Me prestaba libros de poetas que nunca había oído nombrar, y los comentaba con él sin una conciencia mínima de mi audacia. Sobre todo con Neruda, cuyo «Poema Veinte» aprendí de memoria para sacar de sus casillas a alguno de los jesuitas que no transitaban por esos andurriales de la poesía. Por aquellos días se alborotó el ambiente cultural de la ciudad con un poema de Meira Delmar a Cartagena de Indias que saturó todos los medios de la costa. Fue tal la maestría de la dicción y la voz con que me lo leyó César del Valle, que lo aprendí de memoria en la segunda lectura.

Otras muchas veces no podíamos hablar porque César estaba escribiendo a su manera. Caminaba por cuartos y corredores como en otro mundo, y cada dos o tres minutos pasaba frente a mí como un sonámbulo, y de pronto se sentaba a la máquina, escribía un verso, una palabra, un punto y coma quizás, y volvía a caminar. Yo lo observaba trastornado por la emoción celestial de estar descubriendo el único y secreto modo de escribir la poesía. Así fue siempre en mis años del colegio San José, que me dieron la base retórica para soltar mis duendes. La última noticia que tuve de aquel poeta inolvidable, dos años después en Bogotá, fue un telegrama de Valentina con las dos palabras únicas que no tuvo corazón para firmar: «Murió César».

Mi primer sentimiento en una Barranquilla sin mis padres fue la conciencia del libre albedrío. Tenía amistades que mantenía más allá del colegio. Entre ellos Álvaro del Toro –que me hacía la segunda voz en las declamaciones del recreo– y con la tribu de los Arteta, con quienes solía escaparme para las librerías y el cine. Pues el único límite que me impusieron en casa del tío Eliécer, para proteger su responsabilidad, fue que no llegara después de las ocho de la noche.

Un día que esperaba a César del Valle leyendo en la sala de su casa, había llegado a buscarlo una mujer sorprendente. Se llamaba Martina Fonseca y era una blanca vaciada en un molde de mulata, inteligente y autónoma, que bien podía ser la amante del poeta. Por dos o tres horas viví a plenitud el placer de conversar con ella, hasta que César volvió a casa y se fueron juntos sin decir para dónde. No volví a saber de ella hasta el Miércoles de Ceniza de aquel año, cuando salí de la misa mayor, y la encontré esperándome en un escaño del parque. Creí que era una aparición. Llevaba una bata de lino bordado que purificaba su hermosura, un collar de fantasía y una flor de fuego vivo en el descote. Sin embargo, lo que más aprecio ahora en el recuerdo es el modo en que me invitó a su casa sin un mínimo indicio de premeditación, sin que tomáramos en cuenta el signo sagrado de la cruz de ceniza que ambos teníamos en la frente. Su marido, que era práctico de un buque en el río Magdalena, estaba en su viaje de oficio de doce días. ¿Qué tenía de raro que su esposa me invitara un sábado casual a un chocolate con almojábanas? Sólo que el ritual se repitió todo el resto del año mientras el marido andaba en su buque, y siempre de cuatro a siete, que era el tiempo del programa juvenil del cine Rex que me servía de pretexto en la casa de mi tío Eliécer para estar con ella.

Su especialidad profesional era preparar para los ascensos a maestros de primaria. A los mejor calificados los atendía en sus horas libres con chocolate y almojábanas, de modo que al bullicioso vecindario no le llamó la atención el nuevo alumno de los sábados. Fue sorprendente la fluidez de aquel amor secreto que ardió a fuego loco desde marzo hasta noviembre. Después de los dos primeros sábados creí que no podía soportar más los deseos desaforados de estar con ella a toda hora.

Estábamos a salvo de todo riesgo, porque su marido anunciaba su llegada a la ciudad con una clave para que ella supiera que estaba entrando en el puerto. Así fue el tercer sábado de nuestros amores, cuando estábamos en la cama y se oyó el bramido lejano. Ella quedó tensa.

–Tate quieto –me dijo, y esperó dos bramidos más. No saltó de la cama, como yo lo esperaba por mi propio miedo, sino que prosiguió impávida–: Todavía nos quedan más de tres horas de vida.

Ella me lo había descrito como «un negrazo de dos metros y un jeme, con una tranca de artillero». Estuve a punto de romper las reglas del juego por el zarpazo de los celos, y no de cualquier modo: quería matarlo. Lo resolvió la madurez de ella, que desde entonces me llevó de cabestro a través de los escollos de la vida real como a un lobito con piel de cordero.

Iba muy mal en el colegio y no quería saber nada de eso, pero Martina se hizo cargo de mi calvario escolar. Le sorprendió el infantilismo de descuidar las clases por complacer al demonio de una irresistible vocación de vida. «Es lógico –le dije–. Si esta cama fuera el colegio y tú fueras la maestra, yo sería el número uno no sólo de la clase sino de toda la escuela.» Ella lo tomó como un ejemplo certero.

–Es justo eso lo que vamos a hacer –me dijo.

Sin demasiados sacrificios emprendió la tarea de mi rehabilitación con un horario fijo. Me resolvía las tareas y me preparaba para la semana siguiente entre retozos de cama y regaños de madre. Si los deberes no estaban bien y a tiempo me castigaba con la veda de un sábado por cada tres faltas. Nunca pasé de dos. Mis cambios empezaron a notarse en el colegio.

Sin embargo, lo que me enseñó en la práctica fue una fórmula infalible que por desgracia sólo me sirvió en el último grado del bachillerato: si prestaba atención en las clases y hacía yo mismo las tareas en vez de copiarlas de mis compañeros, podía ser bien calificado y leer a mi antojo en mis horas libres, y seguir mi vida propia sin trasnochos agotadores ni sustos inútiles. Gracias a esa receta mágica fui el primero de la promoción aquel año de 1942 con medalla de excelencia y menciones honoríficas de toda índole. Pero las gratitudes confidenciales se las llevaron los médicos por lo bien que me habían sanado de la locura. En la fiesta caí en la cuenta de que había una mala dosis de cinismo en la emoción con que yo agradecía en los años anteriores los elogios por méritos que no eran míos. En el último año, cuando fueron merecidos, me pareció decente no agradecerlos. Pero correspondí de todo corazón con el poema «El circo», de Guillermo Valencia, que recité completo sin consueta en el acto final, y más asustado que un cristiano frente a los leones.

En las vacaciones de aquel buen año había previsto visitar a la abuela Tranquilina en Aracataca, pero ella tuvo que ir de urgencia a Barranquilla para operarse de las cataratas. La alegría de verla de nuevo se completó con la del diccionario del abuelo que me llevó de regalo. Nunca había sido consciente de que estaba perdiendo la vista, o no quiso confesarlo, hasta que ya no pudo moverse de su cuarto. La operación en el hospital de Caridad fue rápida y con buen pronóstico. Cuando le quitaron las vendas, sentada en la cama, abrió los ojos radiantes de su nueva juventud, se le iluminó el rostro y resumió su alegría con una sola palabra:

–Veo.

El cirujano quiso precisar qué tanto veía y ella barrió el cuarto con su mirada nueva y enumeró cada cosa con una precisión admirable. El médico se quedó sin aire, pues sólo yo sabía que las cosas que enumeró la abuela no eran las que tenía enfrente en el cuarto del hospital, sino las de su dormitorio de Aracataca, que recordaba de memoria y en su orden. Nunca más recobró la vista.

Mis padres insistieron en que pasara las vacaciones con ellos en Sucre y que llevara conmigo a la abuela. Mucho más envejecida de lo que mandaba la edad, y con la mente a la deriva, se le había afinado la belleza de la voz y cantaba más y con más inspiración que nunca. Mi madre cuidó de que la mantuvieran limpia y arreglada, como a una muñeca enorme. Era evidente que se daba cuenta del mundo, pero lo refería al pasado. Sobre todo los programas de radio, que despertaban en ella un interés infantil. Reconocía las voces de los distintos locutores a quienes identificaba como amigos de su juventud en Riohacha, porque nunca entró un radio en su casa de Aracataca. Contradecía o criticaba algunos comentarios de los locutores, discutía con ellos los temas más variados o les reprochaba cualquier error gramatical como si estuvieran en carne y hueso junto a su cama, y se negaba a que la cambiaran de ropa mientras no se despidieran. Entonces les correspondía con su buena educación intacta:

–Tenga usted muy buenas noches, señor.

Muchos misterios de cosas perdidas, de secretos guardados o de asuntos prohibidos se aclararon en sus monólogos: quién se llevó escondida en un baúl la bomba del agua que desapareció de la casa de Aracataca, quién había sido en realidad el padre de Matilde Salmona, cuyos hermanos lo confundieron con otro y se lo cobraron a bala.

Tampoco fueron fáciles mis primeras vacaciones en Sucre sin Martina Fonseca, pero no hubo ni una mínima posibilidad de que se fuera conmigo. La sola idea de no verla durante dos meses me había parecido irreal. Pero a ella no. Al contrario, cuando le toqué el tema, me di cuenta de que ya estaba, como siempre, tres pasos delante de mí.

–De eso quería hablarte –me dijo sin misterios–. Lo mejor para ambos sería que te fueras a estudiar en otra parte ahora que estamos locos de amarrar. Así te darás cuenta de que lo nuestro no será nunca más de lo que ya fue.

La tomé a burla.

–Me voy mañana mismo y regreso dentro de tres meses para quedarme contigo.

Ella me replicó con música de tango:

–¡Ja, ja, ja, ja!

Entonces aprendí que Martina era fácil de convencer cuando decía que sí pero nunca cuando decía que no. Así que agarré el guante, bañado en lágrimas, y me propuse ser otro en la vida que ella pensó para mí: otra ciudad, otro colegio, otros amigos y hasta otro modo de ser. Apenas lo pensé. Con la autoridad de mis muchas medallas, lo primero que dije a mi padre con una cierta solemnidad fue que no volvería al colegio San José. Ni a Barranquilla.

–¡Bendito sea Dios! –dijo él–. Siempre me había preguntado de dónde sacaste el romanticismo de estudiar con los jesuitas.

Mi madre pasó por alto el comentario.

–Si no es allá tiene que ser en Bogotá –dijo.

–Entonces no será en ninguna parte –replicó papá de inmediato–, porque no hay plata que alcance para los cachacos.

Es raro, pero la sola idea de no seguir estudiando, que había sido el sueño de mi vida, me pareció entonces inverosímil. Hasta el extremo de apelar a un sueño que nunca me pareció alcanzable.

–Hay becas –dije.

–Muchísimas –dijo papá–, pero para los ricos.

En parte era cierto, pero no por favoritismos, sino porque los trámites eran difíciles y las condiciones mal divulgadas. Por obra del centralismo, todo el que aspirara a una beca tenía que ir a Bogotá, mil kilómetros en ocho días de viaje que costaban casi tanto como tres meses en el internado de un buen colegio. Pero aun así podía ser inútil. Mi madre se exasperó:

–Cuando uno destapa la máquina de la plata se sabe dónde se empieza pero no dónde se termina.

Además, ya había otras obligaciones atrasadas. Luis Enrique, que tenía un año menos que yo, estuvo matriculado en dos escuelas locales y de ambas había desertado a los pocos meses. Margarita y Aida estudiaban bien en la escuela primaria de las monjas, pero ya empezaban a pensar en una ciudad cercana y menos costosa para el bachillerato. Gustavo, Ligia, Rita y Jaime no eran todavía urgentes, pero crecían a un ritmo amenazante. Tanto ellos como los tres que nacieron después me trataron como a alguien que siempre llegaba para irse.

Fue mi año decisivo. La atracción mayor de cada carroza eran las muchachas escogidas por su gracia y su belleza, y vestidas como reinas, que recitaban versos alusivos a la guerra simbólica entre las dos mitades del pueblo. Yo, todavía medio forastero, disfrutaba del privilegio de ser neutral, y así me comportaba. Aquel año, sin embargo, cedí ante los ruegos de los capitanes de

Congoveo para que les escribiera los versos para mi hermana Carmen Rosa, que sería la reina de una carroza monumental. Los complací encantado, pero me excedí en los ataques al adversario por mi ignorancia de las reglas del juego. No me quedó otro recurso que enmendar el escándalo con dos poemas de paz: uno reparador para la bella de Congoveo y otro de reconciliación para la bella de Zulia. El incidente se hizo público. El poeta anónimo, apenas conocido en la población, fue el héroe de la jornada. El episodio me presentó en sociedad y me mereció la amistad de ambos bandos. Desde entonces no me alcanzó el tiempo para ayudar en comedias infantiles, bazares de caridad, tómbolas de beneficencia y hasta el discurso de un candidato al concejo municipal.

Luis Enrique, que ya se perfilaba como el guitarrista inspirado que llegó a ser, me enseñó a tocar el tiple. Con él y con Filadelfo Velilla nos volvimos los reyes de las serenatas, con el premio mayor de que algunas agasajadas se vestían a las volandas, abrían la casa, despertaban a las vecinas y seguíamos la fiesta hasta el desayuno. Aquel año se enriqueció el grupo con el ingreso de José Palencia, nieto de un terrateniente adinerado y pródigo. José era un músico innato capaz de tocar cualquier instrumento que le cayera en las manos. Tenía una estampa de artista de cine, y era un bailarín estelar, de una inteligencia deslumbrante y una suerte más envidiada que envidiable en los amores de paso.

Yo, en cambio, no sabía bailar, y no pude aprender ni siquiera en casa de las señoritas Loiseau, seis hermanas inválidas de nacimiento, que sin embargo daban clases de buen baile sin levantarse de sus mecedores. Mi padre, que nunca fue insensible a la fama, se acercó a mí con una visión nueva. Por primera vez dedicamos largas horas a conversar. Apenas si nos conocíamos. En realidad, visto desde hoy, no viví con mis padres más de tres años en total, sumados los de Aracataca, Barranquilla, Cartagena, Sincé y Sucre. Fue una experiencia muy grata que me permitió conocerlos mejor. Mi madre me lo dijo: «Qué bueno que te hiciste amigo de tu papá». Días después, mientras preparaba el café en la cocina, me dijo más:

–Tu papá está muy orgulloso de ti.

Al día siguiente me despertó en puntillas y me sopló al oído: «Tu papá te tiene una sorpresa». En efecto, cuando bajó a desayunar, él mismo me dio la noticia en presencia de todos con un énfasis solemne:

–Alista tus vainas, que te vas para Bogotá.

El primer impacto fue una gran frustración, pues lo que hubiera querido entonces era quedarme ahogado en la parranda perpetua. Pero prevaleció la inocencia. Por la ropa de tierra fría no hubo problema. Mi padre tenía un vestido negro de cheviot y otro de pana, y ninguno le cerraba en la cintura. Así que fuimos con Pedro León Rosales, el llamado sastre de los milagros, y me los compuso a mi tamaño. Mi madre me compró además el sobretodo de piel de camello de un senador muerto. Cuando me lo estaba midiendo en casa, mi hermana Ligia –que es vidente de natura– me previno en secreto de que el fantasma del senador se paseaba de noche por su casa con el sobretodo puesto. No le hice caso, pero más me hubiera valido, porque cuando me lo puse en Bogotá me vi en el espejo con la cara del senador muerto. Lo empeñé por diez pesos en el Monte de Piedad y lo dejé perder.

El ambiente doméstico había mejorado tanto que estuve a punto de llorar en las despedidas, pero el programa se cumplió al pie de la letra sin sentimentalismos. La segunda semana de enero me embarqué en Magangué en el *David Arango*, el buque insignia de la Naviera Colombiana, después de vivir una noche de hombre libre. Mi compañero de camarote fue un ángel de doscientas veinte libras y lampiño de cuerpo entero. Tenía el nombre usurpado de Jack el Destripador, y era el último sobreviviente de una estirpe de cuchilleros de circo del Asia Menor. A primera vista me pareció capaz de estrangularme mientras dormía, pero en los días siguientes me di cuenta de que sólo era lo que parecía: un bebé gigante con un corazón que no le cabía en el cuerpo.

Hubo fiesta oficial la primera noche, con orquesta y cena de gala, pero me escapé a la cubierta, contemplé por última vez las luces del mundo que me disponía a olvidar sin dolor y lloré a gusto hasta el amanecer. Hoy me atrevo a decir que por lo único que quisiera volver a ser niño es para gozar otra vez de aquel viaje. Tuve que hacerlo de ida y vuelta varias veces durante los cuatro años que me faltaban del bachillerato y otros dos de la universidad, y cada vez aprendí más de la vida que en la escuela, y mejor que en la escuela. Por la época en que las aguas tenían caudal suficiente, el viaje de subida duraba cinco días de Barranquilla a Puerto Salgar, de donde se hacía una jornada en tren hasta Bogotá. En tiempos de sequía, que eran los más entretenidos para navegar si no se tenía prisa, podía durar hasta tres semanas.

Los buques tenían nombres fáciles e inmediatos: *Atlántico*, *Medellín*, *Capitán de Caro*, *David Arango*. Sus capitanes, como los de Conrad, eran autoritarios y de buena índole, comían como bárbaros y no sabían dormir solos en sus camarotes de reyes. Los viajes eran lentos y sorprendentes. Los pasajeros nos sentábamos en las terrazas todo el día para ver los pueblos olvidados, los caimanes tumbados con las fauces abiertas a la espera de las mariposas incautas, las bandadas de garzas que alzaban el vuelo por el susto de la estela del buque, el averío de patos de las ciénagas interiores, los manatíes que cantaban en los playones mientras amamantaban a sus crías. Durante todo el viaje uno despertaba al amanecer aturdido por la bullaranga de los micos y las cotorras. A menudo, la tufarada nauseabunda de una vaca ahogada interrumpía la siesta, inmóvil en el hilo del agua con un gallinazo solitario parado en el vientre.

Ahora es raro que uno conozca a alguien en los aviones. En los buques fluviales los estudiantes terminábamos por parecer una sola familia, pues nos poníamos de acuerdo todos los años para coincidir en el viaje. A veces el buque encallaba hasta quince días en un banco de arena. Nadie se preocupaba, pues la fiesta seguía, y una carta del capitán sellada con el escudo de su anillo servía de excusa para llegar tarde al colegio.

Desde el primer día me llamó la atención el más joven de un grupo familiar, que tocaba el bandoneón como entre sueños, paseándose durante días enteros por la cubierta de primera clase. No pude soportar la envidia, pues desde que escuché a los primeros acordeoneros de Francisco el Hombre en las fiestas del 20 de julio en Aracataca me empeñé en que mi abuelo me comprara un acordeón, pero mi abuela se nos atravesó con la mojiganga de siempre de que el acordeón era un instrumento de guatacucos. Unos treinta años después creí reconocer en París al elegante acordeonero del buque en un congreso mundial de neurólogos. El tiempo había hecho lo suyo: se había dejado una barba bohemia y la ropa le había crecido unas dos tallas, pero el recuerdo de su maestría era tan vívido que no podía equivocarme. Sin embargo, su reacción no pudo ser más ríspida cuando le pregunté sin presentarme:

–¿Cómo va el bandoneón?

Me replicó sorprendido:

–No sé de qué me habla usted.

Sentí que me tragaba la tierra, y le di mis humildes excusas por haberlo confundido con un estudiante que tocaba el bandoneón en el *David Arango*, a principios de enero del 44. Entonces resplandeció por el recuerdo. Era el colombiano Salomón Hakim, uno de los grandes neurólogos de este mundo. La desilusión fue que había cambiado el bandoneón por la ingeniería médica.

Otro pasajero me llamó la atención por su distancia. Era joven, robusto, de piel rubicunda y lentes de miope, y una calvicie prematura muy bien tenida. Me pareció la imagen perfecta del turista cachaco. Desde el primer día acaparó la poltrona más cómoda, puso varias torres de libros nuevos en una mesita y leyó sin espabilar desde la mañana hasta que lo distraían las parrandas de la noche. Cada día apareció en el comedor con una camisa de playa diferente y florida, y desayunó, almorzó, comió y siguió leyendo solo en la mesa más arrinconada. No creo que hubiera cruzado un saludo con nadie. Lo bauticé para mí como «el lector insaciable».

No resistí la tentación de husmear sus libros. La mayoría eran tratados indigestos de derecho público, que leía en las mañanas, subrayando y tomando notas marginales. Con la fresca de la tarde leía novelas. Entre ellas, una que me dejó atónito: *El doble*, de Dostoievski, que había tratado de robarme, y no pude, en una librería de Barranquilla. Estaba loco por leerla. Tanto, que hubiera querido pedírsela prestada, pero no tuve aliento. Uno de esos días apareció con *El gran Meaulnes*, de la cual no había oído hablar, pero que muy pronto tuve entre las obras maestras preferidas por mí. En cambio, yo sólo llevaba libros ya leídos e irrepetibles: *Jeromín*, del Padre Coloma, que no acabé de leer nunca; *La vorágine*, de José Eustasio Rivera; *De los Apeninos a los Andes*, de Edmundo de Amicis, y el diccionario del abuelo que leía a trozos durante horas. Al lector implacable, por el contrario, no le alcanzaba el tiempo para tantos. Lo que quiero decir y no he dicho es que hubiera dado cualquier cosa por ser él.

El tercer viajero, por supuesto, era Jack el Destripador, mi compañero de cuarto, que hablaba dormido en lengua bárbara durante horas enteras. Sus parlamentos tenían una condición melódica que le daba un fondo nuevo a mis lecturas de la madrugada. Me dijo que no era consciente de eso, ni sabía qué idioma podía ser en el que soñaba, porque de niño se entendió con los maromeros de su circo en seis dialectos asiáticos, pero los había perdido todos cuando murió su madre. Sólo le quedó el polaco, que era su lengua original, pero pudimos establecer que tampoco era ésa la que hablaba dormido. No recuerdo un ser más adorable mientras aceitaba y probaba el filo de sus cuchillos siniestros en su lengua rosada.

Su único problema había sido el primer día en el comedor cuando les reclamó a los meseros que no podría sobrevivir al viaje si no le servían cuatro raciones. El contramaestre le explicó que así sería si las pagaba como un suplemento con una rebaja especial. Él alegó que había viajado por los mares del mundo y en todos le reconocieron el derecho humano de no dejarlo morir de hambre. El caso subió hasta el capitán, quien decidió muy a la colombiana que le sirvieran dos raciones, y que a los meseros se les fuera la mano hasta dos más por distracción. Él se ayudó además picando con el tenedor los platos de los compañeros de mesa y de algunos vecinos inapetentes, que gozaban con sus ocurrencias. Había que estar allí para creerlo.

Yo no sabía qué hacer de mí, hasta que en La Gloria se embarcó un grupo de estudiantes que armaban tríos y cuartetos en las noches, y cantaban hermosas serenatas con boleros de amor. Cuando descubrí que les sobraba un tiple me hice cargo de él, ensayé con ellos en las tardes y cantábamos hasta el amanecer. El tedio de mis horas libres encontró remedio por una razón del corazón: el que no canta no puede imaginarse lo que es el placer de cantar.

Una noche de gran luna nos despertó un lamento desgarrador que nos llegaba de la ribera. El capitán Clímaco Conde Abello, uno de los más grandes, dio orden de buscar con reflectores el origen de aquel llanto, y era una hembra de manatí que se había enredado en las ramas de un árbol caído. Los vaporinos se echaron al agua, la amarraron a un cabrestante y lograron desencallarla. Era un ser fantástico y enternecedor, entre mujer y vaca, de casi cuatro metros de largo. Su piel era lívida y tierna, y su torso de grandes tetas era de madre bíblica. Fue al mismo capitán Conde Abello a quien le oí decir por primera vez que el mundo se iba a acabar si seguían matando los animales del río, y prohibió disparar desde su barco.

–¡El que quiera matar a alguien, que vaya a matarlo en su casa! –gritó–. No en mi buque.

El 19 de enero de 1961, diecisiete años después, lo recuerdo como un día ingrato, por un amigo que me llamó por teléfono a México para contarme que el vapor *David Arango* se había incendiado y convertido en cenizas en el puerto de Magangué. Colgué con la conciencia horrible de que aquel día se acababa mi juventud, y de que lo poco que ya nos quedaba de nuestro río de nostalgias se había ido al carajo. Hoy el río Magdalena está muerto, con sus aguas podridas y sus animales extinguidos. Los trabajos de recuperación de que tanto han hablado los gobiernos sucesivos que nada han hecho, requerirían la siembra técnica de unos sesenta millones de árboles en un noventa por ciento de las tierras de propiedad privada, cuyos dueños tendrían que renunciar por el solo amor a la patria al noventa por ciento de sus ingresos actuales.

Cada viaje dejaba grandes enseñanzas de vida que nos vinculaban de un modo efímero pero inolvidable a la de los pueblos de paso, donde muchos de nosotros se enredaron para siempre con su destino. Un renombrado estudiante de medicina se metió sin ser invitado en un baile de bodas, bailó sin permiso con la mujer más bonita de la fiesta y el marido lo mató de un tiro. Otro se casó en una borrachera épica con la primera muchacha que le gustó en Puerto Berrío, y sigue feliz con ella y con sus nueve hijos. José Palencia, nuestro amigo de Sucre, se había ganado una vaca en un concurso de tamboreros en Tenerife, y allí mismo la vendió por cincuenta pesos: una fortuna para la época. En el inmenso barrio de tolerancia de Barrancabermeja, la capital del petróleo, nos llevamos la sorpresa de encontrar cantando con la orquesta de un burdel a Ángel Casij Palencia, primo hermano de José, que había desaparecido de Sucre sin dejar rastro desde el año anterior. La cuenta de la pachanga la asumió la orquesta hasta el amanecer.

Mi recuerdo más ingrato es el de una cantina sombría de Puerto Berrío, de donde la policía nos sacó a golpes de garrote a cuatro pasajeros, sin dar explicaciones ni escucharlas, y nos arrestaron bajo el cargo de haber violado a una estudiante. Cuando llegamos a la comandancia de policía ya tenían entre rejas y sin un solo rasguño a los verdaderos culpables, unos vagos locales que no tenían nada que ver con nuestro buque.

En la escala final, Puerto Salgar, había que desembarcar a las cinco de la mañana vestidos para las tierras altas. Los hombres de paño negro, con chaleco y sombreros hongo y los abrigos colgados del brazo, habían cambiado de identidad entre el salterio de los sapos y la pestilencia del río saturado de animales muertos. A la hora del desembarco tuve una sorpresa insólita. Una amiga de última hora había convencido a mi madre de hacerme un petate de corroncho con un chinchorro de pita, una manta de lana y una bacinilla de emergencia, y todo envuelto en una estera de esparto y amarrada en cruz con los hicos de la hamaca. Mis compañeros músicos no pudieron soportar la risa de verme con semejante equipaje en la cuna de la civilización, y el más resuelto hizo lo que yo no me hubiera atrevido: lo tiró al agua. Mi última visión de aquel viaje inolvidable fue la del petate que regresaba a sus orígenes ondulando en la corriente.

El tren de Puerto Salgar subía como gateando por las cornisas de rocas en las primeras cuatro horas. En los tramos más empinados se descolgaba para tomar impulso y volvía a intentar el ascenso con un resuello de dragón. A veces era necesario que los pasajeros se bajaran para aligerarlo del peso, y remontar a pie hasta la cornisa siguiente. Los pueblos del camino eran tristes y helados, y en las estaciones desiertas sólo nos esperaban las vendedoras de toda la vida que ofrecían por la ventanilla del vagón unas gallinas gordas y amarillas, cocinadas enteras, y unas papas nevadas que sabían a gloria. Allí sentí por primera vez un estado del cuerpo desconocido e invisible: el frío. Al atardecer, por fortuna, se abrían de pronto hasta el horizonte las sabanas inmensas, verdes y bellas como un mar del cielo. El mundo se volvía tranquilo y breve. El ambiente del tren se volvía otro.

Me había olvidado por completo del lector insaciable, cuando apareció de pronto y se sentó enfrente de mí con un aspecto de urgencia. Fue increíble. Lo había impresionado un bolero que cantábamos en las noches del buque y me pidió que se lo copiara. No sólo lo hice, sino que le enseñé a cantarlo. Me sorprendió su buen oído y la lumbre de su voz cuando la cantó solo, justo y bien, desde la primera vez.

–¡Esa mujer se va a morir cuando la oiga! –exclamó radiante.

Así entendí su ansiedad. Desde que oyó el bolero cantado por nosotros en el buque, sintió que sería una revelación para la novia que lo había despedido tres meses antes en Bogotá y aquella tarde lo esperaba en la estación. Lo había vuelto a oír dos o tres veces, y era capaz de reconstruirlo a pedazos, pero al verme solo en la poltrona del tren había resuelto pedirme el favor. También yo tuve entonces la audacia de decirle con toda intención, y sin que viniera al caso, cuánto me había sorprendido en su mesa un libro tan difícil de encontrar. Su sorpresa fue auténtica:

–¿Cuál?

–*El doble.*

Rió complacido.

–Todavía no lo he terminado –dijo–. Pero es una de las cosas más extrañas que me ha caído en las manos.

No pasó de ahí. Me dio las gracias en todos los tonos por el bolero y se despidió con un fuerte apretón de manos.

Empezaba a oscurecer cuando el tren disminuyó la marcha, pasó por un galpón atiborrado de chatarra oxidada y ancló en un muelle sombrío. Agarré el baúl por la lengüeta y lo arrastré hacia la calle antes de que me atropellara el gentío. Estaba a punto de llegar cuando alguien gritó:

–¡Joven, joven!

Me volví a mirar, como varios jóvenes y otros menos jóvenes que corrían conmigo, cuando el lector insaciable pasó a mi lado y me dio un libro sin detenerse.

–¡Que le aproveche! –me gritó, y se perdió en el tropel.

El libro era *El doble*. Estaba tan aturdido que no alcancé a darme cuenta de lo que acababa de pasarme.

Me guardé el libro en el bolsillo del sobretodo, y el viento helado del crepúsculo me golpeó cuando salí de la estación. A punto de sucumbir puse el baúl en el andén y me senté sobre él para tomar el aire que me faltaba. No había un alma en las calles. Lo poco que alcancé a ver era la esquina de una avenida siniestra y glacial bajo una llovizna tenue revuelta con hollín, a dos mil cuatrocientos metros de altura y con un aire polar que estorbaba para respirar.

Esperé muerto de frío no menos de media hora. Alguien tenía que llegar, pues mi padre había avisado con un telegrama urgente a don Eliécer Torres Arango, un pariente suyo que sería mi acudiente. Pero lo que me preocupaba entonces no era que alguien viniera o no viniera, sino el miedo de estar sentado en un baúl sepulcral sin conocer a nadie en el otro lado del mundo. De pronto bajó de un taxi un hombre distinguido, con un paraguas de seda y un abrigo de camello que le daba a los tobillos. Comprendí que era mi acudiente, aunque apenas me miró y pasó de largo, y no tuve la audacia de hacerle alguna seña. Entró corriendo en la estación, y volvió a salir minutos después sin ningún gesto de esperanza. Por fin me descubrió y me señaló con el índice:

–Tú eres Gabito, ¿verdad?

Le contesté con el alma:

–Ya casi.

4

Bogotá era entonces una ciudad remota y lúgubre donde estaba cayendo una llovizna insomne desde principios del siglo XVI. Me llamó la atención que había en la calle demasiados hombres deprisa, vestidos como yo desde mi llegada, de paño negro y sombreros duros. En cambio no se veía ni una mujer de consolación, cuya entrada estaba prohibida en los cafés sombríos del centro comercial, como la de sacerdotes con sotana y militares uniformados. En los tranvías y orinales públicos había un letrero triste: «Si no le temes a Dios, témele a la sífilis».

Me impresionaron los percherones gigantescos que tiraban de los carros de cerveza, las chispas de pirotecnia de los tranvías al doblar las esquinas y los estorbos del tránsito para dar paso a los entierros de a pie bajo la lluvia. Eran los más lúgubres, con carrozas de lujo y caballos engringolados de terciopelo y morriones de plumones negros, con cadáveres de buenas familias que se comportaban como los inventores de la muerte. En el atrio de la iglesia de las Nieves vi desde el taxi la primera mujer en las calles, esbelta y sigilosa, y con tanta prestancia como una reina de luto, pero me quedé para siempre con la mitad de la ilusión, porque llevaba la cara cubierta con un velo infranqueable.

Fue un derrumbe moral. La casa donde pasé la noche era grande y confortable, pero me pareció fantasmal por su jardín sombrío de rosas oscuras y un frío que trituraba los huesos. Era de la familia Torres Gamboa, parientes de mi padre y conocidos míos, pero los veía como extraños en la cena arropados con mantas de dormir. Mi mayor impresión fue cuando me deslicé bajo las sábanas y lancé un grito de horror, porque las sentí empapadas en un líquido helado. Me explicaron que así era la primera vez y que poco a poco me iría acostumbrando a las rarezas del clima. Lloré largas horas en silencio antes de lograr un sueño infeliz.

Ése era el ánimo en que me sentía cuatro días después de haber llegado, mientras caminaba a toda prisa contra el frío y la llovizna hacia el Ministerio de Educación, donde iban a abrirse las inscripciones para el concurso nacional de becas. La fila empezaba en el tercer piso del ministerio, frente a la puerta misma de las oficinas de inscripción, y bajaba serpenteando por las escaleras hasta la entrada principal. El espectáculo era descorazonador. Cuando escampó, hacia las diez de la mañana, la fila se prolongaba todavía dos cuadras más sobre la avenida Jiménez de Quesada, y aún faltaban aspirantes que se habían refugiado en los portales. Me pareció imposible obtener nada en semejante rebatiña.

Poco después del mediodía sentí dos toquecitos en el hombro. Era el insaciable lector del buque, que me había reconocido entre los últimos de la fila, pero me costó trabajo identificarlo con el sombrero hongo y el atuendo fúnebre de los cachacos. También él, perplejo, me preguntó:

–¿Pero qué carajo haces aquí?

Se lo dije.

–¡Qué cosa más divertida! –dijo él, muerto de risa–. Ven conmigo –y me llevó del brazo hacia el ministerio. Entonces supe que era el doctor Adolfo Gómez Támara, director nacional de becas del Ministerio de Educación.

Fue el azar menos posible y uno de los más afortunados de mi vida. Con una broma de pura estirpe estudiantil, Gómez Támara me presentó a sus asistentes como el cantante más inspirado de boleros románticos. Me sirvieron café y me inscribieron sin más trámites, no sin antes advertirme que no estaban burlando instancias sino rindiendo tributo a los dioses insondables de la casualidad. Me informaron que el examen general sería el lunes siguiente en el colegio de San Bartolomé. Calculaban unos mil aspirantes de todo el país para unas trescientas cincuenta becas, de modo que la batalla iba a ser larga y difícil, y quizás un golpe mortal para mis ilusiones. Los favorecidos conocerían los resultados una semana después, junto con los datos del colegio que les asignaran. Esto fue nuevo y grave para mí, pues lo mismo podían despacharme para Medellín que para el Vichada. Me explicaron que esa lotería geográfica se había acordado para estimular la movilidad cultural entre las distintas regiones. Cuando terminaron los trámites, Gómez Támara me estrechó la mano con la misma energía entusiasta con que me agradeció el bolero.

–Avíspate –me dijo–. Ahora tu vida está en tus manos.

A la salida del ministerio, un hombrecito de aspecto clerical se me ofreció para conseguirme una beca segura y sin exámenes en el colegio que yo quisiera mediante el pago de cincuenta pesos. Era una fortuna para mí, pero creo que si la hubiera tenido la habría pagado por evitarme el terror del examen. Días después reconocí al impostor en la fotografía de los periódicos como el cabecilla de una banda de estafadores que se disfrazaban de curas para gestionar negocios ilícitos en organismos oficiales.

No deshice el baúl ante la certidumbre de que me mandarían para cualquier parte. Mi pesimismo estaba tan bien servido que la víspera del examen me fui con los músicos del buque a una cantina de mala muerte en el escabroso barrio de las Cruces. Cantábamos por el trago al precio de una canción por un vaso de chicha, la bebida bárbara de maíz fermentado que los borrachos exquisitos refinaban con pólvora. Así que llegué tarde al examen, con latidos dentro de la cabeza y sin recordar siquiera dónde estuve ni quién me había llevado a casa la noche anterior, pero me recibieron por caridad en un salón inmenso y atiborrado de aspirantes. Un vistazo de pájaro sobre el cuestionario me bastó para darme cuenta de que estaba derrotado de antemano. Sólo por distraer a los vigilantes me entretuve en las ciencias sociales, cuyas preguntas me parecieron las menos crueles. De pronto me sentí poseído por un aura de inspiración que me permitió improvisar respuestas creíbles y chiripas milagrosas. Salvo en las matemáticas, que no se me rindieron ni en lo que Dios quiso. El examen de dibujo, que hice deprisa pero bien, me sirvió de alivio. «Debió ser un milagro de la chicha», me dijeron mis músicos. De todos modos terminé en un estado de rendición final, con la decisión de escribir una carta a mis padres sobre derechos y razones para no volver a casa.

Cumplí con el deber de reclamar las calificaciones una semana después. La empleada de la recepción debió reconocer alguna señal en mi expediente porque me llevó sin razones con el director. Lo encontré de muy buen genio, en mangas de camisa y con tirantes rojos de fantasía. Revisó las notas de mi examen con una atención profesional, dudó una o dos veces y por fin respiró.

—No está mal —dijo para sí mismo—. Salvo en matemáticas, pero te escapaste por un pelo gracias al cinco en dibujo.

Se echó hacia atrás en la silla de resortes y me preguntó en qué colegio había pensado.

Fue uno de mis sustos históricos, pero no vacilé:

–San Bartolomé, aquí en Bogotá.

Él puso la palma de la mano sobre una pila de papeles que tenía en el escritorio.

–Todo esto son cartas de pesos pesados que recomiendan a hijos, parientes y amigos para colegios de aquí –dijo. Se dio cuenta de que no tenía que haberlo dicho, y prosiguió–: Si me permites que te ayude, lo que más te conviene es el Liceo Nacional de Zipaquirá, a una hora de tren.

Lo único que sabía de esa ciudad histórica era que tenía minas de sal. Gómez Támara me explicó que era un colegio colonial expropiado a una comunidad religiosa por una reforma liberal reciente, y ahora tenía una nómina espléndida de maestros jóvenes con una mentalidad moderna. Pensé que mi deber era sacarlo de dudas.

–Mi papá es godo –le advertí.

Soltó la risa.

–No seas tan serio –dijo–. Digo liberal en el sentido de pensamiento amplio.

Enseguida recobró su estilo propio y decidió que mi suerte estaba en aquel antiguo convento del siglo XVII, convertido en colegio de incrédulos en una villa soñolienta donde no había más distracciones que estudiar. El viejo claustro, en efecto, se mantenía impasible ante la eternidad. En su primera época tenía un letrero tallado en el pórtico de piedra: *El principio de la sabiduría es el temor de Dios*. Pero la divisa fue cambiada por el escudo de Colombia cuando el gobierno liberal del presidente Alfonso López Pumarejo nacionalizó la educación en 1936. Desde el zaguán, mientras me reponía de la asfixia por el peso del baúl, me deprimió el patiecito de arcos coloniales tallados en piedra viva, con balcones de maderas pintadas de verde y macetas de flores melancólicas en los barandales. Todo parecía sometido a un orden confesional, y en cada cosa se notaba demasiado que en más de trescientos años no habían conocido la indulgencia de unas manos de mujer. Mal educado en los espacios sin ley del Caribe, me asaltó el terror de vivir los cuatro años decisivos de mi adolescencia en aquel tiempo varado.

Todavía hoy me parece imposible que dos pisos alrededor de un patio taciturno, y otro edificio de mampostería improvisado en el terreno del fondo, pudieran alcanzar para la residencia y la oficina del rector, la secretaría administrativa, la cocina, el comedor, la biblioteca, las seis aulas, el laboratorio de física y química, el depósito, los servicios sanitarios y el dormitorio común con camas de hierro dispuestas en batería para medio centenar de alumnos traídos a rastras desde los suburbios más deprimidos de la nación, y muy pocos capitalinos. Por fortuna, aquella condición de destierro fue una gracia más de mi buena estrella. Por ella aprendí pronto y bien cómo es el país que me tocó en la rifa del mundo. La docena de paisanos caribes que me asumieron como suyo desde la llegada, y también yo, desde luego, hacíamos distinciones insalvables entre nosotros y los otros: los nativos y los forasteros.

Los distintos grupos repartidos en los rincones del patio desde el recreo de la prima noche eran un rico muestrario de la nación. No había rivalidades mientras cada uno se mantuviera en su terreno. Mis relaciones inmediatas fueron con los costeños del Caribe, que teníamos la fama bien merecida de ser ruidosos, fanáticos de la solidaridad de grupo y parranderos de bailes. Yo era una excepción, pero Antonio Martínez Sierra, rumbero de Cartagena, me enseñó a bailar los aires de moda en los recreos de la noche. Ricardo González Ripoll, mi gran cómplice de noviazgos furtivos, fue un arquitecto de fama que sin embargo no interrumpió nunca la misma canción apenas perceptible que murmuraba entre dientes y bailaba solo hasta el fin de sus días.

Mincho Burgos, un pianista congénito que llegó a ser maestro de una orquesta nacional de baile, fundó el conjunto del colegio con quien quiso aprender algún instrumento, y me enseñó el secreto de la segunda voz para los boleros y los cantos vallenatos. Sin embargo, su proeza mayor fue que formó a Guillermo López Guerra, un bogotano puro, en el arte caribe de tocar las claves, que es cuestión de tres dos, tres dos.

Humberto Jaimes, de El Banco, era un estudioso encarnizado al que nunca le interesó bailar y sacrificaba sus fines de semana para quedarse estudiando en el colegio. Creo que no había visto nunca un balón de futbol ni leído la reseña de un partido de cualquier cosa. Hasta que se graduó de ingeniero en Bogotá e ingresó en *El Tiempo* como aprendiz de redactor deportivo, donde llegó a ser director de su sección y uno de los buenos cronistas de futbol del país. De todos modos, el caso más raro que recuerdo fue sin duda el de Silvio Luna, un moreno retinto del Chocó que se graduó de abogado y después de médico, y parecía dispuesto a iniciar su tercera carrera cuando lo perdí de vista.

Daniel Rozo –Pagocio– se comportó siempre como un sabio en todas las ciencias humanas y divinas, y se prodigaba con ellas en clases y recreos. Siempre acudíamos a él para informarnos sobre el estado del mundo durante la guerra mundial, que seguíamos apenas por los rumores, pues no estaba autorizada en el colegio la entrada regular de periódicos o revistas, y la radiola la usábamos sólo para bailar unos con otros. Nunca tuvimos ocasión de averiguar de dónde sacaba Pagocio sus batallas históricas en las cuales ganaban siempre los aliados.

Sergio Castro –de Quetame– fue quizás el mejor estudiante en todos los años del liceo, y obtuvo siempre las calificaciones más altas desde su ingreso. Me parece que su secreto era el mismo que me había aconsejado Martina Fonseca en el colegio San José: no perdía una palabra del maestro o de las intervenciones de sus condiscípulos en las clases, tomaba notas hasta de la respiración de los profesores y las ordenaba en un cuaderno perfecto. Tal vez por lo mismo no necesitaba gastar tiempo en preparar los exámenes, y leía libros de aventuras los fines de semana mientras los otros nos incinerábamos en los estudios.

Mi compañero más asiduo en los recreos fue el bogotano puro Álvaro Ruiz Torres, que intercambiaba conmigo las noticias diarias de las novias en el recreo de la noche, mientras marchábamos con tranco militar alrededor del patio. Otros eran Jaime Bravo, Humberto Guillén y Álvaro Vidal Barón, de quienes fui muy cercano en el colegio y seguimos encontrándonos durante años en la vida real. Álvaro Ruiz iba a Bogotá todos los fines de semana con su familia, y regresaba bien provisto de cigarrillos y noticias de novias. Fue él quien me alentó ambos vicios durante el tiempo que estudiamos juntos, y quien en estos dos años recientes me ha prestado sus mejores recuerdos para reverdecer estas memorias.

No sé qué aprendí en realidad durante el cautiverio del Liceo Nacional, pero los cuatro años de convivencia bien avenida con todos me infundieron una visión unitaria de la nación, descubrí cuán diversos éramos y para qué servíamos, y aprendí para no olvidarlo nunca que en la suma de cada uno de nosotros estaba todo el país. Tal vez fue eso lo que quisieron decir en el ministerio sobre la movilidad regional que patrocinaba el gobierno. Ya en la edad madura, invitado a la cabina de mandos de un avión trasatlántico, las primeras palabras que me dirigió el capitán fue para preguntarme de dónde era. Me bastó con oírlo para contestar:

–Soy tan costeño como es usted de Sogamoso.

Pues tenía el mismo modo de ser, el mismo gesto, la misma materia de voz que Marco Fidel Bulla, mi vecino de asiento en el cuarto año del liceo. Este golpe de intuición me enseñó a navegar en las ciénagas de aquella comunidad imprevisible, aun sin brújula y contra la corriente, y ha sido quizás una llave maestra en mi oficio de escritor.

Me sentía viviendo un sueño, pues no había aspirado a la beca porque quisiera estudiar, sino por mantener mi independencia de cualquier otro compromiso, en buenos términos con la familia. La seguridad de tres comidas al día bastaba para suponer que en aquel refugio de pobres vivíamos mejor que en nuestras casas, bajo un régimen de autonomía vigilada menos evidente que el poder doméstico. En el comedor funcionaba un sistema de mercado que permitía a cada quien arreglar la ración a su gusto. El dinero carecía de valor. Los dos huevos del desayuno eran la moneda más cotizada, pues con ellos se podía comprar con ventaja cualquier otro plato de las tres comidas. Cada cosa tenía su equivalente justo, y nada perturbó aquel comercio legítimo. Más aún: no recuerdo ni un solo pleito a trompadas por motivo alguno en cuatro años de internado.

Los maestros, que comían en otra mesa del mismo salón, no eran ajenos a los trueques personales entre ellos, pues todavía arrastraban hábitos de sus colegios recientes. La mayoría eran solteros o vivían allí sin las esposas, y sus sueldos eran casi tan escasos como nuestras mesadas familiares. Se quejaban de la comida con tantas razones como nosotros, y en una crisis peligrosa se rozó la posibilidad de conjurarnos con alguno de ellos para una huelga de hambre. Sólo cuando recibían regalos o tenían invitados de fuera se permitían platos inspirados que por una vez estropeaban las igualdades. Ése fue el caso, en el cuarto año, cuando el médico del liceo nos prometió un corazón de buey para estudiarlo en su curso de anatomía. Al día siguiente lo mandó a las neveras de la cocina, todavía fresco y sangrante, pero no estaba allí cuando fuimos a buscarlo para la clase. Así se aclaró que a última hora, a falta de un corazón de buey, el médico había mandado el de un albañil sin dueño que se desbarató al resbalar de un cuarto piso. En vista de que no alcanzaba para todos, los cocineros lo prepararon con salsas exquisitas creyendo que era el corazón de buey que les habían anunciado para la mesa de los maestros. Creo que esas relaciones fluidas entre profesores y alumnos tenían algo que ver con la reciente reforma de la educación de la cual quedó poco en la historia, pero nos sirvió al menos para simplificar los protocolos. Se redujeron las diferencias de edades, se relajó el uso de la corbata y nadie volvió a alarmarse porque maestros y alumnos se tomaran juntos unos tragos y asistieran los sábados a los mismos bailes de novias.

Este ambiente sólo era posible por la clase de maestros que en general permitían una fácil relación personal. Nuestro profesor de matemáticas, con su sabiduría y su áspero sentido del humor, convertía las clases en una fiesta temible. Se llamaba Joaquín Giraldo Santa y fue el primer colombiano que obtuvo el título de doctor en matemáticas. Para desdicha mía, y a pesar de mis grandes esfuerzos y los suyos, nunca logré integrarme a su clase. Solía decirse entonces que las vocaciones poéticas interferían con las matemáticas, y uno terminaba no sólo por creerlo, sino por naufragar en ellas. La geometría fue más compasiva tal vez por obra y gracia de su prestigio literario. La aritmética, por el contrario, se comportaba con una simplicidad hostil. Todavía hoy, para hacer una suma mental, tengo que desbaratar los números en sus componentes más fáciles, en especial el siete y el nueve, cuyas tablas no pude nunca memorizar. De modo que para sumar siete y cuatro le quito dos al siete, sumo el cuatro al cinco que me queda y al final vuelvo a sumar el dos: ¡once! La multiplicación me falló siempre porque nunca pude recordar los números que llevaba en la memoria. Al álgebra le dediqué mis mejores ánimos, no sólo por respeto a su estirpe clásica sino por mi cariño y mi terror al maestro. Fue inútil. Me reprobaron en cada trimestre, la rehabilité dos veces y la perdí en otra tentativa ilícita que me concedieron por caridad.

Tres maestros más abnegados fueron los de idiomas. El primero –de inglés– fue mister Abella, un caribe puro con una dicción oxoniense perfecta y un fervor un tanto eclesiástico por el diccionario Webster's, que recitaba con los ojos cerrados. Su sucesor fue Héctor Figueroa, un buen maestro joven con una pasión febril por los boleros que cantábamos a varias voces en los recreos. Hice lo mejor que pude en los sopores de las clases y en el examen final, pero creo que mi buena calificación no fue tanto por Shakespeare como por Leo Marini y Hugo Romani, responsables de tantos paraísos y tantos suicidios de amor. El maestro de francés en cuarto año, monsieur Antonio Yelá Alban, me encontró intoxicado por las novelas policíacas. Sus clases me aburrían tanto como las de todos, pero sus citas oportunas del francés callejero fueron una buena ayuda para no morirme de hambre en París diez años después.

La mayoría de los maestros habían sido formados en la Normal Superior bajo la dirección del doctor José Francisco Socarrás, un siquiatra de San Juan del César que se empeñó en cambiar la pedagogía clerical de un siglo de gobierno conservador por un racionalismo humanístico. Manuel Cuello del Río era un marxista radical, que quizás por lo mismo admiraba a Lin Yutang y creía en las apariciones de los muertos. La biblioteca de Carlos Julio Calderón, presidida por su paisano José Eustasio Rivera, autor de *La vorágine*, repartía por igual a los clásicos griegos, los piedracielistas criollos y los románticos de todas partes. Gracias a unos y a otros, los pocos lectores asiduos leíamos a san Juan de la Cruz o a José María Vargas Vila, pero también a los apóstoles de la revolución proletaria. Gonzalo Ocampo, el profesor de ciencias sociales, tenía en su cuarto una buena biblioteca política que circulaba sin malicia en las aulas de los mayores, pero nunca entendí por qué *El origen de la familia, la propiedad privada y el Estado* de Federico Engels se estudiaba en las áridas tardes de economía política y no en las clases de literatura, como la epopeya de una bella aventura humana. Guillermo López Guerra leyó en los recreos el *Anti-Dühring*, también de Engels, prestado por el profesor Gonzalo Ocampo. Sin embargo, cuando se lo pedí para discutirlo con López Guerra, Ocampo me dijo que no me haría ese mal favor con un mamotreto fundamental para el progreso de la humanidad, pero tan largo y aburrido que quizás no pasara a la historia. Tal vez estos cambalaches ideológicos contribuyeron a la mala fama del liceo como un laboratorio de perversión política. Sin embargo, necesité media vida para darme cuenta de que quizás fueron más bien una experiencia espontánea para espantar a los débiles y vacunar a los fuertes contra todo género de dogmatismos.

Mi relación más directa fue siempre con el profesor Carlos Julio Calderón, maestro de castellano en los primeros cursos, de literatura universal en cuarto, española en quinto y colombiana en sexto. Y de algo raro en su formación y sus gustos: la contabilidad. Había nacido en Neiva, capital del departamento del Huila, y no se cansaba de proclamar su admiración patriótica por José

Eustasio Rivera. Tuvo que interrumpir sus estudios de medicina y cirugía, y lo recordaba como la frustración de su vida, pero su pasión por las artes y las letras era irresistible. Fue el primer maestro que pulverizaba mis borradores con indicaciones pertinentes.

En todo caso, las relaciones de alumnos y maestros eran de una naturalidad excepcional, no sólo en las clases sino de un modo especial en el patio de recreo después de la cena. Esto permitía un trato distinto del que estábamos acostumbrados, y que sin duda fue afortunado para el clima de respeto y camaradería en que vivíamos.

Una aventura pavorosa se la debo a las obras completas de Freud, que habían llegado a la biblioteca. No entendía nada de sus análisis escabrosos, desde luego, pero sus casos clínicos me llevaban en vilo hasta el final, como las fantasías de Julio Verne. El maestro Calderón nos pidió que le escribiéramos un cuento con tema libre en la clase de castellano. Se me ocurrió el de una enferma mental de unos siete años y con un título pedante que iba en sentido contrario al de la poesía: «Un caso de sicosis obsesiva». El maestro lo hizo leer en clase. Mi vecino de asiento, Aurelio Prieto, repudió sin reservas la petulancia de escribir sin la mínima formación científica ni literaria sobre un asunto tan retorcido. Le expliqué, con más rencor que humildad, que lo había tomado de un caso clínico descrito por Freud en sus memorias y mi única pretensión era usarlo para la tarea. El maestro Calderón, tal vez creyéndome resentido por las críticas ácidas de varios compañeros de clase, me llamó aparte en el recreo para animarme a seguir adelante por el mismo camino. Me señaló que en mi cuento era evidente que ignoraba las técnicas de la ficción moderna, pero tenía el instinto y las ganas. Le pareció bien escrito y al menos con intención de algo original. Por primera vez me habló de la retórica. Me dio algunos trucos prácticos de temática y métrica para versificar sin pretensiones, y concluyó que de todos modos debía persistir en la escritura aunque sólo fuera por salud mental. Aquélla fue la primera de las largas conversaciones que sostuvimos durante mis años del liceo, en los recreos y en otras horas libres, y a las cuales debo mucho en mi vida de escritor.

Era mi clima ideal. Desde el colegio San José tenía tan arraigado el vicio de leer todo lo que me cayera en las manos, que en eso ocupaba el tiempo libre y casi todo el de las clases. A mis dieciséis años, y con buena ortografía o sin ella, podía repetir sin tomar aliento los poemas que había aprendido en el colegio San José. Los leía y releía, sin ayuda ni orden, y casi siempre a escondidas durante las clases. Creo haber leído completa la indescriptible biblioteca del liceo, hecha con los desperdicios de otras menos útiles: colecciones oficiales, herencias de maestros desganados, libros insospechados que recalaban por ahí quién sabe de qué saldos de naufragios. No puedo olvidar la Biblioteca Aldeana de la editorial Minerva, patrocinada por don Daniel Samper Ortega y distribuida en escuelas y colegios por el Ministerio de Educación. Eran cien volúmenes con todo lo bueno y todo lo peor que hasta entonces se había escrito en Colombia, y me propuse leerlos en orden numérico hasta donde me alcanzara el alma. Lo que todavía hoy me aterra es que estuve a punto de cumplirlo en los dos años finales, y en el resto de mi vida no he podido establecer si me sirvió de algo.

Los amaneceres del dormitorio tenían un sospechoso parecido con la felicidad, salvo por la campana mortífera que sonaba a rebato –como solíamos decir– a las seis de la medianoche. Sólo dos o tres débiles mentales saltaban de la cama para coger los primeros turnos frente a las seis duchas de agua glacial en el baño del dormitorio. El resto aprovechábamos para exprimir las últimas gotitas de sueño hasta que el maestro de turno recorría el salón arrancando las mantas de los dormidos. Era una hora y media de intimidad destapada para poner la ropa en orden, lustrar los zapatos, darnos una ducha con el hielo líquido del tubo sin regadera, mientras cada cual se desahogaba a gritos de sus frustraciones y se burlaba de las ajenas, se violaban secretos de amores, se ventilaban negocios y pleitos, y se concertaban los cambalaches del comedor. Tema matinal de discusiones constantes era el capítulo leído la noche anterior.

Guillermo Granados daba rienda suelta desde el amanecer a sus virtudes de tenor con su inagotable repertorio de tangos. Con Ricardo González Ripoll, mi vecino en el dormitorio, cantábamos a dúo guarachas caribes al ritmo del trapo con que lustrábamos los zapatos en la cabecera de la cama, mientras mi compadre Sabas Caravallo recorría el dormitorio de un extremo al otro como su madre lo parió, con la toalla colgada de su verga de cemento armado.

Si hubiera sido posible, una buena cantidad de internos habríamos escapado en las madrugadas para cumplir citas propuestas los fines de semana. No había guardias nocturnas ni maestros de dormitorios, salvo el de turno por semanas. Y el portero eterno del liceo, Riverita, que en realidad dormía despierto a toda hora mientras cumplía sus deberes diarios. Vivía en el cuarto del zaguán y cumplía bien con su oficio, pero en las noches podíamos destrancar los bastos portones de iglesia, ajustarlos sin ruido, gozar la noche en casa ajena y regresar poco antes del amanecer por las calles glaciales. Nunca se supo si Riverita dormía en verdad como el muerto que parecía ser, o si era su manera gentil de ser cómplice de sus muchachos. No eran muchos los que escapaban, y sus secretos se pudrían en la memoria de sus cómplices fieles. Conocí algunos que lo hicieron de rutina, otros que se atrevieron una vez de ida con el coraje que infundía la tensión de la aventura, y regresaban exhaustos por el terror. Nunca supimos de alguno que fuera descubierto.

Mi único inconveniente social en el colegio eran unas pesadillas siniestras heredadas de mi madre, que irrumpían en los sueños ajenos como alaridos de ultratumba. Mis vecinos de cama las conocían de sobra y sólo les temían por el pavor del primer aullido en el silencio de la madrugada. El maestro de turno, que dormía en el camarote de cartón, se paseaba sonámbulo de un extremo al otro del dormitorio hasta que se restablecía la calma. No sólo eran sueños incontrolables, sino que tenían algo que ver con la mala conciencia, porque en dos ocasiones me ocurrieron en casas extraviadas. También eran indescifrables, porque no sucedían en ensueños pavorosos, sino al contrario, en episodios felices con personas o lugares comunes que de pronto me revelaban un dato siniestro con una mirada inocente. Una pesadilla apenas comparable con una de mi madre, que tenía en su regazo su propia cabeza y la expurgaba de las liendres y los piojos que no la dejaban dormir. Mis gritos no eran de pavor, sino voces de auxilio para que alguien me hiciera la caridad de despertarme. En el dormitorio del liceo no había tiempo de nada, porque al primer quejido me caían encima las almohadas que me lanzaban desde las camas vecinas. Despertaba acezante, con el corazón alborotado pero feliz de estar vivo.

Lo mejor del liceo eran las lecturas en voz alta antes de dormir. Habían empezado por iniciativa del profesor Carlos Julio Calderón con un cuento de Mark Twain que los del quinto año debían estudiar para un examen de emergencia a la primera hora del día siguiente. Leyó las cuatro cuartillas en voz alta en su cubículo de cartón para que tomaran notas los alumnos que no hubieran tenido tiempo de leerlo. Fue tan grande el interés, que desde entonces se impuso la costumbre de leer en voz alta todas las noches antes de dormir. No fue fácil al principio, porque algún maestro mojigato había impuesto el criterio de escoger y expurgar los libros que iban a leerse, pero el riesgo de una rebelión los encomendó al criterio de los estudiantes mayores.

Empezaron con media hora. El maestro de turno leía en su camarote bien iluminado a la entrada del dormitorio general, y al principio lo acallábamos con ronquidos de burla, reales o fingidos, pero casi siempre merecidos. Más tarde se prolongaron hasta una hora, según el interés del relato, y los maestros fueron relevados por alumnos en turnos semanales. Los buenos tiempos empezaron con *Nostradamus* y *El hombre de la máscara de hierro*, que complacieron a todos. Lo que todavía no me explico es el éxito atronador de *La montaña mágica*, de Thomas Mann, que requirió la intervención del rector para impedir que pasáramos la noche en vela esperando un beso de Hans Castorp y Clawdia Chauchat. O la tensión insólita de todos sentados en las camas para no perder palabra de los farragosos duelos filosóficos entre Naptha y su amigo Settembrini. La lectura se prolongó aquella noche por más de una hora y fue celebrada en el dormitorio con una salva de aplausos.

El único maestro que quedó como una de las grandes incógnitas de mi juventud fue el rector que encontré a mi llegada. Se llamaba Alejandro Ramos, y era áspero y solitario, con unos espejuelos de vidrios gruesos que parecían de ciego, y un poder sin alardes que pesaba en cada palabra suya como un puño de hierro. Bajaba de su refugio a las siete de la mañana para revisar nuestro aseo personal antes de entrar en el comedor. Llevaba vestidos intachables de colores vivos, y el cuello almidonado como de celuloide con corbatas alegres y zapatos resplandecientes. Cualquier falla en nuestra limpieza personal la registraba con un gruñido que era una orden de volver al dormitorio para corregirla. El resto del día se encerraba en su oficina del segundo piso, y no volvíamos a verlo hasta la mañana siguiente a la misma hora, o mientras daba los doce pasos entre la oficina y el aula del sexto año, donde dictaba su única clase de matemáticas tres veces por semana. Sus alumnos decían que era un genio de los números, y divertido en las clases, y los dejaba asombrados con su sabiduría y trémulos por el terror del examen final.

Poco después de mi llegada tuve que escribir el discurso inaugural para algún acto oficial del liceo. La mayoría de los maestros me aprobaron el tema, pero coincidieron en que la última palabra en casos como ése la tenía el rector. Vivía al final de la escalera en el segundo piso, pero sufrí la distancia como si fuera un viaje a pie alrededor del mundo. Había dormido mal la noche anterior, me puse la corbata del domingo y apenas si pude saborear el desayuno. Toqué tan despacio a la puerta de la rectoría que el rector no me abrió hasta la tercera vez, y me cedió el paso sin saludarme. Por fortuna, pues yo no habría tenido voz para contestarle, no sólo por su sequedad sino por la imponencia, el orden y la belleza del despacho con muebles de maderas nobles y forros de terciopelo, y las paredes tapizadas por la asombrosa estantería de libros empastados en cuero. El rector esperó con una parsimonia formal a que recobrara el aliento. Luego me indicó la poltrona auxiliar frente al escritorio y se sentó en la suya.

Había preparado la explicación de mi visita casi tanto como el discurso. Él la escuchó en silencio, aprobó cada frase con la cabeza, pero todavía sin mirarme a mí sino al papel que me temblaba en la mano. En algún punto que yo creía divertido traté de ganarle una sonrisa, pero fue inútil. Más aún: estoy seguro de que ya estaba al corriente del sentido de mi visita, pero me hizo cumplir con el rito de explicárselo.

Cuando terminé tendió la mano por encima del escritorio y recibió el papel. Se quitó los lentes para leerlo con una atención profunda, y sólo se detuvo para hacer dos correcciones con la pluma. Luego se puso los lentes y me habló sin mirarme a los ojos con una voz pedregosa que me sacudió el corazón.

–Aquí hay dos problemas –me dijo–. Usted escribió: «En armonía con la flora exhuberante de nuestro país, que dio a conocer al mundo el sabio español José Celestino Mutis en el siglo XVIII, vivimos en este liceo un ambiente paradisíaco». Pero el caso es que exuberante se escribe sin hache, y paradisiaco no lleva tilde.

Me sentí humillado. No tuve respuesta para el primer caso, pero en el segundo no tenía ninguna duda, y le repliqué de inmediato con lo que me quedaba de voz:

–Perdóneme, señor rector, el diccionario admite paradisíaco con acento o sin acento, pero el esdrújulo me pareció más sonoro.

Debió sentirse tan agredido como yo, pues todavía no me miró sino que cogió el diccionario en el librero sin decir una palabra. Se me crispó el corazón, porque era el mismo Atlas de mi abuelo, pero nuevo y brillante, y quizás sin usar. A la primera tentativa lo abrió en la página exacta, leyó y releyó la noticia y me preguntó sin apartar la vista de la página:

–¿En qué año está usted?

–Tercero –le dije.

Cerró el diccionario con un fuerte golpe de cepo y por primera vez me miró a los ojos.

–Bravo –dijo–. Siga así.

Desde aquel día sólo faltó que mis compañeros de clase me proclamaran héroe, y empezaron a llamarme con toda la sorna posible «el costeño que habló con el rector». Sin embargo, lo que más me afectó de la entrevista fue haberme enfrentado, una vez más, a mi drama personal con la ortografía. Nunca pude entenderlo. Uno de mis maestros trató de darme el golpe de gracia con la noticia de que Simón Bolívar no merecía su gloria por su pésima ortografía. Otros me consolaban con el pretexto de que es un mal de muchos. Aún hoy, con diecisiete libros publicados, los correctores de mis pruebas de imprenta me honran con la galantería de corregir mis horrores de ortografía como simples erratas.

Las fiestas sociales en Zipaquirá correspondían en general a la vocación y el modo de ser de cada quien. Las minas de sal, que los españoles encontraron vivas, eran una atracción turística en los fines de semana, que se completaba con la sobrebarriga al horno y las papas nevadas en grandes pailas de sal. Los internos costeños, con nuestro prestigio merecido de gritones y malcriados, teníamos la buena educación de bailar como artistas la música de moda y el buen gusto de enamorarnos a muerte.

Llegué a ser tan espontáneo, que el día en que se conoció el fin de la guerra mundial salimos a las calles en manifestación de júbilo con banderas, pancartas y voces de victoria. Alguien pidió un voluntario para decir el discurso y salí sin pensarlo siquiera al balcón del club social, frente a la plaza mayor, y lo improvisé con gritos altisonantes, que a muchos les parecieron aprendidos de memoria.

Fue el único discurso que me vi obligado a improvisar en mis primeros setenta años. Terminé con un reconocimiento lírico a cada uno de los Cuatro Grandes, pero el que llamó la atención de la plaza fue el del presidente de los Estados Unidos, fallecido poco antes: «Franklin Delano Roosevelt, que como el Cid Campeador sabe ganar batallas después de muerto». La frase se quedó flotando en la ciudad durante varios días, y fue reproducida en carteles callejeros y en retratos de Roosevelt en las vitrinas de algunas tiendas. De modo que mi primer éxito público no fue como poeta ni novelista, sino como orador, y peor aún: como orador político. Desde entonces no hubo acto público del liceo en que no me subieran a un balcón, sólo que entonces eran discursos escritos y corregidos hasta el último aliento.

Con el tiempo, aquella desfachatez me sirvió para contraer un terror escénico que me llevó al punto de la mudez absoluta, tanto en las grandes bodas como en las cantinas de los indios de ruana y alpargatas, donde terminábamos por el suelo; en la casa de Berenice, que era bella y sin prejuicios, y tuvo la buena suerte de no casarse conmigo porque estaba loca de amor por otro o, en la telegrafía, cuya Sarita inolvidable me transmitía a crédito los telegramas de angustia cuando mis padres se retrasaban en las remesas para mis gastos personales y más de una vez me pagaba los giros adelantados para sacarme de apuros. Sin embargo, la menos olvidable no fue el amor de nadie sino el hada de los adictos a la poesía. Se llamaba Cecilia González Pizano y tenía una inteligencia veloz, una simpatía personal y un espíritu libre en una familia de estirpe conservadora, y una memoria sobrenatural para toda la poesía. Vivía frente al portal del liceo con una tía aristocrática y soltera en una mansión colonial alrededor de un jardín de heliotropos. Al principio fue una relación reducida a los torneos poéticos, pero Cecilia terminó por ser una verdadera camarada de la vida, siempre muerta de risa, que por fin se coló en las clases de literatura del maestro Calderón, con la complicidad de todos.

En mis tiempos de Aracataca había soñado con la buena vida de ir cantando de feria en feria, con acordeón y buena voz, que siempre me pareció la manera más antigua y feliz de contar un cuento. Si mi madre había renunciado al piano para tener hijos, y mi padre había colgado el violín para poder mantenernos, era apenas justo que el mayor de ellos sentara el buen precedente de morirse de hambre por la música. Mi participación eventual como cantante y tiplero en el grupo del liceo probó que tenía oído para aprender un instrumento más difícil, y que podía cantar.

No había velada patriótica o sesión solemne del liceo en que no estuviera mi mano de algún modo, siempre por la gracia del maestro Guillermo Quevedo Zornosa, compositor y prohombre de la ciudad, director eterno de la banda municipal y autor de «Amapola» –la del camino, roja como el corazón–, una canción de juventud que fue en su tiempo el alma de veladas y serenatas. Los domingos después de misa yo era de los primeros que atravesaban el parque para asistir a su retreta, siempre con *La gazza ladra*, al principio, y el Coro de los Martillos, de *Il trovatore*, al final. Nunca supo el maestro, ni me atreví a decírselo, que el sueño de mi vida de aquellos años era ser como él.

Cuando el liceo pidió voluntarios para un curso de apreciación de la música, los primeros que levantamos el dedo fuimos Guillermo López Guerra y yo. El curso sería en la mañana de los sábados, a cargo del profesor Andrés Pardo Tovar, director del primer programa de música clásica de La Voz de Bogotá. No alcanzábamos a ocupar la cuarta parte del comedor acondicionado para la clase, pero fuimos seducidos al instante por su labia de apóstol. Era el cachaco perfecto, de *blazer* de medianoche, chaleco de raso, voz sinuosa y ademanes pausados. Lo que hoy resultaría novedoso por su antigüedad sería el fonógrafo de manigueta que manejaba con la maestría y el amor de un domador de focas. Partía del supuesto –correcto en nuestro caso– de que éramos unos novatos de solemnidad. De modo que empezó con *El carnaval de los animales*, de Saint-Saëns, reseñando con datos eruditos el modo de ser de cada animal. Luego tocó –¡cómo no!– *Pedro y el lobo*, de Prokófiev. Lo malo de aquella fiesta sabatina fue que me inculcó el pudor de que la música de los grandes maestros es un vicio casi secreto, y necesité muchos años para no hacer distinciones prepotentes entre música buena y música mala.

No volví a tener ningún contacto con el rector hasta el año siguiente, cuando se hizo cargo de la cátedra de geometría en el cuarto grado. Entró en el aula el primer martes a las diez de la mañana, dio los buenos días con un gruñido, sin mirar a nadie, y limpió el tablero con la almohadilla hasta que no quedó ni el mínimo rastro de polvo. Entonces se volvió hacia nosotros, y todavía sin pasar lista le preguntó a Álvaro Ruiz Torres:

–¿Qué es un punto?

No hubo tiempo para contestar, porque el profesor de ciencias sociales abrió la puerta sin tocar y le dijo al rector que tenía una llamada urgente del Ministerio de Educación. El rector salió deprisa para contestar al teléfono y no regresó a la clase. Nunca más, pues la llamada era para comunicarle el relevo de su cargo de rector, que había cumplido a conciencia durante cinco años en el liceo, y al cabo de toda una vida de buen servicio.

El sucesor fue el poeta Carlos Martín, el más joven de los buenos poetas del grupo Piedra y Cielo, que César del Valle me había ayudado a descubrir en Barranquilla. Tenía treinta años y tres libros publicados. Yo conocía poemas suyos, y lo había visto una vez en una librería de Bogotá, pero nunca tuve nada que decirle ni alguno de sus libros para pedirle la firma. Un lunes apareció sin anunciarse en el recreo del almuerzo. No lo esperábamos tan pronto. Parecía más un abogado que un poeta con un vestido de rayas inglesas, la frente despejada y un bigote lineal con un rigor de forma que se notaba también en su poesía. Avanzó con sus pasos bien medidos hacia los grupos más cercanos, apacible y siempre un poco distante, y nos tendió la mano:

–Hola, soy Carlos Martín.

Yo estaba en esa época fascinado por las prosas líricas que Eduardo Carranza publicaba en la sección literaria de *El Tiempo* y en la revista *Sábado*. Me parecía que era un género inspirado en *Platero y yo*, de Juan Ramón Jiménez, de moda entre los poetas jóvenes que aspiraban a borrar del mapa el mito de Guillermo Valencia. El poeta Jorge Rojas, heredero de una fortuna efímera, patrocinó con su nombre y su saldo la publicación de unos cuadernillos originales que despertaron un grande interés en su generación y unificó un grupo de buenos poetas conocidos.

Fue un cambio a fondo de las relaciones domésticas. La imagen espectral del rector anterior fue reemplazada por una presencia concreta que conservaba las distancias debidas, pero siempre al alcance de la mano. Prescindió de la revisión rutinaria de presentación personal y otras normas ociosas, y a veces conversaba con los alumnos en el recreo de la noche.

El nuevo estilo me puso en mi rumbo. Tal vez Calderón le había hablado de mí al nuevo rector, pues una de las primeras noches me hizo un sondeo sesgado sobre mis relaciones con la poesía, y le solté todo lo que llevaba dentro. Él me preguntó si había leído *La experiencia literaria*, un libro muy comentado de don Alfonso Reyes. Le confesé que no, y me lo llevó al día siguiente. Devoré la mitad por debajo del pupitre en tres clases sucesivas, y el resto en los recreos del campo de futbol. Me alegró que un ensayista de tanto prestigio se ocupara de estudiar las canciones de Agustín Lara como si fueran poemas de Garcilaso, con el pretexto de una frase ingeniosa: «Las populares canciones de Agustín Lara no son canciones populares». Para mí fue como encontrar la poesía disuelta en una sopa de la vida diaria.

Martín prescindió del magnífico apartamento de la rectoría. Instaló su oficina de puertas abiertas en el patio principal, y esto lo acercó más aún a nuestras tertulias después de la cena. Se instaló para largo tiempo con su esposa y sus hijos en una casona colonial bien mantenida en una esquina de la plaza principal, con un estudio de muros cubiertos por todos los libros con que podía soñar un lector atento a los gustos renovadores de aquellos años. Allí lo visitaban los fines de semana sus amigos de Bogotá, en especial sus compañeros de Piedra y Cielo. Un domingo cualquiera tuve que ir a su casa por una diligencia casual con Guillermo López Guerra, y allí estaban Eduardo Carranza y Jorge Rojas, las dos estrellas mayores. El rector nos hizo sentar con una seña rápida para no interrumpir la conversación, y allí estuvimos una media hora sin entender una palabra, porque discutían sobre un libro de Paul Valéry, del que no habíamos oído hablar. Había visto a Carranza más de una vez en librerías y cafés de Bogotá, y habría podido identificarlo sólo por el timbre y la fluidez de la voz, que se correspondía con su ropa callejera y su modo de ser: un poeta. A Jorge Rojas, en cambio, no habría podido identificarlo por su atuendo y su estilo ministeriales, hasta que Carranza se dirigió a él por su nombre. Yo anhelaba ser testigo de una discusión sobre poesía entre los tres más grandes, pero no se dio. Al final del tema, el rector me puso la mano en el hombro, y dijo a sus invitados:

–Éste es un gran poeta.

Lo dijo como una galantería, por supuesto, pero yo me sentí fulminado. Carlos Martín insistió en hacernos una foto con los dos grandes poetas, y la hizo, en efecto, pero no tuve más noticias de ella hasta medio siglo después en su casa de la costa catalana, donde se retiró a gozar de su buena vejez.

El liceo fue sacudido por un viento renovador. La radio, que sólo usábamos para bailar hombre con hombre, se convirtió con Carlos Martín en un instrumento de divulgación social, y por primera vez se escuchaban y se discutían en el patio de recreo los noticieros de la noche. La actividad cultural aumentó con la creación de un centro literario y la publicación de un periódico. Cuando hicimos la lista de los candidatos posibles por sus aficiones literarias bien definidas, su número nos dio el nombre del grupo: centro literario de los Trece. Nos pareció un golpe de suerte, además, porque era un desafío a la superstición. La iniciativa fue de los mismos estudiantes, y consistía sólo en reunirnos una vez a la semana para hablar de literatura cuando en realidad ya no hacíamos otra cosa en los tiempos libres, dentro y fuera del liceo. Cada uno llevaba lo suyo, lo leía y lo sometía al juicio de todos. Asombrado por ese ejemplo, yo contribuía con la lectura de sonetos que firmaba con el seudónimo de Javier Garcés, que en realidad no usaba para distinguirme sino para esconderme. Eran simples ejercicios técnicos sin inspiración ni aspiración, a los que no atribuía ningún valor poético porque no me salían del alma. Había empezado con imitaciones de Quevedo, Lope de Vega y aun de García Lorca, cuyos octosílabos eran tan espontáneos que bastaba con empezar para seguir por inercia. Llegué tan lejos en esa fiebre de imitación, que me había propuesto la tarea de parodiar en su orden cada uno de los cuarenta sonetos de Garcilaso de la Vega. Escribía, además, los que algunos internos me pedían para dárselos como suyos a sus novias dominicales. Una de ellas, en absoluto secreto, me leyó emocionada los versos que su pretendiente le dedicó como escritos por él.

Carlos Martín nos concedió un pequeño depósito en el segundo patio del liceo con las ventanas clausuradas por seguridad. Éramos unos cinco miembros que nos poníamos tareas para la reunión siguiente. Ninguno de ellos hizo carrera de escritor pero no se trataba de eso sino de probar las posibilidades de cada quien. Discutíamos las obras de los otros, y llegábamos a irritarnos tanto como si fueran partidos de futbol. Un día Ricardo González Ripoll tuvo que salir en medio de un debate, y sorprendió al rector con la oreja en la puerta para escuchar la discusión. Su curiosidad era legítima porque no le parecía verosímil que dedicáramos nuestras horas libres a la literatura.

A fines de marzo nos llegó la noticia de que el antiguo rector, don Alejandro Ramos, se había disparado un tiro en la cabeza en el Parque Nacional de Bogotá. Nadie se conformó con atribuirlo a su carácter solitario y tal vez depresivo, ni se entendió un motivo razonable para suicidarse detrás del monumento del general Rafael Uribe Uribe, un guerrero de cuatro guerras civiles y político liberal que fue asesinado de un hachazo por dos fanáticos en el atrio del Capitolio. Una delegación del liceo encabezada por el nuevo rector asistió al entierro del maestro Alejandro Ramos, que quedó en la memoria de todos como el adiós a otra época.

El interés por la política nacional era bastante escaso en el internado. En la casa de mis abuelos oí decir demasiado que la única diferencia entre los dos partidos después de la guerra de los Mil Días era que los liberales iban a la misa de cinco para que no los vieran y los conservadores a la misa de ocho para que los creyeran creyentes. Sin embargo, las diferencias reales empezaron a sentirse de nuevo treinta años después, cuando el Partido Conservador perdió el poder y los primeros presidentes liberales trataban de abrir el país a los nuevos vientos del mundo. El Partido Conservador, vencido por el óxido de su poder absoluto, ponía orden y limpieza en su propia casa bajo el resplandor lejano de Mussolini en Italia y las tinieblas del general Franco en España, mientras que la primera administración del presidente Alfonso López Pumarejo, con una pléyade de jóvenes cultos, había tratado de crear las condiciones para un liberalismo moderno, quizás sin darse cuenta de que estaba cumpliendo con el fatalismo histórico de partirnos en las dos mitades en que estaba dividido el mundo. Era ineludible. En alguno de los libros que nos prestaron los maestros conocí una cita atribuida a Lenin: «Si no te metes con la política, la política terminará metiéndose contigo».

Sin embargo, después de cuarenta y seis años de una hegemonía cavernaria de presidentes conservadores, la paz empezaba a parecer posible. Tres presidentes jóvenes y con una mentalidad moderna habían abierto una perspectiva liberal que parecía dispuesta a disipar las brumas del pasado. Alfonso López Pumarejo, el más notable de los tres, que había sido un reformador arriesgado, se hizo reelegir en 1942 para un segundo periodo, y nada parecía perturbar el ritmo de los relevos. De modo que en mi primer año del liceo estábamos embebidos en las noticias de la guerra europea, que nos mantenían en vilo como nunca lo había logrado la política nacional. La prensa no entraba en el liceo sino en casos muy especiales, porque no teníamos el hábito de pensar en ella. No existían radios portátiles, y el único del liceo era la vieja consola de la sala de maestros que encendíamos a todo volumen a las siete de la noche sólo para bailar. Lejos estábamos de pensar que en aquel momento se estuviera incubando la más sangrienta e irregular de todas nuestras guerras.

La política entró a golpes en el liceo. Nos partimos en grupos de liberales y conservadores, y por primera vez supimos de qué lado estaba cada quien. Surgió una militancia interna, cordial y un tanto académica al principio, que degeneró en el mismo estado de ánimo que empezaba a pudrir al país. Las primeras tensiones del liceo eran apenas perceptibles, pero nadie dudaba de la buena influencia de Carlos Martín al frente de un cuerpo de profesores que nunca habían ocultado sus ideologías. Si el nuevo rector no era un militante evidente, al menos dio su autorización para escuchar los noticieros de la noche en la radiola de la sala, y las noticias políticas prevalecieron desde entonces sobre la música para bailar. Se decía sin confirmación que en su oficina tenía un retrato de Lenin o de Marx.

Fruto de aquel ambiente enrarecido debió ser el único amago de motín que ocurrió en el liceo. En el dormitorio salieron a volar almohadas y zapatos en detrimento de la lectura y el sueño. No he podido establecer cuál fue el motivo, pero creo recordar –y varios condiscípulos coinciden conmigo– en que fue por algún episodio del libro que se leía en voz alta aquella noche: *Cantaclaro*, de Rómulo Gallegos. Un raro zafarrancho de combate.

Llamado de urgencia, Carlos Martín entró en el dormitorio y lo recorrió varias veces de extremo a extremo en el silencio inmenso que causó su aparición. Luego, en un rapto de autoritarismo, insólito en un carácter como el suyo, nos ordenó abandonar el dormitorio en piyama y pantuflas, y formarnos en el patio helado. Allí nos soltó una arenga en el estilo circular de Catilina y regresamos en un orden perfecto a continuar el sueño. Fue el único incidente de que tengo memoria en nuestros años del liceo.

Mario Convers, un estudiante que llegó ese año al sexto grado, nos mantenía por entonces alborotados con el tema de hacer un periódico distinto a los convencionales de otros colegios. Uno de sus primeros contactos fue conmigo, y me pareció tan convincente que acepté ser su jefe de redacción, halagado pero sin una idea clara de mis funciones. Los preparativos finales del periódico coincidieron con el arresto del presidente López Pumarejo por un grupo de altos oficiales de las Fuerzas Armadas el 8 julio de 1944, mientras estaba de visita oficial en el sur del país. El cuento, contado por él mismo, no tenía desperdicio. Tal vez sin proponérselo, había hecho a los investigadores un relato estupendo, según el cual no se había enterado del suceso hasta que fue liberado. Y tan ceñido a las verdades de la vida real, que el golpe de Pasto quedó como uno más de los tantos episodios ridículos de la historia nacional.

Alberto Lleras Camargo, en su condición de primer designado, mantuvo al país adormecido con su voz y su dicción perfectas, durante varias horas, a través de la Radio Nacional, hasta que el presidente López fue liberado y se restableció el orden. Pero el estado de sitio riguroso, con censura de prensa, se impuso. Los pronósticos eran inciertos. Los conservadores habían gobernado el país desde la independencia de España, en 1830, hasta la elección de Olaya Herrera un siglo después, y todavía no daban muestra alguna de liberalización. Los liberales, en cambio, se hacían cada vez más conservadores en un país que iba dejando en su historia piltrafas de sí mismo. En aquel momento tenían una élite de intelectuales jóvenes fascinados por los señuelos del poder, cuyo ejemplar más radical y viable era Jorge Eliécer Gaitán. Éste había sido uno de los héroes de mi infancia por sus acciones contra la represión de la zona bananera, de la cual oí hablar sin entenderla desde que tuve uso de razón. Mi abuela lo admiraba, pero creo que le preocupaban sus coincidencias de entonces con los comunistas. Yo había estado a sus espaldas mientras pronunciaba un discurso atronador desde un balcón de la plaza en Zipaquirá, y me impresionó su cráneo con forma de melón, el cabello liso y duro y el pellejo de indio puro, y su voz de trueno con el acento de los gamines de Bogotá, tal vez exagerado por cálculo político. En su discurso no habló de liberales y conservadores, o de explotadores y explotados, como todo el mundo, sino de pobres y aligarcas, una palabra que escuché entonces por primera vez martillada en cada frase, y que me apresuré a buscar en el diccionario.

Era un abogado eminente, alumno destacado en Roma del gran penalista italiano Enrico Ferri. Había estudiado allí mismo las artes oratorias de Mussolini y algo tenía de su estilo teatral en la tribuna. Gabriel Turbay, su copartidario rival, era un médico culto y elegante, de finos lentes de oro que le infundían un cierto aire de artista de cine. En un reciente congreso del Partido Comunista había pronunciado un discurso imprevisto que sorprendió a muchos e inquietó a algunos de sus copartidarios burgueses, pero él no creía contrariar de palabra ni de obra su formación liberal ni su vocación de aristócrata. Su familiaridad con la diplomacia rusa le venía desde 1936, cuando estableció en Roma las relaciones con la Unión Soviética, en su condición de embajador de Colombia. Siete años después las formalizó en Washington en su condición de ministro de Colombia en los Estados Unidos.

Sus buenos tratos con la embajada soviética en Bogotá eran muy cordiales, y tenía en el Partido Comunista colombiano algunos dirigentes amigos que hubieran podido acordar una alianza electoral con los liberales, de la cual se habló a menudo por aquellos días, pero nunca se concretó. También por esa época, siendo embajador en Washington, corrió en Colombia el rumor insistente de que era el novio secreto de una estrella grande de Hollywood –tal vez Joan Crawford o Paulette Godard– pero tampoco renunció nunca a su carrera de soltero insobornable.

Entre los electores de Gaitán y los de Turbay podían hacer una mayoría liberal y abrir caminos nuevos dentro del mismo partido, pero ninguna de las dos mitades separadas le ganaría al conservatismo unido y armado.

Nuestra *Gaceta Literaria* apareció en esos malos días. A los mismos que teníamos ya impreso el primer número nos sorprendió su presentación profesional de ocho páginas de tamaño tabloide, bien formado y bien impreso. Carlos Martín y Carlos Julio Calderón fueron los más entusiastas, y ambos comentaron en los recreos algunos de los artículos. Entre ellos, el más importante fue uno escrito por Carlos Martín a solicitud nuestra, en el cual planteaba la necesidad de una valerosa toma de conciencia en lucha contra los mercachifles de los intereses del Estado, de los políticos trepadores y de los agiotistas que entorpecían la libre marcha del país. Se publicó con un gran retrato suyo en la primera página. Había un artículo de Convers sobre la hispanidad, y una prosa lírica mía firmada por Javier Garcés. Convers nos anunció que entre sus amigos de Bogotá había un gran entusiasmo y posibilidades de subvenciones para lanzarlo en grande como un periódico intercolegial.

El primer número no había alcanzado a distribuirse cuando el golpe de Pasto. El mismo día en que se declaró turbado el orden público, el alcalde de Zipaquirá irrumpió en el liceo al frente de un pelotón armado y decomisó los ejemplares que teníamos listos para la circulación. Fue un asalto de cine, sólo explicable por alguna denuncia matrera de que el periódico contenía material subversivo. El mismo día llegó una notificación de la oficina de prensa de la presidencia de la República de que el periódico había sido impreso sin pasar por la censura del estado de sitio, y Carlos Martín fue destituido de la rectoría sin anuncio previo.

Para nosotros fue una decisión disparatada que nos hizo sentir al mismo tiempo humillados e importantes. El tiraje del periódico no pasaba de doscientos ejemplares para una distribución entre amigos, pero nos explicaron que el requisito de la censura era ineludible bajo el estado de sitio. La licencia fue cancelada hasta una nueva orden que no llegó nunca.

Pasaron más de cincuenta años antes de que Carlos Martín me revelara para estas memorias los misterios de aquel episodio absurdo. El día en que la *Gaceta* fue decomisada lo citó a su despacho de Bogotá el mismo ministro de Educación que lo había nombrado –Antonio Rocha– y le pidió la renuncia. Carlos Martín lo encontró con un ejemplar de la *Gaceta Literaria* en el que habían subrayado con lápiz rojo numerosas frases que consideraban subversivas. Lo mismo habían hecho con su artículo editorial y con el de Mario Convers y aun con algún poema de autor conocido que se consideró sospechoso de estar escrito en clave cifrada. «Hasta la Biblia subrayada en esa forma maliciosa podría expresar lo contrario de su auténtico sentido», les dijo Carlos Martín, en una reacción de furia tan notoria que el ministro lo amenazó con llamar a la policía. Fue nombrado director de la revista *Sábado*, que en un intelectual como él debía considerarse como una promoción estelar. Sin embargo, le quedó para siempre la impresión de ser víctima de una conspiración de derechas. Fue objeto de una agresión en un café de Bogotá que estuvo a punto de rechazar a bala. Un nuevo ministro lo nombró más tarde abogado jefe de la sección jurídica e hizo una carrera brillante que culminó con un retiro rodeado de libros y añoranzas en su remanso de Tarragona.

Al mismo tiempo que el retiro de Carlos Martín –y sin ningún vínculo con él, por supuesto– circuló en el liceo y en casas y cantinas de la ciudad una versión sin dueño según la cual la guerra con el Perú, en 1932, fue una patraña del gobierno liberal para sostenerse a la fuerza contra la oposición libertina del conservatismo. La versión, divulgada inclusive en hojas mimeografiadas, afirmaba que el drama había empezado sin la menor intención política cuando un alférez peruano atravesó el río Amazonas con una patrulla militar y secuestró en la orilla colombiana a la novia secreta del intendente de Leticia, una mulata perturbadora a quien llamaban la Pila, como diminutivo de Pilar. Cuando el intendente colombiano descubrió el secuestro atravesó la frontera arcifinia con un grupo de peones armados y rescató a la Pila en territorio peruano. Pero el general Luis Sánchez Cerro, dictador absoluto del Perú, supo aprovechar la escaramuza para invadir Colombia y tratar de cambiar los límites amazónicos a favor de su país.

Olaya Herrera –bajo el acoso feroz del Partido Conservador derrotado al cabo de medio siglo de reinado absoluto– declaró el estado de guerra, promovió la movilización nacional, depuró su ejército con hombres de confianza y mandó tropas para liberar los territorios violados por los peruanos. Un grito de combate estremeció el país y enardeció nuestra infancia: «Viva Colombia, abajo el Perú». En el paroxismo de la guerra circuló incluso la versión de que los aviones civiles de la SCADTA fueron militarizados y armados como escuadras de guerra, y que uno de ellos, a falta de bombas, dispersó una procesión de Semana Santa en la población peruana de Guepí con un bombardeo de cocos. El gran escritor Juan Lozano y Lozano, movilizado por el presidente Olaya para que lo mantuviera al corriente de la verdad en una guerra de mentiras recíprocas, escribió con su prosa maestra la verdad del incidente, pero la falsa versión se tuvo como válida por mucho tiempo.

El general Luis Miguel Sánchez Cerro, por supuesto, encontró en la guerra una oportunidad celestial para afianzar su régimen de hierro. A su vez, Olaya Herrera nombró comandante general de las fuerzas colombianas al general y ex presidente conservador Miguel Abadía Méndez, que se encontraba en París. El general atravesó el Atlántico en un buque artillado y penetró por las bocas del río Amazonas hasta Leticia, cuando ya los diplomáticos de ambos bandos empezaban a apagar la guerra.

Sin relación alguna con el golpe de Pasto ni el incidente del periódico, Carlos Martín fue sustituido en la rectoría por Óscar Espitia Brand, un educador de carrera y físico de prestigio. El relevo despertó en el internado toda clase de suspicacias. Mis reservas contra él me estremecieron desde el primer saludo, por el cierto estupor con que se fijó en mi melena de poeta y mis bigotes montaraces. Tenía un aspecto duro y miraba directo a los ojos con una expresión severa. La noticia de que sería nuestro profesor de química orgánica acabó de asustarme.

Un sábado de aquel año estábamos en el cine a mitad de un programa vespertino, cuando una voz perturbada anunció por los altoparlantes que había un estudiante muerto en el liceo. Fue tan impresionante, que no he podido recordar qué película estábamos viendo, pero nunca olvidé la intensidad de Claudette Colbert a punto de arrojarse a un río torrencial desde la baranda de un puente. El muerto era un estudiante del segundo curso, de diecisiete años, recién llegado de su remota ciudad de Pasto, cerca de la frontera con el Ecuador. Había sufrido un paro respiratorio en el curso de un trote organizado por el maestro de gimnasia como penitencia de fin de semana para sus alumnos remolones. Fue el único caso de un estudiante muerto por cualquier causa durante mi estancia, y causó una gran conmoción no sólo en el liceo sino en la ciudad. Mis compañeros me escogieron para que dijera en el entierro unas palabras de despedida. Esa misma noche pedí audiencia al nuevo rector para mostrarle mi oración fúnebre, y la entrada a su oficina me estremeció como una repetición sobrenatural de la única que tuve con el rector muerto. El maestro Espitia leyó mi manuscrito con una expresión trágica, y lo aprobó sin comentarios, pero cuando me levanté para salir me indicó que volviera a sentarme. Había leído notas y versos míos, de los muchos que circulaban de trasmano en los recreos, y algunos le habían parecido dignos de ser publicados en un suplemento literario. Apenas intenté sobreponerme a mi timidez despiadada, cuando ya él había expresado el que sin duda era su propósito. Me aconsejó que me cortara los bucles de poeta, impropios en un hombre serio, que me modelara el bigote de cepillo y dejara de usar las camisas de pájaros y flores que bien parecían de carnaval. Nunca esperé nada semejante, y por fortuna tuve nervios para no contestarle una impertinencia. Él lo advirtió, y adoptó un tono sacramental para explicarme su temor de que mi moda se impusiera entre los condiscípulos menores por mi reputación de poeta. Salí de la oficina impresionado por el reconocimiento de mis costumbres y mi talento poéticos en una instancia tan alta, y dispuesto a complacer al rector con mi cambio de aspecto para un acto tan solemne. Hasta el punto de que interpreté como un fracaso personal que cancelaran los homenajes póstumos a petición de la familia.

El final fue tenebroso. Alguien había descubierto que el cristal del ataúd parecía empañado cuando estaba expuesto en la biblioteca del liceo. Álvaro Ruiz Torres lo abrió a solicitud de la familia y comprobó que en efecto estaba húmedo por dentro. Buscando a tientas la causa del vapor en un cajón hermético, hizo una ligera presión con la punta de los dedos en el pecho, y el cadáver emitió un lamento desgarrador. La familia alcanzó a trastornarse con la idea de que estuviera vivo, hasta que el médico explicó que los pulmones habían retenido aire por el fallo respiratorio y lo había expulsado con la presión en el pecho. A pesar de la simplicidad del diagnóstico, o tal vez por eso mismo, en algunos quedó el temor de que lo hubieran enterrado vivo. Con ese ánimo me fui a las vacaciones del cuarto año, ansioso de ablandar a mis padres para no seguir estudiando.

Desembarqué en Sucre bajo una llovizna invisible. La albarrada del puerto me pareció distinta a la de mis añoranzas. La plaza era más pequeña y desnuda que en la memoria, y la iglesia y el camellón tenían una luz de desamparo bajo los almendros podados. Las guirnaldas de colores de las calles anunciaban la Navidad, pero ésta no me suscitó la emoción de otras veces, y no reconocí a ninguno de los escasos hombres con paraguas que esperaban en el muelle, hasta que uno de ellos me dijo al pasar, con su acento y su tono inconfundibles:

–¡Qué es la cosa!

Era mi papá, un tanto demacrado por la pérdida de peso. No tenía el vestido de dril blanco que lo identificaba a distancia desde sus años mozos, sino un pantalón casero, una camisa tropical de manga corta y un raro sombrero de capataz. Lo acompañaba mi hermano Gustavo, a quien no reconocí por el estirón de los nueve años.

Por fortuna, la familia conservaba sus arrestos de pobre, y la cena temprana parecía hecha a propósito para notificarme que aquélla era mi casa, y que no había otra. La buena noticia en la mesa fue que mi hermana Ligia se había ganado la lotería. La historia –contada por ella misma– empezó cuando nuestra madre soñó que su papá había disparado al aire para espantar a un ladrón que sorprendió robando en la vieja casa de Aracataca. Mi madre contó el sueño al desayuno, de acuerdo con un hábito familiar, y sugirió que compraran un billete de lotería terminado en siete, porque este número tenía la misma forma del revólver del abuelo. La suerte les falló con un billete que mi madre compró a crédito para pagarlo con el mismo dinero del premio. Pero Ligia, que entonces tenía once años, le pidió a papá treinta centavos para pagar el billete que no ganó, y otros treinta para insistir la semana siguiente con el mismo número raro: 0207.

Nuestro hermano Luis Enrique escondió el billete para asustar a Ligia, pero el susto suyo fue mayor el lunes siguiente, cuando la oyó entrar en la casa gritando como una loca que se había ganado la lotería. Pues en las prisas de la travesura el hermano olvidó dónde estaba el billete, y en la ofuscación de la búsqueda tuvieron que vaciar roperos y baúles, y voltear la casa al revés desde la sala hasta los retretes. Sin embargo, más inquietante que todo fue la cantidad cabalística del premio: 770 pesos.

La mala noticia fue que mis padres habían cumplido por fin el sueño de mandar a Luis Enrique al reformatorio de Fontidueño –en Medellín–, convencidos de que era una escuela para hijos desobedientes y no lo que era en realidad: una cárcel para la rehabilitación de delincuentes juveniles de alta peligrosidad.

La decisión final la tomó papá cuando mandó al hijo díscolo a cobrar una deuda de la farmacia, y en vez de entregar los ocho pesos que le pagaron compró un tiple de buena clase que aprendió a tocar como un maestro. Mi padre no hizo ningún comentario cuando descubrió el instrumento en la casa, y siguió reclamándole al hijo el cobro de la deuda, pero éste le contestaba siempre que la tendera no tenía el dinero para pagarla. Habían pasado unos dos meses cuando Luis Enrique encontró a papá acompañándose con el tiple una canción improvisada: «Mírame, aquí tocando este tiple que me costó ocho pesos».

Nunca supimos cómo conoció el origen, ni por qué se había hecho el desentendido con la pilatuna del hijo, pero éste desapareció de la casa hasta que mi madre calmó al esposo. Entonces le oímos a papá las primeras amenazas de mandar a Luis Enrique al reformatorio de Medellín, pero nadie le prestó atención, pues también había anunciado el propósito de mandarme al seminario de Ocaña, no para castigarme por nada sino por la honra de tener un cura en casa, y más tardó en concebirlo que en olvidarlo. El tiple, sin embargo, fue la gota que derramó el vaso.

El ingreso a la casa de corrección sólo era posible por decisión de un juez de menores, pero papá superó la falta de requisitos mediante amigos comunes, con una carta de recomendación del arzobispo de Medellín, monseñor García Benítez. Luis Enrique, por su parte, dio una muestra más de su buena índole, por el júbilo con que se dejó llevar como para una fiesta.

Las vacaciones sin él no eran iguales. Sabía acoplarse como un profesional con Filadelfo Velilla, el sastre mágico y tiplero magistral, y por supuesto con el maestro Valdés. Era fácil. Al salir de aquellos bailes azorados de los ricos nos asaltaban en las sombras del parque unas parvadas de aprendices furtivas con toda clase de tentaciones. A una que pasaba cerca, pero que no era de las mismas, le propuse por error que se fuera conmigo, y me contestó con una lógica ejemplar que no podía, porque el marido dormía en casa. Sin embargo, dos noches después me avisó que dejaría sin tranca la puerta de la calle tres veces por semana para que yo pudiera entrar sin tocar cuando no estuviera el marido.

Recuerdo su nombre y apellidos, pero prefiero llamarla como entonces: Nigromanta. Iba a cumplir veinte años en Navidad, y tenía un perfil abisinio y una piel de cacao. Era de cama alegre y orgasmos pedregosos y atribulados, y un instinto para el amor que no parecía de ser humano sino de río revuelto. Desde el primer asalto nos volvimos locos en la cama. Su marido –como Juan Breva– tenía cuerpo de gigante y voz de niña. Había sido oficial de orden público en el sur del país, y arrastraba la mala fama de matar liberales sólo por no perder la puntería. Vivían en un cuarto dividido por un cancel de cartón, con una puerta a la calle y otra hacia el cementerio. Los vecinos se quejaban de que ella perturbaba la paz de los muertos con sus aullidos de perra feliz, pero cuanto más fuerte aullaba más felices debían estar los muertos de ser perturbados por ella.

En la primera semana tuve que escaparme del cuarto a las cuatro de la madrugada, porque nos equivocamos de fecha y el oficial podía llegar en cualquier momento. Salí por el portón del cementerio a través de los fuegos fatuos y los ladridos de los perros necrófilos. En el segundo puente del caño vi venir un bulto descomunal que no reconocí hasta que nos cruzamos. Era el sargento en persona, que me habría encontrado en su casa si me hubiera demorado cinco minutos más.

–Buenos días, blanco –me dijo con un tono cordial.

Yo le contesté sin convicción:

–Dios lo guarde, sargento.

Entonces se detuvo para pedirme fuego. Se lo di, muy cerca de él, para proteger el fósforo del viento del amanecer. Cuando se apartó con el cigarrillo encendido, me dijo de buen talante:

–Llevas un olor a puta que no puedes con él.

El susto me duró menos de lo que yo esperaba, pues el miércoles siguiente volví a quedarme dormido y cuando abrí los ojos me encontré con el rival vulnerado que me contemplaba en silencio desde los pies de la cama. Mi terror fue tan intenso que me costó trabajo seguir respirando. Ella, también desnuda, trató de interponerse, pero el marido la apartó con el cañón del revólver.

–Tú no te metas –le dijo–. Las vainas de cama se arreglan con plomo.

Puso el revólver sobre la mesa, destapó una botella de ron de caña, la puso junto al revólver y nos sentamos frente a frente a beber sin hablar. No podía imaginarme lo que iba a hacer, pero pensé que si quería matarme lo habría hecho sin tantos rodeos. Poco después apareció Nigromanta envuelta en una sábana y con ínfulas de fiesta, pero él la apuntó con el revólver.

–Esto es una vaina de hombres –le dijo.

Ella dio un salto y se escondió detrás del cancel.

Habíamos terminado la primera botella cuando se desplomó el diluvio. Él destapó entonces la segunda, se apoyó el cañón en la sien y me miró muy fijo con unos ojos helados. Entonces apretó el gatillo a fondo, pero martilló en seco. Apenas si podía controlar el temblor de la mano cuando me dio el revólver.

–Te toca a ti –me dijo.

Era la primera vez que tenía un revólver en la mano y me sorprendió que fuera tan pesado y caliente. No supe qué hacer. Estaba empapado de un sudor glacial y el vientre pleno de una espuma ardiente. Quise decir algo pero no me salió la voz. No se me ocurrió dispararle, sino que le devolví el revólver sin darme cuenta de que era mi única oportunidad.

–Qué, ¿te cagaste? –preguntó él con un desprecio feliz–. Podías haberlo pensado antes de venir.

Pude decirle que también los machos se cagan, pero me di cuenta de que me faltaban huevos para bromas fatales. Entonces abrió el tambor del revólver, sacó la única cápsula y la tiró en la mesa: estaba vacía. Mi sentimiento no fue de alivio sino de una terrible humillación.

El aguacero perdió fuerza antes de las cuatro. Ambos estábamos tan agotados por la tensión, que no recuerdo en qué momento me dio la orden de vestirme, y obedecí con una cierta solemnidad de duelo. Sólo cuando volvió a sentarse me di cuenta de que era él quien estaba llorando. A mares y sin pudor, y casi como alardeando de sus lágrimas. Al final se las secó con el dorso de la mano, se sopló la nariz con los dedos y se levantó.

–¿Sabes por qué te vas tan vivo? –me preguntó. Y se contestó a sí mismo–: Porque tu papá fue el único que pudo curarme una gonorrea de perro viejo con la que nadie había podido en tres años.

Me dio una palmada de hombre en la espalda, y me empujó a la calle. La lluvia seguía, y el pueblo estaba enchumbado, de modo que me fui por el arroyo con el agua a las rodillas, y con el estupor de estar vivo.

No sé cómo supo mi madre del altercado, pero en los días siguientes emprendió una campaña obstinada para que no saliera de casa en la noche. Mientras tanto, me trataba como habría tratado a papá, con recursos de distracción que no servían de mucho. Buscaba signos de que me había quitado la ropa fuera de casa, descubría rastros de perfumes donde no los había, me preparaba comidas difíciles antes de que saliera a la calle por la superstición popular de que ni su esposo ni sus hijos nos atreveríamos a hacer el amor en el soponcio de la digestión. Por fin, una noche en que no tuvo más pretextos para retenerme, se sentó frente a mí y me dijo:

–Andan diciendo que estás enredado con la mujer de un policía y él ha jurado que te pegará un tiro.

Logré convencerla de que no era cierto, pero el rumor persistió. Nigromanta me mandaba razones de que estaba sola, de que su hombre andaba en comisión, de que hacía tiempo lo había perdido de vista. Siempre hice lo posible para no encontrarme con él, pero se apresuraba a saludarme a distancia con una señal que lo mismo podía ser de reconciliación que de amenaza. En las vacaciones del año siguiente lo vi por última vez, una noche de fandango en que me ofreció un trago de ron bruto que no me atreví a rechazar.

No sé por qué artes de ilusionismo los maestros y condiscípulos que me habían visto siempre como un estudiante retraído empezaron a verme en el quinto año como a un poeta maldito heredero del ambiente informal que prosperó en la época de Carlos Martín. ¿No sería para parecerme más a esa imagen por lo que empecé a fumar en el liceo a los quince años? El primer golpe fue tremendo. Pasé media noche agonizando sobre mis vómitos en el piso del baño. Amanecí exhausto, pero la resaca del tabaco, en vez de repugnarme, me provocó unos deseos irresistibles de seguir fumando. Así empecé mi vida de tabaquista empedernido, hasta el extremo de no poder pensar una frase si no era con la boca llena de humo. En el liceo sólo estaba permitido fumar en los recreos, pero yo pedía permiso para ir a los orinales dos y tres veces en cada clase, sólo por matar las ansias. Así llegué a tres cajetillas de veinte cigarrillos al día, y pasaba de cuatro según el fragor de la noche. En una época, ya fuera del colegio, creí enloquecer por la resequedad de la garganta y el dolor de los huesos. Decidí abandonarlo pero no resistí más de dos días de ansiedad.

No sé si fue eso mismo lo que me soltó la mano en la prosa con las tareas cada vez más atrevidas del profesor Calderón, y con los libros de teoría literaria que casi me obligaba a leer. Hoy, repasando mi vida, recuerdo que mi concepción del cuento era primaria a pesar de los muchos que había leído desde mi primer asombro con *Las mil y una noches*. Hasta que me atreví a pensar que los prodigios que contaba Scherezada sucedían de veras en la vida cotidiana de su tiempo, y dejaron de suceder por la incredulidad y la cobardía realista de las generaciones siguientes. Por lo mismo, me parecía imposible que alguien de nuestros tiempos volviera a creer que se podía volar sobre ciudades y montañas a bordo de una estera, o que un esclavo de Cartagena de Indias viviera castigado doscientos años dentro de una botella, a menos que el autor del cuento fuera capaz de hacerlo creer a sus lectores.

Me hastiaban las clases, salvo las de literatura –que aprendía de memoria– y tenía en ellas un protagonismo único. Aburrido de estudiar, dejaba todo a merced de la buena suerte. Tenía un instinto propio para presentir los puntos álgidos de cada materia, y casi adivinar los que más interesaban a los maestros para no estudiar el resto. La realidad es que no entendía por qué debía sacrificar ingenio y tiempo en materias que no me conmovían y por lo mismo no iban a servirme de nada en una vida que no era mía.

Me he atrevido a pensar que la mayoría de mis maestros me calificaban más bien por mi modo de ser que por mis exámenes. Me salvaban mis respuestas imprevistas, mis ocurrencias dementes, mis invenciones irracionales. Sin embargo, cuando terminé el quinto año, con sobresaltos académicos que no me sentía capaz de superar, tomé conciencia de mis límites. El bachillerato había sido hasta entonces un camino empedrado de milagros, pero el corazón me advertía que al final del quinto me esperaba una muralla infranqueable. La verdad sin adornos era que me faltaban ya la voluntad, la vocación, el orden, la plata y la ortografía para embarcarme en una carrera académica. Mejor dicho: los años volaban y no tenía ni la mínima idea de lo que iba a hacer de mi vida, pues había de pasar todavía mucho tiempo antes de darme cuenta de que aun ese estado de derrota era propicio, porque no hay nada de este mundo ni del otro que no sea útil para un escritor.

Tampoco al país le iba mejor. Acosado por la oposición feroz de la reacción conservadora, Alfonso López Pumarejo renunció a la presidencia de la República el 31 de julio de 1945. Lo sucedió Alberto Lleras Camargo, designado por el Congreso para completar el último año del periodo presidencial. Desde su discurso de posesión, con su voz sedante y su prosa de gran estilo, Lleras inició la tarea ilusoria de moderar los ánimos del país para la elección de un nuevo titular.

Por intermedio de monseñor López Lleras, primo del nuevo presidente, el rector del liceo consiguió una audiencia especial para solicitar una ayuda del gobierno en una excursión de estudios a la costa atlántica. Tampoco supe por qué el rector me escogió para acompañarlo a la audiencia con la condición de que me arreglara un poco la pelambre desgreñada y el bigote montuno. Los otros invitados fueron Guillermo López Guerra, conocido del presidente, y Álvaro Ruiz Torres, sobrino de Laura Victoria, una poeta famosa de temas atrevidos en la generación de los Nuevos, a la cual pertenecía también Lleras Camargo. No tuve alternativa: la noche del sábado, mientras Guillermo Granados leía en el dormitorio una novela que nada tenía que ver con mi caso, un aprendiz de peluquero del tercer año me hizo el corte de recluta y me talló un bigote de tango. Soporté por el resto de la semana las burlas de internos y externos por mi nuevo estilo. La sola idea de entrar en el palacio presidencial me helaba la sangre, pero fue un error del corazón, porque el único signo de los misterios del poder que allí encontramos fue un silencio celestial. Al cabo de una espera corta en la antesala con gobelinos y cortinas de raso, un militar de uniforme nos condujo a la oficina del presidente.

Lleras Camargo tenía un parecido poco común con sus retratos. Me impresionaron las espaldas triangulares en un traje impecable de gabardina inglesa, los pómulos pronunciados, la palidez de pergamino, los dientes de niño travieso que hacían las delicias de los caricaturistas, la lentitud de los gestos y su manera de dar la mano mirando directo a los ojos. No recuerdo qué idea tenía yo de cómo eran los presidentes, pero no me pareció que fueran todos como él. Con el tiempo, cuando lo conocí mejor, me di cuenta de que tal vez él mismo no sabría nunca que era más que nada un escritor extraviado.

Después de escuchar las palabras del rector con una atención demasiado evidente, hizo algunos comentarios oportunos, pero no decidió mientras no escuchó también a los tres estudiantes. Lo hizo con igual atención, y nos halagó ser tratados con el mismo respeto y la misma simpatía con que trataba al rector. Le bastaron los dos últimos minutos para que nos lleváramos la certidumbre de que sabía más de poesía que de navegación fluvial, y que sin duda le interesaba más.

Nos concedió todo lo solicitado, y además prometió asistir al acto de clausura del año en el liceo, cuatro meses después. Así lo hizo, como al más serio de los actos de gobierno, y se rió como nadie con la comedia de astracán que representamos en su honor. En la recepción final se divirtió tanto como un estudiante más, con una imagen distinta de la suya, y no resistió la tentación estudiantil de atravesar una pierna en el camino del que repartía las copas, que apenas tuvo tiempo de eludirla.

Con el ánimo de la fiesta de grado me fui a pasar en familia las vacaciones del quinto año, y la primera noticia que me dieron fue la muy feliz de que mi hermano Luis Enrique estaba de regreso al cabo de un año y seis meses en la casa de corrección. Me sorprendió una vez más su buena índole. No sentía el mínimo rencor contra nadie por la condena, y contaba las desgracias con un humor invencible. En sus meditaciones de recluso llegó a la conclusión de que nuestros padres lo habían internado de buena fe. Sin embargo, la protección episcopal no lo puso a salvo de la dura prueba de la vida cotidiana en la cárcel, que en vez de pervertirlo enriqueció su carácter y su buen sentido del humor.

Su primer empleo de regreso fue el de secretario de la alcaldía de Sucre. Tiempo después, el titular sufrió un súbito trastorno gástrico, y alguien le recetó un remedio mágico que acababa de salir al mercado: Alka-seltzer. El alcalde no lo disolvió en el agua, sino que se lo tragó como una pastilla convencional y no se ahogó por un milagro con la efervescencia incontenible en el estómago. Aún sin reponerse del susto se recetó unos días de descanso, pero tuvo razones políticas para que no lo reemplazara ninguno de sus suplentes legítimos, sino que le dio posesión interina a mi hermano. Por esa extraña carambola –sin la edad reglamentaria– Luis Enrique quedó en la historia del municipio como el alcalde más joven.

Lo único que me perturbaba de verdad en aquellas vacaciones era la certidumbre de que en el fondo de sus corazones mi familia fundaba su futuro en lo que esperaban de mí, y sólo yo sabía con certeza que eran ilusiones vanas. Dos o tres frases casuales de mi padre a mitad de la comida me indicaron que había mucho que hablar de nuestra suerte común, y mi madre se apresuró a confirmarlo. «Si esto sigue así –dijo– tarde o temprano tendremos que volver a Cataca.» Pero una rápida mirada de mi padre la indujo a corregir:

–O para donde sea.

Entonces estaba claro: la posibilidad de una nueva mudanza para cualquier parte era ya un tema planteado en la familia, y no por causa del ambiente moral, como por un porvenir más amplio para los hijos. Hasta ese momento me consolaba con la idea de atribuir al pueblo y a su gente, e incluso a mi familia, el espíritu de derrota que yo mismo padecía. Pero el dramatismo de mi padre reveló una vez más que siempre es posible encontrar un culpable para no serlo uno mismo.

Lo que yo percibía en el aire era algo mucho más denso. Mi madre sólo parecía pendiente de la salud de Jaime, el hijo menor, que no había logrado superar su condición de seismesino. Pasaba la mayor parte del día acostada con él en su hamaca del dormitorio, agobiada por la tristeza y los calores humillantes, y la casa empezaba a resentir su desidia. Mis hermanos parecían sueltos de madrina. El orden de las comidas se había relajado tanto que comíamos sin horarios cuando teníamos hambre. Mi padre, el más casero de los hombres, pasaba el día contemplando la plaza desde la farmacia y las tardes jugando partidas viciosas en el club de billar. Un día no pude soportar más la tensión. Me tendí junto a mi madre en la hamaca, como no pude hacerlo de niño, y le pregunté qué era el misterio que se respiraba en el aire de la casa. Ella se tragó un suspiro entero para que no le temblara la voz, y me abrió el alma:

–Tu papá tiene un hijo en la calle.

Por el alivio que percibí en su voz me di cuenta de la ansiedad con que esperaba mi pregunta. Había descubierto la verdad por la clarividencia de los celos, cuando una niña del servicio volvió a casa con la emoción de haber visto a papá hablando por teléfono en la telegrafía. A una mujer celosa no le hacía falta saber más. Era el único teléfono en el pueblo y sólo para llamadas de larga distancia con cita previa, con esperas inciertas y minutos tan caros que sólo se utilizaba para casos de gravedad extrema. Cada llamada, por sencilla que fuera, despertaba una alarma maliciosa en la comunidad de la plaza. Así que cuando papá volvió a casa mi madre lo vigiló sin decirle nada, hasta que él rompió un papelito que llevaba en el bolsillo con el anuncio de una reclamación judicial por un abuso en la profesión. Mi madre esperó la ocasión de preguntarle a quemarropa con quién hablaba por teléfono. La pregunta fue tan reveladora que mi papá no encontró al instante una respuesta más creíble que la verdad:

–Hablaba con un abogado.

–Eso ya lo sé –dijo mi madre–. Lo que necesito es que me lo cuentes tú mismo con la franqueza que merezco.

Mi madre admitió después que fue ella quien se aterró con la olla podrida que podía haber destapado sin darse cuenta, pues si él se había atrevido a decirle la verdad era porque pensaba que ella lo sabía todo. O que tendría que contárselo.

Así fue. Papá confesó que había recibido la notificación de una demanda penal contra él por abusar en su consultorio de una enferma narcotizada con una inyección de morfina. El hecho habría ocurrido en un corregimiento olvidado donde él había pasado cortas temporadas para atender enfermos sin recursos. Y de inmediato dio una prueba de su honradez: el melodrama de la anestesia y la violación era una patraña criminal de sus enemigos, pero el niño era suyo, y concebido en circunstancias normales.

A mi madre no le fue fácil evitar el escándalo, porque alguien de mucho peso manejaba en la sombra los hilos de la confabulación. Existía el precedente de Abelardo y Carmen Rosa, que habían vivido con nosotros en distintas ocasiones y con el cariño de todos, pero ambos eran nacidos antes del matrimonio. Sin embargo, también mi madre superó el rencor por el trago amargo del nuevo hijo y la infidelidad del esposo, y luchó junto con él a cara descubierta hasta desbaratar el infundio de la violación.

La paz retornó a la familia. Sin embargo, poco después llegaron noticias confidenciales de la misma región, sobre una niña de otra madre que papá había reconocido como suya, y que vivía en condiciones deplorables. Mi madre no perdió el tiempo en pleitos y suposiciones, sino que dio la batalla para llevársela a casa. «Lo mismo hizo Mina con tantos hijos sueltos de papá –dijo en esa ocasión– y nunca tuvo de qué arrepentirse.» Así que consiguió por su cuenta que le mandaran a la niña, sin ruidos públicos, y la revolvió dentro de la familia ya numerosa.

Todo aquello eran cosas del pasado cuando mi hermano Jaime se encontró en una fiesta de otro pueblo a un muchacho idéntico a nuestro hermano Gustavo. Era el hijo que había causado el pleito judicial, ya bien criado y consentido por su madre. Pero la nuestra hizo toda clase de gestiones y se lo llevó a vivir a casa –cuando ya éramos once– y lo ayudó a aprender un oficio y a encarrilarse en la vida. Entonces no pude disimular el asombro de que una mujer de celos alucinógenos hubiera sido capaz de semejantes actos, y ella misma me contestó con una frase que conservo desde entonces como un diamante:

–Es que la misma sangre de mis hijos no puede andar rodando por ahí.

Veía a mis hermanos sólo en las vacaciones anuales. Después de cada viaje me costaba más trabajo reconocerlos y llevarme uno nuevo en la memoria. Además del nombre bautismal, todos teníamos otro que la familia nos ponía después por facilidad cotidiana, y no era un diminutivo sino un sobrenombre casual. A mí, desde el instante mismo de nacer me llamaron Gabito –diminutivo irregular de Gabriel en la costa guajira– y siempre he sentido que ése es mi nombre de pila, y que el diminutivo es Gabriel. Alguien sorprendido de este santoral antojadizo nos preguntaba por qué nuestros padres no habían preferido de una buena vez bautizar a todos sus hijos con el sobrenombre.

Sin embargo, esa liberalidad de mi madre parecía ir en sentido contrario de su actitud con las dos hijas mayores, Margot y Aida, a quienes trataba de imponerles el mismo rigor que su madre le impuso a ella por sus amores empedernidos con mi padre. Quería mudarse de pueblo. Papá, en cambio, que no necesitaba oírlo dos veces para hacer sus maletas y echarse a rodar por el mundo, estaba reacio aquella vez. Pasaron varios días antes de enterarme de que el problema eran los amores de las dos hijas mayores con dos hombres distintos, desde luego, pero con el mismo nombre: Rafael. Cuando me lo contaron no pude disimular la risa por el recuerdo de la novela de horror que habían sufrido papá y mamá, y se lo dije a ella.

–No es lo mismo –me dijo.

–Es lo mismo –le insistí.

–Bueno –concedió ella–, es lo mismo, pero dos veces al mismo tiempo.

Como había ocurrido con ella en su momento, no valían razones ni propósitos. Nunca se supo cómo lo sabían los padres, porque cada una de ellas y por separado había tomado precauciones para no ser descubierta. Pero los testigos eran los menos pensados, porque las mismas hermanas se habían hecho acompañar algunas veces por hermanos menores que acreditaran su inocencia. Lo más sorprendente fue que papá participó también en el acecho, no con actos directos, pero con la misma resistencia pasiva de mi abuelo Nicolás contra su hija.

«Íbamos a un baile y mi papá entraba en la fiesta y nos llevaba para la casa si descubría que los Rafaeles estaban ahí», ha contado Aida Rosa en una entrevista de prensa. No les daban permiso para un paseo al campo o al cine, o las mandaban con alguien que no las perdía de vista. Ambas inventaban por separado pretextos inútiles para cumplir sus citas de amor, y allí aparecía un fantasma invisible que las delataba. Ligia, menor que ellas, se ganó la mala fama de espía y delatora, pero ella misma se exculpaba con el argumento de que los celos entre hermanos eran otra manera del amor.

En aquellas vacaciones traté de interceder con mis padres para que no repitieran los errores que los padres de mi madre habían cometido con ella, y siempre encontraron razones difíciles para no entenderlos. El más temible fue el de los pasquines, que habían revelado secretos atroces –reales o inventados– aun en las familias menos sospechables. Se delataron paternidades ocultas, adulterios vergonzosos, perversidades de cama que de algún modo eran del dominio público por caminos menos fáciles que los pasquines. Pero nunca se había puesto uno que denunciara algo que de algún modo no se supiera, por muy oculto que se hubiera tenido, o que no fuera a ocurrir tarde o temprano. «Los pasquines los hace uno mismo», decía una de sus víctimas.

Lo que no previeron mis padres fue que las hijas iban a defenderse con los mismos recursos que ellos. A Margot la mandaron a estudiar en Montería y Aida fue a Santa Marta por decisión propia. Estaban internas, y en los días francos había alguien prevenido para acompañarlas, pero siempre se las arreglaron para comunicarse con los Rafaeles remotos. Sin embargo, mi madre logró lo que sus padres no lograron de ella. Aida pasó la mitad de su vida en el convento, y allí vivió sin penas ni glorias hasta que se sintió a salvo de los hombres. Margot y yo seguimos siempre unidos por los recuerdos de nuestra infancia común cuando yo mismo vigilaba a los adultos para que no la sorprendieran comiendo tierra. Al final se quedó como una segunda madre de todos, en especial de Cuqui, que era el que más la necesitaba, y lo tuvo con ella hasta su último aliento.

Sólo hoy caigo en la cuenta de hasta qué punto aquel mal estado de ánimo de mi madre y las tensiones internas de la casa eran acordes con las contradicciones mortales del país que no acababan de salir a flote, pero que existían. El presidente Lleras debería convocar a elecciones en el nuevo año, y el porvenir se veía turbio. Los conservadores, que habían logrado tumbar a López, tenían con el sucesor un juego doble: lo adulaban por su imparcialidad matemática pero fomentaban la discordia en la Provincia para reconquistar el poder por la razón o por la fuerza.

Sucre se había mantenido inmune a la violencia, y los pocos casos que se recordaban no tenían nada que ver con la política. Uno había sido el asesinato de Joaquín Vega, un músico muy apetecido que tocaba el bombardino en la banda local. Estaban tocando a las siete de la noche en la entrada del cine, cuando un pariente enemigo le dio un tajo único en el cuello inflado por la presión de la música y se desangró en el suelo. Ambos eran muy queridos en el pueblo y la única explicación conocida y sin confirmar fue un asunto de honor. Justo a la misma hora estaban celebrando el cumpleaños de mi hermana Rita, y la conmoción de la mala noticia desbarató la fiesta programada para muchas horas.

El otro duelo, muy anterior pero imborrable en la memoria del pueblo, fue el de Plinio Balmaceda y Dionisiano Barrios. El primero era miembro de una familia antigua y respetable, y él mismo un hombre enorme y encantador, pero también un buscapleitos de genio atravesado cuando se le cruzaba con el alcohol. En su sano juicio tenía aires y gracias de caballero, pero cuando bebía de más se transmutaba en un atarván de revólver fácil y con una fusta de jinete en el cinto para azuzar a quienes le cayeran mal. La misma policía trataba de mantenerlo lejos. Los miembros de su buena familia, cansados de arrastrarlo a casa cada vez que se pasaba de tragos, terminaron por abandonarlo a su suerte.

Dionisiano Barrios era el caso contrario: un hombre tímido y maltrecho, enemigo de broncas y abstemio de nacimiento. Nunca había tenido problemas con nadie, hasta que Plinio Balmaceda empezó a provocarlo con burlas infames por su maltrechez. Él lo eludió como pudo, hasta el día en que Balmaceda lo encontró en su camino y le cruzó la cara con la fusta porque le dio la gana. Entonces Dionisiano se sobrepuso a su timidez, a su jiba y a su mala suerte, y se enfrentó a tiro limpio con el agresor. Fue un duelo instantáneo, en el que ambos quedaron heridos de gravedad, pero sólo Dionisiano murió.

Sin embargo, el duelo histórico del pueblo fueron las muertes gemelas del mismo Plinio Balmaceda y Tasio Ananías, un sargento de la policía famoso por su pulcritud, hijo ejemplar de Mauricio Ananías, que tocaba el tambor en la misma banda en que Joaquín Vega tocaba el bombardino. Fue un duelo formal en plena calle, en el que ambos quedaron malheridos, y sobrellevaron una larga agonía cada quien en su casa. Plinio recobró la lucidez casi al instante, y su preocupación inmediata fue por la suerte de Ananías. Éste, a su vez, se impresionó con la preocupación con que Plinio rogaba por su vida. Cada uno empezó a suplicar a Dios que no muriera el otro, y las familias los mantuvieron informados mientras tuvieron alma. El pueblo entero vivió el suspenso con toda clase de esfuerzos para alargar las dos vidas.

A las cuarenta y ocho horas de agonía, las campanas de la iglesia doblaron a duelo por una mujer que acababa de morir. Los dos moribundos las oyeron, y cada uno en su cama creyó que doblaban por la muerte del otro. Ananías murió de pesar casi al instante, llorando por la muerte de Plinio. Éste lo supo, y murió dos días después llorando a mares por el sargento Ananías.

En una población de amigos pacíficos como aquélla, la violencia tuvo por esos años una manifestación menos mortal, pero no menos dañina: los pasquines. El terror estaba vivo en las casas de las grandes familias, que esperaban la mañana siguiente como una lotería de la fatalidad. Donde menos se esperaba aparecía un papel punitivo, que era un alivio por lo que no dijera de uno, y a veces una fiesta secreta por lo que decía de otros. Mi padre, tal vez el hombre más pacífico que conocí, aceitó el revólver venerable que nunca disparó, y soltó la lengua en el salón de billar.

–Al que se le ocurra tocar a cualquiera de mis hijas –gritó–, va a llevar plomo del bravo.

Varias familias iniciaron el éxodo por temor de que los pasquines fueran un preludio de la violencia policial que arrasaba pueblos enteros en el interior del país para acoquinar a la oposición.

La tensión se convirtió en otro pan de cada día. Al principio se organizaron rondas furtivas no tanto para descubrir a los autores de los pasquines como para saber qué decían, antes de que los destruyeran al amanecer. Un grupo de trasnochados encontramos un funcionario municipal a las tres de la madrugada, tomando el fresco en la puerta de su casa, pero en realidad al acecho de los que ponían los pasquines. Mi hermano le dijo entre broma y en serio que algunos decían la verdad. Él sacó el revólver y lo apuntó amartillado:

–¡Repítelo!

Entonces supimos que la noche anterior habían puesto un pasquín verídico contra su hija soltera. Pero los datos eran del dominio público, aun dentro de su propia casa, y el único que no los conocía era su padre.

Al principio fue evidente que los pasquines habían sido escritos por la misma persona, con el mismo pincel y en el mismo papel, pero en un comercio tan pequeño como el de la plaza, sólo una tienda podía venderlos, y el propio dueño se apresuró a demostrar su inocencia. Desde entonces supe que algún día iba a escribir una novela sobre ellos, pero no por lo que decían, que casi siempre fueron fantasías del dominio público y sin mucha gracia, sino por la tensión insoportable que lograban crear dentro de las casas.

En *La mala hora*, mi tercera novela escrita veinte años después, me pareció un acto de decencia simple no usar casos concretos ni identificables, aunque algunos reales eran mejores que los inventados por mí. No hacía falta, además, porque siempre me interesó más el fenómeno social que la vida privada de las víctimas. Sólo después de publicada supe que en los arrabales, donde éramos malqueridos los habitantes de la plaza mayor, muchos pasquines fueron motivo de fiestas.

La verdad es que los pasquines sólo me sirvieron como punto de partida de un argumento que en ningún momento logré concretar, porque lo mismo que escribía demostraba que el problema de fondo era político y no moral como se creía. Siempre pensé que el marido de Nigromanta era un buen modelo para el alcalde militar de *La mala hora* pero mientras lo desarrollaba como personaje me fue seduciendo como ser humano, y no tuve motivos para matarlo, pues descubrí que un escritor serio no puede matar un personaje si no tiene una razón convincente, y aquél no era el caso.

Hoy me doy cuenta de que la novela misma podría ser otra novela. La escribí en un hotel de estudiantes de la rue Cujas, en el Barrio Latino de París, a cien metros del boulevard Saint Michel, mientras los días pasaban sin misericordia a la espera de un cheque que nunca llegó. Cuando la di por terminada hice un rollo con las cuartillas, las amarré con una de las tres corbatas que había llevado en tiempos mejores, y la sepulté en el fondo del ropero.

Dos años después en la Ciudad de México no sabía siquiera dónde estaba, cuando me la pidieron para un concurso de novela de la Esso Colombiana, con un premio de tres mil dólares de aquellos tiempos de famina. El emisario era el fotógrafo Guillermo Angulo, mi viejo amigo colombiano, que conocía la existencia de los originales en proceso desde que estaba escribiéndola en París, y se los llevó en el punto en que estaba, todavía amarrada con la corbata y sin tiempo siquiera para aplancharla al vapor por los apremios del plazo. Así la mandé al concurso sin ninguna esperanza en un premio que bien alcanzaba para comprar una casa. Pero tal como la mandé fue declarada ganadora por un jurado ilustre, el 16 de abril de 1962, y casi a la misma hora en que nació nuestro segundo hijo, Gonzalo, con su pan bajo el brazo.

No habíamos tenido tiempo ni siquiera para pensarlo, cuando recibí una carta del padre Félix Restrepo, presidente de la Academia Colombiana de la Lengua, y un hombre de bien que había presidido el jurado del premio pero ignoraba el título de la novela. Sólo entonces caí en la cuenta de que en las prisas de última hora había olvidado escribirlo en la página inicial: *Este pueblo de mierda.*

El padre Restrepo se escandalizó al conocerlo, y a través de Germán Vargas me pidió del modo más amable que lo cambiara por otro menos brutal, y más a tono con el clima del libro. Al cabo de muchos intercambios con él, me decidí por un título que tal vez no dijera mucho del drama, pero que le serviría de bandera para navegar por los mares de la mojigatería: *La mala hora.*

Una semana después, el doctor Carlos Arango Vélez, embajador de Colombia en México, y candidato reciente a la presidencia de la República, me citó en su despacho para informarme que el padre Restrepo me suplicaba cambiar dos palabras que le parecían inadmisibles en el texto premiado: *preservativo* y *masturbación.* Ni el embajador ni yo podíamos disimular el asombro, pero estuvimos de acuerdo en que debíamos complacer al padre Restrepo para ponerle un término feliz al concurso interminable con una solución ecuánime.

–Muy bien, señor embajador –le dije–. Elimino una de las dos palabras, pero usted me hará el favor de escogerla.

El embajador eliminó con un suspiro de alivio la palabra *masturbación.* Así quedó saldado el conflicto, y el libro lo imprimió la editorial Iberoamericana de Madrid, con una gran tirada y un lanzamiento estelar. Era empastado en cuero, con un papel excelente y una impresión impecable. Sin embargo, fue una luna de miel efímera, porque no pude resistir la tentación de hacer una lectura exploratoria, y descubrí que el libro escrito en mi lengua de indio había sido doblado –como las películas de entonces– al más puro dialecto de Madrid.

Yo había escrito: «Así como ustedes viven ahora, no sólo están en una situación insegura sino que constituyen un mal ejemplo para el pueblo». La transcripción del editor español me erizó la piel: «Así como vivís ahora, no sólo estáis en una situación insegura, sino que constituís un mal ejemplo para el pueblo». Más grave aún: como esta frase era dicha por un sacerdote, el lector colombiano podía pensar que era un guiño del autor para indicar que el cura era español, con lo cual se complicaba su comportamiento y se desnaturalizaba por completo un aspecto esencial del drama. No conforme con peinar la gramática de los diálogos, el corrector se permitió entrar a mano armada en el estilo, y el libro quedó plagado de parches matritenses que no tenían nada que ver con el original. En consecuencia, no me quedó otro recurso que desautorizar la edición por considerarla adulterada, y recoger e incinerar los ejemplares que aún no se hubieran vendido. La respuesta de los responsables fue el silencio absoluto.

Desde ese mismo instante di la novela por no publicada, y me entregué a la dura tarea de retraducirla a mi dialecto caribe, porque la única versión original era la que yo había mandado al concurso, y la misma que se había ido a España para la edición. Una vez restablecido el texto original, y de paso corregido una vez más por mi cuenta, la publicó la editorial Era, de México, con la advertencia impresa y expresa de que era la primera edición.

Nunca he sabido por qué *La mala hora* es el único de mis libros que me transporta a su tiempo y su lugar en una noche de luna grande y brisas primaverales. Era sábado, había escampado, y las estrellas no cabían en el cielo. Acababan de dar las once cuando oí a mi madre en el comedor susurrando un fado de amor para dormir al niño que paseaba en brazos. Le pregunté de dónde venía la música y me contestó muy a su modo:

–De las casas de las bandidas.

Me dio cinco pesos sin que se los pidiera, porque me vio vistiéndome para ir a la fiesta. Antes de que saliera me advirtió con su previsión infalible que dejaría sin tranca la puerta del patio para que pudiera regresar a cualquier hora sin despertar a mi padre. No alcancé a llegar hasta las casas de las bandidas porque había ensayo de músicos en la carpintería del maestro Valdés, a cuyo grupo se había afiliado Luis Enrique tan pronto como regresó a casa.

Aquel año me incorporé a ellos para tocar el tiple y cantar con sus seis maestros anónimos hasta el amanecer. Siempre tuve a mi hermano como buen guitarrista, pero mi primera noche supe que hasta sus rivales más enconados lo consideraban un virtuoso. No había conjunto mejor, y estaban tan seguros de sí mismos que cuando alguien les contrataba una serenata de reconciliación o desagravio, el maestro Valdés lo tranquilizaba de antemano:

–No te preocupes, que vamos a dejarla mordiendo almohada.

Las vacaciones sin él no eran iguales. Encendía la fiesta donde llegaba, y Luis Enrique y él, con Filadelfo Velilla, se acoplaban como profesionales. Fue entonces cuando descubrí la lealtad del alcohol y aprendí a vivir al derecho, durmiendo de día y cantando de noche. Como decía mi madre: solté la perra.

Sobre mí se dijo de todo, y corrió la voz de que mi correspondencia no me llegaba a la dirección de mis padres sino a las casas de las bandidas. Me convertí en el cliente más puntual de sus sancochos épicos de hiel de tigre y sus guisos de iguana, que daban ímpetus para tres noches completas. No volví a leer ni a sumarme a la rutina de la mesa familiar. Eso correspondía a la idea tantas veces expresada por mi madre de que yo hacía a mi manera lo que me daba la gana, y en cambio la mala fama la arrastraba el pobre Luis Enrique. Éste, sin conocer la frase de mi madre, me dijo por esos días: «Lo único que falta decir ahora es que estoy corrompiéndote y me manden otra vez a la casa de corrección».

Por Navidad decidí huir de la competencia anual de las carrozas y me escapé con dos amigos cómplices para la población vecina de Majagual. Anuncié en casa que me iba por tres días, pero me quedé diez. La culpa fue de María Alejandrina Cervantes, una mujer inverosímil que conocí la primera noche, y con quien perdí la cabeza en la parranda más fragorosa de mi vida. Hasta el domingo en que no amaneció en mi cama y desapareció para siempre. Años más tarde la rescaté de mis nostalgias, no tanto por sus gracias como por la resonancia de su nombre, y la reviví para proteger a otra en alguna de mis novelas, como dueña y señora de una casa de placer que nunca existió.

De regreso a casa encontré a mi madre hirviendo el café en la cocina a las cinco de la madrugada. Me dijo con un susurro cómplice que me quedara con ella, porque mi padre acababa de despertar, y estaba dispuesto a demostrarme que ni en las vacaciones era yo tan libre como creía. Me sirvió un tazón de café cerrero, aunque sabía que no me gustaba, y me hizo sentar junto al fogón. Mi padre entró en piyama, todavía con el humor del sueño, y se sorprendió de verme con el tazón humeante, pero me hizo una pregunta sesgada:

–¿No decías que no tomabas café?

Sin saber qué contestarle, le inventé lo primero que se me pasó por la cabeza:

–Siempre tengo sed a esta hora.

–Como todos los borrachos –replicó él.

No me miró más ni se volvió a hablar del asunto. Pero mi madre me informó que mi padre, deprimido desde aquel día, había empezado a considerarme como un caso perdido, aunque nunca me lo dejó saber.

Mis gastos aumentaban tanto que resolví saquear las alcancías de mi madre. Luis Enrique me absolvió con su lógica de que la plata robada a los padres, si se usa para el cine y no para putear, es plata legítima. Sufrí con los apuros de complicidad de mi madre para que mi padre no se diera cuenta de que yo andaba por malos rumbos. Tenía razón de sobra pues en la casa se notaba demasiado que a veces seguía dormido sin motivo a la hora del almuerzo y tenía una voz de gallo ronco, y andaba tan distraído que un día no escuché dos preguntas de papá, y él me endilgó el más duro de sus diagnósticos:

–Estás mal del hígado.

A pesar de todo, logré conservar las apariencias sociales. Me dejaba ver bien vestido y mejor educado en los bailes de gala y los almuerzos ocasionales que organizaban las familias de la plaza mayor, cuyas casas permanecían cerradas durante todo el año y se abrían para las fiestas de Navidad cuando volvían los estudiantes.

Aquél fue el año de Cayetano Gentile, que celebró sus vacaciones con tres bailes espléndidos. Para mí fueron fechas de suerte, porque en los tres bailé siempre con la misma pareja. La saqué a bailar la primera noche sin tomarme el trabajo de preguntar quién era, ni hija de quién, ni con quién. Me pareció tan sigilosa que en la segunda pieza le propuse en serio que se casara conmigo y su respuesta fue aún más misteriosa:

–Mi papá dice que todavía no ha nacido el príncipe que se va a casar conmigo.

Días después la vi atravesar el camellón de la plaza bajo el sol bravo de las doce, con un radiante vestido de organza y llevando de la mano a un niño y una niña de seis o siete años. «Son míos», me dijo muerta de risa, sin que yo se lo preguntara. Y con tanta malicia, que empecé a sospechar que mi propuesta de boda no se la había llevado el viento.

Desde recién nacido en la casa de Aracataca había aprendido a dormir en hamaca, pero sólo en Sucre la asumí como parte de mi naturaleza. No hay nada mejor para la siesta, para vivir la hora de las estrellas, para pensar despacio, para hacer el amor sin prejuicios. El día en que regresé de mi semana disipada la colgué entre dos árboles del patio, como lo hacía papá en otros tiempos, y dormí con la conciencia tranquila. Pero mi madre, siempre atormentada por el terror de que sus hijos nos muriéramos dormidos, me despertó al final de la tarde para saber si estaba vivo. Entonces se acostó a mi lado y abordó sin preámbulos el asunto que le estorbaba para vivir.

–Tu papá y yo quisiéramos saber qué es lo que te pasa.

La frase no podía ser más certera. Sabía desde hacía tiempo que mis padres compartían las inquietudes por los cambios de mi modo de ser, y ella improvisaba explicaciones banales para tranquilizarlo. No sucedía nada en la casa que mi madre no lo supiera y sus berrinches eran ya legendarios. Pero la copa se rebosó con mi llegada a casa a pleno día durante una semana. Mi posición justa hubiera sido eludir las preguntas o dejarlas pendientes para una ocasión más propicia, pero ella sabía que un asunto tan serio sólo admitía respuestas inmediatas.

Todos sus argumentos eran legítimos: desaparecía al anochecer, vestido como para una boda, y no regresaba a dormir en la casa, pero al día siguiente dormitaba en la hamaca hasta después del almuerzo. No volví a leer y por primera vez desde mi nacimiento me atreví a llegar a casa sin saber bien dónde estaba. «Ni siquiera miras a tus hermanos, confundes sus nombres y sus edades, y el otro día besaste a un nieto de Clemencia Morales creyendo que era uno de ellos», dijo mi madre. Pero de pronto tomó conciencia de sus exageraciones y las compensó con la simple verdad:

–En fin, te has vuelto un extraño en esta casa.

–Todo eso es cierto –le dije–, pero la razón es muy fácil: estoy hasta la coronilla de toda esta vaina.

–¿De nosotros?

Mi respuesta podía ser afirmativa, pero no hubiera sido justa:

–De todo –le dije.

Y entonces le conté mi situación en el liceo. Me juzgaban por mis calificaciones, mis padres se vanagloriaban año tras año de los resultados, me creían no sólo el alumno intachable, sino además el amigo ejemplar, el más inteligente y rápido, y el más famoso por su simpatía. O, como decía mi abuela: «El nene perfecto».

Sin embargo, para terminar pronto, la verdad era la contraria. Parecía así, porque no tenía el valor y el sentido de independencia de mi hermano Luis Enrique, que sólo hacía lo que le daba la gana. Y que sin duda iba a lograr una felicidad que no es la que se desea para los hijos, pero sí la que les permite sobrevivir a los cariños descomedidos, los miedos irracionales y las esperanzas alegres de los padres.

Mi madre quedó anonadada con el retrato adverso del que ellos se habían forjado en sus sueños solitarios.

–Pues no sé qué vamos a hacer –dijo al cabo de un silencio mortal–, porque si le contamos todo esto a tu padre se nos morirá de repente. ¿No te das cuenta de que eres el orgullo de la familia?

Para ellos era simple: ya que no había posibilidad alguna de que yo fuera el médico eminente que mi padre no pudo ser por falta de recursos, soñaban al menos con que fuera un profesional de cualquier cosa.

–Pues no seré nada de nada –concluí–. Me niego a que me hagan por la fuerza como yo no quiero o como ustedes quisieran que fuera, y mucho menos como quiere el gobierno.

La disputa, un poco a la topa tolondra, se prolongó por el resto de la semana. Creo que mi madre quería tomarse el tiempo para conversarlo con papá, y esa idea me infundió un nuevo aliento. Un día soltó como al azar una propuesta sorprendente:

–Dicen que si te lo propones podrías ser un buen escritor.

Nunca había oído algo semejante en la familia. Mis inclinaciones habían permitido suponer desde niño que fuera dibujante, músico, cantor de iglesia e incluso poeta dominical. Me había descubierto una tendencia conocida de todos hacia una escritura más bien retorcida y etérea, pero mi reacción esa vez fue más bien de sorpresa.

–Si hay que ser escritor tendría que ser de los grandes, y a ésos ya no los hacen –le respondí a mi madre–. Al fin y al cabo, para morirse de hambre hay otros oficios mejores.

Una de esas tardes, en vez de conversar conmigo, lloró sin lágrimas. Hoy me habría alarmado, porque aprecio el llanto reprimido como un recurso infalible de las grandes mujeres para forzar sus propósitos. Pero a mis dieciochos años no supe qué decirle a mi madre, y mi silencio le frustró las lágrimas.

–Muy bien –dijo entonces–, prométeme al menos que terminarás el bachillerato lo mejor que puedas y yo me encargo de arreglarte lo demás con tu papá.

Ambos tuvimos al mismo tiempo el alivio de haber ganado. Acepté, tanto por ella como por mi padre, porque temí que se murieran si no llegábamos pronto a un acuerdo. Así fue como encontramos la solución fácil de que estudiara derecho y ciencias políticas, que no sólo era una buena base cultural para cualquier oficio, sino también una carrera humanizada con clases en la mañana y tiempo libre para trabajar en las tardes. Preocupado también por la carga emocional que había sobrellevado mi madre en aquellos días, le pedí que me preparara el ambiente para hablar cara a cara con papá. Se opuso, segura de que terminaríamos en un pleito.

–No hay en este mundo dos hombres más parecidos que él y tú –me dijo–. Y eso es lo peor para conversar.

Siempre creí lo contrario. Sólo ahora, cuando ya pasé por todas las edades que mi padre tuvo en su larga vida, he empezado a verme en el espejo mucho más parecido a él que a mí mismo.

Mi madre debió coronar aquella noche su preciosismo de orfebre, porque papá reunió en la mesa a toda la familia y anunció con un aire casual: «Tendremos abogado en casa». Temerosa tal vez de que mi padre intentara reabrir el debate para la familia en pleno, mi madre intervino con su mejor inocencia.

–En nuestra situación, y con este cuadro de hijos –me explicó–, hemos pensado que la mejor solución es la única carrera que te puedes costear tú mismo.

Tampoco era tan simple como ella lo decía, ni mucho menos, pero para nosotros podía ser el menor de los males, y sus estragos podían ser los menos sangrientos. De modo que le pedí su opinión a mi padre, para seguir el juego, y su respuesta fue inmediata y de una sinceridad desgarradora:

–¿Qué quieres que te diga? Me dejas el corazón partido por la mitad, pero me queda al menos el orgullo de ayudarte a ser lo que te dé la gana.

El colmo de los lujos de aquel enero de 1946 fue mi primer viaje en avión, gracias a José Palencia, que reapareció con un problema grande. Había hecho a saltos cinco años de bachillerato en Cartagena, pero acababa de fracasar en el sexto. Me comprometí a conseguirle un lugar en el liceo para que tuviera por fin su diploma y él me invitó a que fuéramos en avión.

El vuelo a Bogotá se hacía dos veces por semana en un DC-3 de la empresa LANSA, cuyo riesgo mayor no era el avión mismo sino las vacas sueltas en la pista de arcilla improvisada en un potrero. A veces tenía que dar varias vueltas hasta que acabaran de espantarlas. Fue la experiencia inaugural de mi miedo legendario al avión, en una época en que la Iglesia prohibía llevar hostias consagradas para tenerlas a salvo de las catástrofes. El vuelo duraba casi cuatro horas, sin escalas, a trescientos veinte kilómetros por hora. Quienes habíamos hecho la prodigiosa travesía fluvial, nos guiábamos desde el cielo por el mapa vivo del río Grande de la Magdalena. Reconocíamos los pueblos en miniatura, los buquecitos de cuerda, las muñequitas felices que nos hacían adioses desde los patios de las escuelas. A las azafatas de carne y hueso se les iba el tiempo en tranquilizar a los pasajeros que viajaban rezando, en socorrer a los mareados y en convencer a muchos de que no había riesgos de tropezar con las bandadas de gallinazos que oteaban la mortecina del río. Los viajeros duchos, por su parte, contaban como proezas de coraje una y otra vez los vuelos históricos. El ascenso al altiplano de Bogotá, sin presurización ni máscaras de oxígeno, se sentía como un bombo en el corazón, y las sacudidas y el batir de alas aumentaban la felicidad del aterrizaje. Pero la sorpresa mayor fue haber llegado primero que nuestros telegramas de la víspera.

De paso por Bogotá, José Palencia compró instrumentos para una orquesta completa, y no sé si lo hizo con premeditación o por premonición, pero desde que el rector Espitia lo vio entrar pisando firme con guitarras, tambores, maracas y armónicas, me di cuenta de que estaba admitido. Yo también, por mi parte, sentí el peso de mi nueva condición desde que atravesé el zaguán: era un alumno del sexto año. Hasta entonces no tenía conciencia de llevar en la frente una estrella con la que todos soñaban, y de que se notaba sin remedio en el modo de acercarse a nosotros, en el tono de hablarnos e incluso en un cierto temor reverencial. Fue, además, todo un año de fiesta. Aunque el dormitorio era sólo para becados, José Palencia se instaló en el mejor hotel del marco de la plaza, una de cuyas dueñas tocaba el piano, y la vida se nos convirtió en un domingo el año entero.

Fue otro de los saltos de mi vida. Mi madre me compraba ropa desechable mientras fui adolescente, y cuando ya no me servía la adaptaba para los hermanos menores. Los años más problemáticos fueron los dos primeros, porque la ropa de paño para el clima frío era cara y difícil. A pesar de que mi cuerpo no crecía con demasiado entusiasmo, no daba tiempo para adaptar un vestido a dos estaturas sucesivas en un mismo año. Para colmo, la costumbre original de intercambiar la ropa entre los internos no logró imponerse, porque los ajuares estaban tan vistos que las burlas a los nuevos dueños eran insoportables. Esto se resolvió en parte cuando Espitia impuso un uniforme de saco azul y pantalones grises, que unificó la apariencia y disimuló los cambalaches.

En el tercero y cuarto años me servía el único vestido que me arregló el sastre de Sucre, pero tuve que comprar para el quinto otro muy bien conservado que no me sirvió hasta el sexto. Sin embargo, mi padre se entusiasmó tanto con mis propósitos de enmienda, que me dio dinero para comprar un traje nuevo sobre medida, y José Palencia me regaló otro suyo del año anterior que era un completo de pelo de camello apenas usado. Pronto me di cuenta de hasta qué punto el hábito no hace al monje. Con el vestido nuevo, intercambiable con el nuevo uniforme, asistí a los bailes donde reinaban los costeños, y sólo conseguí una novia que me duró menos que una flor.

Espitia me recibió con un entusiasmo raro. Las dos clases de química de la semana parecía dictarlas sólo para mí con fogueos rápidos de preguntas y respuestas. Esa atención obligada se me reveló como un buen punto de partida para cumplir con mis padres la promesa de un final digno. Lo demás lo hizo el método único y simple de Martina Fonseca: poner atención en las clases para evitar trasnochos y sustos en el pavoroso final. Fue una enseñanza sabia. Desde que decidí aplicarlo en el último año del liceo se me calmó la angustia. Respondía con facilidad las preguntas de los maestros, que empezaron a ser más familiares, y me di cuenta de cuán fácil era cumplir con la promesa que había hecho a mis padres.

Mi único problema inquietante siguió siendo el de los alaridos de las pesadillas. El prefecto de disciplina, con muy buenas relaciones con sus alumnos, era entonces el profesor Gonzalo Ocampo, y una noche del segundo semestre entró en puntillas en el dormitorio a oscuras para pedirme unas llaves suyas que había olvidado devolverle. Apenas alcanzó a ponerme la mano en el hombro cuando lancé un aullido salvaje que despertó a todos. Al día siguiente me trasladaron a un dormitorio para seis improvisado en el segundo piso.

Fue una solución para mis miedos nocturnos, pero demasiado tentadora, porque estaba sobre la despensa, y cuatro alumnos del dormitorio improvisado se deslizaron hasta las cocinas y las saquearon a gusto para una cena de medianoche. El insospechable Sergio Castro y yo, el menos audaz, nos quedamos en nuestras camas para servir de negociadores en caso de emergencia. Al cabo de una hora regresaron con media despensa lista para servir. Fue la gran comilona de nuestros largos años de internado, pero con la mala digestión de que nos descubrieron en veinticuatro horas. Pensé que allí terminaba todo, y sólo el talento negociador de Espitia nos puso a salvo de la expulsión.

Fue una buena época del liceo y la menos prometedora del país. La imparcialidad de Lleras, sin proponérselo, aumentó la tensión que empezaba a sentirse por primera vez en el colegio. Sin embargo, hoy me doy cuenta de que estaba desde antes dentro de mí, pero que sólo entonces empecé a tomar conciencia del país en que vivía. Algunos maestros que trataban de mantenerse imparciales desde el año anterior no pudieron lograrlo en las clases, y soltaban ráfagas indigestas sobre sus preferencias políticas. En especial desde que empezó la campaña dura para la sucesión presidencial.

Cada día era más evidente que con Gaitán y Turbay al mismo tiempo, el Partido Liberal perdería la presidencia de la República después de veinticinco años de gobiernos absolutos. Eran dos candidatos tan adversos como si fueran de dos partidos distintos, no sólo por sus pecados propios, sino por la determinación sangrienta del conservatismo, que lo había visto claro desde el primer día: en vez de Laureano Gómez, impuso la candidatura de Ospina Pérez, que era un ingeniero millonario con una fama bien ganada de patriarca. Con el liberalismo dividido y el conservatismo unido y armado, no había alternativa: Ospina Pérez fue elegido.

Laureano Gómez se preparó desde entonces para sucederlo con el recurso de utilizar las fuerzas oficiales con una violencia en toda la línea. Era otra vez la realidad histórica del siglo XIX, en el que no tuvimos paz sino treguas efímeras entre ocho guerras civiles generales y catorce locales, tres golpes de cuartel y por último la guerra de los Mil Días, que dejó unos ochenta mil muertos de ambos bandos en una población de cuatro millones escasos. Así de simple: era todo un programa común para retroceder cien años.

El profesor Giraldo, ya al final del curso, hizo conmigo una excepción flagrante de la cual no acabo de avergonzarme. Me preparó un cuestionario simple para rehabilitar el álgebra perdida desde el cuarto año, y me dejó solo en la oficina de los maestros con todas las trampas a mi alcance. Volvió ilusionado una hora después, vio el resultado catastrófico y anuló cada página con una cruz de arriba abajo y un gruñido feroz: «Ese cráneo está podrido». Sin embargo, en las calificaciones finales apareció el álgebra aprobada, pero tuve la decencia de no darle las gracias al maestro por haber contrariado sus principios y obligaciones en favor mío.

En víspera del último examen final de aquel año, Guillermo López Guerra y yo tuvimos un incidente desgraciado con el profesor Gonzalo Ocampo por un altercado de borrachos. José Palencia nos había invitado a estudiar en su cuarto de hotel, que era una joya colonial con una vista idílica sobre el parque florido y la catedral al fondo. Como sólo nos faltaba el último examen, seguimos de largo hasta la noche y volvimos a la escuela por entre nuestras cantinas de pobres. El profesor Ocampo, en su turno como prefecto de disciplina, nos reprendió por la hora y por nuestro mal estado, y los dos a coro lo coronamos de improperios. Su reacción enfurecida y nuestros gritos alborotaron el dormitorio.

La decisión del cuerpo de profesores fue que López Guerra y yo no podíamos presentar el único examen final que faltaba. Es decir: al menos aquel año no seríamos bachilleres. Nunca pudimos averiguar cómo fueron las negociaciones secretas entre los maestros, porque cerraron filas con una solidaridad infranqueable. El rector Espitia debió hacerse cargo del problema por su cuenta y riesgo, y consiguió que presentáramos el examen en el Ministerio de Educación, en Bogotá. Así se hizo. El mismo Espitia nos acompañó, y estuvo con nosotros mientras respondíamos el examen escrito, que fue calificado allí mismo. Y muy bien.

Debió ser una situación interna muy compleja, porque Ocampo no asistió a la sesión solemne, tal vez por la fácil solución de Espitia y nuestras calificaciones excelentes. Y al final por mis resultados personales, que me merecieron como premio especial un libro inolvidable: *Vidas de filósofos ilustres*, de Diógenes Laercio. No sólo era más de lo que mis padres esperaban, sino que además fui el primero de la promoción de aquel año, a pesar de que mis compañeros de clase –y yo más que nadie– sabíamos que no era el mejor.

5

Nunca imaginé que nueve meses después del grado de bachiller se publicaría mi primer cuento en el suplemento literario «Fin de Semana» de *El Espectador* de Bogotá, el más interesante y severo de la época. Cuarenta y dos días más tarde se publicó el segundo. Sin embargo, lo más sorprendente para mí fue una nota consagratoria del subdirector del periódico y director del suplemento literario, Eduardo Zalamea Borda, Ulises, que era el crítico colombiano más lúcido de entonces y el más alerta a la aparición de nuevos valores.

Fue un proceso tan inesperado que no es fácil contarlo. Me había matriculado a principios de aquel año en la facultad de derecho de la Universidad Nacional de Bogotá, como estaba acordado con mis padres. Vivía en el puro centro de la ciudad, en una pensión de la calle Florián, ocupada en su mayoría por estudiantes de la costa atlántica. En las tardes libres, en vez de trabajar para vivir, me quedaba leyendo en mi cuarto o en los cafés que lo permitían. Eran libros de suerte y azar, y dependían más de mi suerte que de mis azares, pues los amigos que podían comprarlos me los prestaban con plazos tan restringidos que pasaba noches en vela para devolverlos a tiempo. Pero al contrario de los que leí en el liceo de Zipaquirá, que ya merecían estar en un mausoleo de autores consagrados, éstos los leíamos como pan caliente, recién traducidos e impresos en Buenos Aires después de la larga veda editorial de la segunda guerra europea. Así descubrí para mi suerte a los ya muy descubiertos Jorge Luis Borges, D. H. Lawrence y Aldous Huxley, a Graham Greene y Chesterton, a William Irish y Katherine Mansfield y a muchos más.

Estas novedades se conocían en las vitrinas inalcanzables de las librerías, pero algunos ejemplares circulaban por los cafés de estudiantes, que eran centros activos de divulgación cultural entre universitarios de provincia. Muchos tenían sus lugares reservados año tras año, y allí recibían el correo y hasta los giros postales. Algunos favores de los dueños, o de sus dependientes de confianza, fueron decisivos para salvar muchas carreras universitarias. Numerosos profesionales del país podían deberles más a ellos que a sus acudientes invisibles.

Yo prefería El Molino, el café de los poetas mayores, a sólo unos doscientos metros de mi pensión y en la esquina crucial de la avenida Jiménez de Quesada con la carrera Séptima. No permitían estudiantes de mesa fija, pero uno estaba seguro de aprender más y mejor que en los libros de texto con las conversaciones literarias que escuchábamos agazapados en las mesas cercanas. Era una casa enorme y bien puesta al estilo español, y sus paredes estaban decoradas por el pintor Santiago Martínez Delgado, con episodios de la batalla de don Quijote contra los molinos de viento. Aunque no tuviera sitio reservado, me las arreglé siempre para que los meseros me ubicaran lo más cerca posible del gran maestro León de Greiff –barbudo, gruñón, encantador–, que empezaba su tertulia al atardecer con algunos de los escritores más famosos del momento, y terminaba a la medianoche ahogado en alcoholes de mala muerte con sus alumnos de ajedrez. Fueron muy pocos los nombres grandes de las artes y las letras del país que no pasaron por aquella mesa, y nosotros nos hacíamos los muertos en la nuestra para no perder ni una de sus palabras. Aunque solían hablar más de mujeres o de intrigas políticas que de sus artes y oficios, siempre decían algo nuevo que aprender. Los más asiduos éramos de la costa atlántica, no tan unidos por las conspiraciones caribes contra los cachacos como por el vicio de los libros. Jorge Álvaro Espinosa, un estudiante de derecho que me había enseñado a navegar en la Biblia y me hizo aprender de memoria los nombres completos de los contertulios de Job, me puso un día sobre la mesa un mamotreto sobrecogedor, y sentenció con su autoridad de obispo:

–Ésta es la otra Biblia.

Era, cómo no, el *Ulises* de James Joyce, que leí a pedazos y tropezones hasta que la paciencia no me dio para más. Fue una temeridad prematura. Años después, ya de adulto sumiso, me di a la tarea de releerlo en serio, y no sólo fue el descubrimiento de un mundo propio que nunca sospeché dentro de mí, sino además una ayuda técnica invaluable para la libertad del lenguaje, el manejo del tiempo y las estructuras de mis libros.

Uno de mis compañeros de cuarto era Domingo Manuel Vega, un estudiante de medicina que ya era mi amigo desde Sucre y compartía conmigo la voracidad de la lectura. Otro era mi primo Nicolás Ricardo, el hijo mayor de mi tío Juan de Dios, que me mantenía vivas las virtudes de la familia. Vega llegó una noche con tres libros que acababa de comprar, y me prestó uno al azar, como lo hacía a menudo para ayudarme a dormir. Pero esa vez logró todo lo contrario: nunca más volví a dormir con la placidez de antes. El libro era *La metamorfosis* de Franz Kafka, en la falsa traducción de Borges publicada por la editorial Losada de Buenos Aires, que definió un camino nuevo para mi vida desde la primera línea, y que hoy es una de las divisas grandes de la literatura universal: «Al despertar Gregorio Samsa una mañana, tras un sueño intranquilo, encontrose en su cama convertido en un monstruoso insecto». Eran libros misteriosos, cuyos desfiladeros no eran sólo distintos sino muchas veces contrarios a todo lo que conocía hasta entonces. No era necesario demostrar los hechos: bastaba con que el autor lo hubiera escrito para que fuera verdad, sin más pruebas que el poder de su talento y la autoridad de su voz. Era de nuevo Scherezada, pero no en su mundo milenario en el que todo era posible, sino en otro mundo irreparable en el que ya todo se había perdido.

Al terminar la lectura de *La metamorfosis* me quedaron las ansias irresistibles de vivir en aquel paraíso ajeno. El nuevo día me sorprendió en la máquina viajera que me prestaba el mismo Domingo Manuel Vega, para intentar algo que se pareciera al pobre burócrata de Kafka convertido en un escarabajo enorme. En los días sucesivos no fui a la universidad por el temor de que se rompiera el hechizo, y seguí sudando gotas de envidia hasta que Eduardo Zalamea Borda publicó en sus páginas una nota desconsolada, en la cual lamentaba que la nueva generación de escritores colombianos careciera de nombres para recordar, y que nada se vislumbraba en el porvenir que pudiera enmendarlo. No sé con qué derecho me sentí aludido en nombre de mi generación por el desafío de aquella nota, y retomé el cuento abandonado para intentar un desagravio. Elaboré la idea argumental del cadáver consciente de *La metamorfosis* pero aliviado de sus falsos misterios y sus prejuicios ontológicos.

De todos modos me sentía tan inseguro que no me atreví a consultarlo con ninguno de mis compañeros de mesa. Ni siquiera con Gonzalo Mallarino, mi condiscípulo de la facultad de derecho, que era el lector único de las prosas líricas que yo escribía para sobrellevar el tedio de las clases. Releí y corregí mi cuento hasta el cansancio, y por último escribí una nota personal para Eduardo Zalamea –a quien nunca había visto– y de la cual no recuerdo ni una letra. Puse todo dentro de un sobre y lo llevé en persona a la recepción de *El Espectador.* El portero me autorizó a subir al segundo piso para que le entregara la carta al propio Zalamea en cuerpo y alma, pero la sola idea me paralizó. Dejé el sobre en la mesa del portero y me di a la fuga.

Esto había sido un martes y no me inquietaba ningún pálpito sobre la suerte de mi cuento, pero estaba seguro de que en caso de publicarse no sería muy pronto. Mientras tanto vagué y divagué de café en café durante dos semanas para entretener la ansiedad los sábados en la tarde, hasta el 13 de setiembre, cuando entré en El Molino y me di de bruces con el título de mi cuento a todo lo ancho de *El Espectador* acabado de salir: «La tercera resignación».

Mi primera reacción fue la certidumbre arrasadora de que no tenía los cinco centavos para comprar el periódico. Éste era el símbolo más explícito de la pobreza, porque muchas cosas básicas de la vida cotidiana, además del periódico, costaban cinco centavos: el tranvía, el teléfono público, la taza de café, el lustre de los zapatos. Me lancé a la calle sin protección contra la llovizna imperturbable, pero no encontré en los cafés cercanos a ningún conocido que me diera una moneda de caridad. Tampoco encontré a nadie en la pensión a la hora muerta del sábado, salvo a la dueña, que era lo mismo que nadie, porque le estaba debiendo setecientas veinte veces cinco centavos por dos meses de cama y asistencia. Cuando volví a la calle, dispuesto para lo que fuera, encontré a un hombre de la Divina Providencia que se bajó de un taxi con *El Espectador* en la mano, y le pedí de frente que me lo regalara.

Así pude leer mi primer cuento en letras de molde, con una ilustración de Hernán Merino, el dibujante oficial del periódico. Lo leí escondido en mi cuarto, con el corazón desaforado y con un solo aliento. En cada línea iba descubriendo el poder demoledor de la letra impresa, pues lo que había construido con tanto amor y dolor como una parodia sumisa de un genio universal, se me reveló entonces como un monólogo enrevesado y deleznable, sostenido a duras penas por tres o cuatro frases consoladoras. Tuvieron que pasar casi veinte años para que me atreviera a leerlo por segunda vez, y mi juicio de entonces –apenas moderado por la compasión– fue mucho menos complaciente.

Lo más difícil fue la avalancha de amigos radiantes que me invadieron el cuarto con ejemplares del periódico y elogios desmesurados sobre un cuento que con seguridad no habían entendido. Entre mis compañeros de universidad, unos lo apreciaron, otros lo comprendieron menos, otros con más razones no pasaron de la cuarta línea, pero Gonzalo Mallarino, cuyo juicio literario no me era fácil poner en duda, lo aprobó sin reservas.

Mi ansiedad mayor era por el veredicto de Jorge Álvaro Espinosa, cuya navaja crítica era la más temible, aun más allá de nuestro círculo. Me sentía en un ánimo contradictorio: quería verlo de inmediato para resolver de una vez la incertidumbre, pero al mismo tiempo me aterraba la idea de afrontarlo. Desapareció hasta el martes, lo cual no era raro en un lector insaciable, y cuando reapareció en El Molino no empezó por hablarme del cuento sino de mi audacia.

–Supongo que te das cuenta de la vaina en que te has metido –me dijo, fijos en mis ojos sus verdes ojos de cobra real–. Ahora estás en la vitrina de los escritores reconocidos, y tienes mucho que hacer para merecerlo.

Me quedé petrificado por el único juicio que podía impresionarme tanto como el de Ulises. Pero antes de que terminara, yo había decidido adelantarme con la que consideraba y seguí considerando siempre como la verdad:

–Ese cuento es una mierda.

Él me replicó con un dominio inalterable que aún no podía decir nada porque apenas había tenido tiempo para una lectura en diagonal. Pero me explicó que aun si fuera tan malo como yo decía, no lo sería tanto como para sacrificar la oportunidad de oro que me estaba brindando la vida.

–En todo caso, ese cuento ya pertenece al pasado –concluyó–. Lo importante ahora es el próximo.

Me dejó abrumado. Cometí el desatino de buscar argumentos en contra, hasta convencerme de que no iba a oír un consejo más inteligente que el suyo. Se extendió en su idea fija de que primero había que concebir el cuento y después el estilo, pero que el uno dependía del otro en una servidumbre recíproca que era la varita mágica de los clásicos. Me entretuvo un poco con su opinión tantas veces repetida de que me hacía falta una lectura a fondo y desprevenida de los griegos, y no sólo de Homero, el único que yo había leído por obligación en el bachillerato. Se lo prometí, y quise oír otros nombres, pero él me cambió el tema por el de *Los monederos falsos* de André Gide, que había leído aquel fin de semana. Nunca me animé a decirle que quizás nuestra conversación me había resuelto la vida. Pasé la noche en vela tomando notas para un próximo cuento sin los meandros del primero.

Sospechaba que quienes me hablaban de él no estaban tan impresionados por el cuento –que tal vez no habían leído y con seguridad no lo habían entendido– sino porque lo hubieran publicado con un despliegue inusitado en una página tan importante. Para empezar, me di cuenta de que mis dos grandes defectos eran los dos más grandes: la torpeza de la escritura y el desconocimiento del corazón humano. Y eso era más que evidente en mi primer cuento, que fue una confusa meditación abstracta, agravada por el abuso de sentimientos inventados.

Buscando en mi memoria situaciones de la vida real para el segundo, recordé que una de las mujeres más bellas que conocí de niño me dijo que quería estar dentro del gato de una rara hermosura que acariciaba en su regazo. Le pregunté por qué, y me contestó: «Porque es más bello que yo». Entonces tuve un punto de apoyo para el segundo cuento, y un título atractivo: «Eva está dentro de su gato». El resto, como en el cuento anterior, fue inventado de la nada, y por lo mismo –como nos gustaba decir entonces– ambos llevaban dentro el germen de su propia destrucción.

Este cuento se publicó con el mismo despliegue del primero, el sábado 25 de octubre de 1947, ilustrado por una estrella ascendente en el cielo del Caribe: el pintor Enrique Grau. Me llamó la atención que mis amigos lo recibieron como algo de rutina en un escritor consagrado. Yo, en cambio, sufrí con los errores y dudé de los aciertos, pero logré sostener el alma en vilo. El golpe grande vino unos días más tarde, con una nota que publicó Eduardo Zalamea, con el seudónimo habitual de Ulises, en su columna diaria de *El Espectador*. Fue derecho a lo que iba: «Los lectores de "Fin de Semana", suplemento literario de este periódico, habrán advertido la aparición de un ingenio nuevo, original, de vigorosa personalidad». Y más adelante: «Dentro de la imaginación puede pasar todo, pero saber mostrar con naturalidad, con sencillez y sin aspavientos la perla que logra arrancársele, no es cosa que puedan hacer todos los muchachos de veinte años que inician sus relaciones con las letras». Y terminaba sin reticencias: «Con García Márquez nace un nuevo y notable escritor».

La nota –¡y cómo no!– fue un impacto de felicidad, pero al mismo tiempo me consternó que Zalamea no se hubiera dejado a sí mismo ningún camino de regreso. Ya todo estaba consumado y yo debía interpretar su generosidad como un llamado a mi conciencia, y por el resto de mi vida. La nota reveló también que Ulises había descubierto mi identidad por uno de sus compañeros de redacción. Esa noche supe que había sido por Gonzalo González, un primo cercano de mis primos más cercanos, que escribió durante quince años en el mismo diario, con el seudónimo de Gog y con una pasión sostenida, una columna para contestar preguntas de los lectores, a cinco metros del escritorio de Eduardo Zalamea. Por fortuna, éste no me buscó, ni yo lo busqué a él. Lo vi una vez en la mesa del poeta De Greiff y conocí su voz y su tos aspera de fumador irredimible, y lo vi de cerca en varios actos culturales, pero nadie nos presentó. Unos porque no nos conocían y otros porque no les parecía posible que no nos conociéramos.

Es difícil imaginar hasta qué punto se vivía entonces a la sombra de la poesía. Era una pasión frenética, otro modo de ser, una bola de candela que andaba de su cuenta por todas partes. Abríamos el periódico, aun en la sección económica o en la página judicial, o leíamos el asiento del café en el fondo de la taza, y allí estaba esperándonos la poesía para hacerse cargo de nuestros sueños. De modo que para nosotros, los aborígenes de todas las provincias, Bogotá era la capital del país y la sede del gobierno, pero sobre todo era la ciudad donde vivían los poetas. No sólo creíamos en la poesía, y nos moríamos por ella, sino que sabíamos con certeza –como lo escribió Luis Cardoza y Aragón– que «la poesía es la única prueba concreta de la existencia del hombre».

El mundo era de los poetas. Sus novedades eran más importantes para mi generación que las noticias políticas cada vez más deprimentes. La poesía colombiana había salido del siglo XIX iluminada por la estrella solitaria de José Asunción Silva, el romántico sublime que a los treinta y un años se disparó un tiro de pistola en el círculo que su médico le había pintado con un hisopo de yodo en el sitio del corazón. No nací a tiempo para conocer a Rafael Pombo o a Eduardo Castillo –el gran lírico–, cuyos amigos lo describían como un fantasma escapado de la tumba al atardecer, con una capa de dos vueltas, una piel verdecida por la morfina y un perfil de gallinazo: la representación física de los poetas malditos. Una tarde pasé en tranvía frente a una gran mansión de la carrera Séptima y vi en el portón al hombre más impresionante que había visto en mi vida, con un traje impecable, un sombrero inglés, unos espejuelos negros para sus ojos sin luz y una ruana sabanera. Era el poeta Alberto Ángel Montoya, un romántico un poco aparatoso que publicó algunos de los buenos poemas de su tiempo. Para mi generación eran ya fantasmas del pasado, salvo el maestro León de Greiff, a quien espié durante años en el café El Molino.

Ninguno de ellos logró rozar siquiera la gloria de Guillermo Valencia, un aristócrata de Popayán que antes de sus treinta años se había impuesto como el sumo pontífice de la generación del Centenario, así llamada por haber coincidido en 1910 con el primer siglo de la independencia nacional. Sus contemporáneos Eduardo Castillo y Porfirio Barba Jacob, dos poetas grandes de estirpe romántica, no obtuvieron la justicia crítica que merecían de sobra en un país encandilado por la retórica de mármol de Valencia, cuya sombra mítica les cerró el paso a tres generaciones. La inmediata, surgida en 1925 con el nombre y los ímpetus de Los Nuevos, contaba con ejemplares magníficos como Rafael Maya y otra vez León de Greiff, que no fueron reconocidos en toda su magnitud mientras Valencia estuvo en su trono. Éste había disfrutado hasta entonces de una gloria peculiar que lo llevó en vilo a las puertas mismas de la presidencia de la República.

Los únicos que se atrevieron a salirle al paso en medio siglo fueron los del grupo Piedra y Cielo con sus cuadernos juveniles, que en última instancia sólo tenían en común la virtud de no ser valencistas: Eduardo Carranza, Arturo Camacho Ramírez, Aurelio Arturo y el mismo Jorge Rojas, que había financiado la publicación de sus poemas. No todos eran iguales en forma ni inspiración, pero en conjunto estremecieron las ruinas arqueológicas de los parnasianos y despertaron para la vida una nueva poesía del corazón, con resonancias múltiples de Juan Ramón Jiménez, Rubén Darío, García Lorca, Pablo Neruda o Vicente Huidobro. La aceptación pública no fue inmediata ni ellos mismos parecieron conscientes de ser vistos como enviados de la Divina Providencia para barrer la casa de la poesía. Sin embargo, don Baldomero Sanín Cano, el ensayista y crítico más respetable de aquellos años, se apresuró a escribir un ensayo terminante para salir al paso de cualquier tentativa contra Valencia. Su mesura proverbial se desmandó. Entre muchas sentencias definitivas, escribió que Valencia se había «apoderado de la ciencia antigua para conocer el alma de los tiempos remotos en el pasado, y cavila sobre los textos contemporáneos para sorprender, por analogía, toda el alma del hombre». Lo consagró una vez más como un poeta sin tiempo ni fronteras, y lo colocó entre aquellos que «como Lucrecio, Dante, Goethe, conservaron el cuerpo para salvar el alma». Más de uno debió pensar entonces que con amigos como ése, Valencia no necesitaba enemigos.

Eduardo Carranza le replicó a Sanín Cano con un artículo que lo decía todo desde el título: «Un caso de bardolatría». Fue la primera y certera embestida para situar a Valencia en sus límites propios y reducir su pedestal a su lugar y a su tamaño. Lo acusó de no haber encendido en Colombia una llama del espíritu sino una ortopedia de palabras, y definió sus versos como los de un artista culterano, frígido y habilidoso, y un cincelador concienzudo. Su conclusión fue una pregunta a sí mismo que en esencia quedó como uno de sus buenos poemas: «Si la poesía no sirve para apresurarme la sangre, para abrirme de repente ventanas sobre lo misterioso, para ayudarme a descubrir el mundo, para acompañar a este desolado corazón en la soledad y en el amor, en la fiesta y en el desamor, ¿para qué me sirve la poesía?». Y terminaba: «Para mí –¡blasfemo de mí!–, Valencia es apenas un buen poeta».

La publicación de «Un caso de bardolatría» en «Lecturas Dominicales» de *El Tiempo*, que entonces tenía una amplia circulación, causó una conmoción social. Tuvo además el resultado prodigioso de un examen a fondo de la poesía en Colombia desde sus orígenes, que tal vez no se había hecho con seriedad desde que don Juan de Castellanos escribió los ciento cincuenta mil endecasílabos de su *Elegías de varones ilustres de Indias*.

La poesía fue desde entonces a cielo abierto. No sólo para Los Nuevos, que se pusieron de moda, sino para otros que surgieron después y se disputaban su lugar a codazos. La poesía llegó a ser tan popular que hoy no es posible entender hasta qué punto se vivía cada número de «Lecturas Dominicales», que dirigía Carranza, o de *Sábado*, que entonces dirigía Carlos Martín, nuestro antiguo rector del liceo. Además de su poesía, Carranza impuso con su gloria una manera de ser poeta a las seis de la tarde en la carrera Séptima de Bogotá, que era como pasearse en una vitrina de diez cuadras con un libro en la mano apoyada sobre el corazón. Fue un modelo de su generación, que hizo escuela en la siguiente, cada una a su manera.

A mediados de año llegó a Bogotá el poeta Pablo Neruda, convencido de que la poesía tenía que ser un arma política. En sus tertulias bogotanas se enteró de la clase de reaccionario que era Laureano Gómez, y a modo de despedida, casi al correr de la pluma escribió en su honor tres sonetos punitivos, cuyo primer cuarteto daba el tono de todos:

Adiós, Laureano nunca laureado,
sátrapa triste y rey advenedizo.
Adiós, emperador de cuarto piso,
antes de tiempo y sin cesar pagado.

A pesar de sus simpatías de derechas y su amistad personal con el mismo Laureano Gómez, Carranza destacó los sonetos en sus páginas literarias, más como una primicia periodística que como una proclama política. Pero el rechazo fue casi unánime. Sobre todo por el contrasentido de publicarlos en el periódico de un liberal de hueso colorado como el ex presidente Eduardo Santos, tan contrario al pensamiento retrógrado de Laureano Gómez como al revolucionario de Pablo Neruda. La reacción más ruidosa fue la de quienes no toleraban que un extranjero se permitiera semejante abuso. El solo hecho de que tres sonetos casuísticos y más ingeniosos que poéticos pudieran armar tal revuelo, fue un síntoma alentador del poder de la poesía en aquellos años. De todos modos, a Neruda le impidieron después la entrada a Colombia el mismo Laureano Gómez, ya como presidente de la República, y el general Gustavo Rojas Pinilla en su momento, pero estuvo en Cartagena y Buenaventura varias veces en escalas marítimas entre Chile y Europa. Para los amigos colombianos a los que anunciaba su paso, cada escala de ida y de vuelta era una fiesta de las grandes.

Cuando ingresé a la facultad de derecho, en febrero de 1947, mi identificación permanecía incólume con el grupo Piedra y Cielo. Aunque había conocido a los más notables en la casa de Carlos Martín, en Zipaquirá, no tuve la audacia de recordárselo ni siquiera a Carranza, que era el más abordable. En cierta ocasión lo encontré tan cerca y al descubierto en la librería Grancolombia, que le hice un saludo de admirador. Me correspondió muy amable, pero no me reconoció. En cambio, en otra ocasión el maestro León de Greiff se levantó de su mesa de El Molino para saludarme en la mía cuando alguien le contó que había publicado cuentos en *El Espectador*, y me prometió leerlos. Por desgracia, pocas semanas después ocurrió la revuelta popular del 9 de abril, y tuve que abandonar la ciudad todavía humeante. Cuando volví, al cabo de cuatro años, El Molino había desaparecido bajo sus cenizas, y el maestro se había mudado con sus bártulos y su corte de amigos al café El Automático, donde nos hicimos amigos de libros y aguardiente, y me enseñó a mover sin arte ni fortuna las piezas del ajedrez.

A mis amigos de la primera época les parecía incomprensible que me empeñara en escribir cuentos, y yo mismo no me lo explicaba en un país donde el arte mayor era la poesía. Lo supe desde muy niño, por el éxito de *Miseria humana*, un poema popular que se vendía en cuadernillos de papel de estraza o recitado por dos centavos en los mercados y cementerios de los pueblos del Caribe. La novela, en cambio, era escasa. Desde *María*, de Jorge Isaacs, se habían escrito muchas sin mayor resonancia. José María Vargas Vila había sido un fenómeno insólito con cincuenta y dos novelas directas al corazón de los pobres. Viajero incansable, su exceso de equipaje eran sus propios libros, que se exhibían y se agotaban como pan en la puerta de los hoteles de América Latina y España. *Aura o las violetas*, su novela estelar, rompió más corazones que muchas mejores de contemporáneos suyos.

Las únicas que sobrevivieron a su tiempo habían sido *El carnero*, escrita entre 1600 y 1638 en plena Colonia por el español Juan Rodríguez Freyle, un relato tan desmesurado y libre de la historia de la Nueva Granada, que terminó por ser una obra maestra de la ficción; *María*, de Jorge Isaacs, en 1867; *La vorágine*, de José Eustasio Rivera, en 1924; *La marquesa de Yolombó*, de Tomás Carrasquilla, en 1926, y *Cuatro años a bordo de mí mismo*, de Eduardo Zalamea, en 1950. Ninguno de ellos había logrado vislumbrar la gloria que tantos poetas tenían con justicia o sin ella. En cambio, el cuento –con un antecedente tan insigne como el del mismo Carrasquilla, el escritor grande de Antioquia– había naufragado en una retórica escarpada y sin alma.

La prueba de que mi vocación era sólo de narrador fue el reguero de versos que dejé en el liceo, sin firma o con seudónimos, porque nunca tuve la intención de morirme por ellos. Más aún: cuando publiqué los primeros cuentos en *El Espectador*, muchos se disputaban el género, pero sin derechos suficientes. Hoy pienso que esto podía entenderse porque la vida en Colombia, desde muchos puntos de vista, seguía en el siglo XIX. Sobre todo en la Bogotá lúgubre de los años cuarenta, todavía nostálgica de la Colonia, cuando me matriculé sin vocación ni voluntad en la facultad de derecho de la Universidad Nacional.

Para comprobarlo bastaba con sumergirse en el centro neurálgico de la carrera Séptima y la avenida Jiménez de Quesada, bautizado por la desmesura bogotana como la mejor esquina del mundo. Cuando el reloj público de la torre de San Francisco daba las doce del día, los hombres se detenían en la calle o interrumpían la charla en el café para ajustar los relojes con la hora oficial de la iglesia. Alrededor de ese crucero, y en las cuadras adyacentes, estaban los sitios más concurridos donde se citaban dos veces al día los comerciantes, los políticos, los periodistas –y los poetas, por supuesto–, todos de negro hasta los pies vestidos, como el rey nuestro señor don Felipe IV.

En mis tiempos de estudiante todavía se leía en aquel lugar un periódico que tal vez tenía pocos antecedentes en el mundo. Era un tablero negro como el de las escuelas, que se exhibía en el balcón de *El Espectador* a las doce del día y a las cinco de la tarde con las últimas noticias escritas con tiza. En esos momentos el paso de los tranvías se volvía difícil, si no imposible, por el estorbo de las muchedumbres que esperaban impacientes. Aquellos lectores callejeros tenían además la posibilidad de aplaudir con una ovación cerrada las noticias que les parecían buenas y de rechiflar o tirar piedras contra el tablero cuando no les gustaban. Era una forma de participación democrática instantánea con la cual tenía *El Espectador* un termómetro más eficaz que cualquier otro para medirle la fiebre a la opinión pública.

Aún no existía la televisión y había noticieros de radio muy completos pero a horas fijas, de modo que antes de ir a almorzar o a cenar, uno se quedaba esperando la aparición del tablero para llegar a casa con una versión más completa del mundo. Allí se supo y se siguió con un rigor ejemplar e inolvidable el vuelo solitario del capitán Concha Venegas entre Lima y Bogotá. Cuando eran noticias como ésas, el tablero se cambiaba varias veces fuera de sus horas previstas para alimentar la voracidad del público con boletines extraordinarios. Ninguno de los lectores callejeros de aquel periódico único sabía que el inventor y esclavo de la idea se llamaba José Salgar, un redactor primíparo de *El Espectador* a los veinte años, que llegó a ser un periodista de los grandes sin haber ido más allá de la escuela primaria.

La institución distintiva de Bogotá eran los cafés del centro, en los que tarde o temprano confluía la vida de todo el país. Cada uno disfrutó en su momento de una especialidad –política, literaria, financiera–, de modo que gran parte de la historia de Colombia en aquellos años tuvo alguna relación con ellos. Cada quien tenía su favorito como una señal infalible de su identidad.

Escritores y políticos de la primera mitad del siglo –incluido algún presidente de la República– habían estudiado en los cafés de la calle Catorce, frente al colegio del Rosario. El Windsor, que hizo su época de políticos famosos, era uno de los más perdurables y fue refugio del gran caricaturista Ricardo Rendón, que hizo allí su obra grande, y años después se perforó el cráneo genial con un plomo de revólver en la trastienda de la Gran Vía.

El revés de mis tantas tardes de tedio fue el descubrimiento casual de una sala de música abierta al público en la Biblioteca Nacional. La convertí en mi refugio preferido para leer al amparo de los grandes compositores, cuyas obras solicitábamos por escrito a una empleada encantadora. Entre los visitantes habituales descubríamos afinidades de toda índole por la clase de música que preferíamos. Así conocí a la mayoría de mis autores preferidos a través de los gustos ajenos, por lo abundantes y variados, y aborrecí a Chopin durante muchos años por culpa de un melómano implacable que lo solicitaba casi a diario y sin misericordia.

Una tarde encontré la sala desierta porque el sistema estaba descompuesto, pero la directora me permitió sentarme a leer en el silencio. Al principio me sentí en un remanso de paz, pero antes de dos horas no había logrado concentrarme por unas ráfagas de ansiedad que me estorbaban la lectura y me hacían sentir ajeno a mi propio pellejo. Tardé varios días en darme cuenta de que el remedio de mi ansiedad no era el silencio de la sala sino el ámbito de la música, que desde entonces se me convirtió en una pasión casi secreta y para siempre.

Las tardes de los domingos, cuando cerraban la sala de música, mi diversión más fructífera era viajar en los tranvías de vidrios azules, que por cinco centavos giraban sin cesar desde la plaza de Bolívar hasta la avenida Chile, y pasar en ellos aquellas tardes de adolescencia que parecían arrastrar una cola interminable de otros muchos domingos perdidos. Lo único que hacía durante aquel viaje de círculos viciosos era leer libros de versos, quizás una cuadra de la ciudad por cada cuadra de versos, hasta que se encendían las primeras luces en la llovizna perpetua. Entonces recorría los cafés taciturnos de los barrios viejos en busca de alguien que me hiciera la caridad de conversar conmigo sobre los poemas que acababa de leer. A veces lo encontraba –siempre un hombre– y nos quedábamos hasta pasada la medianoche en algún cuchitril de mala muerte, rematando las colillas de los cigarrillos que nosotros mismos nos habíamos fumado y hablando de poesía mientras en el resto del mundo la humanidad entera hacía el amor.

En aquel tiempo todo el mundo era joven, pero siempre encontrábamos a otros que eran más jóvenes que nosotros. Las generaciones se empujaban unas a otras, sobre todo entre los poetas y los criminales, y apenas si uno había acabado de hacer algo cuando ya se perfilaba alguien que amenazaba con hacerlo mejor. A veces encuentro entre papeles viejos algunas de las fotos que nos tomaban los fotógrafos callejeros en el atrio de la iglesia de San Francisco, y no puedo reprimir un frémito de compasión, porque no parecen fotos nuestras sino de los hijos de nosotros mismos, en una ciudad de puertas cerradas donde nada era fácil, y mucho menos sobrevivir sin amor a las tardes de los domingos. Allí conocí por casualidad a mi tío José María Valdeblánquez, cuando creí ver a mi abuelo abriéndose paso con el paraguas entre la muchedumbre dominical que salía de misa. Su atuendo no enmascaraba un ápice de su identidad: vestido entero de paño negro, camisa blanca con cuello de celuloide y corbata de rayas diagonales, chaleco con leontina, sombrero duro y espejuelos dorados. Fue tal mi impresión que le cerré el paso sin darme cuenta. Él levantó el paraguas amenazante y me enfrentó a una cuarta de los ojos:

–¿Puedo pasar?

–Perdóneme –le dije avergonzado–. Es que lo confundí con mi abuelo.

Él siguió escrutándome con su mirada de astrónomo, y me preguntó con una mala ironía:

–¿Y se puede saber quién es ese abuelo tan famoso?

Confundido por mi propia impertinencia le dije el nombre completo. Él bajó entonces el paraguas y sonrió de muy buen talante.

–Pues con razón nos parecemos –dijo–. Soy su primogénito.

La vida diaria era más llevadera en la Universidad Nacional. Sin embargo, no logro encontrar en la memoria la realidad de aquel tiempo, porque no creo haber sido estudiante de derecho ni un solo día, a pesar de que mis calificaciones del primer año –el único que terminé en Bogotá– permitan creer lo contrario. Allí no había tiempo ni ocasión de establecer las relaciones personales que se lograban en el liceo, y los compañeros de curso se dispersaban en la ciudad al terminar las clases. Mi sorpresa más grata fue encontrar como secretario general de la facultad de derecho al escritor Pedro Gómez Valderrama, del cual tenía noticia por sus colaboraciones tempranas en las páginas literarias, y que fue uno de mis amigos grandes hasta su muerte prematura.

Mi condiscípulo más asiduo desde el primer año fue Gonzalo Mallarino Botero, el único acostumbrado a creer en algunos prodigios de la vida que eran verdad aunque no fueran ciertos. Él fue quien me enseñó que la facultad de derecho no era tan estéril como yo pensaba, pues desde el primer día me sacó de la clase de estadística y demografía, a las siete de la madrugada, y me desafió a un duelo personal de poesía en el café de la ciudad universitaria. En las horas muertas de la mañana recitaba de memoria los poemas de los clásicos españoles, y yo le correspondía con poemas de los jóvenes colombianos que habían abierto fuego contra los coletazos retóricos del siglo anterior.

Un domingo me invitó a su casa, donde vivía con su madre y sus hermanas y hermanos, en un ambiente de tensiones fraternales como las de mi casa paterna. Víctor, el mayor, era ya un hombre de teatro de tiempo completo, y un declamador reconocido en el ámbito de la lengua española. Desde que escapé a la tutela de mis padres no volví a sentirme nunca como en mi casa, hasta que conocí a Pepa Botero, la madre de los Mallarino, una antioqueña sin desbravar en la médula hermética de la aristocracia bogotana. Con su inteligencia natural y su habla prodigiosa tenía la facultad inigualable de conocer el sitio justo en que las malas palabras recobran su estirpe cervantina. Eran tardes inolvidables, viendo atardecer sobre la esmeralda sin límites de la sabana, al calor del chocolate perfumado y las almojábanas calientes. Lo que aprendí de Pepa Botero, con su jerga destapada, con su modo de decir las cosas de la vida común, me fue invaluable para una nueva retórica de la vida real.

Otros condiscípulos afines eran Guillermo López Guerra y Álvaro Vidal Varón, que ya habían sido mis cómplices en el liceo de Zipaquirá. Sin embargo, en la universidad estuve más cerca de Luis Villar Borda y Camilo Torres Restrepo, que hacían con las uñas y por amor al arte el suplemento literario de *La Razón*, un diario casi secreto que dirigía el poeta y periodista Juan Lozano y Lozano. Los días de cierre me iba con ellos a la redacción y les daba una mano en las emergencias de última hora. Algunas veces coincidí con el director, cuyos sonetos admiraba y más aún las semblanzas de personajes nacionales que publicaba en la revista *Sábado*. Él recordaba con cierta vaguedad la nota de Ulises sobre mí, pero no había leído ningún cuento, y me escabullí del tema porque estaba seguro de que no le gustarían. Desde el primer día me dijo al despedirse que las páginas de su periódico estaban abiertas para mí, pero lo tomé sólo como un cumplido bogotano.

En el café Asturias, Camilo Torres Restrepo y Luis Villar Borda, condiscípulos míos en la facultad de derecho, me presentaron a Plinio Apuleyo Mendoza, que a sus dieciséis años había publicado una serie de prosas líricas, el género de moda impuesto en el país por Eduardo Carranza desde las páginas literarias de *El Tiempo*. Era de piel curtida, con un cabello retinto y liso, que acentuaba su buena apariencia de indio. A pesar de su edad había logrado acreditar sus notas en el semanario *Sábado*, fundado por su padre, Plinio Mendoza Neira, antiguo ministro de la Guerra y un gran periodista nato que tal vez no escribió una línea completa en toda su vida. Sin embargo, enseñó a muchos a escribir las suyas en periódicos que fundaba a todo bombo y abandonaba por altos cargos políticos o para fundar otras empresas enormes y catastróficas. Al hijo no lo vi más de dos o tres veces por aquella época, siempre con condiscípulos míos. Me impresionó que a su edad razonaba como un anciano, pero nunca se me hubiera ocurrido pensar que años después íbamos a compartir tantas jornadas de periodismo temerario, pues todavía no se me había ocurrido el embeleco del periodismo como oficio, y como ciencia me interesaba menos que la del derecho.

Nunca había pensado en realidad que llegara a interesarme, hasta uno de aquellos días, cuando Elvira Mendoza, hermana de Plinio, le hizo a la declamadora argentina Berta Singerman una entrevista de emergencia que me cambió por completo los prejuicios contra el oficio y me descubrió una vocación ignorada. Más que una entrevista clásica de preguntas y respuestas –que tantas dudas me dejaban y siguen dejándome– fue una de las más originales que se publicaron en Colombia. Años después, cuando Elvira Mendoza era ya una periodista internacional consagrada y una de mis buenas amigas, me contó que había sido un recurso desesperado para salvar un fracaso.

La llegada de Berta Singerman había sido el acontecimiento del día. Elvira –que dirigía la sección femenina en la revista *Sábado*– pidió autorización para hacerle una entrevista, y la obtuvo con algunas reticencias de su padre por su falta de práctica en el género. La redacción de *Sábado* era un sitio de reunión de los intelectuales más conocidos por aquellos años y Elvira les pidió unas preguntas para su cuestionario, pero estuvo al borde del pánico cuando tuvo que enfrentarse al menosprecio con que Berta Singerman la recibió en la suite presidencial del hotel Granada.

Desde la primera pregunta se complació en rechazarlas como tontas o imbéciles, sin sospechar que detrás de cada una había un buen escritor de los tantos que ella conocía y admiraba por sus varias visitas a Colombia. Elvira, que fue siempre de genio vivo, tuvo que tragarse sus lágrimas y soportar en vilo aquel desaire. La entrada imprevista del esposo de Berta Singerman le salvó el reportaje, pues fue él quien manejó la situación con un tacto exquisito y un buen sentido del humor cuando estaba a punto de convertirse en un incidente grave.

Elvira no escribió el diálogo que había previsto con las respuestas de la diva, sino que hizo el reportaje de sus dificultades con ella. Aprovechó la intervención providencial del esposo, y lo convirtió en el verdadero protagonista del encuentro. Berta Singerman hizo una de sus furias históricas cuando leyó la entrevista. Pero *Sábado* era ya el semanario más leído, y su circulación semanal aceleró su ascenso hasta cien mil ejemplares en una ciudad de seiscientos mil habitantes.

La sangre fría y el ingenio con que Elvira Mendoza aprovechó la necedad de Berta Singerman para revelar su personalidad verdadera, me puso a pensar por primera vez en las posibilidades del reportaje, no como medio estelar de información, sino mucho más: como género literario. No iban a pasar muchos años sin que lo comprobara en carne propia, hasta llegar a creer como creo hoy más que nunca que novela y reportaje son hijos de una misma madre.

Hasta entonces sólo me había arriesgado con la poesía: versos satíricos en la revista del colegio San José y prosas líricas o sonetos de amores imaginarios a la manera de Piedra y Cielo en el único número del periódico del Liceo Nacional. Poco antes, Cecilia González, mi cómplice de Zipaquirá, había convencido al poeta y ensayista Daniel Arango de que publicara una cancioncilla escrita por mí, con seudónimo y en tipografía de siete puntos, en el rincón más escondido del suplemento dominical de *El Tiempo*. La publicación no me impresionó ni me hizo sentir más poeta de lo que era. En cambio, con el reportaje de Elvira tomé conciencia del periodista que llevaba dormido en el corazón, y me hice al ánimo de despertarlo. Empecé a leer los periódicos de otro modo. Camilo Torres y Luis Villar Borda, que estuvieron de acuerdo conmigo, me reiteraron el ofrecimiento de don Juan Lozano en sus páginas de *La Razón*, pero sólo me atreví con un par de poemas técnicos que nunca tuve como míos. Me propusieron hablar con Plinio Apuleyo Mendoza para la revista *Sábado*, pero mi timidez tutelar me advirtió que me faltaba mucho para arriesgarme con las luces apagadas en un oficio nuevo. Sin embargo, mi descubrimiento tuvo una utilidad inmediata, pues por esos días estaba enredado con la mala conciencia de que todo lo que escribía, en prosa o en verso, e incluso las tareas del liceo, eran imitaciones descaradas de Piedra y Cielo, y me propuse un cambio de fondo a partir de mi cuento siguiente. La práctica terminó por convencerme de que los adverbios de modo terminados en *mente* son un vicio empobrecedor. Así que empecé a castigarlos donde me salían al paso, y cada vez me convencía más de que aquella obsesión me obligaba a encontrar formas más ricas y expresivas. Hace mucho tiempo que en mis libros no hay ninguno, salvo en alguna cita textual. No sé, por supuesto, si mis traductores han detectado y contraído también, por razones de su oficio, esa paranoia de estilo.

La amistad con Camilo Torres y Villar Borda rebasó muy pronto los límites de las aulas y la sala de redacción y andábamos más tiempo juntos en la calle que en la universidad. Ambos hervían a fuego lento en un inconformismo duro por la situación política y social del país. Embebido en los misterios de la literatura yo no intentaba siquiera comprender sus análisis circulares y sus premoniciones sombrías, pero las huellas de su amistad prevalecieron entre las más gratas y útiles de aquellos años.

En las clases de la universidad, en cambio, estaba encallado. Siempre lamenté mi falta de devoción por los méritos de los maestros de grandes nombres que soportaban nuestros hastíos. Entre ellos Alfonso López Michelsen, hijo del único presidente colombiano reelegido en el siglo XX, y creo que de allí venía la impresión generalizada de que también él estaba predestinado a ser presidente por nacimiento, como en efecto lo fue. Llegaba a su cátedra de introducción al derecho con una puntualidad irritante y unas espléndidas chaquetas de casimir hechas en Londres. Dictaba su clase sin mirar a nadie, con ese aire celestial de los miopes inteligentes que siempre parecen andar a través de los sueños ajenos. Sus clases me parecían monólogos de una sola cuerda como lo era para mí cualquier clase que no fuera de poesía, pero el tedio de su voz tenía la virtud hipnótica de un encantador de serpientes. Su vasta cultura literaria tenía desde entonces un sustento cierto, y sabía usarla por escrito y de viva voz, pero sólo empecé a apreciarla cuando volvimos a conocernos años después y a hacernos amigos ya lejos del sopor de la cátedra. Su prestigio de político empedernido se nutría de su encanto personal casi mágico y de una lucidez peligrosa para descubrir las segundas intenciones de la gente. Sobre todo de la que quería menos. Sin embargo, su virtud más distinguida de hombre público fue su poder asombroso para crear situaciones históricas con una sola frase.

Con el tiempo logramos una buena amistad, pero en la universidad no fui el más asiduo y aplicado, y mi timidez irredimible mantenía una distancia insalvable, en especial con la gente que admiraba. Por todo esto me sorprendió tanto que me llamara al examen final de primer año, a pesar de mis faltas de asistencia que me habían merecido una reputación de alumno invisible.

Apelé a mi viejo truco de desviar el tema con recursos retóricos. Me di cuenta de que el maestro era consciente de mi astucia, pero tal vez la apreciaba como un recreo literario. El único tropiezo fue que en la agonía del examen usé la palabra *prescripción* y él se apresuró a pedirme que la definiera para asegurarse de que yo sabía de qué estaba hablando.

–Prescribir es adquirir una propiedad por el transcurso del tiempo –le dije.

Él me preguntó de inmediato:

–¿Adquirirla o perderla?

Era lo mismo, pero no le discutí por mi inseguridad congénita, y creo que fue una de sus célebres bromas de sobremesa, porque en la calificación no me cobró la duda. Años después le comenté el incidente y no lo recordaba, por supuesto, pero entonces ni él ni yo estábamos seguros siquiera de que el episodio fuera cierto.

Ambos encontramos en la literatura un buen remanso para olvidarnos de la política y los misterios de la prescripción, y en cambio descubríamos libros sorprendentes y escritores olvidados en conversaciones infinitas que a veces terminaron por desbaratar visitas y exasperar a nuestras esposas. Mi madre me había convencido de que éramos parientes, y así era. Sin embargo, mejor que cualquier vínculo extraviado nos identificaba nuestra pasión común por los cantos vallenatos.

Otro pariente casual, por parte de padre, era Carlos H. Pareja, profesor de economía política y dueño de la librería Grancolombia, favorita de los estudiantes por la buena costumbre de exhibir las novedades de grandes autores en mesas descubiertas y sin vigilancia. Hasta sus mismos alumnos invadíamos el local en los descuidos del atardecer y escamoteábamos los libros por artes digitales, de acuerdo con el código escolar de que robar libros es delito pero no pecado. No por virtud sino por miedo físico, mi papel en los asaltos se limitaba a proteger las espaldas de los más diestros, con la condición de que además de los libros para ellos se llevaran algunos indicados por mí. Una tarde, uno de mis cómplices acababa de robarse *La ciudad sin Laura*, de Francisco Luis Bernárdez, cuando sentí una garra feroz en mi hombro, y una voz de sargento:

–¡Al fin, carajo!

Me volví aterrado, y me enfrenté al maestro Carlos H. Pareja, mientras tres de mis cómplices escapaban en estampida. Por fortuna, antes de que alcanzara a disculparme me di cuenta de que el maestro no me había sorprendido por ladrón, sino por no haberme visto en su clase durante más de un mes. Después de un regaño más bien convencional, me preguntó:

–¿Es verdad que eres hijo de Gabriel Eligio?

Era verdad, pero le contesté que no, porque sabía que su padre y el mío eran en realidad parientes distanciados por un incidente personal que nunca entendí. Pero más tarde se enteró de la verdad y desde aquel día me distinguió en la librería y en las clases como sobrino suyo, y mantuvimos una relación más política que literaria, a pesar de que él había escrito y publicado varios libros de versos desiguales con el seudónimo de Simón Latino. La conciencia del parentesco, sin embargo, sólo le sirvió a él para que no me prestara más como pantalla para robarle libros.

Otro maestro excelente, Diego Montaña Cuéllar, era el reverso de López Michelsen, con quien parecía mantener una rivalidad secreta. López como un liberal travieso y Montaña Cuéllar como un radical de izquierda. Sostuve con éste una buena relación fuera de la cátedra, y siempre me pareció que López Michelsen me veía como a un pichón de poeta, y en cambio Montaña Cuéllar me veía como un buen prospecto para su proselitismo revolucionario.

Mi simpatía con Montaña Cuéllar empezó por un tropiezo que él sufrió con tres jóvenes oficiales de la escuela militar que asistían a sus clases en uniforme de parada. Eran de una puntualidad cuartelaria, se sentaban juntos en las mismas sillas apartadas, tomaban notas implacables y obtenían calificaciones merecidas en exámenes rígidos. Diego Montaña Cuéllar les aconsejó en privado desde los primeros días que no fueran a las clases en uniformes de guerra. Ellos le contestaron con sus mejores modos que cumplían órdenes superiores, y no pasaron por alto ninguna oportunidad de hacérselo sentir. En todo caso, al margen de sus rarezas, para alumnos y maestros fue siempre claro que los tres oficiales eran estudiantes notables.

Llegaban con sus uniformes idénticos, impecables, siempre juntos y puntuales. Se sentaban aparte, y eran los alumnos más serios y metódicos, pero siempre me pareció que estaban en un mundo distinto del nuestro. Si uno les dirigía la palabra, eran atentos y amables, pero de un formalismo invencible: no decían más de lo que se les preguntaba. En tiempos de exámenes, los civiles nos dividíamos en grupos de cuatro para estudiar en los cafés, nos encontrábamos en los bailes de los sábados, en las pedreas estudiantiles, en las cantinas mansas y los burdeles lúgubres de la época, pero nunca nos encontramos ni por casualidad con nuestros condiscípulos militares.

Apenas si me crucé con ellos algún saludo durante el año largo en que coincidimos en la universidad. No había tiempo, además, porque llegaban en punto a las clases y se iban con la última palabra del maestro, sin alternar con nadie, salvo con otros militares jóvenes del segundo año, con los que se juntaban en los descansos. Nunca supe sus nombres ni volví a tener noticias de ellos. Hoy me doy cuenta de que las mayores reticencias no eran tan suyas como mías, que nunca pude superar la amargura con que mis abuelos evocaban sus guerras frustradas y las matanzas atroces de las bananeras.

Jorge Soto del Corral, el maestro de derecho constitucional, tenía fama de saber de memoria todas las constituciones del mundo, y en las clases nos mantenía deslumbrados con el resplandor de su inteligencia y su erudición jurídica, sólo entorpecida por su escaso sentido del humor. Creo que era uno de los maestros que hacían lo posible para que no afloraran en la cátedra sus diferencias políticas, pero se les notaban más de lo que ellos mismos creían. Hasta por los gestos de las manos y el énfasis de sus ideas, pues era en la universidad donde más se sentía el pulso profundo de un país que estaba al borde de una nueva guerra civil al cabo de cuarenta y tantos años de paz armada.

A pesar de mi ausentismo crónico y mi negligencia jurídica, aprobé las materias fáciles del primer año de derecho con recalentamientos de última hora, y las más difíciles con mi viejo truco de escamotear el tema con recursos de ingenio. La verdad es que no estaba a gusto dentro de mi pellejo y no sabía cómo seguir caminando a tientas en aquel callejón sin salida. El derecho lo entendía menos y me interesaba mucho menos que cualquiera de las materias del liceo, y ya me sentía bastante adulto como para tomar mis propias decisiones. Al final, después de dieciséis meses de supervivencia milagrosa, sólo me quedó un buen grupo de amigos para el resto de la vida.

Mi escaso interés en los estudios fue más escaso aún después de la nota de Ulises, sobre todo en la universidad, donde algunos de mis condiscípulos empezaron a darme el título de maestro y me presentaban como escritor. Esto coincidía con mi determinación de aprender a construir una estructura al mismo tiempo verosímil y fantástica, pero sin resquicios. Con modelos perfectos y esquivos, como *Edipo rey*, de Sófocles, cuyo protagonista investiga el asesinato de su padre y termina por descubrir que él mismo es el asesino; como «La pata de mono», de W. W. Jacob, que es el cuento perfecto, donde todo cuanto sucede es casual; como *Bola de sebo*, de Maupassant, y tantos otros pecadores grandes a quienes Dios tenga en su santo reino. En ésas andaba una noche de domingo en que por fin me sucedió algo que merecía contarse. Había pasado casi todo el día ventilando mis frustraciones de escritor con Gonzalo Mallarino en su casa de la avenida Chile, y cuando regresaba a la pensión en el último tranvía subió un fauno de carne y hueso en la estación de Chapinero. He dicho bien: un fauno. Noté que ninguno de los escasos pasajeros de medianoche se sorprendió de verlo, y eso me hizo pensar que era uno más de los disfrazados que los domingos vendían de todo en los parques de niños. Pero la realidad me convenció de que no podía dudar, porque su cornamenta y sus barbas eran tan montaraces como las de un chivo, hasta el punto que percibí al pasar el tufo de su pelambre. Antes de la calle 26, que era la del cementerio, descendió con unos modos de buen padre de familia y desapareció entre las arboledas del parque.

Después de la media noche, despertado por mis tumbos en la cama, Domingo Manuel Vega me preguntó qué me pasaba. «Es que un fauno se subió en el tranvía», le dije entre sueños. Él me replicó bien despierto que si era una pesadilla debía ser por la mala digestión del domingo, pero si era el tema para mi próximo cuento le parecía fantástico. La mañana siguiente ya no supe si en realidad había visto un fauno en el tranvía o si había sido una alucinación dominical. Empecé por admitir que me había dormido por el cansancio del día y tuve un sueño tan nítido que no podía separarlo de la realidad. Pero lo esencial para mí no terminó por ser si el fauno era real, sino que lo había vivido como si lo fuera. Y por lo mismo –real o soñado– no era legítimo considerarlo como un embrujo de la imaginación sino como una experiencia maravillosa de mi vida.

Así que lo escribí al día siguiente de un tirón, lo puse debajo de la almohada y lo leí y releí varias noches antes de dormir y en las mañanas al despertar. Era una transcripción descarnada y literal del episodio del tranvía, tal como ocurrió, y en un estilo tan inocente como la noticia de un bautismo en una página social. Por fin, reclamado por nuevas dudas, decidí someterlo a la prueba infalible de la letra impresa, pero no en *El Espectador* sino en el suplemento literario de *El Tiempo*. Quizás fuera el modo de conocer un criterio distinto al de Eduardo Zalamea, sin comprometerlo a él en una aventura que no tenía por qué compartir. Lo mandé con un compañero de pensión junto con una carta para don Jaime Posada, el nuevo y muy joven director del «Suplemento Literario» de *El Tiempo*. Sin embargo, el cuento no fue publicado ni la carta contestada.

Los cuentos de esa época, en el orden en que fueron escritos y publicados en «Fin de Semana», desaparecieron de los archivos de *El Espectador* en el asalto e incendio de ese periódico por las turbas oficiales el 6 de setiembre de 1952. Yo mismo no tenía copia, ni las tenían mis amigos más acuciosos, de modo que pensé con un cierto alivio que habían sido incinerados por el olvido. Sin embargo, algunos suplementos literarios de provincia los habían reproducido en su momento sin autorización, y otros se publicaron en distintas revistas, hasta que fueron recogidos en un volumen por ediciones Alfil de Montevideo, en 1972, con el título de uno de ellos: *Nabo, el negro que hizo esperar a los ángeles*.

Faltaba uno que nunca ha sido incluido en libro tal vez por falta de una versión confiable: «Tubal Caín forja una estrella», publicado por *El Espectador* el 17 de enero de 1948. El nombre del protagonista, como no todo el mundo sabe, es el de un herrero bíblico que inventó la música. Fueron tres cuentos. Leídos en el orden en que fueron escritos y publicados me parecieron inconsecuentes y abstractos, y algunos disparatados, y ninguno se sustentaba en sentimientos reales. Nunca logré establecer el criterio con que los leyó un crítico tan severo como Eduardo Zalamea. Sin embargo, para mí tienen una importancia que no tienen para nadie más, y es que en cada uno de ellos hay algo que responde a la rápida evolución de mi vida en aquella época.

Muchas de las novelas que entonces leía y admiraba sólo me interesaban por sus enseñanzas técnicas. Es decir: por su carpintería secreta. Desde las abstracciones metafísicas de los tres primeros cuentos hasta los tres últimos de entonces, he encontrado pistas precisas y muy útiles de la formación primaria de un escritor. No me había pasado por la mente la idea de explorar otras formas. Pensaba que cuento y novela no sólo eran dos géneros literarios diferentes sino dos organismos de naturaleza diversa que sería funesto confundir. Hoy sigo creyéndolo como entonces, y convencido más que nunca de la supremacía del cuento sobre la novela.

Las publicaciones de *El Espectador*, al margen del éxito literario, me crearon otros problemas más terrestres y divertidos. Amigos despistados me paraban en la calle para pedirme préstamos de salvación, pues no podían creer que un escritor con tanto despliegue no recibiera sumas enormes por sus cuentos. Muy pocos me creyeron la verdad de que nunca me pagaron un centavo por su publicación, ni yo lo esperaba, porque no era de uso en la prensa del país. Más grave aún fue la desilusión de mi papá cuando se convenció de que yo no podría asumir mis propios gastos cuando estaban estudiando tres de los once hermanos que ya habían nacido. La familia me mandaba treinta pesos al mes. La sola pensión me costaba dieciocho sin derecho a huevos en el desayuno, y siempre me veía obligado a descompletarlos para gastos imprevistos. Por fortuna, no sé de dónde había contraído el hábito de hacer dibujos inconscientes en los márgenes de los periódicos, en las servilletas de los restaurantes, en las mesas de mármol de los cafés. Me atrevo a creer que aquellos dibujos eran descendientes directos de los que pintaba de niño en las paredes de la platería del abuelo, y que tal vez eran válvulas fáciles de desahogo. Un contertulio ocasional de El Molino, que tenía influencias en un ministerio para colocarse como dibujante sin tener la menor noción de dibujo, me propuso que le hiciera el trabajo y nos dividiéramos el sueldo. En el resto de mi vida nunca estuve tan cerca de la corrupción, pero no tan cerca para arrepentirme.

Mi interés por la música se incrementó también en esa época en que los cantos populares del Caribe –con los cuales había sido amamantado– se abrían paso en Bogotá. El programa de mayor audiencia era *La hora costeña*, animada por don Pascual Delvecchio, una especie de cónsul musical de la costa atlántica para la capital. Se había vuelto tan popular los domingos en la mañana, que los estudiantes caribes íbamos a bailar en las oficinas de la emisora hasta muy avanzada la tarde. Aquél fue el origen de la inmensa popularidad de nuestras músicas en el interior del país y más tarde hasta en sus últimos rincones, y una promoción social de los estudiantes costeños en Bogotá.

El único inconveniente era el fantasma del matrimonio a la fuerza. Pues no sé qué malos precedentes habían hecho prosperar en la costa la creencia de que las novias de Bogotá se hacían fáciles con los costeños y nos ponían trampas de cama para casarnos a la fuerza. Y no por amor, sino por la ilusión de vivir con una ventana frente al mar. Nunca tuve esa idea. Al contrario, los recuerdos más ingratos de mi vida son de los burdeles siniestros de los extramuros de Bogotá, donde íbamos a desaguar nuestras borracheras sombrías. En el más sórdido de ellos estuve a punto de dejar la poca vida que llevaba dentro cuando una mujer con la que acababa de estar apareció desnuda en el corredor gritando que le había robado doce pesos de una gaveta del tocador. Dos atarvanes de la casa me tumbaron a golpes y no les bastó con sacarme de los bolsillos los últimos dos pesos que me quedaban después de un amor de mala muerte, sino que me desnudaron hasta los zapatos y me exploraron a dedo en busca del dinero robado. De todos modos habían resuelto no matarme sino entregarme a la policía, cuando la mujer recordó que el día anterior había cambiado el escondite de su plata y lo encontró intacto.

Entre las amistades que me quedaron de la universidad, la de Camilo Torres no sólo fue de las menos olvidables, sino la más dramática de nuestra juventud. Un día no asistió a clases por primera vez. La razón se regó como pólvora. Arregló sus cosas y decidió fugarse de su casa para el seminario de Chiquinquirá, a ciento y tantos kilómetros de Bogotá. Su madre lo alcanzó en la estación del ferrocarril y lo encerró en su biblioteca. Allí lo visité, más pálido que de costumbre, con una ruana blanca y una serenidad que por primera vez me hizo pensar en un estado de gracia. Había decidido ingresar en el seminario por una vocación que disimulaba muy bien, pero que estaba resuelto a obedecer hasta el final.

–Ya lo más difícil pasó –me dijo.

Fue su modo de decirme que se había despedido de su novia, y que ella celebraba su decisión. Después de una tarde enriquecedora me hizo un regalo indescifrable: *El origen de las especies*, de Darwin. Me despedí de él con la rara certidumbre de que era para siempre.

Lo perdí de vista mientras estuvo en el seminario. Tuve noticias vagas de que se había ido a Lovaina para tres años de formación teológica, de que su entrega no había cambiado su espíritu estudiantil y sus maneras laicas, y de que las muchachas que suspiraban por él lo trataban como a un actor de cine desarmado por la sotana.

Diez años después, cuando regresó a Bogotá, había asumido en cuerpo y alma el carácter de su investidura pero conservaba sus mejores virtudes de adolescente. Yo era entonces escritor y periodista sin título, casado y con un hijo, Rodrigo, que había nacido el 24 de agosto de 1959 en la clínica Palermo de Bogotá. En familia decidimos que fuera Camilo quien lo bautizara. El padrino sería Plinio Apuleyo Mendoza, con quien mi esposa y yo habíamos contraído desde antes una amistad de compadres. La madrina fue Susana Linares, la esposa de Germán Vargas, que me había transmitido sus artes de buen periodista y mejor amigo. Camilo era más cercano de Plinio que nosotros, y desde mucho antes, pero no quería aceptarlo como padrino por sus afinidades de entonces con los comunistas, y quizás también por su espíritu burlón que bien podía estropear la solemnidad del sacramento. Susana se comprometió a hacerse cargo de la formación espiritual del niño, y Camilo no encontró o no quiso encontrar otros argumentos para cerrarle el paso al padrino.

El bautismo se llevó a cabo en la capilla de la clínica Palermo, en la penumbra helada de las seis de la tarde, sin nadie más que los padrinos y yo, y un campesino de ruana y alpargatas que se acercó como levitando para asistir a la ceremonia sin hacerse notar. Cuando Susana llegó con el recién nacido, el padrino incorregible soltó en broma la primera provocación:

—Vamos a hacer de este niño un gran guerrillero.

Camilo, preparando los bártulos del sacramento, contraatacó en el mismo tono: «Sí, pero un guerrillero de Dios». E inició la ceremonia con una decisión del más grueso calibre, inusual por completo en aquellos años:

—Voy a bautizarlo en español para que los incrédulos entiendan lo que significa este sacramento.

Su voz resonaba con un castellano altisonante que yo seguía a través del latín de mis tiernos años de monaguillo en Aracataca. En el momento de la ablución, sin mirar a nadie, Camilo inventó otra fórmula provocadora:

—Quienes crean que en este momento desciende el Espíritu Santo sobre esta criatura, que se arrodillen.

Los padrinos y yo permanecimos de pie y quizás un poco incómodos por la marrullería del cura amigo, mientras el niño berreaba bajo la ducha de agua yerta. El único que se arrodilló fue el campesino de alpargatas. El impacto de este episodio se me quedó como uno de los escarmientos severos de mi vida, porque siempre he creído que fue Camilo quien llevó al campesino con toda premeditación para castigarnos con una lección de humildad. O, al menos, de buena educación.

Volví a verlo pocas veces y siempre por alguna razón válida y apremiante, casi siempre en relación con sus obras de caridad en favor de los perseguidos políticos. Una mañana apareció en mi casa de recién casado con un ladrón de domicilios que había cumplido su condena, pero la policía no le daba tregua: le robaban todo lo que llevaba encima. En cierta ocasión le regalé un par de zapatos de explorador con un dibujo especial en la suela para mayor seguridad. Pocos días después, la criada de la casa reconoció las suelas en la foto de un delincuente callejero que encontraron muerto en una cuneta. Era nuestro ladrón amigo.

No pretendo que ese episodio tuviera algo que ver con el destino final de Camilo, pero meses después entró en el hospital militar para visitar a un amigo enfermo, y no volvió a saberse nada de él hasta que el gobierno anunció que había reaparecido como guerrillero raso en el Ejército de Liberación Nacional. Murió el 5 de febrero de 1966, a sus treinta y siete años, en un combate abierto con una patrulla militar.

El ingreso de Camilo al seminario había coincidido con mi decisión íntima de no seguir perdiendo el tiempo en la facultad de derecho, pero tampoco tuve ánimos para enfrentarme de una vez por todas a mis padres. Por mi hermano Luis Enrique –que había llegado a Bogotá con un buen empleo en febrero de 1948– supe que ellos estaban tan satisfechos con los resultados de mi bachillerato y mi primer año de derecho, que me mandaron de sorpresa la máquina de escribir más liviana y moderna que existía en el mercado. La primera que tuve en esta vida, y también la más infortunada, porque el mismo día la empeñamos por doce pesos para seguir la fiesta de bienvenida con mi hermano y los compañeros de pensión. Al día siguiente, locos de dolor de cabeza, fuimos a la casa de empeño a comprobar que la máquina estaba allí todavía con sus sellos intactos, y asegurarnos de que seguía en buenas condiciones hasta que nos cayera del cielo el dinero para rescatarla. Tuvimos una buena oportunidad con lo que me pagó mi socio el dibujante falso, pero a última hora decidimos dejar el rescate para después. Cada vez que pasábamos por la casa de empeño mi hermano y yo, juntos o separados, comprobábamos desde la calle que la máquina seguía en su lugar, envuelta como una joya en papel celofán y con un lazo de organdí, entre hileras de aparatos domésticos bien protegidos. Al cabo de un mes, los cálculos alegres que habíamos hecho en la euforia de la borrachera seguían sin cumplirse, pero la máquina estaba intacta en su sitio, y allí podía seguir mientras pagáramos a tiempo los intereses trimestrales.

Creo que entonces no éramos todavía conscientes de las terribles tensiones políticas que empezaban a perturbar el país. A pesar del prestigio de conservador moderado con que llegó Ospina Pérez al poder, la mayoría de su partido sabía que la victoria sólo había sido posible por la división de los liberales. Éstos, aturdidos por el golpe, le reprochaban a Alberto Lleras la imparcialidad suicida que hizo posible la derrota. El doctor Gabriel Turbay, más abrumado por su genio depresivo que por los votos adversos, se fue a Europa sin rumbo ni sentido, con el pretexto de una alta especialización en cardiología, y murió solo y vencido por el asma de la derrota al cabo de año y medio entre las flores de papel y los gobelinos marchitos del hotel Place Athénée de París. Jorge Eliécer Gaitán, en cambio, no interrumpió ni un día su campaña electoral para el periodo siguiente, sino que la radicalizó a fondo con un programa de restauración moral de la República que rebasó la división histórica del país entre liberales y conservadores, y la profundizó con un corte horizontal y más realista entre explotadores y explotados: el país político y el país nacional. Con su grito histórico –«¡A la carga!»– y su energía sobrenatural, esparció la semilla de la resistencia aun en los últimos rincones con una gigantesca campaña de agitación que fue ganando terreno en menos de un año, hasta llegar a las vísperas de una auténtica revolución social.

Sólo así tomamos conciencia de que el país empezaba a desbarrancarse en el precipicio de la misma guerra civil que nos quedó desde la independencia de España, y alcanzaba ya a los bisnietos de los protagonistas originales. El Partido Conservador, que había recuperado la presidencia por la división liberal después de cuatro periodos consecutivos, estaba decidido por cualquier medio a no perderla de nuevo. Para lograrlo, el gobierno de Ospina Pérez adelantaba una política de tierra arrasada que ensangrentó el país hasta la vida cotidiana dentro de los hogares.

Con mi inconsciencia política y desde mis nubes literarias no había vislumbrado siquiera aquella realidad evidente hasta una noche en que regresaba a la pensión y me encontré con el fantasma de mi conciencia. La ciudad desierta, azotada por el viento glacial que soplaba por las troneras de los cerros, estaba copada por la voz metálica y el deliberado énfasis arrabalero de Jorge Eliécer Gaitán en su discurso de rigor de cada viernes en el teatro Municipal. La capacidad del recinto no era para más de mil personas enlatadas, pero el discurso se propagaba en ondas concéntricas, primero por los altavoces en las calles adyacentes y después por las radios a todo volumen que resonaban como latigazos en el ámbito de la ciudad atónita, y desbordaban por tres y hasta por cuatro horas la audiencia nacional.

Aquella noche tuve la impresión de ser el único en las calles, salvo en la esquina crucial del periódico *El Tiempo*, protegida como todos los viernes por un pelotón de policías armados como para la guerra. Fue una revelación para mí, que me había permitido la arrogancia de no creer en Gaitán, y aquella noche comprendí de golpe que había rebasado el país español y estaba inventando una lengua franca para todos, no tanto por lo que decían las palabras como por la conmoción y las astucias de la voz. Él mismo, en sus discursos épicos, aconsejaba a sus oyentes en un malicioso tono paternal que regresaran en paz a sus casas, y ellos lo traducían al derecho como la orden cifrada de expresar su repudio contra todo lo que representaban las desigualdades sociales y el poder de un gobierno brutal. Hasta los mismos policías que debían guardar el orden quedaban motivados por una advertencia que interpretaban al revés.

El tema del discurso de aquella noche era un recuento descarnado de los estragos por la violencia oficial en su política de tierra arrasada para destruir la oposición liberal, con un número todavía incalculable de muertos por la fuerza pública en las áreas rurales, y poblaciones enteras de refugiados sin techo ni pan en las ciudades. Al cabo de una enumeración pavorosa de asesinatos y atropellos, Gaitán empezó a subir la voz, a regodearse palabra por palabra, frase por frase, en un prodigio de retórica efectista y certera. La tensión del público aumentaba al compás de su voz, hasta una explosión final que estalló en el ámbito de la ciudad y retumbó por la radio en los rincones más remotos del país.

La muchedumbre enardecida se echó a la calle en una batalla campal incruenta, ante la tolerancia secreta de la policía. Creo que fue aquella noche cuando entendí por fin las frustraciones del abuelo y los lúcidos análisis de Camilo Torres Restrepo. Me sorprendía que en la Universidad Nacional los estudiantes siguieran siendo liberales y godos, con nudos comunistas, pero la brecha que Gaitán estaba excavando en el país no se sentía pasar por allí. Llegué a la pensión aturdido por la conmoción de la noche y encontré a mi compañero de cuarto leyendo a Ortega y Gasset en la paz de su cama.

–Vengo nuevo, doctor Vega –le dije–. Ahora sé cómo y por qué empezaban las guerras del coronel Nicolás Márquez.

Pocos días después –el 7 de febrero de 1948– hizo Gaitán el primer acto político al que asistí en mi vida: un desfile de duelo por las incontables víctimas de la violencia oficial en el país, con más de sesenta mil mujeres y hombres de luto cerrado, con las banderas rojas del partido y las banderas negras del duelo liberal. Su consigna era una sola: el silencio absoluto. Y se cumplió con un dramatismo inconcebible, hasta en los balcones de residencias y oficinas que nos habían visto pasar en las once cuadras atiborradas de la avenida principal. Una señora murmuraba a mi lado una oración entre dientes. Un hombre junto a ella la miró sorprendido:

–¡Señora, por favor!

Ella emitió un gemido de perdón y se sumergió en el piélago de fantasmas. Sin embargo, lo que me arrastró al borde de las lágrimas fue la cautela de los pasos y la respiración de la muchedumbre en el silencio sobrenatural. Yo había acudido sin ninguna convicción política, atraído por la curiosidad del silencio, y de pronto me sorprendió el nudo del llanto en la garganta. El discurso de Gaitán en la plaza de Bolívar, desde el balcón de la contraloría municipal, fue una oración fúnebre de una carga emocional sobrecogedora. Contra los pronósticos siniestros de su propio partido, culminó con la condición más azarosa de la consigna: no hubo un solo aplauso.

Así fue la «marcha del silencio», la más emocionante de cuantas se han hecho en Colombia. La impresión que quedó de aquella tarde histórica, entre partidarios y enemigos, fue que la elección de Gaitán era imparable. También los conservadores lo sabían, por el grado de contaminación que había logrado la violencia en todo el país, por la ferocidad de la policía del régimen contra el liberalismo desarmado y por la política de tierra arrasada. La expresión más tenebrosa del estado de ánimo del país la vivieron aquel fin de semana los asistentes a la corrida de toros en la plaza de Bogotá, donde las graderías se lanzaron al ruedo indignadas por la mansedumbre del toro y la impotencia del torero para acabar de matarlo. La muchedumbre enardecida descuartizó vivo al toro. Numerosos periodistas y escritores que vivieron aquel horror o lo conocieron de oídas, lo interpretaron como el síntoma más aterrador de la rabia brutal que estaba padeciendo el país.

En aquel clima de alta tensión se inauguró en Bogotá la Novena Conferencia Panamericana, el 30 de marzo a las cuatro y media de la tarde. La ciudad había sido remozada a un costo descomunal, con la estética pomposa del canciller Laureano Gómez, que en virtud de su cargo era el presidente de la conferencia. Asistían los cancilleres de todos los países de América Latina y personalidades del momento. Los políticos colombianos más eminentes fueron invitados de honor, con la única y significativa excepción de Jorge Eliécer Gaitán, eliminado sin duda por el veto muy significativo de Laureano Gómez, y tal vez por el de algunos dirigentes liberales que lo detestaban por sus ataques a la oligarquía común de ambos partidos. La estrella polar de la conferencia era el general George Marshall, delegado de los Estados Unidos y héroe mayor de la reciente guerra mundial, y con el resplandor deslumbrante de un artista de cine por dirigir la reconstrucción de una Europa aniquilada por la contienda.

Sin embargo, el viernes 9 de abril Jorge Eliécer Gaitán era el hombre del día en las noticias, por lograr la absolución del teniente Jesús María Cortés Poveda, acusado de dar muerte al periodista Eudoro Galarza Ossa. Había llegado muy eufórico a su oficina de abogado, en el cruce populoso de la carrera Séptima con la avenida Jiménez de Quesada, poco antes de las ocho de la mañana, a pesar de que había estado en el juicio hasta la madrugada. Tenía varias citas para las horas siguientes, pero aceptó de inmediato cuando Plinio Mendoza Neira lo invitó a almorzar, poco antes de la una, con seis amigos personales y políticos que habían ido a su oficina para felicitarlo por la victoria judicial que los periódicos no habían alcanzado a publicar. Entre ellos, su médico personal, Pedro Eliseo Cruz, que además era miembro de su corte política.

En ese ámbito intenso me senté a almorzar en el comedor de la pensión donde vivía, a menos de tres cuadras. No me habían servido la sopa cuando Wilfrido Mathieu se me plantó espantado frente a la mesa.

–Se jodió este país –me dijo–. Acaban de matar a Gaitán frente a El Gato Negro.

Mathieu era un estudiante ejemplar de medicina y cirugía, nativo de Sucre como otros inquilinos de la pensión, que padecía de presagios siniestros. Apenas una semana antes nos había anunciado que el más inminente y temible, por sus consecuencias arrasadoras, podría ser el asesinato de Jorge Eliécer Gaitán. Sin embargo, esto ya no impresionaba a nadie, porque no hacían falta presagios para suponerlo.

Apenas si tuve alientos para atravesar volando la avenida Jiménez de Quesada y llegar sin aire frente al café El Gato Negro, casi en la esquina con la carrera Séptima. Acababan de llevarse al herido a la Clínica Central, a unas cuatro cuadras de allí, todavía con vida pero sin esperanzas. Un grupo de hombres empapaban sus pañuelos en el charco de sangre caliente para guardarlos como reliquias históricas. Una mujer de pañolón negro y alpargatas, de las muchas que vendían baratijas en aquel lugar, gruñó con el pañuelo ensangrentado:

–Hijos de puta, me lo mataron.

Las cuadrillas de limpiabotas armados con sus cajas de madera trataban de derribar a golpes las cortinas metálicas de la farmacia Nueva Granada, donde los escasos policías de guardia habían encerrado al agresor para protegerlo de las turbas enardecidas. Un hombre alto y muy dueño de sí, con un traje gris impecable como para una boda, las incitaba con gritos bien calculados. Y tan efectivos, además, que el propietario de la farmacia subió las cortinas de acero por el temor de que la incendiaran. El agresor, aferrado a un agente de la policía, sucumbió al pánico ante los grupos enardecidos que se precipitaron contra él.

–Agente –suplicó casi sin voz–, no deje que me maten.

Nunca podré olvidarlo. Tenía el cabello revuelto, una barba de dos días y una lividez de muerto con los ojos sobresaltados por el terror. Llevaba un vestido de paño marrón muy usado con rayas verticales y las solapas rotas por los primeros tirones de las turbas. Fue una aparición instantánea y eterna, porque los limpiabotas se lo arrebataron a los guardias a golpes de cajón y lo remataron a patadas. En el primer revolcón había perdido un zapato.

–¡A palacio! –ordenó a gritos el hombre de gris que nunca fue identificado–. ¡A palacio!

Los más exaltados obedecieron. Agarraron por los tobillos el cuerpo ensangrentado y lo arrastraron por la carrera Séptima hacia la plaza de Bolívar, entre los últimos tranvías eléctricos atascados por la noticia, vociferando denuestos de guerra contra el gobierno. Desde las aceras y los balcones los atizaban con gritos y aplausos, y el cadáver desfigurado a golpes iba dejando jirones de ropa y de cuerpo en el empedrado de la calle. Muchos se incorporaban a la marcha, que en menos de seis cuadras había alcanzado el tamaño y la fuerza expansiva de un estallido de guerra. Al cuerpo macerado sólo le quedaban el calzoncillo y un zapato.

La plaza de Bolívar, acabada de remodelar, no tenía la majestad de otros viernes históricos, con los árboles desangelados y las estatuas rudimentarias de la nueva estética oficial. En el Capitolio Nacional, donde se había instalado diez días antes la Conferencia Panamericana, los delegados se habían ido a almorzar. Así que la turba siguió de largo hasta el Palacio Presidencial, también desguarnecido. Allí dejaron lo que quedaba del cadáver sin más ropas que las piltrafas del calzoncillo, el zapato izquierdo y dos corbatas inexplicables anudadas en la garganta. Minutos más tarde llegaron a almorzar el presidente de la República Mariano Ospina Pérez y su esposa, después de inaugurar una exposición pecuaria en la población de Engativá. Hasta ese momento ignoraban la noticia del asesinato porque llevaban apagado el radio del automóvil presidencial.

Permanecí en el lugar del crimen unos diez minutos más, sorprendido por la rapidez con que las versiones de los testigos iban cambiando de forma y de fondo hasta perder cualquier parecido con la realidad. Estábamos en el cruce de la avenida Jiménez y carrera Séptima, a la hora de mayor concurrencia y a cincuenta pasos de *El Tiempo*. Sabíamos entonces que quienes acompañaban a Gaitán cuando salió de su oficina eran Pedro Eliseo Cruz, Alejandro Vallejo, Jorge Padilla y Plinio Mendoza Neira, ministro de Guerra en el primer gobierno de Alfonso López Pumarejo. Éste los había invitado a almorzar. Gaitán había salido del edificio donde tenía su oficina, sin escoltas de ninguna clase, y en medio de un grupo compacto de amigos. Tan pronto como llegaron al andén, Mendoza lo tomó del brazo, lo llevó un paso adelante de los otros, y le dijo:

–Lo que quería decirte es una pendejada.

No pudo decir más. Gaitán se cubrió la cara con el brazo y Mendoza oyó el primer disparo antes de ver frente a ellos al hombre que apuntó con el revólver y disparó tres veces a la cabeza del líder con la frialdad de un profesional. Un instante después se hablaba ya de un cuarto disparo sin dirección, y tal vez de un quinto.

Plinio Apuleyo Mendoza, que había llegado con su papá y sus hermanas, Elvira y Rosa Inés, alcanzó a ver a Gaitán tirado bocarriba en el andén un minuto antes de que se lo llevaran a la clínica. «No parecía muerto –me contó años después–. Era como una estatua imponente tendida bocarriba en el andén, junto a una mancha de sangre escasa y con una gran tristeza en los ojos abiertos y fijos.» En la confusión del instante sus hermanas alcanzaron a pensar que también su padre había muerto, y estaban tan aturdidas que Plinio Apuleyo las subió en el primer tranvía que pasó para alejarlas del lugar. Pero el conductor se dio cuenta cabal de lo que había pasado, y tiró la gorra en el piso y abandonó el tranvía en plena calle para sumarse a los primeros gritos de la rebelión. Minutos después fue el primer tranvía volcado por las turbas enloquecidas.

Las discrepancias eran insalvables sobre el número y el papel de los protagonistas, pues algún testigo aseguraba que habían sido tres que se turnaron para disparar, y otro decía que el verdadero se había escabullido entre la muchedumbre revuelta y había tomado sin prisa un tranvía en marcha. Tampoco lo que Mendoza Neira quería pedirle a Gaitán cuando lo tomó del brazo era nada de lo mucho con que se ha especulado desde entonces, sino que le autorizara la creación de un instituto para formar líderes sindicales. O, como se había burlado su suegro unos días antes: «Una escuela para enseñarle filosofía al chofer». No alcanzó a decirlo cuando estalló frente a ellos el primer balazo.

Cincuenta años después, mi memoria sigue fija en la imagen del hombre que parecía instigar al gentío frente a la farmacia, y no lo he encontrado en ninguno de los incontables testimonios que he leído sobre aquel día. Lo había visto muy de cerca, con un vestido de gran clase, una piel de alabastro y un control milimétrico de sus actos. Tanto me llamó la atención que seguí pendiente de él hasta que lo recogieron en un automóvil demasiado nuevo tan pronto como se llevaron el cadáver del asesino, y desde entonces pareció borrado de la memoria histórica. Incluso de la mía, hasta muchos años después, en mis tiempos de periodista, cuando me asaltó la ocurrencia de que aquel hombre había logrado que mataran a un falso asesino para proteger la identidad del verdadero.

En aquel tumulto incontrolable estaba el líder estudiantil cubano Fidel Castro, de veinte años, delegado de la Universidad de La Habana a un congreso estudiantil convocado como una réplica democrática a la Conferencia Panamericana. Había llegado unos seis días antes, en compañía de Alfredo Guevara, Enrique Ovares y Rafael del Pino –universitarios cubanos como él–, y una de sus primeras gestiones fue solicitar una cita con Jorge Eliécer Gaitán, a quien admiraba. A los dos días, Castro se entrevistó con Gaitán, y éste lo citó para el viernes siguiente. Gaitán en persona anotó la cita en la agenda de su escritorio, en la hoja correspondiente al 9 de abril: «Fidel Castro, 2 pm».

Según él mismo ha contado en distintos medios y ocasiones, y en los interminables recuentos que hemos hecho juntos a lo largo de una vieja amistad, Fidel había tenido la primera noticia del crimen cuando rondaba por las cercanías para estar a tiempo en la cita de las dos. De pronto lo sorprendieron las primeras hordas que corrían desaforadas, y el grito general:

–¡Mataron a Gaitán!

Fidel Castro no cayó en la cuenta, hasta más tarde, de que la cita no habría podido cumplirse de ningún modo antes de las cuatro o cinco, por la imprevista invitación a almorzar que Mendoza Neira le hizo a Gaitán.

No cabía nadie más en el lugar del crimen. El tráfico estaba interrumpido y los tranvías volcados, de modo que me dirigí a la pensión a terminar el almuerzo, cuando mi maestro Carlos H. Pareja me cerró el paso en la puerta de su oficina y me preguntó para dónde iba.

–Voy a almorzar –le dije.

–No jodas –dijo él, con su impenitente labia caribe–. ¿Cómo se te ocurre almorzar cuando acaban de matar a Gaitán?

Sin darme tiempo para más, me ordenó que me fuera a la universidad y me pusiera al frente de la protesta estudiantil. Lo raro fue que le hice caso contra mi modo de ser. Seguí por la carrera Séptima hacia el norte, en sentido contrario al de la turbamulta que se precipitaba hacia la esquina del crimen entre curiosa, dolorida y colérica. Los autobuses de la Universidad Nacional, manejados por estudiantes enardecidos, encabezaban la marcha. En el parque Santander, a cien metros de la esquina del crimen, los empleados cerraban a toda prisa los portones del hotel Granada –el más lujoso de la ciudad–, donde se alojaban en esos días algunos cancilleres e invitados de nota a la Conferencia Panamericana.

Un nuevo tropel de pobres en franca actitud de combate surgía de todas las esquinas. Muchos iban armados de machetes acabados de robar en los primeros asaltos a las tiendas, y parecían ansiosos por usarlos. Yo no tenía una perspectiva clara de las consecuencias posibles del atentado, y seguía más pendiente del almuerzo que de la protesta, así que volví sobre mis pasos hasta la pensión. Subí a grandes trancos las escaleras, convencido de que mis amigos politizados estaban en pie de guerra. Pero no: el comedor seguía desierto, y mi hermano y José Palencia –que vivían en el cuarto vecino– cantaban con otros amigos en el dormitorio.

–¡Mataron a Gaitán! –grité.

Me hicieron señas de que ya lo sabían, pero el ánimo de todos era más vacacional que funerario, y no interrumpieron la canción. Luego nos sentamos a almorzar en el comedor desierto, convencidos de que aquello no pasaría de allí, hasta que alguien subió el volumen de la radio para que los indiferentes escucháramos. Carlos H. Pareja, haciendo honor a la incitación que me había hecho una hora antes, anunció la constitución de la Junta Revolucionaria de Gobierno integrada por los más notables liberales de izquierda, entre ellos el más conocido escritor y político, Jorge Zalamea. Su primer acuerdo fue la constitución del comité ejecutivo, el comando de la Policía Nacional y todos los órganos para un Estado revolucionario. Luego hablaron los otros miembros de la junta con consignas cada vez más desorbitadas.

En la solemnidad del acto, lo primero que se me ocurrió fue qué iba a pensar mi padre cuando supiera que su primo, el godo duro, era el líder mayor de una revolución de extrema izquierda. La dueña de la pensión, ante el tamaño de los nombres vinculados a las universidades, se sorprendió de que no se comportaran como profesores sino como estudiantes malcriados. Bastaba pasar dos números del cuadrante para encontrarse con un país distinto. En la Radio Nacional, los liberales oficialistas llamaban a la calma, en otras clamaban contra los comunistas fieles a Moscú, mientras los dirigentes más altos del liberalismo oficial desafiaban los riesgos de las calles en guerra, tratando de llegar al Palacio Presidencial para negociar un compromiso de unidad con el gobierno conservador.

Seguimos aturdidos por aquella confusión demente hasta que un hijo de la dueña gritó de pronto que la casa estaba quemándose. En efecto, se había abierto una grieta en el muro de calicanto del fondo, y un humo negro y espeso empezaba a enrarecer el aire de los dormitorios. Provenía sin duda de la Gobernación Departamental, contigua a la pensión, que había sido incendiada por los manifestantes, pero el muro parecía bastante fuerte para resistir. Así que bajamos la escalera a zancadas y nos encontramos en una ciudad en guerra. Los asaltantes desaforados tiraban por las ventanas de la Gobernación cuanto encontraban en las oficinas. El humo de los incendios había nublado el aire, y el cielo encapotado era un manto siniestro. Hordas enloquecidas, armadas de machetes y toda clase de herramientas robadas en las ferreterías, asaltaban y prendían fuego al comercio de la carrera Séptima y las calles adyacentes con ayuda de policías amotinados. Una visión instantánea nos bastó para darnos cuenta de que la situación era incontrolable. Mi hermano se anticipó a mi pensamiento con un grito:

—¡Mierda, la máquina de escribir!

Corrimos hacia la casa de empeño que todavía estaba intacta, con las rejas de hierro bien cerradas, pero la máquina no estaba donde había estado siempre. No nos preocupamos, pensando que en los días siguientes podríamos recuperarla, sin darnos cuenta todavía de que aquel desastre colosal no tendría días siguientes.

La guarnición militar de Bogotá se limitó a proteger los centros oficiales y los bancos, y el orden público quedó a cargo de nadie. Muchos altos mandos de la policía se atrincheraron en la Quinta División desde las primeras horas, y numerosos agentes callejeros los siguieron con cargamentos de armas recogidas en las calles. Varios de ellos, con el brazal rojo de los alzados, hicieron una descarga de fusil tan cerca de nosotros que me retumbó dentro del pecho. Desde entonces tengo la convicción de que un fusil puede matar con el solo estampido.

Al regreso de la casa de empeño vimos devastar en minutos el comercio de la carrera Octava, que era el más rico de la ciudad. Las joyas exquisitas, los paños ingleses y los sombreros de Bond Street que los estudiantes costeños admirábamos en las vitrinas inalcanzables, estaban entonces a la mano de todos, ante los soldados impasibles que custodiaban los bancos extranjeros. El muy refinado café San Marino, donde nunca pudimos entrar, estaba abierto y desmantelado, por una vez sin los meseros de esmoquin que se anticipaban a impedir la entrada de estudiantes caribes.

Algunos de los que salían cargados de ropa fina y grandes rollos de paño en el hombro los dejaban tirados en medio de la calle. Recogí uno, sin pensar que pesaba tanto, y tuve que abandonarlo con el dolor de mi alma. Por todas partes tropezábamos con aparatos domésticos tirados en las calles, y no era fácil caminar por entre las botellas de whisky de grandes marcas y toda clase de bebidas exóticas que las turbas degollaban a machetazos. Mi hermano Luis Enrique y José Palencia encontraron saldos del saqueo en un almacén de buena ropa, entre ellos un vestido azul celeste de muy buen paño y con la talla exacta de mi padre, que lo usó durante años en ocasiones solemnes. Mi único trofeo providencial fue la carpeta de piel de ternera del salón de té más caro de la ciudad, que me sirvió para llevar mis originales bajo el brazo en las muchas noches de los años siguientes en que no tuve dónde dormir.

Iba con un grupo que se abría paso por la carrera Octava rumbo al Capitolio, cuando una descarga de metralla barrió a los primeros que se asomaron en la plaza de Bolívar. Los muertos y heridos instantáneos apelotonados en mitad de la calle nos frenaron en seco. Un moribundo bañado en sangre que salió a rastras del promontorio me agarró por la bota del pantalón y me gritó una súplica desgarradora:

–Joven, por el amor de Dios, ¡no me deje morir!

Huí despavorido. Desde entonces aprendí a olvidar otros horrores, míos y ajenos, pero nunca olvidé el desamparo de aquellos ojos en el fulgor de los incendios. Sin embargo, todavía me sorprende no haber pensado ni un instante que mi hermano y yo fuéramos a morir en aquel infierno sin cuartel.

Desde las tres de la tarde había empezado a llover en ráfagas, pero después de las cinco se desgajó un diluvio bíblico que apagó muchos incendios menores y disminuyó los ímpetus de la rebelión. La escasa guarnición de Bogotá, incapaz de enfrentarla, desarticuló la furia callejera. No fue reforzada hasta después de la medianoche por las tropas de urgencia de los departamentos vecinos, sobre todo de Boyacá, que tenía el mal prestigio de ser la escuela de la violencia oficial. Hasta entonces la radio incitaba pero no informaba, de modo que toda noticia carecía de origen, y la verdad era imposible. Las tropas de refresco recuperaron en la madrugada el centro comercial devastado por las hordas y sin más luz que la de los incendios, pero la resistencia politizada continuó todavía por varios días con francotiradores apostados en torres y azoteas. A esa hora, los muertos en las calles eran ya incontables.

Cuando volvimos a la pensión la mayor parte del centro estaba en llamas, con tranvías volcados y escombros de automóviles que servían de barricadas casuales. Metimos en una maleta las pocas cosas que valía la pena, y sólo después me di cuenta de que se me quedaron borradores de dos o tres cuentos impublicables, el diccionario del abuelo, que nunca recuperé, y el libro de Diógenes Laercio que recibí como premio de primer bachiller.

Lo único que se nos ocurrió fue pedir asilo con mi hermano en casa del tío Juanito, a sólo cuatro cuadras de la pensión. Era un apartamento de segundo piso, con una sala, comedor y dos alcobas, donde el tío vivía con su esposa y sus hijos Eduardo, Margarita y Nicolás, el mayor, que había estado un tiempo conmigo en la pensión. Apenas cabíamos, pero los Márquez Caballero tuvieron el buen corazón de improvisar espacios donde no los había, incluso en el comedor, y no sólo para nosotros sino para otros amigos nuestros y compañeros de pensión: José Palencia, Domingo Manuel Vega, Carmelo Martínez –todos ellos de Sucre– y otros que apenas conocíamos.

Poco antes de la medianoche, cuando dejó de llover, subimos a la azotea para ver el paisaje infernal de la ciudad iluminada por los rescoldos de los incendios. Al fondo, los cerros de Monserrate y la Guadalupe eran dos inmensos bultos de sombras contra el cielo nublado por el humo, pero lo único que yo seguía viendo en la bruma desolada era la cara enorme del moribundo que se arrastró hacia mí para suplicarme una ayuda imposible. La cacería callejera había amainado, y en el silencio tremendo sólo se oían los tiros dispersos de incontables francotiradores apostados por todo el centro, y el estruendo de las tropas que poco a poco iban exterminando todo rastro de resistencia armada o desarmada para dominar la ciudad. Impresionado por el paisaje de la muerte, el tío Juanito expresó en un solo suspiro el sentimiento de todos:

–¡Dios mío, esto parece un sueño!

De regreso a la sala en penumbras me derrumbé en el sofá. Los boletines oficiales de las emisoras ocupadas por el gobierno pintaban un panorama de tranquilidad paulatina. Ya no había discursos, pero no se podía distinguir con precisión entre las emisoras oficiales y las que seguían en poder de la rebelión, y aun a estas mismas era imposible distinguirlas de la avalancha incontenible del correo de las brujas. Se dijo que todas las embajadas estaban desbordadas por los refugiados, y que el general Marshall permanecía en la de los Estados Unidos protegido por una guardia de honor de la escuela militar. También Laureano Gómez se había refugiado allí desde las primeras horas, y había sostenido conversaciones telefónicas con su presidente, tratando de impedir que éste negociara con los liberales en una situación que él consideraba manejada por los comunistas. El ex presidente Alberto Lleras, entonces secretario general de la Unión Panamericana, había salvado la vida por milagro al ser reconocido en su automóvil sin blindaje cuando abandonaba el Capitolio y trataron de cobrarle la entrega legal del poder a los conservadores. La mayoría de los delegados de la Conferencia Panamericana estaba a salvo a la medianoche.

Entre tantas noticias encontradas se anunció que Guillermo León Valencia, el hijo del poeta homónimo, había sido lapidado y el cadáver colgado en la plaza de Bolívar. Pero la idea de que el gobierno controlaba la situación había empezado a perfilarse tan pronto como el ejército recuperó las emisoras de radio que estaban en poder de los rebeldes. En vez de las proclamas de guerra, las noticias pretendían entonces tranquilizar al país con el consuelo de que el gobierno era dueño de la situación, mientras la alta jerarquía liberal negociaba con el presidente de la República por la mitad del poder.

En realidad, los únicos que parecían actuar con sentido político eran los comunistas, minoritarios y exaltados, a quienes en medio del desorden de las calles se les veía dirigir a la muchedumbre –como agentes de tránsito– hacia los centros de poder. El liberalismo, en cambio, demostró estar dividido en las dos mitades denunciadas por Gaitán en su campaña: los dirigentes que trataban de negociar una cuota de poder en el Palacio

Presidencial, y sus electores que resistieron como podían y hasta donde pudieron en torres y azoteas.

La primera duda que surgió en relación con la muerte de Gaitán fue sobre la identidad de su asesino. Todavía hoy no existe una convicción unánime de que fuera Juan Roa Sierra, el pistolero solitario que disparó contra él entre la muchedumbre de la carrera Séptima. Lo que no es fácil entender es que hubiera actuado por sí solo si no parecía tener una cultura autónoma para decidir por su cuenta aquella muerte devastadora, en aquel día, en aquella hora, en aquel lugar y de la misma manera. Encarnación Sierra, viuda de Roa, su madre, de cincuenta y dos años, se había enterado por radio del asesinato de Gaitán, su héroe político, y estaba tiñendo de negro su traje mejor para guardarle luto. No había terminado cuando oyó que el asesino era Juan Roa Sierra, el número trece de sus catorce hijos. Ninguno había pasado de la escuela primaria, y cuatro de ellos –dos niños y dos niñas– habían muerto.

Ella declaró que desde hacía unos ocho meses se habían notado cambios raros en el comportamiento de Juan. Hablaba solo y reía sin causas, y en algún momento confesó a la familia que creía ser la encarnación del general Francisco de Paula Santander, héroe de nuestra independencia, pero pensaron que sería un mal chiste de borracho. Nunca se supo que su hijo le hiciera mal a nadie, y había logrado que gente de cierto peso le diera cartas de recomendación para conseguir empleos. Una de ellas la llevaba en la cartera cuando mató a Gaitán. Seis meses antes le había escrito una de su puño y letra al presidente Ospina Pérez, en la cual le solicitaba una entrevista para pedirle un empleo.

La madre declaró a los investigadores que el hijo le había planteado su problema también a Gaitán en persona, pero que éste no le había dado ninguna esperanza.

No se sabía que hubiera disparado un arma en su vida, pero la manera en que manejó la del crimen estaba muy lejos de ser la de un novato. El revólver era un .38 largo, tan maltratado que fue admirable que no le fallara un tiro.

Algunos empleados del edificio creían haberlo visto en el piso de las oficinas de Gaitán en vísperas del asesinato. El portero afirmó sin duda alguna que en la mañana del 9 de abril lo habían visto subir por las escaleras y bajar después por el ascensor con un desconocido. Le pareció que ambos habían esperado varias horas cerca de la entrada del edificio, pero Roa estaba solo junto a la puerta cuando Gaitán subió a su oficina un poco antes de las once.

Gabriel Restrepo, un periodista de *La Jornada* –el diario de la campaña gaitanista–, hizo el inventario de los documentos de identidad que Roa Sierra llevaba consigo cuando cometió el crimen. No dejaban dudas sobre su identidad y su condición social, pero no daban pista alguna sobre sus propósitos. Tenía en los bolsillos del pantalón ochenta y dos centavos en monedas revueltas, cuando varias cosas importantes de la vida diaria sólo costaban cinco. En un bolsillo interior del saco llevaba una cartera de cuero negro con un billete de un peso. Llevaba también un certificado que garantizaba su honestidad, otro de la policía según el cual no tenía antecedentes penales, y un tercero con su dirección en un barrio de pobres: calle Octava, número 30-73. De acuerdo con la libreta militar de reservista de segunda clase que llevaba en el mismo bolsillo, era hijo de Rafael Roa y Encarnación Sierra, y había nacido veintiún años antes: el 4 de noviembre de 1921.

Todo parecía en regla, salvo que un hombre de condición tan humilde y sin antecedentes penales llevara consigo tantas pruebas de buen comportamiento. Sin embargo, lo único que me dejó un rastro de dudas que nunca he podido superar fue el hombre elegante y bien vestido que lo había arrojado a las hordas enfurecidas y desapareció para siempre en un automóvil de lujo.

En medio del fragor de la tragedia, mientras embalsamaban el cadáver del apóstol asesinado, los miembros de la dirección liberal se habían reunido en el comedor de la Clínica Central para acordar fórmulas de emergencia. La más urgente fue acudir al Palacio Presidencial sin audiencia previa para discutir con el jefe del Estado una fórmula de emergencia capaz de conjurar el cataclismo que amenazaba al país. Poco antes de las nueve de la noche había amainado la lluvia y los primeros delegados se abrieron paso como mal pudieron a través de las calles en escombros por la revuelta popular y con cadáveres acribillados desde balcones y azoteas por las balas ciegas de los francotiradores.

En la antesala del despacho presidencial encontraron a algunos funcionarios y políticos conservadores, y la esposa del presidente, doña Bertha Hernández de Ospina, muy dueña de sí misma. Llevaba todavía el traje con que había acompañado a su esposo en la exposición de Engativá, y al cinto un revólver de reglamento.

Al final de la tarde el presidente había perdido el contacto con los lugares más críticos y trataba de evaluar a puerta cerrada con militares y ministros el estado de la nación. La visita de los dirigentes liberales lo tomó de sorpresa poco antes de las diez de la noche, y no quería recibirlos al mismo tiempo sino de dos en dos, pero ellos decidieron que en ese caso no entraría ninguno. El presidente cedió, pero los liberales lo asimilaron de todos modos como un motivo de desaliento.

Lo encontraron sentado a la cabecera de una larga mesa de juntas, con un traje intachable y sin el menor signo de ansiedad. Lo único que delataba una cierta tensión era el modo de fumar, continuo y ávido, y a veces apagando un cigarrillo a la mitad para encender otro. Uno de los visitantes me contó años después cuánto lo había impresionado el resplandor de los incendios en la cabeza platinada del presidente impasible. El rescoldo de los escombros bajo el cielo ardiente se divisaba por los grandes vitrales de la oficina presidencial hasta los confines del mundo.

Lo que se sabe de aquella audiencia se lo debemos a lo poco que contaron los mismos protagonistas, a las raras infidencias de algunos y a las muchas fantasías de otros, y a la reconstrucción de aquellos días aciagos armados a pedazos por el poeta e historiador Arturo Alape, que hizo posible en buena parte el sustento de estas memorias.

Los visitantes eran don Luis Cano, director del vespertino liberal *El Espectador*, Plinio Mendoza Neira, que había promovido la reunión, y otros tres de los más activos y jóvenes dirigentes liberales: Carlos Lleras Restrepo, Darío Echandía y Alfonso Araujo. En el curso de la discusión, entraron o salieron otros liberales prominentes.

De acuerdo con las evocaciones lúcidas que le escuché años después a Plinio Mendoza Neira en su impaciente exilio de Caracas, ninguno de ellos llevaba todavía un plan preparado. Él era el único testigo del asesinato de Gaitán, y lo contó paso a paso con sus artes de narrador congénito y periodista crónico. El presidente escuchó con una atención solemne, y al final pidió que los visitantes expresaran sus ideas para una solución justa y patriótica de aquella emergencia colosal.

Mendoza, famoso entre amigos y enemigos por su franqueza sin adornos, contestó que lo más indicado sería que el gobierno delegara el poder en las Fuerzas Armadas, por la confianza que en aquel momento le merecían al pueblo. Había sido ministro de Guerra en el reciente gobierno liberal de Alfonso López Pumarejo, conocía bien a los militares por dentro, y pensaba que sólo ellos podrían retomar los cauces de la normalidad. Pero el presidente no estuvo de acuerdo con el realismo de la fórmula, ni los mismos liberales la respaldaron.

La intervención siguiente fue la de don Luis Cano, bien conocido por el brillo de su prudencia. Abrigaba sentimientos casi paternales por el presidente y se limitó a ofrecerse para cualquier decisión pronta y justa que acordara Ospina con el respaldo de la mayoría. Éste le dio seguridades de encontrar las medidas indispensables para el retorno a la normalidad, pero siempre ceñido a la Constitución. Y señalando por las ventanas el infierno que devoraba la ciudad, les recordó con una ironía mal reprimida que no era el gobierno el que lo había causado.

Tenía fama por su parsimonia y su buena educación, en contraste con los estruendos de Laureano Gómez y la altanería de otros copartidarios suyos, expertos en elecciones compuestas, pero aquella noche histórica demostró que no estaba dispuesto a ser menos recalcitrante que ellos. Así que la discusión se prolongó hasta la medianoche, sin ningún acuerdo, y con interrupciones de doña Bertha de Ospina con noticias más y más pavorosas.

Ya entonces era incalculable el número de muertos en las calles, y de los francotiradores en posiciones inalcanzables y de las muchedumbres enloquecidas por el dolor, la rabia y los alcoholes de grandes marcas saqueados en el comercio de lujo. Pues el centro de la ciudad estaba devastado y todavía en llamas, y diezmadas o incendiadas las tiendas de pontifical, el Palacio de Justicia, la Gobernación, y otros muchos edificios históricos. Era la realidad que iba estrechando sin piedad los caminos de un acuerdo sereno de varios hombres contra uno, en la isla desierta del despacho presidencial.

Darío Echandía, tal vez el de mayor autoridad, fue el menos expresivo. Hizo dos o tres comentarios irónicos sobre el presidente y volvió a refugiarse en sus brumas. Parecía ser el candidato insustituible para reemplazar a Ospina Pérez en la presidencia, pero aquella noche no hizo nada por merecerlo o evitarlo. El presidente, a quien se tenía por un conservador moderado, lo parecía cada vez menos. Era nieto y sobrino de dos presidentes en un siglo, padre de familia, ingeniero en retiro y millonario desde siempre, y varias cosas más que ejercía sin el menor ruido, hasta el punto de que se decía sin fundamento que quien mandaba en realidad, tanto en su casa como en el palacio, era su esposa de armas tomar. Y aun así –remató con un sarcasmo ácido– no tendría ningún inconveniente para aceptar la propuesta, pero se sentía muy cómodo dirigiendo el gobierno desde el sillón donde estaba sentado por la voluntad del pueblo.

Hablaba fortalecido sin duda por una información que les faltaba a los liberales: el conocimiento puntual y completo del orden público en el país. Lo tuvo en todo momento, por las varias veces que había salido del despacho para informarse a fondo. La guarnición de Bogotá no llegaba a mil hombres, y en todos los departamentos había noticias más o menos graves, pero todas bajo el control y con la lealtad de las Fuerzas Armadas. En el vecino departameto de Boyacá, famoso por su liberalismo histórico y su conservatismo ríspido, el gobernador José María Villarreal –godo de tuerca y tornillo– no sólo había reprimido a horas tempranas los disturbios locales, sino que estaba despachando tropas mejor armadas para someter la capital. De modo que lo único que el presidente necesitaba era entretener a los liberales con su parsimonia bien medida de poco hablar y fumar despacio. En ningún momento miró el reloj, pero debió de calcular muy bien la hora en que la ciudad estuviera bien guarnecida con tropas frescas y probadas de sobra en la represión oficial.

Al cabo de un largo intercambio de fórmulas tentativas, Carlos Lleras Restrepo propuso la que había acordado la dirección liberal en la Clínica Central y que se habían reservado como recurso extremo: proponerle al presidente que delegara el poder en Darío Echandía, en aras de la concordia política y la paz social. La fórmula, sin duda, sería acogida sin reservas por Eduardo Santos y Alfonso López Pumarejo, ex presidentes y hombres de mucho crédito político, pero que no estaban aquel día en el país.

Sin embargo, la respuesta del presidente, dicha con la misma parsimonia con que fumaba, no era la que podía esperarse. No desperdició la ocasión para demostrar su talante verdadero, que pocos le conocían hasta entonces. Dijo que para él y su familia lo más cómodo sería retirarse del poder y vivir en el exterior con su fortuna personal y sin preocupaciones políticas, pero le inquietaba lo que podía significar para el país que un presidente elegido saliera huyendo de su investidura. La guerra civil sería inevitable. Y ante una nueva insistencia de Lleras Restrepo sobre su retiro, se permitió recordar su obligación de defender la Constitución y las leyes, que no sólo había contraído con su patria sino también con su conciencia y con Dios. Fue entonces cuando dicen que dijo la frase histórica que al parecer no dijo nunca, pero quedó como suya por siempre jamás: «Para la democracia colombiana vale más un presidente muerto que un presidente fugitivo».

Ninguno de los testigos recordó haberla escuchado de sus labios, ni de nadie. Con el tiempo se la atribuyeron a talentos diversos, e incluso se discutieron sus méritos políticos y su validez histórica, pero nunca su esplendor literario. Fue desde entonces la divisa del gobierno de Ospina Pérez, y uno de los pilares de su gloria. Se ha llegado a decir que fue inventada por diversos periodistas conservadores, y con mayores razones por el muy conocido escritor, político y actual ministro de Minas y Petróleos, Joaquín Estrada Monsalve, que en efecto estuvo en el palacio presidencial pero no dentro de la sala de juntas. De modo que quedó en la historia como dicha por quien debía haberla dicho, en una ciudad arrasada donde empezaban a helarse las cenizas, y en un país que nunca más volvería a ser el mismo.

Al fin y al cabo, el mérito real del presidente no era inventar frases históricas, sino entretener a los liberales con caramelos adormecedores hasta pasada la medianoche, cuando llegaron las tropas de refresco para reprimir la rebelión de la plebe e imponer la paz conservadora. Sólo entonces, a las ocho de la mañana del 10 de abril, despertó a Darío Echandía con una pesadilla de once timbrazos de teléfono y lo nombró ministro de Gobierno para un régimen de consolación bipartidista. Laureano Gómez, disgustado con la solución e inquieto por su seguridad personal, viajó a Nueva York con su familia mientras se daban las condiciones para su anhelo eterno de ser presidente.

Todo sueño de cambio social de fondo por el que había muerto Gaitán se esfumó entre los escombros humeantes de la ciudad. Los muertos en las calles de Bogotá, y por la represión oficial en los años siguientes, debieron ser más de un millón, además de la miseria y el exilio de tantos. Desde mucho antes de que los dirigentes liberales en el alto gobierno empezaran a darse cuenta de que habían asumido el riesgo de pasar a la historia en situación de cómplices.

Entre los muchos testigos históricos de aquel día en Bogotá, había dos que no se conocían entre sí, y que años después serían dos de mis grandes amigos. Uno era

Luis Cardoza y Aragón, un poeta y ensayista político y literario de Guatemala, que asistía a la Conferencia Panamericana como canciller de su país y jefe de su delegación. El otro era Fidel Castro. Ambos, además, fueron acusados en algún momento de estar implicados en los disturbios.

De Cardoza y Aragón se dijo en concreto que había sido uno de los promotores, embozado con su credencial de delegado especial del gobierno progresista de Jacobo Arbenz en Guatemala. Hay que entender que Cardoza y Aragón era delegado de un gobierno histórico y un gran poeta de la lengua que no se habría prestado nunca para una aventura demente. La evocación más dolorida en su hermoso libro de memorias fue la acusación de Enrique Santos Montejo, Calibán, que en su popular columna en *El Tiempo*, «La Danza de las Horas», le atribuyó la misión oficial de asesinar al general George Marshall. Numerosos delegados de la conferencia gestionaron que el periódico rectificara aquella especie delirante, pero no fue posible. *El Siglo*, órgano oficial del conservatismo en el poder, proclamó a los cuatro vientos que Cardoza y Aragón había sido el promotor de la asonada.

Lo conocí muchos años después en la Ciudad de México, con su esposa Lya Kostakowsky, en su casa de Coyoacán, sacralizada por sus recuerdos y embellecida aún más por las obras originales de grandes pintores de su tiempo. Sus amigos concurríamos allí las noches de los domingos en las veladas íntimas de una importancia sin pretensiones. Se consideraba un sobreviviente, primero cuando su automóvil fue ametrallado por los francotiradores apenas unas horas después del crimen. Y días después, ya con la rebelión vencida, cuando un borracho que se le atravesó en la calle le disparó a la cara con un revólver que se encasquilló dos veces. El 9 de abril era un tema recurrente de nuestras conversaciones, en las cuales se confundía la rabia con la nostalgia de los años perdidos.

Fidel Castro, a su vez, fue víctima de toda clase de cargos absurdos, por algunos actos ceñidos a su condición de activista estudiantil. La noche negra, después de un día tremendo entre las turbas desmadradas, terminó en la Quinta División de la Policía Nacional, en busca de un modo de ser útil para ponerle término a la matanza callejera. Hay que conocerlo para imaginarse lo que fue su desesperación en la fortaleza sublevada donde parecía imposible imponer un criterio común.

Se entrevistó con los jefes de la guarnición y otros oficiales sublevados, y trató de convencerlos, sin conseguirlo, de que toda fuerza que se acuartela está perdida. Les propuso que sacaran sus hombres a luchar en las calles por el mantenimiento del orden y un sistema más justo. Los motivó con toda clase de precedentes históricos, pero no fue oído, mientras tropas y tanques oficiales acribillaban la fortaleza. Al fin, decidió correr la suerte de todos.

En la madrugada llegó a la Quinta División Plinio Mendoza Neira con instrucciones de la Dirección Liberal para conseguir la rendición pacífica no sólo de oficiales y agentes alzados, sino de numerosos liberales al garete que esperaban órdenes para actuar. En las muchas horas que duró la negociación de un acuerdo, a Mendoza Neira le quedó fija en la memoria la imagen de aquel estudiante cubano, corpulento y discutidor, que varias veces terció en las controversias entre los dirigentes liberales y los oficiales rebeldes con una lucidez que los rebasó a todos. Sólo años después supo quién era porque lo vio por casualidad en Caracas en una foto de la noche terrible, cuando Fidel Castro estaba ya en la Sierra Maestra.

Lo conocí once años después, cuando acudí como reportero a su entrada triunfal en La Habana, y con el tiempo logramos una amistad personal que ha resistido a través de los años a incontables tropiezos. En mis largas conversaciones con él sobre todo lo divino y lo humano, el 9 de abril ha sido un tema recurrente que Fidel Castro no acabaría de evocar como uno de los dramas decisivos de su formación. Sobre todo la noche en la Quinta División, donde se dio cuenta de que la mayoría de los sublevados que entraban y salían se malbarataban en el saqueo en vez de persistir con sus actos en la urgencia de una solución política.

Mientras aquellos dos amigos eran testigos de los hechos que partieron en dos la historia de Colombia, mi hermano y yo sobrevivíamos en las tinieblas con los refugiados en la casa del tío Juanito. En ningún momento tomé conciencia de que ya era un aprendiz de escritor que algún día iba a tratar de reconstruir de memoria el testimonio de los días atroces que estábamos viviendo. Mi única preocupación entonces era la más terrestre: informar a nuestra familia que estábamos vivos –al menos hasta entonces– y saber al mismo tiempo de nuestros padres y hermanos, y sobre todo de Margot y Aida, las dos mayores, internas en colegios de ciudades distantes.

El refugio del tío Juanito había sido un milagro. Los primeros días fueron difíciles por los tiroteos constantes y sin ninguna noticia confiable. Pero poco a poco fuimos explorando los comercios vecinos y lográbamos comprar cosas de comer. Las calles estaban tomadas por tropas de asalto y con órdenes terminantes de disparar. El incorregible José Palencia se disfrazó de militar para circular sin límites con un sombrero de explorador y unas polainas que encontró en un cajón de la basura, y escapó de milagro a la primera patrulla que lo descubrió.

Las emisoras comerciales, silenciadas antes de la medianoche, quedaron bajo el control del ejército. Los telégrafos y teléfonos primitivos y escasos estaban reservados para el orden público, y no existían otros recursos de comunicación. Las filas para los telegramas eran eternas frente a las oficinas desbordadas, pero las estaciones de radio instauraron un servicio de mensajes al aire para quienes tuvieran la suerte de atraparlos. Esta vía nos pareció la más fácil y confiable, y a ella nos encomendamos sin demasiadas esperanzas.

Mi hermano y yo salimos a la calle después de tres días de encierro. Fue una visión terrorífica. La ciudad estaba en escombros, nublada y turbia por la lluvia constante que había moderado los incendios pero había retrasado la recuperación. Muchas calles estaban cerradas por los nidos de francotiradores en las azoteas del centro, y había que hacer rodeos sin sentido por órdenes de patrullas armadas como para una guerra mundial. El tufo de muerte en la calle era insoportable. Los camiones del ejército no habían alcanzado a recoger los promontorios de cuerpos en las aceras y los soldados tenían que enfrentarse a los grupos desesperados por identificar a los suyos.

En las ruinas de lo que fuera el centro comercial la pestilencia era irrespirable hasta el punto de que muchas familias tenían que renunciar a la búsqueda. En una de las grandes pirámides de cadáveres se destacaba uno descalzo y sin pantalones pero con un sacoleva intachable. Tres días después, todavía las cenizas exhalaban la pestilencia de los cuerpos sin dueño, podridos en los escombros o apilados en los andenes.

Cuando menos lo esperábamos, mi hermano y yo fuimos parados en seco por el chasquido inconfundible del cerrojo de un fusil a nuestras espaldas, y una orden terminante:

—¡Manos arriba!

Las levanté sin pensarlo siquiera, petrificado de terror, hasta que me resucitó la carcajada de nuestro amigo Ángel Casij, que había respondido al llamado de las Fuerzas Armadas como reservista de primera clase. Gracias a él, los refugiados en casa del tío Juanito logramos mandar un mensaje al aire después de un día de espera frente a la Radio Nacional. Mi padre lo escuchó en Sucre entre los incontables que se leyeron de día y de noche durante dos semanas. Mi hermano y yo, víctimas irredimibles de la manía conjetural de la familia, quedamos con el temor de que nuestra madre pudiera interpretar la noticia como una caridad de los amigos mientras la preparaban para lo peor. Nos equivocamos por poco: la madre había soñado desde la primera noche que sus dos hijos mayores nos habíamos ahogado en un mar de sangre durante los disturbios. Debió ser una pesadilla tan convincente que cuando le llegó la verdad por otras vías decidió que ninguno de nosotros volviera nunca más a Bogotá, aunque tuviéramos que quedarnos en casa a morirnos de hambre. La decisión debió ser terminante porque la única orden que nos dieron los padres en su primer telegrama fue que viajáramos a Sucre lo más pronto posible para definir el futuro.

En la tensa espera, varios condiscípulos me habían pintado de oro la posibilidad de seguir los estudios en Cartagena de Indias, pensando que Bogotá se recuperaría de sus escombros, pero que los bogotanos no iban a recuperarse nunca del terror y el horror de la matanza. Cartagena tenía una universidad centenaria con tanto prestigio como sus reliquias históricas, y una facultad de derecho de tamaño humano donde aceptarían como buenas mis malas calificaciones de la Universidad Nacional.

No quise descartar la idea sin antes hervirla a fuego vivo, ni mencionársela a mis padres mientras no la probara en carne propia. Sólo les anuncié que viajaría a Sucre en avión por la vía de Cartagena, pues el río Magdalena con aquella guerra caliente podía ser un rumbo suicida. Luis Enrique, por su parte, les anunció que viajaría a buscar trabajo en Barranquilla tan pronto como arreglara las cuentas con sus patrones de Bogotá.

De todos modos yo sabía que no iba a ser abogado en ninguna parte. Sólo quería ganar un poco más de tiempo para distraer a mis padres, y Cartagena podía ser una buena escala técnica para pensar. Lo que nunca se me hubiera ocurrido es que aquel cálculo razonable iba a conducirme a resolver con el corazón en la mano que era allí donde quería seguir mi vida.

Conseguir por aquellos días cinco lugares en un mismo avión para cualquier lugar de la costa fue una proeza de mi hermano. Después de hacer colas interminables y peligrosas y de correr de un lado a otro un día completo en un aeropuerto de emergencia, encontró los cinco lugares en tres aviones separados, a horas improbables y en medio de tiroteos y explosiones invisibles. A mi hermano y a mí nos confirmaron por fin dos asientos en un mismo avión para Barranquilla, pero a última hora salimos en vuelos distintos. La llovizna y la niebla que persistían en Bogotá desde el viernes anterior tenían un tufo de pólvora y cuerpos podridos. De la casa al aeropuerto fuimos interrogados en dos retenes militares sucesivos, cuyos soldados estaban pasmados de terror. En el segundo retén se echaron a tierra y nos hicieron echar a nosotros por una explosión seguida de un tiroteo de armas pesadas que resultó ser por una fuga de gas industrial. Otros pasajeros lo entendimos cuando un soldado nos dijo que su drama era estar allí desde hacía tres días en guardia sin relevos, pero también sin munición, porque se había agotado en la ciudad. Apenas nos atrevimos a hablar desde que nos detuvieron, y el terror de los soldados acabó de rematarnos. Sin embargo, después de los trámites formales de identificación y propósitos, nos consoló saber que debíamos permanecer allí sin más trámites hasta que nos llevaran a bordo. Lo único que fumé en la espera fueron dos cigarrillos de tres que alguien me había dado por caridad, y reservé uno para el terror del viaje.

Como no había teléfonos, los anuncios de vuelos y otros cambios se conocían en los distintos retenes por medio de ordenanzas militares en motocicletas. A las ocho de la mañana llamaron a un grupo de pasajeros para abordar de inmediato para Barranquilla un avión distinto del mío. Después supe que los otros tres de nuestro grupo se embarcaron con mi hermano en otro retén. La espera solitaria fue una cura de burro para mi miedo congénito a volar, porque a la hora de subir al avión el cielo estaba encapotado y con truenos pedregosos. Además porque la escalera de nuestro avión se la habían llevado para otro y dos soldados tuvieron que ayudarme a abordar con una escalera de albañil. Era el mismo aeropuerto y a la misma hora en que Fidel Castro había abordado otro avión que salió para La Habana cargado de toros de lidia –como él mismo me lo contó años después.

Por buena o mala suerte el mío era un DC-3 oloroso a pintura fresca y a grasas recientes, sin luces individuales ni la ventilación regulada desde la cabina de pasajeros. Estaba acondicionado para transporte de tropa y en vez de asientos separados en filas de tres, como en los vuelos turísticos, había dos bancas longitudinales de tablas ordinarias, bien ancladas en el piso. Todo mi equipaje era una maleta de lienzo con dos o tres mudas de ropa sucia, libros de poesía y recortes de suplementos literarios que mi hermano Luis Enrique logró salvar. Los pasajeros quedamos sentados los unos frente a los otros desde la cabina de mando hasta la cola. En vez de cinturones de seguridad había dos cables de cabuya para amarrar buques, que serían como dos largos cinturones de seguridad colectivos para cada lado. Lo más duro para mí fue que tan pronto como encendí el único cigarrillo reservado para sobrevivir al vuelo, el piloto de overol nos anunció desde la cabina que nos prohibían fumar porque los tanques de gasolina del avión estaban a nuestros pies debajo del piso de tablas. Fueron tres horas de vuelo interminables.

Cuando llegamos a Barranquilla acababa de llover como sólo llueve en abril, con casas desenterradas de raíz y arrastradas por la corriente de las calles, y enfermos solitarios que se ahogaban en sus camas. Tuve que esperar a que acabara de escampar en el aeropuerto desordenado por el diluvio y apenas si logré averiguar que el avión de mi hermano y sus dos acompañantes había llegado a tiempo, pero los tres se apresuraron a abandonar la terminal antes de los primeros truenos de un primer aguacero.

Necesité otras tres horas para llegar a la agencia de viajes y perdí el último autobús que salió para Cartagena con el horario anticipado en previsión de la tormenta. No me preocupé, porque creía que allí se había ido mi hermano, pero me asusté por mí ante la idea de dormir una noche sin plata en Barranquilla. Por fin, gracias a José Palencia, logré un asilo de emergencia en la casa de las bellas hermanas Ilse y Lila Albarracín, y tres días después viajé a Cartagena en el autobús cojitranco de la Agencia Postal. Mi hermano Luis Enrique permanecería a la espera de un empleo en Barranquilla. No me quedaban más de ocho pesos, pero José Palencia me prometió llevarme un poco más en el autobús de la noche. No había un espacio libre, ni aun de pie, pero el conductor aceptó llevar en el techo a tres pasajeros, sentados en sus cargas y equipajes, y por la cuarta parte del precio regular. En situación tan rara, y a pleno sol, creo haber tomado conciencia de que aquel 9 de abril de 1948 había empezado en Colombia el siglo XX.

6

Al final de una jornada de tumbos mortales por una carretera de herradura, el camión de la Agencia Postal exhaló su último aliento donde lo merecía: atascado en un manglar pestilente de pescados podridos a media legua de Cartagena de Indias. «El que viaja en camión no sabe dónde se muere», recordé con la memoria de mi abuelo. Los pasajeros embrutecidos por seis horas de sol desnudo y la peste de la marisma no esperaron a que bajaran la escalera para desembarcar, sino que se apuraron a tirar por la borda los huacales de gallinas, los bultos de plátanos y toda clase de cosas de vender o morir que les habían servido para sentarse en el techo del camión. El conductor saltó del pescante y anunció con un grito mordaz:

—¡La Heroica!

Es el nombre emblemático con que se conoce a Cartagena de Indias por sus glorias del pasado, y allí debía estar. Pero no la veía porque apenas podía respirar dentro del vestido de paño negro que llevaba puesto desde el 9 de abril. Los otros dos de mi ropero habían corrido la misma suerte que la máquina de escribir en el Monte de Piedad, pero la versión honorable para mis padres fue que la máquina y otras cosas de inutilidad personal habían desaparecido junto con la ropa en la pelotera del incendio. El conductor insolente, que durante el viaje se había burlado de mi traza de bandolero, estaba a reventar de gozo cuando seguí dando vueltas alrededor de mí mismo sin encontrar la ciudad.

–¡La tienes en el culo! –me gritó para todos–. Y ten cuidado, que ahí condecoran a los pendejos.

Cartagena de Indias, en efecto, estaba a mis espaldas desde hacía cuatrocientos años, pero no me fue fácil imaginarla a media legua de los manglares, escondida por la muralla legendaria que la mantuvo a salvo de gentiles y piratas en sus años grandes, y había acabado por desaparecer bajo una maraña de ramazones desgreñadas y largas ristras de campánulas amarillas. De modo que me incorporé al tumulto de los pasajeros y arrastré la maleta por un matorral tapizado de cangrejos vivos cuyas cáscaras traqueteaban como petardos bajo las suelas de los zapatos. Fue imposible no acordarme entonces del petate que mis compañeros tiraron al río Magdalena en mi primer viaje, o del baúl funerario que arrastré por medio país llorando de rabia en mis primeros años del liceo y que boté por fin en un precipicio de los Andes en honor de mi grado de bachiller. Siempre me pareció que había algo de un destino ajeno en aquellas sobrecargas inmerecidas y no han bastado mis ya largos años para desmentirlo.

Apenas empezábamos a vislumbrar el perfil de algunas cúpulas de iglesias y conventos en la bruma del atardecer, cuando nos salió al encuentro un ventarrón de murciélagos que volaban a ras de nuestras cabezas y sólo por su sabiduría no nos tumbaban por tierra. Sus alas zumbaban como un tropel de truenos y dejaban a su paso una peste de muerte. Sorprendido por el pánico solté la maleta y me encogí en el suelo con los brazos en la cabeza, hasta que una mujer mayor que caminaba a mi lado me gritó:

–¡Reza *La Magnífica*!

Es decir: la oración secreta para conjurar asaltos del demonio, repudiada por la Iglesia pero consagrada por los grandes ateos cuando ya no les alcanzaban las blasfemias. La mujer se dio cuenta de que yo no sabía rezar, y agarró mi maleta por la otra correa para ayudarme a llevarla.

–Reza conmigo –me dijo–. Pero eso sí: con mucha fe.

Así que me dictó *La Magnífica* verso por verso y los repetí en voz alta con una devoción que nunca volví a sentir. El tropel de murciélagos, aunque hoy me cueste trabajo creerlo, desapareció del cielo antes de que termináramos de rezar. Sólo quedó entonces el inmenso estropicio del mar en los acantilados.

Habíamos llegado a la gran puerta del Reloj. Durante cien años hubo allí un puente levadizo que comunicaba la ciudad antigua con el arrabal de Getsemaní y con las densas barriadas de pobres de los manglares, pero lo alzaban desde las nueve de la noche hasta el amanecer. La población quedaba aislada no sólo del resto del mundo sino también de la historia. Se decía que los colonos españoles habían construido aquel puente por el terror de que la pobrería de los suburbios se les colara a medianoche para degollarlos dormidos. Sin embargo, algo de su gracia divina debía quedarle a la ciudad, porque me bastó con dar un paso dentro de la muralla para verla en toda su grandeza a la luz malva de las seis de la tarde, y no pude reprimir el sentimiento de haber vuelto a nacer.

No era para menos. A principios de la semana había dejado a Bogotá chapaleando en un pantano de sangre y lodo, todavía con promontorios de cadáveres sin dueño abandonados entre escombros humeantes. De pronto, el mundo se había vuelto otro en Cartagena. No había rastros de la guerra que asolaba el país y me costaba trabajo creer que aquella soledad sin dolor, aquel mar incesante, aquella inmensa sensación de haber llegado me estaban sucediendo apenas una semana después en una misma vida.

De tanto oír hablar de ella desde que nací, identifiqué al instante la plazoleta donde se estacionaban los coches de caballos y las carretas de carga tiradas por burros, y al fondo la galería de arcadas donde el comercio popular se volvía más denso y bullicioso. Aunque no estaba reconocido así en la conciencia oficial, aquél era el último corazón activo de la ciudad desde sus orígenes. Durante la Colonia se llamó portal de los Mercaderes. Desde allí se manejaban los hilos invisibles del comercio de esclavos y se cocinaban los ánimos contra el dominio español. Más tarde se llamó portal de los Escribanos, por los calígrafos taciturnos de chalecos de paño y medias mangas postizas que escribían cartas de amor y toda clase de documentos para iletrados pobres. Muchos fueron libreros de lance por debajo de la mesa, en especial de obras condenadas por el Santo Oficio, y se cree que eran oráculos de la conspiración criolla contra los españoles. A principios del siglo XX mi padre solía aliviar sus ímpetus de poeta con el arte de escribir cartas de amor en el portal. Por cierto que no prosperó como lo uno ni como lo otro porque algunos clientes avispados –o de verdad desvalidos– no sólo le pedían por caridad que les escribiera la carta, sino además los cinco reales para el correo.

Hacía varios años que se llamaba portal de los Dulces, con las lonas podridas y los mendigos que venían a comer las sobras del mercado, y los gritos agoreros de los indios que cobraban caro para no cantarle al cliente el día y la hora en que iba a morir. Las goletas del Caribe se demoraban en el puerto para comprar los dulces de nombres inventados por las mismas comadres que los hacían y versificados por los pregones: «Los piononos para los monos, los diabolines para los mamines, las de coco para los locos, las de panela para Manuela». Pues en las buenas y en las malas el portal seguía siendo un centro vital de la ciudad donde se ventilaban asuntos de Estado a espaldas del gobierno y el único lugar del mundo donde las vendedoras de fritangas sabían quién sería el próximo gobernador antes de que se le ocurriera en Bogotá al presidente de la República.

Fascinado al instante con la algarabía, me abrí paso a tropezones con mi maleta a rastras por entre el gentío de las seis de la tarde. Un anciano andrajoso y en los puros huesos me miraba sin parpadear desde la plataforma de los limpiabotas con unos ojos helados de gavilán. Me frenó en seco. Tan pronto como vio que lo había visto se ofreció para llevarme la maleta. Se lo agradecí, hasta que precisó en su lengua materna:

–Son treinta chivos.

Imposible. Treinta centavos por llevar una maleta era un mordisco para los únicos cuatro pesos que me quedaban mientras recibía los refuerzos de mis padres la semana siguiente.

–Eso vale la maleta con todo lo que tiene dentro –le dije.

Además, la pensión donde debía estar ya la pandilla de Bogotá no quedaba muy lejos. El anciano se resignó con tres chivos, se colgó al cuello las abarcas que llevaba puestas y cargó la maleta en el hombro con una fuerza inverosímil para sus huesos, y corrió como un atleta a pie descalzo por un vericueto de casas coloniales descascaradas por siglos de abandono. El corazón se me salía por la boca a mis veintiún años tratando de no perder de vista al vejestorio olímpico al que no podían quedarle muchas horas de vida. Al cabo de cinco cuadras entró por el portón grande del hotel y trepó de dos en dos los peldaños de las escaleras. Con su aliento intacto puso la maleta en el suelo y me tendió la palma de la mano:

–Treinta chivos.

Le recordé que ya le había pagado, pero él se empeñó en que los tres centavos del portal no incluían la escalera. La dueña del hotel, que salió a recibirnos, le dio la razón: la escalera se pagaba aparte. Y me hizo un pronóstico válido para toda mi vida:

–Ya verás que en Cartagena todo es distinto.

Tuve que enfrentarme además a la mala noticia de que aún no había llegado ninguno de mis compañeros de la pensión de Bogotá, si bien tenían reservaciones confirmadas para cuatro, yo incluido. El programa acordado con ellos era encontrarnos en el hotel antes de las seis de la tarde de aquel día. El cambio del autobús regular por el azaroso de la Agencia Postal me retrasó tres horas, pero allí estaba más puntual que todos sin poder hacer nada con cuatro pesos menos treinta y tres centavos. Pues la dueña del hotel era una madre encantadora pero esclava de sus propias normas, como habría de confirmarlo en los dos meses largos que viví en su hotel. Así que no aceptó registrarme si no pagaba el primer mes por adelantado: dieciocho pesos por las tres comidas en un cuarto para seis.

No esperaba el auxilio de mis padres antes de una semana, de modo que mi maleta no pasaría del rellano mientras no llegaran los amigos que podían ayudarme. Me senté a esperar en una poltrona de arzobispo con grandes flores pintadas que me cayó como del cielo después del día entero a sol abierto en el camión de mi desgracia. La verdad era que nadie estaba seguro de nada por aquellos días. Ponernos de acuerdo para encontrarnos allí en una fecha y a una hora exactas carecía de sentido de la realidad, porque no nos atrevíamos a decirnos ni a nosotros mismos que medio país estaba en una guerra sangrienta, solapada en las provincias desde hacía varios años, y abierta y mortal en las ciudades desde hacía una semana.

Ocho horas después, encallado en el hotel de Cartagena, no entendía qué había podido suceder con José Palencia y sus amigos. Al cabo de otra hora más de espera sin noticias, me eché a vagar por las calles desiertas. En abril oscurece temprano. Las luces públicas estaban ya encendidas y eran tan pobres que podían confundirse con estrellas entre los árboles. Me bastó una primera vuelta de quince minutos al azar por los recovecos empedrados del sector colonial para descubrir con gran alivio del pecho que aquella rara ciudad no tenía nada que ver con el fósil enlatado que nos describían en la escuela.

No había un alma en las calles. Las muchedumbres que llegaban de los suburbios al amanecer para trabajar o vender, volvían en tropel a sus barriadas a las cinco de la tarde, y los habitantes del recinto amurallado se encerraban en sus casas para cenar y jugar al dominó hasta la medianoche. El hábito de los automóviles personales no estaba todavía establecido, y los pocos en servicio se quedaban fuera de la muralla. Aun los funcionarios más encopetados seguían llegando hasta la plaza de los Coches en los autobuses de artesanía local, y desde allí se abrían paso hasta sus oficinas o saltando por encima de las tiendas de baratijas expuestas en los andenes públicos. Un gobernador de los más remilgados de aquellos años trágicos se preciaba de seguir viajando desde su barrio de elegidos hasta la plaza de los Coches en los mismos autobuses en que había ido a la escuela.

El alivio de los automóviles había sido forzoso porque iban en sentido contrario de la realidad histórica: no cabían en las calles estrechas y torcidas de la ciudad donde resonaban en la noche los cascos sin herrar de los caballos raquíticos. En tiempos de grandes calores, cuando se abrían los balcones para que entrara el fresco de los parques, se oían las ráfagas de las conversaciones más íntimas con una resonancia fantasmal. Los abuelos adormitados oían pasos furtivos en las calles de piedra, les ponían atención sin abrir los ojos hasta reconocerlos, y decían desencantados: «Ahí va José Antonio para donde Chabela». Lo único que en realidad sacaba de quicio a los desvelados eran los golpes secos de las fichas en la mesa de dominó, que resonaban en todo el ámbito amurallado.

Fue una noche histórica para mí. Apenas si alcanzaba a reconocer en la realidad las ficciones escolásticas de los libros, ya derrotadas por la vida. Me emocionó hasta las lágrimas que los viejos palacios de los marqueses fueran los mismos que tenía ante mis ojos, desportillados, con los mendigos durmiendo en los zaguanes. Vi la catedral sin las campanas que se llevó el pirata Francis Drake para fabricar cañones. Las pocas que se salvaron del asalto fueron exorcizadas después de que los brujos del obispo las sentenciaran a la hoguera por sus resonancias malignas para convocar al diablo. Vi los árboles marchitos y las estatuas de próceres que no parecían esculpidos en mármoles perecederos sino muertos en carne viva. Pues en Cartagena no estaban preservadas contra el óxido del tiempo sino todo lo contrario: se preservaba el tiempo para las cosas que seguían teniendo la edad original mientras los siglos envejecían. Fue así como la noche misma de mi llegada la ciudad se me reveló a cada paso con su vida propia, no como el fósil de cartón piedra de los historiadores, sino como una ciudad de carne y hueso que ya no estaba sustentada por sus glorias marciales sino por la dignidad de sus escombros.

Con ese aliento nuevo volví a la pensión cuando dieron las diez en la torre del Reloj. El guardián medio dormido me informó que ninguno de mis amigos había llegado, pero que mi maleta estaba a buen recaudo en el depósito del hotel. Sólo entonces fui consciente de no haber comido ni bebido desde el mal desayuno de Barranquilla. Las piernas me fallaban por hambre, pero me habría conformado con que la dueña me aceptara la maleta y me dejara dormir en el hotel esa única noche, aunque fuera en la poltrona de la sala. El guardián se rió de mi inocencia.

–¡No seas marica! –me dijo en caribe crudo–. Con los montones de plata que tiene esa madama, se duerme a las siete y se levanta el día siguiente a las once.

Me pareció un argumento tan legítimo que me senté en una banca del parque de Bolívar, al otro lado de la calle, a esperar que llegaran mis amigos, sin molestar a nadie. Los árboles marchitos apenas si eran visibles en la luz de la calle, pues los faroles del parque sólo se encendían los domingos y fiestas de guardar. Las bancas de mármol tenían huellas de letreros muchas veces borrados y vueltos a escribir por poetas procaces. En el Palacio de la Inquisición, detrás de su fachada virreinal esculpida en piedra virgen y su portón de basílica primada, se oía el quejido inconsolable de algún pájaro enfermo que no podía ser de este mundo. La ansiedad de fumar me asaltó entonces al mismo tiempo que la de leer, dos vicios que se me confundieron en mi juventud por su impertinencia y su tenacidad. *Contrapunto*, la novela de Aldous Huxley, que el miedo físico no me había permitido seguir leyendo en el avión, dormía con llave en mi maleta. De modo que encendí el último cigarrillo con una rara sensación de alivio y terror, y lo apagué a la mitad como reserva para una noche sin mañana.

Ya con el ánimo dispuesto para dormir en la banca donde estaba sentado, me pareció de pronto que había algo oculto entre las sombras más espesas de los árboles. Era la estatua ecuestre de Simón Bolívar. Nadie menos:

el general Simón José Antonio de la Santísima Trinidad Bolívar y Palacios, mi héroe desde que me lo ordenó mi abuelo, con su radiante uniforme de gala y su cabeza de emperador romano, cagado por las golondrinas.

Seguía siendo mi personaje inolvidable, a pesar de sus inconsecuencias irredimibles o quizás por ellas mismas. A fin de cuentas eran apenas comparables a aquellas con las que mi abuelo conquistó su grado de coronel y se jugó la vida tantas veces en la guerra que sostuvieron los liberales contra el mismo Partido Conservador que fundó y sustentó Bolívar. En esas nebulosas andaba cuando me puso en tierra firme una voz perentoria a mis espaldas:

—¡Manos arriba!

Las levanté aliviado, seguro de que eran por fin mis amigos, y me encontré con dos agentes de la policía, montunos y más bien andrajosos, que me apuntaban con sus fusiles nuevos. Querían saber por qué había violado el toque de queda que regía desde dos horas antes. No sabía siquiera que lo hubieran impuesto el domingo anterior, como me informaron ellos, ni había oído toques de cornetas o campanas, ni ningún otro indicio que me hubiera permitido entender por qué no había nadie en las calles. Los agentes fueron más perezosos que comprensivos cuando vieron mis papeles de identidad mientras les explicaba por qué estaba allí. Me los devolvieron sin mirarlos. Me preguntaron cuánta plata tenía y les dije que no llegaba a cuatro pesos. Entonces el más resuelto de los dos me pidió un cigarrillo y les mostré la colilla apagada que pensaba fumarme antes de dormir. Me la quitó y se la fumó hasta las uñas. Al cabo de un rato me llevaron del brazo a lo largo de la calle, más por las ansias de fumar que por disposición de la ley, en busca de un lugar abierto para comprar cigarrillos sueltos de a un centavo. La noche se había vuelto diáfana y fresca bajo la luna llena, y el silencio parecía una sustancia invisible que podía respirarse como el aire. Entonces comprendí lo que tanto nos contaba papá sin que se lo creyéramos, que ensayaba el violín de madrugada en el silencio del cementerio para sentir que sus valses de amor podían oírse en todo el ámbito del Caribe.

Cansados de la búsqueda inútil de cigarrillos sueltos, salimos de la muralla hasta un muelle de cabotaje con vida propia detrás del mercado público, donde atracaban las goletas de Curazao y Aruba y otras Antillas menores. Era el trasnochadero de la gente más divertida y útil de la ciudad, que tenía derecho a salvoconductos para el toque de queda por la índole de sus oficios. Comían hasta la madrugada en una fonda a cielo abierto con buen precio y mejor compañía, pues allí iban a parar no sólo los empleados nocturnos, sino todo el que quisiera comer cuando ya no había dónde. El lugar no tenía nombre oficial y se conocía con el que menos le sentaba: La Cueva.

Los agentes llegaron como a su casa. Era evidente que los clientes ya sentados a la mesa se conocían de siempre y se sentían contentos de estar juntos. Era imposible detectar apellidos porque todos se trataban con sus apodos de la escuela y hablaban a gritos al mismo tiempo sin entenderse ni mirar a quién. Estaban en ropas de trabajo, salvo un sesentón adónico de cabeza nevada en esmoquin de otros tiempos, junto a una mujer madura y todavía muy bella con un traje de lentejuelas gastado por el uso y demasiadas joyas legítimas. Su presencia podía ser un dato vivo de su condición, porque eran muy escasas las mujeres cuyos maridos les permitieran aparecer por aquellos sitios de mala fama. Hubiera pensado que eran turistas de no haber sido por el desenfado y el acento criollo, y su familiaridad con todos. Más tarde supe que no eran nada de lo que parecían, sino un viejo matrimonio de cartageneros despistados que se vestían de gala con cualquier pretexto para cenar fuera de casa y aquella noche encontraron dormidos a los anfitriones y los restaurantes cerrados por el toque de queda.

Fueron ellos quienes nos invitaron a cenar. Los otros abrieron sitios en el mesón, y los tres nos sentamos un poco oprimidos e intimidados. También trataban a los agentes con familiaridad de criados. Uno era serio y suelto, y tenía reflejos de niño bien en la mesa. El otro parecía despalomado, salvo en el comer y el fumar. Yo, más por tímido que por comedido, ordené menos platos que ellos y cuando me di cuenta de que iba a quedar con más de la mitad de mi hambre ya los otros habían terminado.

El propietario y servidor único de La Cueva se llamaba José Dolores, un negro casi adolescente, de una belleza incómoda, envuelto en sábanas inmaculadas de musulmán, y siempre con un clavel vivo en la oreja. Pero lo que más se le notaba era la inteligencia excesiva, que sabía usar sin reservas para ser feliz y hacer felices a los demás. Era evidente que le faltaba muy poco para ser mujer y tenía una fama bien fundada de que sólo se acostaba con su marido. Nadie le hizo nunca una broma por su condición, porque tenía una gracia y una rapidez de réplica que no dejaba favor sin agradecer ni agravio sin cobrar. Él solo lo hacía todo, desde cocinar con certeza lo que sabía que a cada cliente le gustaba, hasta freír las tajadas de plátano verde con una mano y arreglar las cuentas con la otra, sin más ayuda que la muy escasa de un niño de unos seis años que lo llamaba mamá. Cuando nos despedimos me sentía conmovido por el hallazgo, pero no me habría imaginado que aquel lugar de trasnochados díscolos iba a ser uno de los inolvidables de mi vida.

Después de la comida acompañé a los agentes para que completaran sus rondas atrasadas. La luna era un plato de oro en el cielo. La brisa empezaba a levantarse y arrastraba desde muy lejos retazos de músicas y gritos remotos de parranda grande. Pero los agentes sabían que en los barrios de pobres nadie se iba a la cama por el toque de queda sino que armaban bailes de cuota en casas distintas cada noche, sin salir a la calle hasta el amanecer.

Cuando dieron las dos tocamos en mi hotel sin ninguna duda de que los amigos habían llegado, pero esta vez el guardián nos mandó al carajo sin complacencias por despertarlo para nada. Los agentes cayeron entonces en la cuenta de que yo no tenía dónde dormir y resolvieron llevarme a su cuartel. Me pareció una burla tan atrevida que perdí el buen humor y les solté una impertinencia. Uno de ellos, sorprendido de mi reacción pueril, me puso en orden con el cañón del fusil en el estómago.

–Deja de ser pendejo –me dijo muerto de risa–. Acuérdate que todavía estás preso por violar el toque de queda.

Así dormí –en un calabozo para seis y sobre una estera fermentada de sudor ajeno– mi primera noche feliz de Cartagena.

Llegar al alma de la ciudad fue mucho más fácil que sobrevivir al primer día. Antes de dos semanas había resuelto las relaciones con mis padres, que aprobaron sin reservas mi decisión de vivir en una ciudad sin guerra. La dueña del hotel, arrepentida de haberme condenado a una noche de cárcel, me acomodó con veinte estudiantes más en un galpón recién construido en la azotea de su hermosa casa colonial. No tuve motivos de queja, pues era una copia caribe del dormitorio del Liceo Nacional, y costaba menos que la pensión de Bogotá con todo incluido.

El ingreso a la facultad de derecho se resolvió en una hora con el examen de admisión ante el secretario, Ignacio Vélez Martínez, y un maestro de economía política, cuyo nombre no he logrado encontrar en mis recuerdos. Como era de uso, el acto fue en presencia del segundo año en pleno. Desde el preámbulo me llamó la atención la claridad de juicio y la precisión del lenguaje de los dos maestros, en una región famosa en el interior del país por su desparpajo verbal. El primer tema, por sorteo, fue la guerra de Secesión de los Estados Unidos, de la cual yo sabía un poco menos que nada. Fue una lástima no haber leído todavía a los nuevos novelistas norteamericanos, que apenas empezaban a llegarnos, pero tuve la suerte de que el doctor Vélez Martínez empezara con una referencia casual a *La cabaña del tío Tom*, que yo conocía bien desde el bachillerato. La atrapé al vuelo. Los dos maestros debieron sufrir un golpe de nostalgia, pues los sesenta minutos que habíamos reservado para el examen se nos fueron íntegros en un análisis emocional sobre la ignominia del régimen esclavista en el sur de los Estados Unidos. Y allí nos quedamos. De modo que lo previsto por mí como una ruleta rusa fue una conversación entretenida que mereció una buena calificación y algunos aplausos cordiales.

Así ingresé a la universidad para terminar el segundo año de derecho, con la condición nunca cumplida de que presentara exámenes de rehabilitación en una o dos materias que todavía estaba debiendo del primer año en Bogotá. Algunos condiscípulos se entusiasmaron con mi modo de domesticar los temas, porque había entre ellos una cierta militancia en favor de la libertad creativa en una universidad varada en el rigor académico. Era mi sueño solitario desde el liceo, no por un inconformismo gratuito sino como mi única esperanza de aprobar los exámenes sin estudiar. Sin embargo, los mismos que proclamaban la independencia de criterio en las aulas no podían más que rendirse a la fatalidad y subían al patíbulo de los exámenes con los mamotretos atávicos de los textos coloniales aprendidos de memoria. Por fortuna, en la vida real eran maestros curtidos en el arte de mantener vivos los bailes de cuota de los viernes, a pesar de los riesgos de la represión cada día más descarada a la sombra del estado de sitio. Los bailes siguieron haciéndose por acuerdos de mano izquierda con las autoridades de orden público mientras se mantuvo el toque de queda, y cuando fue eliminado renacieron de sus agonías con más ánimos que antes. Sobre todo en Torices, Getsemaní o el pie de la Popa, los barrios más parranderos de aquellos años sombríos. Bastaba con asomarse por las ventanas para escoger la fiesta que nos gustara más, y por cincuenta centavos se bailaba hasta el amanecer con la música más caliente del Caribe aumentada por el estruendo de los altavoces. Las parejas invitadas de cortesía eran las mismas estudiantes que veíamos en la semana a la salida de las escuelas, sólo que llevaban los uniformes de la misa dominical y bailaban como cándidas mujeres de la vida bajo el ojo avizor de tías chaperonas o madres liberadas. Una de esas noches de caza mayor andaba por Getsemaní, que fue durante la Colonia el arrabal de los esclavos, cuando reconocí como un santo y seña una fuerte palmada en la espalda y el estampido de una voz:

—¡Bandido!

Era Manuel Zapata Olivella, habitante empedernido de la calle de la Mala Crianza, donde viviera la familia de los abuelos de sus tatarabuelos africanos. Nos habíamos visto en Bogotá, en medio del fragor del 9 de abril, y nuestro primer asombro en Cartagena fue reencontrarnos vivos. Manuel, además de médico de caridad era novelista, activista político y promotor de la música caribe, pero su vocación más dominante era tratar de resolverle los problemas a todo el mundo. No bien habíamos intercambiado nuestras experiencias del viernes aciago y nuestros planes para el porvenir, cuando me propuso que probara suerte en el periodismo. Un mes antes el dirigente liberal Domingo López Escauriaza había fundado el diario *El Universal*, cuyo jefe de redacción era Clemente Manuel Zabala. Había oído hablar de éste no como periodista sino como erudito de todas las músicas y comunista en reposo. Zapata Olivella se empeñó en que fuéramos a verlo, pues sabía que buscaba gente nueva para provocar con el ejemplo un periodismo creador contra el rutinario y sumiso que reinaba en el país, sobre todo en Cartagena, que era entonces una de las ciudades más retardatarias.

Tenía muy claro que el periodismo no era mi oficio. Quería ser un escritor distinto, pero trataba de serlo por imitación de otros autores que no tenían nada que ver conmigo. De modo que en aquellos días estaba en una pausa de reflexión, porque después de mis primeros tres cuentos publicados en Bogotá, y tan elogiados por Eduardo Zalamea y otros críticos y amigos buenos y malos, me sentía en un callejón sin salida. Zapata Olivella insistió contra mis razones en que periodismo y literatura terminaban a la corta por ser lo mismo, y un vínculo con *El Universal* podría asegurarme tres destinos al mismo tiempo: resolverme la vida de una manera digna y útil, colocarme en un medio profesional que era por sí solo un oficio importante y trabajar con Clemente Manuel Zabala, el mejor maestro de periodismo que podía imaginarse. El freno de timidez que me produjo aquel razonamiento tan sencillo pudo ponerme a salvo de una desgracia. Pero Zapata Olivella no sabía sobrevivir a sus fracasos y me emplazó para el día siguiente a las cinco de la tarde en el número 381 de la calle de San Juan de Dios, donde estaba el periódico.

Dormí a saltos esa noche. El día siguiente, al desayuno, le pregunté a la dueña del hotel dónde estaba la calle de San Juan de Dios, y ella me la señaló con el dedo desde la ventana.

–Es ahí mismo –me dijo–, dos cuadras más allá.

Allí estaba la oficina de *El Universal*, frente a la inmensa pared de piedra dorada de la iglesia de San Pedro Claver, el primer santo de las Américas, cuyo cuerpo incorrupto está expuesto desde hace más de cien años bajo el altar mayor. Es un viejo edificio colonial bordado de remiendos republicanos y dos puertas grandes y unas ventanas por las cuales se veía todo lo que era el periódico. Pero mi verdadero terror estaba detrás de una baranda de madera sin cepillar a unos tres metros de la ventana: un hombre maduro y solitario, vestido de dril blanco con saco y corbata, de piel prieta y cabellos duros y negros de indio, que escribía a lápiz en un viejo escritorio con rimeros de papeles atrasados. Volví a pasar en sentido contrario con una fascinación apremiante, y dos veces más, y en la cuarta vez como en la primera no tuve ni la mínima duda de que aquel hombre era Clemente Manuel Zabala, idéntico a como lo había supuesto, pero más temible. Aterrado, tomé la decisión simple de no concurrir a la cita de aquella tarde con un hombre a quien bastaba verlo por una ventana para descubrir que sabía demasiado sobre la vida y sus oficios. Regresé al hotel y me regalé otro de mis días típicos sin remordimientos tirado bocarriba en la cama con *Los monederos falsos* de André Gide, y fumando sin pausas. A las cinco de la tarde, el portón del dormitorio se estremeció con una palmada seca como un tiro de rifle.

–¡Vamos, carajo! –me gritó desde la entrada Zapata Olivella–. Zabala te está esperando, y nadie en este país puede darse el lujo de dejarlo colgado.

El principio fue más difícil de lo que hubiera imaginado en una pesadilla. Zabala me recibió sin saber qué hacer, fumando sin pausas con un desasosiego agravado por el calor. Nos mostró todo. De un lado, la dirección y la gerencia. Del otro, la sala de redacción y el taller con tres escritorios desocupados a esas horas tempranas, y al fondo una rotativa sobreviviente de una asonada y los dos únicos linotipos.

Mi sorpresa grande fue que Zabala había leído mis tres cuentos y la nota de Zalamea le había parecido justa.

–A mí no –le dije–. Los cuentos no me gustan. Los escribí por impulsos un poco inconscientes y después de leerlos impresos no supe por dónde seguir.

Zabala aspiró a fondo el humo y le dijo a Zapata Olivella:

–Es un buen síntoma.

Manuel atrapó la ocasión al vuelo y le dijo que yo podría serle útil en el periódico con el tiempo libre de la universidad. Zabala dijo que él había pensado lo mismo cuando Manuel le pidió la cita para mí. Al doctor López Escauriaza, el director, me presentó como el colaborador posible del que le había hablado la noche anterior.

–Sería estupendo –dijo el director con su eterna sonrisa de caballero a la antigua.

No quedamos en nada pero el maestro Zabala me pidió que volviera al día siguiente para presentarme a Héctor Rojas Herazo, poeta y pintor de los buenos y su columnista estelar. No le dije que había sido mi maestro de dibujo en el colegio San José por una timidez que hoy me parece inexplicable. Al salir de allí, Manuel dio un salto de júbilo en la plaza de la Aduana, frente a la fachada imponente de San Pedro Claver, y exclamó con un júbilo prematuro:

–¡Ya viste, tigre, la vaina está hecha!

Le correspondí con un abrazo cordial para no desilusionarlo, pero me iba con serias dudas sobre mi porvenir. Manuel me preguntó entonces cómo me había parecido Zabala, y le contesté la verdad. Me pareció un pescador de almas. Ése era tal vez un motivo determinante de los grupos juveniles que se nutrían de su razón y su cautela. Concluí, sin duda con una falsa apreciación de viejo prematuro, que tal vez era ese modo de ser lo que le había impedido tener un papel decisivo en la vida pública del país.

Manuel me llamó en la noche muerto de risa por una conversación que había tenido con Zabala. Éste le había hablado de mí con un gran entusiasmo, reiteró su seguridad de que sería una adquisición importante para la página editorial, y el director pensaba igual. Pero la razón verdadera de su llamada era contarme que lo único que inquietaba al maestro Zabala era que mi timidez enfermiza podía ser un obstáculo grande en mi vida.

Si a última hora decidí volver al periódico fue porque la mañana siguiente me abrió la puerta de la ducha un compañero de cuarto y me puso ante los ojos la página editorial de *El Universal*. Había una nota terrorífica sobre mi llegada a la ciudad, que me comprometía como escritor antes de serlo y como periodista inminente a menos de veinticuatro horas de haber visto por dentro un periódico por primera vez. A Manuel, que me llamó al instante por teléfono para felicitarme, le reproché sin disimular la rabia de que hubiera escrito algo tan irresponsable sin antes hablarlo conmigo. Sin embargo, algo cambió en mí, y tal vez para siempre, cuando supe que la nota la había escrito el maestro Zabala de su puño y letra. Así que me amarré los pantalones y volví a la redacción para darle las gracias. Apenas si me hizo caso. Me presentó a Héctor Rojas Herazo, con pantalones de caqui y camisa de flores amazónicas, y palabras enormes disparadas con una voz de trueno, que no se rendía en la conversación hasta atrapar su presa.

Él, por supuesto, no me reconoció como uno más de sus alumnos en el colegio San José de Barranquilla.

El maestro Zabala –como lo llamaban todos– nos puso en su órbita con recuerdos de dos o tres amigos comunes, y de otros que yo debía conocer. Luego nos dejó solos y volvió a la guerra encarnizada de su lápiz al rojo vivo contra sus papeles urgentes, como si nunca hubiera tenido nada que ver con nosotros. Héctor siguió hablándome en el rumor de llovizna menuda de los linotipos como si tampoco él hubiera tenido algo que ver con Zabala. Era un conversador infinito, de una inteligencia verbal deslumbrante, un aventurero de la imaginación que inventaba realidades inverosímiles que él mismo terminaba por creer. Conversamos durante horas de otros amigos vivos y muertos, de libros que nunca debieron ser escritos, de mujeres que nos olvidaron y no podíamos olvidar, de las playas idílicas del paraíso caribe de Tolú –donde él nació– y de los brujos infalibles y las desgracias bíblicas de Aracataca. De todo lo habido y lo debido, sin beber nada, sin respirar apenas y fumando hasta por los codos por miedo de que la vida no nos alcanzara para todo lo que todavía nos faltaba por conversar.

A las diez de la noche, cuando cerró el periódico, el maestro Zabala se puso la chaqueta, se amarró la corbata, y con un paso de ballet al que ya le quedaba poco de juvenil, nos invitó a comer. En La Cueva, como era previsible, donde los esperaba la sorpresa de que José Dolores y varios de sus comensales tardíos me reconocieran como cliente viejo. La sorpresa aumentó cuando pasó uno de los agentes de mi primera visita que me soltó una broma equívoca sobre mi mala noche en el cuartel y me decomisó un paquete de cigarrillos apenas empezado. Héctor, a su turno, promovió con José Dolores un torneo de doble sentido que reventó de risa a los comensales ante el silencio complacido del maestro Zabala. Yo me atreví a introducir alguna réplica sin gracia que me sirvió al menos para ser reconocido como uno de los pocos clientes que José Dolores distinguía para servirles de fiado hasta cuatro veces en un mes.

Después de la comida, Héctor y yo continuamos la conversación de la tarde en el paseo de los Mártires, frente a la bahía apestada por los desperdicios republicanos del mercado público. Era una noche espléndida en el centro del mundo, y las primeras goletas de Curazao zarpaban a hurtadillas. Héctor me dio esa madrugada las primeras luces sobre la historia subterránea de Cartagena, tapada con paños de lágrimas, que quizás se parecía más a la verdad que la ficción complaciente de los académicos. Me ilustró sobre la vida de los diez mártires cuyos bustos de mármol estaban a ambos lados del camellón en memoria de su heroísmo. La versión popular –que parecía suya– era que cuando los colocaron en sus sitios originales, los escultores no habían tallado los nombres y las fechas en los bustos sino en los pedestales. De modo que cuando los desmontaron para despercudirlos con motivo de su centenario, no supieron a cuáles correspondían los nombres ni las fechas, y tuvieron que reponerlos de cualquier modo en los pedestales porque nadie sabía quién era quién. El cuento circulaba como un chiste desde hacía muchos años, pero yo pensé, por el contrario, que había sido un acto de justicia histórica el haber consagrado a los próceres sin nombre no tanto por sus vidas vividas como por su destino común.

Aquellas noches desveladas se repitieron casi a diario en mis años de Cartagena, pero desde las dos o tres primeras me di cuenta de que Héctor tenía el poder de la seducción inmediata, con un sentido tan complejo de la amistad que sólo quienes lo quisiéramos mucho podíamos entender sin reservas. Pues era un tierno de solemnidad, capaz al mismo tiempo de cóleras estrepitosas, y a veces catastróficas, que luego se celebraba a sí mismo como una gracia del Niño Dios. Uno entendía entonces cómo era, y por qué el maestro Zabala hacía todo lo posible porque lo quisiéramos tanto como él. La primera noche, como tantas otras, nos quedamos hasta el amanecer en el paseo de los Mártires, protegidos del toque de queda por nuestra condición de periodistas. Héctor tenía la voz y la memoria intactas cuando vio el resplandor del nuevo día en el horizonte del mar, y dijo:

–Ojalá que esta noche termine como *Casablanca.*

No dijo más, pero su voz me devolvió con todo su esplendor la imagen de Humphrey Bogart y Claude Rains caminando hombro con hombro entre las brumas del amanecer hacia el resplandor radiante en el horizonte, y la frase ya legendaria del trágico final feliz: «Éste es el principio de una gran amistad».

Tres horas después me despertó por teléfono el maestro Zabala con una frase menos feliz:

–¿Cómo va esa obra maestra?

Necesité unos minutos para entender que se refería a mi colaboración para el periódico del día siguiente. No recuerdo que hubiéramos cerrado ningún trato, ni haber dicho que no ni que sí cuando me pidió escribir mi primera colaboración, pero aquella mañana me sentía capaz de cualquier cosa después de la olimpiada verbal de la noche anterior. Zabala debió entenderlo así, pues ya tenía señalados algunos temas del día y yo le propuse otro que me pareció más actual: el toque de queda.

No me dio ninguna orientación. Mi propósito era contar mi aventura de la primera noche en Cartagena y así lo hice, de mi puño y letra, porque no supe entenderme con las máquinas prehistóricas de la redacción. Fue un parto de casi cuatro horas que el maestro revisó delante de mí sin un gesto que permitiera descubrir su pensamiento, hasta que encontró la forma menos amarga de decírmelo:

–No está mal, pero es imposible publicarlo.

No me sorprendió. Al contrario, lo tenía previsto y por unos minutos me alivió de la carga ingrata de ser periodista. Pero sus razones reales, que yo ignoraba, eran terminantes: desde el 9 de abril había en cada diario del país un censor del gobierno que se instalaba en un escritorio de la redacción como en casa propia desde las seis de la tarde, con voluntad y mando para no autorizar ni una letra que pudiera rozar el orden público.

Los motivos de Zabala pesaban sobre mí mucho más que los del gobierno porque yo no había escrito un comentario de prensa sino el recuento subjetivo de un episodio privado sin ninguna pretensión de periodismo editorial. Además, no había tratado el toque de queda como un instrumento legítimo del Estado, sino como la argucia de unos policías brutos para conseguir cigarrillos de a un centavo. Por fortuna, antes de condenarme a muerte, el maestro Zabala me devolvió la nota que debía rehacer de pe a pa, no para él sino para el censor, y me hizo la caridad de un fallo de dos filos.

–Mérito literario sí lo tiene, ni más faltaba –me dijo–. Pero de eso hablamos después.

Así era él. Desde mi primer día en el periódico, cuando Zabala conversó conmigo y con Zapata Olivella, me llamó la atención su costumbre insólita de hablar con uno mirando a la cara del otro, mientras las uñas se le quemaban con la brasa misma del cigarrillo. Esto me causó al principio una inseguridad incómoda. Lo menos tonto que se me ocurrió, de puro tímido, fue escucharlo con una atención real y un interés enorme, pero no mirándolo a él sino a Manuel para sacar de ambos mis propias conclusiones. Después, cuando hablábamos con Rojas Herazo, y luego con el director López Escauriaza, y con tantos más, caí en la cuenta de que era un modo propio de Zabala cuando conversaba en grupo. Así lo entendí, y así pudimos él y yo intercambiar ideas y sentimientos a través de cómplices incautos e intermediarios inocentes. Con la confianza de los años me atreví a comentarle aquella impresión mía, y él me explicó sin asombro que miraba al otro casi de perfil para no echarle el humo del cigarrillo en la cara. Así era: jamás conocí alguien de un talante tan apacible y sigiloso, con un temperamento civil como el suyo, porque siempre supo ser lo que quiso: un sabio en la penumbra.

En realidad, yo había escrito discursos, versos prematuros en el liceo de Zipaquirá, proclamas patrióticas y memoriales de protesta por la mala comida, y muy poco más, sin contar las cartas de la familia que mi madre me devolvía con la ortografía corregida incluso cuando ya era reconocido como escritor. La nota que se publicó por fin en la página editorial no tenía nada que ver con la que yo había escrito. Entre los remiendos del maestro Zabala y los del censor, lo que sobró de mí fueron unas piltrafas de prosa lírica sin criterio ni estilo y rematadas por el sectarismo gramático del corrector de pruebas. A última hora acordamos una columna diaria, tal vez para delimitar responsabilidades, con mi nombre completo y un título permanente: «Punto y aparte».

Zabala y Rojas Herazo, ya bien curtidos por el desgaste diario, lograron consolarme del agobio de mi primera nota, y así me atreví a seguir con la segunda y la tercera, que no fueron mejores. Me quedé en la redacción casi dos años publicando hasta dos notas diarias que lograba ganarle a la censura, con firma y sin firma, y a punto de casarme con la sobrina del censor.

Todavía me pregunto cómo habría sido mi vida sin el lápiz del maestro Zabala y el torniquete de la censura, cuya sola existencia era un desafío creador. Pero el censor vivía más en guardia que nosotros por sus delirios de persecución. Las citas de grandes autores le parecían emboscadas sospechosas, como en efecto lo fueron muchas veces. Veía fantasmas. Era un cervantino de pacotilla que suponía significados imaginarios. Una noche de su mala estrella tuvo que ir al retrete cada cuarto de hora, hasta que se atrevió a decirnos que estaba a punto de volverse loco por los sustos que le causábamos nosotros.

–¡Carajo! –gritó–. ¡Con estos trotes ya no me queda culo!

La policía había sido militarizada como una muestra más del rigor del gobierno en la violencia política que estaba desangrando el país, con una cierta moderación en la costa atlántica. Sin embargo, a principios de mayo la policía acribilló sin razones buenas ni malas una procesión de Semana Santa en las calles del Carmen de Bolívar, a unas veinte leguas de Cartagena. Yo tenía una debilidad sentimental con aquella población, donde se había criado la tía Mama, y donde el abuelo Nicolás había inventado sus célebres pescaditos de oro. El maestro Zabala, nacido en el pueblo vecino de San Jacinto, me encomendó con una rara determinación el manejo editorial de la noticia sin hacer caso de la censura y con todas sus consecuencias. Mi primera nota sin firma en la página editorial exigía al gobierno una investigación a fondo de la agresión y el castigo de los autores. Y terminaba con una pregunta: «¿Qué pasó en el Carmen de Bolívar?». Ante el desdén oficial, y ya en guerra franca con la censura, seguimos repitiendo la pregunta con una nota diaria en la misma página y con una energía creciente, dispuestos a exasperar al gobierno mucho más de lo que ya estaba. Al cabo de tres días, el director del diario confirmó con Zabala si había consultado con la redacción en pleno, y él mismo estaba de acuerdo en que debíamos continuar con el tema. De modo que seguimos haciendo la pregunta. Mientras tanto, lo único que supimos del gobierno nos llegó por una infidencia: habían dado orden de dejarnos solos con nuestro tema de loquitos sueltos hasta que se nos acabara la cuerda. No fue fácil, pues nuestra pregunta de cada día andaba ya por la calle como un saludo popular: «Hola hermano: ¿qué pasó en el Carmen de Bolívar?».

La noche menos pensada, sin ningún anuncio, una patrulla del ejército cerró la calle de San Juan de Dios con un gran ruido de voces y de armas, y el general Ernesto Polanía Puyo, comandante de la policía militarizada, entró pisando firme en la casa de *El Universal*. Llevaba el uniforme de merengue blanco de las fechas grandes, con las polainas de charol y el sable ceñido con un cordón de seda, y los botones e insignias tan brillantes que parecían de oro. No desmerecía ni un ápice a su fama de elegante y encantador, aunque sabíamos que era un duro de paz y de guerra, como lo demostró años más tarde al mando del batallón Colombia en la guerra de Corea. Nadie se movió en las dos horas intensas que conversó a puerta cerrada con el director. Tomaron veintidós tazas de café negro, sin cigarrillos ni alcohol porque ambos eran libres de vicios. A la salida, el general se vio aún más distendido cuando se despidió de nosotros uno por uno. Conmigo se demoró un poco más, me miró directo a los ojos con sus ojos de lince, y me dijo:

–Usted llegará lejos.

El corazón me dio un vuelco, pensando que quizás ya sabía todo de mí y lo más lejos para él podía ser la muerte. En el recuento confidencial que el director le hizo a Zabala de su conversación con el general, le reveló que éste sabía con nombres y apellidos quién escribía cada nota diaria. El director, en un gesto muy propio de su modo de ser, le dijo que lo hacía por órdenes suyas y que en los periódicos como en los cuarteles las órdenes se cumplían. De todos modos el general le aconsejó al director que moderáramos la campaña, no fuera que algún bárbaro de las cavernas quisiera hacer justicia en nombre de su gobierno. El director entendió, y todos entendimos hasta lo que no dijo. Lo que más sorprendió al director fueron sus alardes de conocer la vida interna del periódico como si viviera dentro. Nadie dudó de que su agente secreto fuera el censor, aunque éste juró por los restos de su madre que no era él. Lo único que el general no trató de contestar en su visita fue nuestra pregunta diaria. El director, que tenía fama de sabio, nos aconsejó que creyéramos cuanto nos habían dicho, porque la verdad podía ser peor.

Desde que me comprometí en la guerra contra la censura me desentendí de la universidad y de los cuentos. Menos mal que la mayoría de los maestros no pasaban lista, y eso favorecía las faltas de asistencia. Además, los maestros liberales que conocían mis gambetas con la censura sufrían más que yo buscando el modo de ayudarme en los exámenes. Hoy, tratando de contarlos, no encuentro aquellos días en mis recuerdos, y he terminado por creerle más al olvido que a la memoria.

Mis padres durmieron tranquilos desde que les hice saber que en el periódico ganaba bastante para sobrevivir. No era cierto. El sueldo mensual de aprendiz no me alcanzaba para una semana. Antes de tres meses abandoné el hotel con una deuda impagable que la dueña me cambió más tarde por una nota en la página social sobre los quince años de su nieta. Pero sólo aceptó el negocio por una vez.

El dormitorio más concurrido y fresco de la ciudad seguía siendo el paseo de los Mártires, aun con el toque de queda. Allí me quedaba a dormitar sentado, cuando terminaban las tertulias de la madrugada. Otras veces dormía en la bodega del periódico sobre las bobinas de papel o me aparecía con mi chinchorro de circo bajo el brazo en los cuartos de otros estudiantes juiciosos, mientras pudieron soportar mis pesadillas y mi mal hábito de hablar dormido. Así sobreviví a suerte y azar, comiendo de lo que hubiera y durmiendo donde Dios quería, hasta que la tribu humanitaria de los Franco Múnera me propuso las dos comidas diarias por un precio de compasión. El padre de la tribu –Bolívar Franco Pareja– era un maestro histórico de escuela primaria, con una familia alegre, fanática de artistas y escritores, que me obligaban a comer más de lo que les pagaba para que no se me secara el seso. Muchas veces no tuve con qué, pero ellos se consolaban con recitales de sobremesa. Cuotas frecuentes de aquel negocio alentador fueron las coplas de pie quebrado de don Jorge Manrique a la muerte de su padre y el *Romancero gitano* de García Lorca.

Los burdeles a cielo abierto en los playones de Tesca, lejos del silencio perturbador de la muralla, eran más hospitalarios que los hoteles de los turistas en las playas. Media docena de universitarios nos instalábamos en El Cisne desde la prima noche a preparar exámenes finales bajo las luces cegadoras del patio de baile. La brisa del mar y el bramido de los buques al amanecer nos consolaban del estruendo de los cobres caribes y la provocación de las muchachas que bailaban sin bragas y con polleras muy anchas para que la brisa del mar se las levantara hasta la cintura. De vez en cuando alguna pajarita nostálgica de papá nos invitaba a dormir con el poco de amor que le sobraba al amanecer. Una de ellas, cuyo nombre y tamaños recuerdo muy bien, se dejó seducir por las fantasías que le contaba dormido. Gracias a ella aprobé derecho romano sin argucias y escapé a varias redadas cuando la policía prohibió dormir en los parques. Nos entendíamos como un matrimonio útil, no sólo en la cama, sino por los oficios domésticos que yo le hacía al amanecer para que durmiera unas horas más.

Para entonces empezaba a acomodarme bien en el trabajo editorial, que siempre consideraba más como una forma de literatura que de periodismo. Bogotá era una pesadilla del pasado a doscientas leguas de distancia y a más de dos mil metros sobre el nivel del mar, de la que sólo recordaba la pestilencia de las cenizas del 9 de abril. Seguía con la fiebre de las artes y las letras, sobre todo en las tertulias de medianoche, pero empezaba a perder el entusiasmo de ser escritor. Tan cierto era, que no volví a escribir un cuento después de los tres publicados en *El Espectador*, hasta que Eduardo Zalamea me localizó a principios de julio y me pidió con la mediación del maestro Zabala que le mandara otro para su periódico después de seis meses de silencio. Por venir la petición de quien venía retomé de cualquier modo ideas perdidas en mis borradores y escribí «La otra costilla de la muerte», que fue muy poco más de lo mismo. Recuerdo bien que no tenía ningún argumento previo e iba inventándolo a medida que lo escribía. Se publicó el 25 de julio de 1948 en el suplemento «Fin de Semana», igual que los anteriores, y no volví a escribir más cuentos hasta el año siguiente, cuando ya mi vida era otra. Sólo me faltaba renunciar a las pocas clases de derecho que seguía muy de vez en cuando, pero eran mi última coartada para entretener el sueño de mis padres.

Yo mismo no sospechaba entonces que muy pronto sería mejor estudiante que nunca en la biblioteca de Gustavo Ibarra Merlano, un amigo nuevo que Zabala y Rojas Herazo me presentaron con un gran entusiasmo. Acababa de regresar de Bogotá con un grado de la Normal Superior y se incoporó de inmediato a las tertulias de *El Universal* y a las discusiones del amanecer en el paseo de los Mártires. Entre la labia volcánica de Héctor y el escepticismo creador de Zabala, Gustavo me aportó el rigor sistemático que buena falta les hacía a mis ideas improvisadas y dispersas, y a la ligereza de mi corazón. Y todo eso entre una gran ternura y un carácter de hierro.

Desde el día siguiente me invitó a la casa de sus padres en la playa de Marbella, con el mar inmenso como traspatio, y una biblioteca en un muro de doce metros, nueva y ordenada, donde sólo conservaba los libros que debían leerse para vivir sin remordimientos. Tenía ediciones de los clásicos griegos, latinos y españoles tan bien tratadas que no parecían leídas, pero los márgenes de las páginas estaban garrapateados de notas sabias, algunas en latín. Gustavo las decía también de viva voz, y al decirlas se ruborizaba hasta las raíces del cabello y él mismo trataba de sortearlas con un humor corrosivo. Un amigo me había dicho de él antes de que lo conociera: «Ese tipo es un cura». Pronto entendí por qué era fácil creerlo, aunque después de conocerlo bien era casi imposible creer que no lo era.

Aquella primera vez hablamos sin parar hasta la madrugada y aprendí que sus lecturas eran largas y variadas, pero sustentadas por el conocimiento a fondo de los intelectuales católicos del momento, de quienes yo no había oído hablar jamás. Sabía todo lo que debía saberse de la poesía, pero en especial de los clásicos griegos y latinos que leía en sus ediciones originales. Tenía juicios bien informados de los amigos comunes y me dio datos valiosos para quererlos más. Me confirmó también la importancia de que conociera a los tres periodistas de Barranquilla –Cepeda, Vargas y Fuenmayor–, de quienes tanto me habían hablado Rojas Herazo y el maestro Zabala. Me llamó la atención que además de tantas virtudes intelectuales y cívicas nadara como un campeón olímpico, con un cuerpo hecho y entrenado para serlo. Lo que más le preocupó de mí fue mi peligroso desdén por los clásicos griegos y latinos, que me parecían aburridos e inútiles, a excepción de la *Odisea*, que había leído y releído a pedazos varias veces en el liceo. Así que antes de despedirme escogió en la biblioteca un libro empastado en piel y me lo dio con una cierta solemnidad. «Podrás llegar a ser un buen escritor –me dijo–, pero nunca serás muy bueno si no conoces bien a los clásicos griegos.» El libro eran las obras completas de Sófocles. Gustavo fue desde ese instante uno de los seres decisivos en mi vida, porque *Edipo rey* se me reveló en la primera lectura como la obra perfecta.

Fue una noche histórica para mí, por haber descubierto a Gustavo Ibarra y a Sófocles al mismo tiempo, y porque horas después pude haber muerto de mala muerte en el cuarto de mi novia secreta en El Cisne. Recuerdo como si hubiera sido ayer cuando un antiguo padrote suyo al que creía muerto desde hacía más de un año, gritando improperios de energúmeno, forzó la puerta del cuarto a patadas. Lo reconocí de inmediato como un buen condiscípulo en la escuela primaria de Aracataca que regresaba embravecido a tomar posesión de su cama. No nos veíamos desde entonces y tuvo el buen gusto de hacerse el desentendido cuando me reconoció en pelotas y embarrado de terror en la cama.

Aquel año conocí también a Ramiro y Óscar de la Espriella, conversadores interminables, sobre todo en casas prohibidas por la moral cristiana. Ambos vivían con sus padres en Turbaco, a una hora de Cartagena, y aparecían casi a diario en las tertulias de escritores y artistas de la heladería Americana. Ramiro, egresado de la Facultad de Derecho de Bogotá, era muy cercano al grupo de *El Universal*, donde publicaba una columna espontánea. Su padre era un abogado duro y un liberal de rueda libre, y su esposa era encantadora y sin pelos en la lengua. Ambos tenían la buena costumbre de conversar con los jóvenes. En nuestras largas charlas bajo los frondosos fresnos de Turbaco, ellos me aportaron datos invaluables de la guerra de los Mil Días, el venero literario que se me había extinguido con la muerte del abuelo. De ella tengo todavía la visión que me parece más confiable del general Rafael Uribe Uribe, con su prestancia respetable y el calibre de sus muñecas.

El mejor testimonio de cómo éramos Ramiro y yo por esos días lo plasmó en óleo sobre tela la pintora Cecilia Porras, que se sentía como en casa propia en las parrandas de hombres, contra los remilgos de su medio social. Era un retrato de los dos sentados en la mesa del café donde nos veíamos con ella y con otros amigos dos veces al día. Cuando Ramiro y yo íbamos a emprender caminos distintos tuvimos la discusión inconciliable de quién era el dueño del cuadro. Cecilia lo resolvió con la fórmula salomónica de cortar el lienzo por la mitad con las cizallas de podar, y nos dio nuestra parte a cada uno. El mío se me quedó años después enrollado en el armario de un apartamento de Caracas y nunca pude recuperarlo.

Al contrario del resto del país, la violencia oficial no había hecho estragos en Cartagena hasta principios de aquel año, cuando nuestro amigo Carlos Alemán fue elegido diputado a la Asamblea Departamental por la muy distinguida circunscripción de Mompox. Era un abogado recién salido del horno y de genio alegre, pero el diablo le jugó la mala broma de que en la sesión inaugural se trenzaran a tiros los dos partidos contrarios y un plomo perdido le chamuscó la hombrera. Alemán debió pensar con buenas razones que un poder legislativo tan inútil como el nuestro no merecía el sacrificio de una vida, y prefirió gastarse sus dietas por adelantado en la buena compañía de sus amigos.

Óscar de la Espriella, que era un parrandero de buena ley, estaba de acuerdo con William Faulkner en que un burdel es el mejor domicilio para un escritor, porque las mañanas son tranquilas, hay fiesta todas las noches y se está en buenos términos con la policía. El diputado Alemán lo asumió al pie de la letra y se constituyó en nuestro anfitrión de tiempo completo. Una de esas noches, sin embargo, me arrepentí de haber creído en las ilusiones de Faulkner cuando un antiguo machucante de Mary Reyes, la dueña de la casa, tumbó la puerta a golpes para llevarse al hijo de ambos, de unos cinco años, que vivía con ella. Su machucante actual, que había sido oficial de la policía, salió del dormitorio en calzoncillos a defender la honra y los bienes de la casa con su revólver de reglamento, y el otro lo recibió con una ráfaga de plomo que resonó como un cañonazo en la sala de baile. El sargento, asustado, se escondió en su cuarto. Cuando salí del mío a medio vestir, los inquilinos de paso contemplaban desde sus cuartos al niño que orinaba al final del corredor, mientras el papá lo peinaba con la mano izquierda y el revólver todavía humeante en la derecha. Sólo se oían en el ámbito de la casa los improperios de Mary que le reprochaba al sargento su falta de huevos.

Por los mismos días entró sin anunciarse en las oficinas de *El Universal* un hombre gigantesco que se quitó la camisa con un gran sentido teatral y se paseó por la sala de redacción para sorprendernos con su espalda y sus brazos empedrados de cicatrices que parecían de cemento. Emocionado por el asombro que logró infundirnos, nos explicó los estragos de su cuerpo con una voz de estruendo:

—¡Rasguños de leones!

Era Emilio Razzore, acabado de llegar a Cartagena para preparar la temporada de su famoso circo familiar, uno de los grandes del mundo. Había salido de La Habana la semana anterior en el trasatlántico *Euskera*, de bandera española, y se lo esperaba el sábado siguiente. Razzore se preciaba de estar en el circo desde antes de nacer, y no había que verlo actuar para descubrir que era domador de fieras grandes. Las llamaba por sus nombres propios como a los miembros de su familia y ellas le correspondían con un trato a la vez entrañable y brutal. Se metía desarmado en las jaulas de los tigres y los leones para darles de comer de su mano. Su oso mimado le había dado un abrazo de amor que lo mantuvo una primavera en el hospital. Sin embargo, la atracción grande no era él ni el tragador de fuego, sino el hombre que se desatornillaba la cabeza y se paseaba con ella bajo el brazo alrededor de la pista. Lo menos olvidable de Emilio Razzore era su modo de ser inquebrantable. Después de mucho escucharlo fascinado durante largas horas, publiqué en *El Universal* una nota editorial en la que me atreví a escribir que era «el hombre más tremendamente humano que he conocido». No habían sido muchos a mis veintiún años, pero creo que la frase sigue siendo válida. Comíamos en La Cueva con la gente del periódico, y también allí se hizo querer con sus historias de fieras humanizadas por el amor. Una de esas noches, después de mucho pensarlo, me atreví a pedirle que me llevara en su circo, aunque fuera para lavar las jaulas cuando no estuvieran los tigres. Él no me dijo nada, pero me dio la mano en silencio. Yo lo entendí como un santo y seña de circo, y lo di por hecho. El único a quien se lo confesé fue a Salvador Mesa Nicholls, un poeta antioqueño que tenía un amor loco por la carpa, y acababa de llegar a Cartagena como socio local de los Razzore. También él se había ido con un circo cuando tenía mi edad, y me advirtió que quienes ven llorar a los payasos por primera vez quieren irse con ellos, pero al otro día se arrepienten. Sin embargo, no sólo aprobó mi decisión sino que convenció al domador, con la condición de que guardáramos el secreto total para que no se volviera noticia antes de tiempo. La espera del circo, que hasta entonces había sido emocionante, se me volvió irresistible.

El *Euskera* no llegó en la fecha prevista y había sido imposible comunicarse con él. Al cabo de otra semana establecimos desde el periódico un servicio de radioaficionados para rastrear las condiciones del tiempo en el Caribe, pero no pudimos impedir que empezara a especularse en la prensa y la radio sobre la posibilidad de la noticia espantosa. Mesa Nicholls y yo permanecimos aquellos días intensos con Emilio Razzore sin comer ni dormir en su cuarto del hotel. Lo vimos hundirse, disminuir de volumen y tamaño en la espera interminable, hasta que el corazón nos confirmó a todos que el *Euskera* no llegaría nunca a ninguna parte, ni se tendría noticia alguna de su destino. El domador permaneció todavía un día encerrado a solas en su cuarto, y al siguiente me visitó en el periódico para decirme que cien años de batallas diarias no podían desaparecer en un día. De modo que se iba a Miami sin un clavo y sin familia, para reconstruir pieza por pieza, y a partir de nada, el circo sumergido. Me impresionó tanto su determinación por encima de la tragedia, que lo acompañé a Barranquilla para despedirlo en el avión de La Florida. Antes de abordar me agradeció la decisión de enrolarme en su circo y me prometió que me mandaría a buscar tan pronto como tuviera algo concreto. Se despidió con un abrazo tan desgarrado que entendí con el alma el amor de sus leones. Nunca más se supo de él.

El avión de Miami salió a las diez de la mañana del mismo día en que apareció mi nota sobre Razzore: el 16 de setiembre de 1948. Me disponía a regresar a Cartagena aquella misma tarde cuando se me ocurrió pasar por *El Nacional*, un diario vespertino donde escribían Germán Vargas y Álvaro Cepeda, los amigos de mis amigos de Cartagena. La redacción estaba en un edificio carcomido de la ciudad vieja, con un largo salón vacío dividido por una baranda de madera. Al fondo del salón, un hombre joven y rubio, en mangas de camisa, escribía en una máquina cuyas teclas estallaban como petardos en el salón desierto. Me acerqué casi en puntillas, intimidado por los crujidos lúgubres del piso, y esperé en la baranda hasta que se volvió a mirarme, y me dijo en seco, con una voz armoniosa de locutor profesional:

–¿Qué pasa?

Tenía el cabello corto, los pómulos duros y unos ojos diáfanos e intensos que me parecieron contrariados por la interrupción. Le contesté como pude, letra por letra:

–Soy García Márquez.

Sólo al oír mi propio nombre dicho con semejante convicción caí en la cuenta de que Germán Vargas podía muy bien no saber quién era, aunque en Cartagena me habían dicho que hablaban mucho de mí con los amigos de Barranquilla desde que leyeron mi primer cuento. *El Nacional* había publicado una nota entusiasta de Germán Vargas, que no tragaba crudo en materia de novedades literarias. Pero el entusiasmo con que me recibió me confirmó que sabía muy bien quién era quién, y que su afecto era más real de lo que me habían dicho. Unas horas después conocí a Alfonso Fuenmayor y Álvaro Cepeda en la librería Mundo, y nos tomamos los aperitivos en el café Colombia. Don Ramón Vinyes, el sabio catalán que tanto ansiaba y tanto me aterraba conocer, no había ido aquella tarde a la tertulia de las seis. Cuando salimos del café Colombia, con cinco tragos a cuestas, ya teníamos años de ser amigos.

Fue una larga noche de inocencia. Álvaro, chofer genial y más seguro y más prudente cuanto más bebía, cumplió el itinerario de las ocasiones memorables. En Los Almendros, una cantina al aire libre bajo los árboles floridos donde sólo aceptaban a los fanáticos del Deportivo Junior, varios clientes armaron una bronca que estuvo a punto de terminar a trompadas. Traté de calmarlos, hasta que Alfonso me aconsejó no intervenir porque en aquel lugar de doctores del futbol les iba muy mal a los pacifistas. De modo que pasé la noche en una ciudad que para mí no fue la misma de nunca, ni la de mis padres en sus primeros años, ni la de las pobrezas con mi madre, ni la del colegio San José, sino mi primera Barranquilla de adulto en el paraíso de sus burdeles.

El barrio chino eran cuatro manzanas de músicas metálicas que hacían temblar la tierra, pero también tenían recodos domésticos que pasaban muy cerca de la caridad. Había burdeles familiares cuyos patrones, con esposas e hijos, atendían a sus clientes veteranos de acuerdo con las normas de la moral cristiana y la urbanidad de don Manuel Antonio Carreño. Algunos servían de fiadores para que las aprendizas se acostaran a crédito con clientes conocidos. Martina Alvarado, la más antigua, tenía una puerta furtiva y tarifas humanitarias para clérigos arrepentidos. No había consumo trucado, ni cuentas alegres, ni sorpresas venéreas. Las últimas madrazas francesas de la primera guerra mundial, malucas y tristes, se sentaban desde el atardecer en la puerta de sus casas bajo el estigma de los focos rojos, esperando una tercera generación que todavía creyera en sus condones afrodisíacos. Había casas con salones refrigerados para conciliábulos de conspiradores y refugios para alcaldes fugitivos de sus esposas.

El Gato Negro, con un patio de baile bajo una pérgola de astromelias, fue el paraíso de la marina mercante desde que lo compró una guajira oxigenada que cantaba en inglés y vendía por debajo de la mesa pomadas alucinógenas para señoras y señores. Una noche histórica en sus anales, Álvaro Cepeda y Quique Scopell no soportaron el racismo de una docena de marinos noruegos que hacían cola frente al cuarto de la única negra, mientras dieciséis blancas roncaban sentadas en el patio, y los desafiaron a trompadas. Los dos contra doce a puñetazo limpio los pusieron en fuga, con la ayuda de las blancas que despertaron felices y los remataron a silletazos. Al final, en un desagravio disparatado, coronaron a la negra en pelotas como reina de Noruega.

Fuera del barrio chino había otras casas legales o clandestinas, y todas en buenos términos con la policía. Una de ellas era un patio de grandes almendros floridos en un barrio de pobres, con una tienda de mala muerte y un dormitorio con dos catres de alquiler. Su mercancía eran las niñas anémicas del vecindario que se ganaban un peso por golpe con los borrachos perdidos. Álvaro Cepeda descubrió el sitio por casualidad, una tarde en que se extravió en el aguacero de octubre y tuvo que refugiarse en la tienda. La dueña lo invitó a una cerveza y le ofreció dos niñas en vez de una con derecho a repetir mientras escampaba. Álvaro siguió invitando amigos a tomar cerveza helada bajo los almendros, no para que folgaran con las niñas sino para que las enseñaran a leer. A las más aplicadas les consiguió becas para que estudiaran en escuelas oficiales. Una de ellas fue enfermera del hospital de Caridad durante años. A la dueña le regaló la casa, y el parvulario de mala muerte tuvo hasta su extinción natural un nombre tentador: «La casa de las muchachitas que se acuestan por hambre».

Para mi primera noche histórica en Barranquilla sólo escogieron la casa de la Negra Eufemia, con un enorme patio de cemento para bailar, entre tamarindos frondosos, con cabañas de a cinco pesos la hora, y mesitas y sillas pintadas de colores vivos, por donde se paseaban a gusto los alcaravanes. Eufemia en persona, monumental y casi centenaria, recibía y seleccionaba a los clientes en la entrada, detrás de un escritorio de oficina cuyo único utensilio –inexplicable– era un enorme clavo de iglesia. Las muchachas las escogía ella misma por su buena educación y sus gracias naturales. Cada una se ponía el nombre que le gustara y algunas preferían los que les puso Álvaro Cepeda con su pasión por el cine de México: Irma la Mala, Susana la Perversa, Virgen de Medianoche.

Parecía imposible conversar con una orquesta caribe extasiada a todo pulmón con los nuevos mambos de Pérez Prado y un conjunto de boleros para olvidar malos recuerdos, pero todos éramos expertos en conversar a gritos. El tema de la noche lo habían provocado Germán y Álvaro, sobre los ingredientes comunes de la novela y el reportaje. Estaban entusiasmados con el que John Hersey acababa de publicar sobre la bomba atómica de Hiroshima, pero yo prefería como testimonio periodístico directo *El diario del año de la peste*, hasta que los otros me aclararon que Daniel Defoe no tenía más de cinco o seis años cuando la peste de Londres, que le sirvió de modelo.

Por ese camino llegamos al enigma de *El conde de Montecristo*, que los tres venían arrastrando de discusiones anteriores como una adivinanza para novelistas: ¿cómo logró Alejandro Dumas que un marinero inocente, ignorante, pobre y encarcelado sin causa, pudiera escapar de una fortaleza infranqueable convertido en el hombre más rico y culto de su tiempo? La respuesta fue que cuando Edmundo Dantès entró en el castillo de If ya tenía construido dentro de él al abate Faria, el cual le transmitió en prisión la esencia de su sabiduría y le reveló lo que le faltaba saber para su nueva vida: el lugar donde estaba oculto un tesoro fantástico y el modo de la fuga. Es decir: Dumas construyó dos personajes diversos y luego les intercambió los destinos. De manera que cuando Dantès escapó era ya un personaje dentro de otro, y lo único que le quedaba de él mismo era su cuerpo de buen nadador.

Germán tenía claro que Dumas había hecho marinero a su personaje para que pudiera escapar del costal de lienzo y nadar hasta la costa cuando lo arrojaron al mar. Alfonso, el erudito y sin duda el más mordaz, replicó que eso no era garantía de nada porque el sesenta por ciento de las tripulaciones de Cristóbal Colón no sabía nadar. Nada le complacía tanto como soltar esos granitos de pimienta para quitarle al guiso cualquier regusto de pedantería. Entusiasmado con el juego de los enigmas literarios, empecé a beber sin medida el ron de caña con limón que los otros bebían a sorbos saboreados. La conclusión de los tres fue que el talento y el manejo de datos de Dumas en aquella novela, y tal vez en toda su obra, eran más de reportero que de novelista.

Al final me quedó claro que mis nuevos amigos leían con tanto provecho a Quevedo y James Joyce como a Conan Doyle. Tenían un sentido del humor inagotable y eran capaces de pasar noches enteras cantando boleros y vallenatos o recitando sin titubeos la mejor poesía del Siglo de Oro. Por distintos senderos llegamos al acuerdo de que la cumbre de la poesía universal son las coplas de don Jorge Manrique a la muerte de su padre. La noche se convirtió en un recreo delicioso, que acabó con los últimos prejuicios que pudieran estorbar mi amistad con aquella pandilla de enfermos letrados. Me sentía tan bien con ellos y con el ron bárbaro, que me quité la camisa de fuerza de la timidez. Susana la Perversa, que en marzo de aquel año había ganado el concurso de baile en los carnavales, me sacó a bailar. Espantaron gallinas y alcaravanes de la pista y nos rodearon para animarnos.

Bailamos la serie del *Mambo número 5* de Dámaso Pérez Prado. Con el aliento que me sobró me apoderé de las maracas en la tarima del conjunto tropical y canté al hilo más de una hora de boleros de Daniel Santos, Agustín Lara y Bienvenido Granda. A medida que cantaba me sentía redimido por una brisa de liberación. Nunca supe si los tres estaban orgullosos o avergonzados de mí, pero cuando regresé a la mesa me recibieron como a uno de los suyos.

Álvaro había iniciado entonces un tema que los otros no le discutían jamás: el cine. Para mí fue un hallazgo providencial, porque siempre había tenido el cine como un arte subsidiario que se alimentaba más del teatro que de la novela. Álvaro, por el contrario, lo veía en cierto modo como yo veía la música: un arte útil para todas las otras.

Ya de madrugada, entre dormido y borracho, Álvaro manejaba como un taxista maestro el automóvil atiborrado de libros recientes y suplementos literarios del *New York Times*. Dejamos a Germán y Alfonso en sus casas y Álvaro insistió en llevarme a la suya para que conociera su biblioteca, que cubría tres lados del dormitorio hasta el cielo raso. Los señaló con el índice en una vuelta completa, y me dijo:

–Éstos son los únicos escritores del mundo que saben escribir.

Yo estaba en un estado de excitación que me hizo olvidar lo que habían sido ayer el hambre y el sueño. El alcohol seguía vivo dentro de mí como un estado de gracia. Álvaro me mostró sus libros favoritos, en español e inglés, y hablaba de cada uno con la voz oxidada, los cabellos alborotados y los ojos más dementes que nunca. Habló de Azorín y Saroyan –dos debilidades suyas–

y de otros cuyas vidas públicas y privadas conocía hasta en calzoncillos. Fue la primera vez que oí el nombre de Virginia Woolf, que él llamaba la vieja Woolf, como al viejo Faulkner. Mi asombro lo exaltó hasta el delirio. Agarró la pila de los libros que me había mostrado como sus preferidos y me los puso en las manos.

–No sea pendejo –me dijo–, llévese todos y cuando acabe de leerlos nos vamos a buscarlos donde sea.

Para mí eran una fortuna inconcebible que no me atreví a arriesgar sin tener siquiera un tugurio miserable donde guardarlos. Por fin se conformó con regalarme la versión en español de *La señora Dalloway* de Virginia Woolf, con el pronóstico inapelable de que me la aprendería de memoria.

Estaba amaneciendo. Quería regresar a Cartagena en el primer autobús, pero Álvaro insistió en que durmiera en la cama gemela de la suya.

–¡Qué carajo! –dijo con el último aliento–. Quédese a vivir aquí y mañana le conseguimos un empleo cojonudo.

Me tendí vestido en la cama, y sólo entonces sentí en el cuerpo el inmenso peso de estar vivo. Él hizo lo mismo y nos dormimos hasta las once de la mañana, cuando su madre, la adorada y temida Sara Samudio, tocó la puerta con el puño apretado, creyendo que el único hijo de su vida estaba muerto.

–No le haga caso, maestrazo –me dijo Álvaro desde el fondo del sueño–. Todas las mañanas dice lo mismo, y lo grave es que un día será verdad.

Regresé a Cartagena con el aire de alguien que hubiera descubierto el mundo. Las sobremesas en casa de los Franco Múnera no fueron entonces con poemas del Siglo de Oro y los *Veinte poemas de amor* de Neruda, sino con párrafos de *La señora Dalloway* y los delirios de su personaje desgarrado, Septimus Warren Smith.

Me volví otro, ansioso y difícil, hasta el extremo de que a Héctor y al maestro Zabala les parecía un imitador consciente de Álvaro Cepeda. Gustavo Ibarra, con su visión compasiva del corazón caribe, se divirtió con mi relato de la noche en Barranquilla, mientras me daba cucharadas cada vez más cuerdas de poetas griegos, con la expresa y nunca explicada excepción de Eurípides. Me descubrió a Melville: la proeza literaria de *Moby Dick*, el grandioso sermón sobre Jonás para los balleneros curtidos en todos los mares del mundo bajo la inmensa bóveda construida con costillares de ballenas. Me prestó *La casa de los siete tejados*, de Nathaniel Hawthorne, que me marcó de por vida. Intentamos juntos una teoría sobre la fatalidad de la nostalgia en la errancia de Ulises Odiseo, en la que nos perdimos sin salida. Medio siglo después la encontré resuelta en un texto magistral de Milan Kundera.

De aquella misma época fue mi único encuentro con el gran poeta Luis Carlos López, más conocido como el Tuerto, que había inventado una manera cómoda de estar muerto sin morirse, y enterrado sin entierro, y sobre todo sin discursos. Vivía en el centro histórico en una casa histórica de la histórica calle del Tablón, donde nació y murió sin perturbar a nadie. Se veía con muy pocos amigos de siempre, mientras su fama de ser un gran poeta seguía creciendo en vida como sólo crecen las glorias póstumas.

Le llamaban tuerto sin serlo, porque en realidad sólo era estrábico, pero también de una manera distinta, y muy difícil de distinguir. Su hermano, Domingo López Escauriaza, el director de *El Universal*, tenía siempre la misma respuesta para quienes le preguntaban por él:

–Ahí está.

Parecía una evasiva, pero era la única verdad: ahí estaba. Más vivo que cualquier otro, pero también con la ventaja de estarlo sin que se supiera demasiado, dándose cuenta de todo y resuelto a enterrarse por sus propios pies. Se hablaba de él como de una reliquia histórica, y más aún entre quienes no lo habían leído. Tanto, que desde que llegué a Cartagena no traté de verlo, por respeto a sus privilegios de hombre invisible. Entonces tenía sesenta y ocho años, y nadie había puesto en duda que era un poeta grande del idioma en todos los tiempos, aunque no éramos muchos los que sabíamos quién era ni por qué, ni era fácil creerlo por la rara cualidad de su obra.

Zabala, Rojas Herazo, Gustavo Ibarra, todos sabíamos poemas suyos de memoria, y siempre los citábamos sin pensarlo, de manera espontánea y certera, para iluminar nuestras charlas. No era huraño sino tímido. Todavía hoy no recuerdo haber visto un retrato suyo, si lo hubo, sino algunas caricaturas fáciles que se publicaban en su lugar. Creo que a fuerza de no verlo habíamos olvidado que seguía vivo, una noche en que yo estaba terminando mi nota del día y escuché la exclamación ahogada de Zabala:

—¡Carajo, el Tuerto!

Levanté la vista de la máquina, y vi el hombre más extraño que había de ver jamás. Mucho más bajo de lo que imaginábamos, con el cabello tan blanco que parecía azul y tan rebelde que parecía prestado. No era tuerto del ojo izquierdo, sino como su apodo lo indicaba mejor: torcido. Vestía como en casa, con pantalón de dril oscuro y una camisa a rayas, la mano derecha a la altura del hombro, y un prendedor de plata con un cigarrillo encendido que no fumaba y cuya ceniza se caía sin sacudirla cuando ya no podía sostenerse sola.

Pasó de largo hasta la oficina de su hermano y salió dos horas después, cuando sólo quedábamos Zabala y yo en la redacción, esperando para saludarlo. Murió unos dos años más tarde, y la conmoción que causó entre sus fieles no fue como si hubiera muerto sino resucitado. Expuesto en el ataúd no parecía tan muerto como cuando estaba vivo.

Por la misma época el escritor español Dámaso Alonso y su esposa, la novelista Eulalia Galvarriato, dictaron dos conferencias en el paraninfo de la universidad. El maestro Zabala, que no gustaba de perturbar la vida ajena, venció por una vez su discreción y les solicitó una audiencia. Lo acompañamos Gustavo Ibarra, Héctor Rojas Herazo y yo, y hubo una química inmediata con ellos. Permanecimos unas cuatro horas en un salón privado del hotel del Caribe intercambiando impresiones de su primer viaje a la América Latina y de nuestros sueños de escritores nuevos. Héctor les llevó un libro de poemas y yo una fotocopia de un cuento publicado en *El Espectador*. A ambos nos interesó más que todo la franqueza de sus reservas, porque las usaban como confirmaciones sesgadas de sus elogios.

En octubre encontré en *El Universal* un recado de Gonzalo Mallarino diciéndome que me esperaba con el poeta Álvaro Mutis en villa Tulipán, una pensión inolvidable en el balneario de Bocagrande, a pocos metros del lugar donde había aterrizado Charles Lindbergh unos veinte años antes. Gonzalo, mi cómplice de recitales privados en la universidad, era ya un abogado en ejercicio, y Mutis lo había invitado para que conociera el mar, en su condición de jefe de relaciones públicas de LANSA, una empresa aérea criolla fundada por sus propios pilotos.

Poemas de Mutis y cuentos míos habían coincidido por lo menos una vez en el suplemento «Fin de Semana», y nos bastó con vernos para que iniciáramos una conversación que todavía no ha terminado, en incontables lugares del mundo, durante más de medio siglo.

Primero nuestros hijos y después nuestros nietos nos han preguntado a menudo sobre qué hablamos con una pasión tan encarnizada, y les hemos contestado la verdad: siempre hablamos de lo mismo.

Mis amistades milagrosas con adultos de las artes y las letras me dieron los ánimos para sobrevivir en aquellos años que todavía recuerdo como los más inciertos de mi vida. El 10 de julio había publicado el último «Punto y aparte» en *El Universal*, al cabo de tres meses arduos en que no logré superar mis barreras de principiante, y preferí interrumpirlo con el único mérito de escapar a tiempo. Me refugié en la impunidad de los comentarios de la página editorial, sin firma, salvo cuando debían tener un toque personal. La sostuve por simple rutina hasta setiembre de 1950, con una nota engolada sobre Edgar Allan Poe, cuyo único mérito fue el de ser la peor.

Durante todo aquel año había insistido en que el maestro Zabala me enseñara los secretos para escribir reportajes. Nunca se decidió, con su índole misteriosa, pero me dejó alborotado con el enigma de una niña de doce años sepultada en el convento de Santa Clara, a la que le creció el cabello después de muerta más de veintidós metros en dos siglos. Nunca me imaginé que iba a volver sobre el tema cuarenta años después para contarlo en una novela romántica con implicaciones siniestras. Pero no fueron mis mejores tiempos para pensar. Hacía berrinches por cualquier motivo, desaparecía del empleo sin explicaciones hasta que el maestro Zabala mandaba a alguien para que me amansara. En los exámenes finales aprobé el segundo año de derecho por un golpe de suerte, con sólo dos materias para rehabilitar, y pude matricularme en el tercero, pero corrió el rumor de que lo había logrado por presiones políticas del periódico. El director tuvo que intervenir cuando me detuvieron a la salida del cine con una libreta militar falsa y me tenían en lista para enrolarme en misiones punitivas de orden público.

En mi ofuscación política de esos días no me enteré siquiera de que el estado de sitio se había implantado de nuevo en el país por el deterioro del orden público. La censura de prensa dio varias vueltas de tuerca. El ambiente se enrareció como en los tiempos peores, y una policía política reforzada con delincuentes comunes sembraba el pánico en los campos. La violencia obligó a los liberales a abandonar tierras y hogares. Su candidato posible, Darío Echandía, maestro de maestros en derecho civil, escéptico de nacimiento y lector vicioso de griegos y latinos, se pronunció en favor de la abstención liberal. El camino quedó franco para la elección de Laureano Gómez, que parecía dirigir el gobierno con hilos invisibles desde Nueva York.

No tenía entonces una conciencia clara de que aquellos percances no eran sólo infamias de godos sino síntomas de malos cambios en nuestras vidas, hasta una noche de tantas en La Cueva, cuando se me ocurrió hacer alarde de mi albedrío para hacer lo que me diera la gana. El maestro Zabala sostuvo en el aire la cuchara de la sopa que estaba a punto de tomarse, mirándome por encima del arco de sus espejuelos, y me paró en seco:

–Dime una vaina, Gabriel: ¿en medio de las tantas pendejadas que haces has podido darte cuenta de que este país se está acabando?

La pregunta dio en el blanco. Borracho hasta los tuétanos me tiré a dormir de madrugada en una banca del paseo de los Mártires y un aguacero bíblico me dejó convertido en una sopa de huesos. Estuve dos semanas en el hospital con una pulmonía refractaria a los primeros antibióticos conocidos, que tenían la mala fama de causar secuelas tan temibles como la impotencia precoz.

Más esquelético y pálido que de natura, mis padres me llamaron a Sucre para restaurarme del exceso de trabajo –según decían en su carta–. Más lejos llegó *El Universal*, con un editorial de despedida que me consagró como periodista y escritor de recursos maestros, y en otra como autor de una novela que nunca existió y con un título que no era mío: *Ya cortamos el heno*. Más raro aún en un momento en que no tenía ningún propósito de reincidir en la ficción. La verdad es que aquel título tan ajeno a mí lo inventó Héctor Rojas Herazo al correr de la máquina, como uno más de los aportes de César Guerra Valdés, un escritor imaginario de la más pura cepa latinoamericana creado por él para enriquecer nuestras polémicas. Héctor había publicado en *El Universal* la noticia de su llegada a Cartagena y yo le había escrito un saludo en mi sección «Punto y aparte» con la esperanza de sacudir el polvo en las conciencias dormidas de una auténtica narrativa continental. De todos modos, la novela imaginaria con el bello título inventado por Héctor fue reseñada años después no sé dónde ni por qué en un ensayo sobre mis libros, como una obra capital de la nueva literatura.

El ambiente que encontré en Sucre fue muy propicio a mis ideas de aquellos días. Le escribí a Germán Vargas para pedirle que me mandaran libros, muchos libros, tantos como fueran posibles para ahogar en obras maestras una convalecencia prevista para seis meses. El pueblo estaba en diluvio. Papá había renunciado a la esclavitud de la farmacia y se construyó a la entrada del pueblo una casa capaz para los hijos, que éramos once desde que nació Eligio, dieciséis meses antes. Una casa grande y a plena luz, con una terraza de visitas frente al río de aguas oscuras y ventanas abiertas para las brisas de enero. Tenía seis dormitorios bien ventilados con una cama para cada uno, y no de dos en dos, como antes, y argollas para colgar hamacas a distintos niveles hasta en los corredores. El patio sin alambrar se prolongaba hasta el monte bruto, con árboles frutales de dominio público y animales propios y ajenos que se paseaban por las alcobas. Pues mi madre, que añoraba los patios de su infancia en Barrancas y Aracataca, trató la casa nueva como una granja, con gallinas y patos sin corral y cerdos libertinos que se metían en la cocina para comerse las vituallas del almuerzo. Todavía era posible aprovechar los veranos para dormir a ventanas abiertas, con el rumor del asma de las gallinas en las perchas y el olor de las guanábanas maduras que caían de los árboles en la madrugada con un golpe instantáneo y denso. «Suenan como si fueran niños», decía mi madre. Mi papá redujo las consultas a la mañana para unos pocos fieles de la homeopatía, siguió leyendo cuanto papel impreso le pasaba cerca, tendido en una hamaca que colgaba entre dos árboles, y contrajo la fiebre ociosa del billar contra las tristezas del atardecer. Había abandonado también sus vestidos de dril blanco con corbata, y andaba en la calle como nunca lo habían visto, con camisas juveniles de manga corta.

La abuela Tranquilina Iguarán había muerto dos meses antes, ciega y demente, y en la lucidez de la agonía siguió predicando con su voz radiante y su dicción perfecta los secretos de la familia. Su tema eterno hasta el último aliento fue la jubilación del abuelo. Mi padre preparó el cadáver con azabaras preservativas y lo cubrió con cal dentro del ataúd para un pudrimiento apacible. Luisa Santiaga admiró siempre la pasión de su madre por las rosas rojas y le hizo un jardín en el fondo del patio para que nunca faltaran en su tumba. Llegaron a florecer con tanto esplendor que no alcanzaba el tiempo para complacer a los forasteros que llegaban de lejos ansiosos por saber si tantas rosas rozagantes eran cosa de Dios o del diablo.

Aquellos cambios en mi vida y en mi modo de ser correspondían a los cambios de mi casa. En cada visita me parecía distinta por las reformas y mudanzas de mis padres, por los hermanos que nacían y crecían tan parecidos que era más fácil confundirlos que reconocerlos. Jaime, que ya tenía diez años, había sido el que más tardó en apartarse del regazo materno por su condición de seismesino, y mi madre no había acabado de amamantarlo cuando ya había nacido Hernando (Nanchi). Tres años después nació Alfredo Ricardo (Cuqui) y año y medio después Eligio (Yiyo), el último, que en aquellas vacaciones empezaba a descubrir el milagro de gatear.

Contábamos además a los hijos de mi padre antes y después del matrimonio: Carmen Rosa, en San Marcos, y Abelardo, que pasaban temporadas en Sucre; a Germaine Hanai (Emi), que mi madre había asimilado como suya con el beneplácito de los hermanos y, por último, Antonio María Claret (Toño), criado por su madre en Sincé, y que nos visitaba con frecuencia. Quince en total, que comíamos como treinta cuando había con qué y sentados donde se podía.

Los relatos que mis hermanas mayores han hecho de aquellos años dan una idea cabal de cómo era la casa en la que no se había acabado de criar un hijo cuando ya nacía otro. Mi madre misma era consciente de su culpa, y rogaba a las hijas que se hicieran cargo de los menores. Margot se moría de susto cuando descubría que estaba otra vez encinta, porque sabía que ella sola no tendría tiempo de criarlos a todos. De modo que antes de irse para el internado de Montería, le suplicó a la madre con absoluta seriedad que el hermano siguiente fuera el último. Mi madre se lo prometió, igual que siempre, aunque sólo fuera por complacerla, porque estaba segura de que Dios, con su sabiduría infinita, resolvería el problema del mejor modo posible.

Las comidas en la mesa eran desastrosas, porque no había modo de reunirlos a todos. Mi madre y las hermanas mayores iban sirviendo a medida que los otros llegaban, pero no era raro que a los postres apareciera un cabo suelto que reclamaba su ración. En el curso de la noche iban pasándose a la cama de mis padres los menores que no podían dormir por el frío o el calor, por el dolor de muelas o el miedo a los muertos, por el amor a los padres o los celos de los otros, y todos amanecían apelotonados en la cama matrimonial. Si después de Eligio no nacieron otros fue gracias a Margot, que impuso su autoridad cuando regresó del internado y mi madre cumplió la promesa de no tener un hijo más.

Por desgracia, la realidad había tenido tiempo de interponer otros planes con las dos hermanas mayores, que se quedaron solteras de por vida. Aida, como en las novelitas rosas, ingresó en un convento de cadena perpetua, al que renunció después de veintidós años con todas las de la ley, cuando ya no encontró al mismo Rafael ni a ningún otro a su alcance. Margot, con su carácter rígido, perdió el suyo por un error de ambos. Contra precedentes tan tristes, Rita se casó con el primer hombre que le gustó, y fue feliz con cinco hijos y nueve nietos. Las otras dos –Ligia y Emi– se casaron con quienes quisieron cuando ya los padres se habían cansado de pelear contra la vida real.

Las angustias de la familia parecían ser parte de la crisis que vivía el país por la incertidumbre económica y el desangre por la violencia política, que había llegado a Sucre como una estación siniestra, y entró a la casa en puntillas, pero con paso firme. Ya para entonces nos habíamos comido las escasas reservas, y éramos tan pobres como lo habíamos sido en Barranquilla antes del viaje a Sucre. Pero mi madre no se inmutaba, por su certidumbre ya probada de que todo niño trae su pan bajo el brazo. Ése era el estado de la casa cuando llegué de Cartagena, convaleciente de la pulmonía, pero la familia se había confabulado a tiempo para que no lo notara.

La comidilla de dominio público en el pueblo era una supuesta relación de nuestro amigo Cayetano Gentile con la maestra de escuela del cercano caserío de Chaparral, una bella muchacha de condición social distinta de la suya, pero muy seria y de una familia respetable. No era raro: Cayetano fue siempre un picaflor, no sólo en Sucre sino también en Cartagena, donde había estudiado su bachillerato e iniciado la carrera de medicina. Pero no se le conoció novia de planta en Sucre, ni parejas preferidas en los bailes.

Una noche lo vimos llegar de su finca en su mejor caballo, la maestra en la silla con las riendas en el puño, y él en ancas, abrazado a su cintura. No sólo nos sorprendió el grado de confianza que habían logrado, sino el atrevimiento de ambos de entrar por el camellón de la plaza principal a la hora de mayor movimiento y en un pueblo tan malpensado. Cayetano explicó a quien quiso oírlo que la había encontrado en la puerta de su escuela a la espera de alguien que le hiciera la caridad de llevarla al pueblo a esas horas de la noche. Lo previne en broma de que iba a amanecer cualquier día con un pasquín en la puerta, y él se encogió de hombros con un gesto muy suyo y me soltó su broma favorita:

–Con los ricos no se atreven.

En efecto, los pasquines habían pasado de moda tan pronto como llegaron, y se pensó que tal vez fueran un síntoma más del mal humor político que asolaba el país. La tranquilidad volvió al sueño de quienes los temían. En cambio, a los pocos días de mi llegada sentí que algo había cambiado hacia mí en el ánimo de algunos copartidarios de mi padre, que me señalaron como autor de artículos contra el gobierno conservador publicados en

El Universal. No era cierto. Si tuve que escribir alguna vez notas políticas, fueron siempre sin firma y bajo la responsabilidad de la dirección, desde que ésta decidió suspender la pregunta de qué había pasado en el Carmen de Bolívar. Las de mi columna firmada revelaban sin duda una posición clara sobre el mal estado del país, y la ignominia de la violencia y la injusticia, pero sin consignas de partido. De hecho, ni entonces ni nunca fui militante de ninguno. La acusación alarmó a mis padres, y mi madre empezó a encender velas a los santos, sobre todo cuando me quedaba hasta muy tarde en la calle. Por primera vez sentí alrededor de mí un ambiente tan opresivo que decidí salir de casa lo menos posible.

Fue por esos malos tiempos cuando se presentó en el consultorio de papá un hombre impresionante que ya parecía ser el fantasma de sí mismo, con una piel que permitía traslucir el color de los huesos y el vientre abultado y tenso como un tambor. Sólo necesitó una frase para volverse inolvidable hasta más nunca:

–Doctor, vengo para que me saque un mico que me hicieron crecer dentro de la barriga.

Después de examinarlo, mi padre se dio cuenta de que el caso no estaba al alcance de su ciencia, y lo mandó a un colega cirujano que no encontró el mico que el paciente creía, sino un engendro sin forma pero con vida propia. Lo que a mí me importó, sin embargo, no fue la bestia del vientre sino el relato del enfermo sobre el mundo mágico de La Sierpe, un país de leyenda dentro de los límites de Sucre al que sólo podría llegarse por tremedales humeantes, donde uno de los episodios más corrientes era vengar una ofensa con un maleficio como aquel de una criatura del demonio dentro del vientre.

Los habitantes de La Sierpe eran católicos convencidos pero vivían la religión a su manera, con oraciones mágicas para cada ocasión. Creían en Dios, en la Virgen y en la Santísima Trinidad, pero los adoraban en cualquier objeto en que les pareciera descubrir facultades divinas. Lo que podía ser inverosímil para ellos era que alguien a quien le creciera una bestia satánica dentro del vientre fuera tan racional como para apelar a la herejía de un cirujano.

Pronto me llevé la sorpresa de que todo el mundo en Sucre conocía la existencia de La Sierpe como un hecho real, cuyo único problema era llegar a ella a través de toda clase de tropiezos geográficos y mentales. A última hora descubrí por casualidad que el maestro en el tema de La Sierpe era mi amigo Ángel Casij, a quien había visto por última vez cantando en una orquesta del barrio chino de Barrancabermeja, en mi segundo o tercer viaje por el río Magdalena. Lo encontré con más uso de razón que aquella vez, y con un relato alucinante de sus varios viajes a La Sierpe. Entonces supe todo lo que podía saberse de la Marquesita, dueña y señora de aquel vasto reino donde se conocían oraciones secretas para hacer el bien o el mal, para levantar del lecho a un moribundo no conociendo de él nada más que la descripción de su físico y el lugar preciso donde estaba, o para mandar una serpiente a través de los pantanos que al cabo de seis días le diera muerte a un enemigo.

Lo único que le estaba vedado era la resurrección de los muertos, por ser un poder reservado a Dios. Vivió todos los años que quiso, y se supone que fueron hasta doscientos treinta y tres, pero sin haber envejecido ni un día más después de los sesenta y seis. Antes de morir concentró sus fabulosos rebaños y los hizo girar durante dos días y dos noches alrededor de su casa, hasta que se formó la ciénaga de La Sierpe, un piélago sin límites tapizado de anémonas fosforescentes. Se dice que en el centro de ella hay un árbol con calabazos de oro, a cuyo tronco está amarrada una canoa que cada 2 de noviembre, día de Muertos, va navegando sin patrón hasta la otra orilla, custodiada por caimanes blancos y culebras con cascabeles de oro, donde la Marquesita sepultó su fortuna sin límites.

Desde que Ángel Casij me contó esta historia fantástica empezaron a sofocarme las ansias de visitar el paraíso de La Sierpe encallado en la realidad. Lo preparamos todo, caballos inmunizados con oraciones contrarias, canoas invisibles, y baquianos mágicos y todo cuanto fuera necesario para escribir la crónica de un realismo sobrenatural.

Sin embargo, las mulas se quedaron ensilladas. Mi lenta convalecencia de la pulmonía, las burlas de los amigos en los bailes de la plaza, los escarmientos pavorosos de amigos mayores, me obligaron a aplazar el viaje para un después que nunca fue. Hoy lo evoco, sin embargo, como un percance de buena suerte, porque a falta de la Marquesita fantástica me sumergí a fondo y desde el día siguiente en la escritura de una primera novela, de la que sólo me quedó el título: *La casa*.

Pretendía ser un drama de la guerra de los Mil Días en el Caribe colombiano, del cual había conversado con Manuel Zapata Olivella, en una visita anterior a Cartagena. En esa ocasión, y sin relación alguna con mi proyecto, él me regaló un folleto escrito por su padre sobre un veterano de aquella guerra, cuyo retrato impreso en la portada, con el liquilique y los bigotes chamuscados de pólvora, me recordó de algún modo a mi abuelo. He olvidado su nombre, pero su apellido había de seguir conmigo por siempre jamás: Buendía. Por eso pensé en escribir una novela con el título de *La casa*, sobre la epopeya de una familia que podía tener mucho de la nuestra durante las guerras estériles del coronel Nicolás Márquez.

El título tenía fundamento en el propósito de que la acción no saliera nunca de la casa. Hice varios principios y esquemas de personajes parciales a los cuales les ponía nombres de familia que más tarde me sirvieron para otros libros. Soy muy sensible a la debilidad de una frase en la que dos palabras cercanas rimen entre sí, aunque sea en rima vocálica, y prefiero no publicarla mientras no la tenga resuelta. Por eso estuve a punto de prescindir muchas veces del apellido Buendía por su rima ineludible con los pretéritos imperfectos. Sin embargo el apellido acabó imponiéndose porque había logrado para él una identidad convincente.

En ésas andaba cuando amaneció en la casa de Sucre una caja de madera sin letreros pintados ni referencia alguna. Mi hermana Margot la había recibido sin saber de quién, convencida de que era algún rezago de la farmacia vendida. Yo pensé lo mismo y desayuné en familia con el corazón en su puesto. Mi papá aclaró que no había abierto la caja porque pensó que era el resto de mi equipaje, sin recordar que ya no me quedaban ni los restos de nada en este mundo. Mi hermano Gustavo, que a los trece años ya tenía práctica bastante para clavar o desclavar cualquier cosa, decidió abrirla sin permiso. Minutos después oímos su grito:

—¡Son libros!

Mi corazón saltó antes que yo. En efecto, eran libros sin pista alguna del remitente, empacados de mano maestra hasta el tope de la caja y con una carta difícil de descifrar por la caligrafía jeroglífica y la lírica hermética de Germán Vargas: «Ahí le va esa vaina, maestro, a ver si por fin aprende». Firmaban también Alfonso Fuenmayor, y un garabato que identifiqué como de don Ramón Vinyes, a quien aún no conocía. Lo único que me recomendaban era que no cometiera ningún plagio que se notara demasiado. Dentro de uno de los libros de

Faulkner iba una nota de Álvaro Cepeda, con su letra enrevesada, y escrita además a toda prisa, en la cual me avisaba que la semana siguiente se iba por un año a un curso especial en la escuela de periodismo de la Universidad de Columbia, en Nueva York.

Lo primero que hice fue exhibir los libros en la mesa del comedor, mientras mi madre terminaba de levantar los trastos del desayuno. Tuvo que armarse de una escoba para espantar a los hijos menores que querían cortar las ilustraciones con las tijeras de podar y a los perros callejeros que husmeaban los libros como si fueran de comer. También yo los olía, como hago siempre con todo libro nuevo, y los repasé todos al azar leyendo párrafos a saltos de mata. Cambié tres o cuatro veces de lugar en la noche porque no encontraba sosiego o me agotaba la luz muerta del corredor del patio, y amanecí con la espalda torcida y todavía sin una idea remota del provecho que podía sacar de aquel milagro.

Eran veintitrés obras distinguidas de autores contemporáneos, todas en español y escogidas con la intención evidente de que fueran leídas con el propósito único de aprender a escribir. Y en traducciones tan recientes como *El sonido y la furia*, de William Faulkner. Cincuenta años después me es imposible recordar la lista completa y los tres amigos eternos que la sabían ya no están aquí para acordarse. Sólo había leído dos: *La señora Dalloway*, de la señora Woolf, y *Contrapunto*, de Aldous Huxley. Los que mejor recuerdo eran los de William Faulkner: *El villorrio*, *El sonido y la furia*, *Mientras yo agonizo* y *Las palmeras salvajes*. También *Manhattan Transfer* y tal vez otro, de John Dos Passos; *Orlando*, de Virginia Woolf; *De ratones y de hombres* y *Las viñas de la ira*, de John Steinbeck; *El retrato de Jenny*, de Robert Nathan, y *La ruta del tabaco*, de Erskine Caldwell. Entre los títulos que no recuerdo a la distancia de medio siglo había por lo menos uno de Hemingway, tal vez de cuentos, que era lo que más les gustaba de él a los tres de Barranquilla; otro de Jorge Luis Borges, sin duda también de cuentos, y quizás otro de Felisberto Hernández, el insólito cuentista uruguayo que mis amigos acababan de descubrir a gritos. Los leí todos en los meses siguientes, a unos bien y a otros menos, y gracias a ellos logré salir del limbo creativo en que estaba encallado.

Por la pulmonía me habían prohibido fumar, pero fumaba en el baño como escondido de mí mismo. El médico se dio cuenta y me habló en serio, pero no logré obedecerle. Ya en Sucre, mientras trataba de leer sin pausas los libros recibidos, encendía un cigarrillo con la brasa del otro hasta que ya no podía más, y mientras más trataba de dejarlo más fumaba. Llegué a cuatro cajetillas diarias, interrumpía las comidas para fumar y quemaba las sábanas por quedarme dormido con el cigarrillo encendido. El miedo de la muerte me despertaba a cualquier hora de la noche, y sólo fumando más podía sobrellevarlo, hasta que resolví que prefería morirme a dejar de fumar.

Más de veinte años después, ya casado y con hijos, seguía fumando. Un médico que me vio los pulmones en la pantalla me dijo espantado que dos o tres años después no podría respirar. Aterrado, llegué al extremo de permanecer sentado horas y horas sin hacer nada más, porque no conseguía leer, o escuchar música, o conversar con amigos o enemigos sin fumar. Una noche cualquiera, durante una cena casual en Barcelona, un amigo siquiatra les explicaba a otros que el tabaco era quizás la adicción más difícil de erradicar. Me atreví a preguntarle cuál era la razón de fondo, y su respuesta fue de una simplicidad escalofriante:

–Porque dejar de fumar sería para ti como matar a un ser querido.

Fue una deflagración de clarividencia. Nunca supe por qué, ni quise saberlo, pero exprimí en el cenicero el cigarrillo que acababa de encender, y no volví a fumar uno más, sin ansiedad ni remordimientos, en el resto de mi vida.

La otra adicción no era menos persistente. Una tarde entró una de las criadas de la casa vecina, y después de hablar con todos fue hasta la terraza y con un gran respeto me pidió permiso para hablar conmigo. No interrumpí la lectura hasta que ella me preguntó:

–¿Se acuerda de Matilde?

No recordaba quién era, pero no me creyó.

–No se haga el pendejo, señor Gabito –me dijo con un énfasis deletreado–: Ni-gro-man-ta.

Y con razón: Nigromanta era entonces una mujer libre, con un hijo del policía muerto, y vivía sola con su madre y otros de la familia en la misma casa, pero en un dormitorio apartado con una salida propia hacia la culata del cementerio. Fui a verla, y el reencuentro persistió por más de un mes. Cada vez retrasaba la vuelta a Cartagena y quería quedarme en Sucre para siempre. Hasta una madrugada en que me sorprendió en su casa una tormenta de truenos y centellas como la noche de la ruleta rusa. Traté de eludirla bajo los alares, pero cuando no pude más me tiré por la calle al medio con el agua hasta las rodillas. Tuve la suerte de que mi madre estuviera sola en la cocina y me llevó al dormitorio por los senderos del jardín para que no se enterara papá. Tan pronto como me ayudó a quitarme la camisa empapada, la apartó a la distancia del brazo con las puntas del pulgar y el índice, y la tiró en el rincón con una crispación de asco.

–Estabas con la fulana –dijo.

Me quedé de piedra.

–¡Cómo lo sabe!

–Porque es el mismo olor de la otra vez –dijo impasible–. Menos mal que el hombre está muerto.

Me sorprendió semejante falta de compasión por primera vez en su vida. Ella debió advertirlo, porque lo remachó sin pensarlo.

–Es la única muerte que me alegró cuando la supe.

Le pregunté perplejo:

–¡Cómo supo quién es ella!

–Ay, hijo –suspiró–, Dios me dice todo lo que tiene que ver con ustedes.

Por último me ayudó a quitarme los pantalones empapados y los tiró en el rincón con el resto de la ropa. «Todos ustedes van a ser iguales a tu papá», me dijo de pronto con un suspiro hondo, mientras me secaba la espalda con una toalla de estopa. Y terminó con el alma:

–Quiera Dios que también sean tan buenos esposos como él.

Los cuidados dramáticos a que me sometió mi madre debieron surtir su efecto para prevenir una recurrencia de la pulmonía. Hasta que me di cuenta de que ella misma los enredaba sin causa para impedirme que volviera a la cama de truenos y centellas de Nigromanta. Nunca más la vi.

Regresé a Cartagena restaurado y alegre, con la noticia de que estaba escribiendo *La casa*, y hablaba de ella como si fuera un hecho cumplido desde que estaba apenas en el capítulo inicial. Zabala y Héctor me recibieron como al hijo pródigo. En la universidad mis buenos maestros parecían resignados a aceptarme como era. Al mismo tiempo seguí escribiendo notas muy ocasionales que me pagaban a destajo en *El Universal*. Mi carrera de cuentista continuó con lo poco que pude escribir casi por complacer al maestro Zabala: «Diálogo del espejo» y «Amargura para tres sonámbulos», publicados por *El Espectador*. Aunque en ambos se notaba un alivio de la retórica primaria de los cuatro anteriores, no había logrado salir del pantano.

Cartagena estaba entonces contaminada por la tensión política del resto del país y esto debía considerarse como un presagio de que algo grave iba a suceder. A fines del año los liberales declararon la abstención en toda la línea por el salvajismo de la persecución política, pero no renunciaron a sus planes subterráneos para tumbar al gobierno. La violencia arreció en los campos y la gente huyó a las ciudades, pero la censura obligaba a la prensa a escribir de través. Sin embargo, era del dominio público que los liberales acosados habían armado guerrillas en distintos sitios del país. En los Llanos orientales –un océano inmenso de pastos verdes que ocupa más de la cuarta parte del territorio nacional– se habían vuelto legendarias. Su comandante general, Guadalupe Salcedo, era visto ya como una figura mítica, aun por el ejército, y sus fotos se distribuían en secreto, se copiaban por cientos y se les encendían velas en los altares.

Los De la Espriella, al parecer, sabían más de lo que decían, y dentro del recinto amurallado se hablaba con toda naturalidad de un golpe de Estado inminente contra el régimen conservador. No conocía detalles, pero el maestro Zabala me había advertido que en el momento en que notara alguna agitación en la calle me fuera de inmediato al periódico. La tensión se podía tocar con las manos cuando entré a cumplir una cita en la heladería Americana a las tres de la tarde. Me senté a leer a una mesa apartada mientras llegaba alguien, y uno de mis antiguos condiscípulos, con el cual no había hablado nunca de política, me dijo al pasar sin mirarme:

–Vete para el periódico, que ya va a empezar la vaina.

Hice lo contrario: quería saber cómo iba a ser aquello en el puro centro de la ciudad en vez de encerrarme en la redacción. Minutos después se sentó a mi mesa un oficial de prensa de la Gobernación, a quien conocía bien, y no pensé que me lo hubieran asignado para neutralizarme. Conversé con él una media hora en el más puro estado de inocencia y cuando se levantó para irse descubrí que el enorme salón de la heladería se había desocupado sin que me diera cuenta. Él siguió mi mirada y comprobó la hora: la una y diez.

–No te preocupes –me dijo con un alivio reprimido–. Ya no pasó nada.

En efecto, el grupo más importante de dirigentes liberales, desesperados por la violencia oficial, se había puesto de acuerdo con militares demócratas del más alto rango para poner término a la matanza desatada en todo el país por el régimen conservador, dispuesto a quedarse en el poder a cualquier precio. La mayoría de ellos había participado en las gestiones del 9 de abril para lograr la paz mediante el acuerdo que hicieron con el presidente Ospina Pérez, y apenas veinte meses después se daban cuenta demasiado tarde de que habían sido víctimas de un engaño colosal. La frustrada acción de aquel día la había autorizado el presidente de la Dirección Liberal en persona, Carlos Lleras Restrepo, a través de Plinio Mendoza Neira, que tenía excelentes relaciones dentro de las Fuerzas Armadas desde que fue ninistro de Guerra bajo el gobierno liberal. La acción coordinada por Mendoza Neira con la colaboración sigilosa de prominentes copartidarios de todo el país debía empezar al amanecer de aquel día con el bombardeo al Palacio Presidencial por aviones de la Fuerza Aérea. El movimiento estaba apoyado por las bases navales de Cartagena y Apiay, por la mayoría de las guarniciones militares del país y por organizaciones gremiales resueltas a tomarse el poder para un gobierno civil de reconciliación nacional.

Sólo después del fracaso se supo que dos días antes de la fecha prevista para la acción, el ex presidente Eduardo Santos había reunido en su casa de Bogotá a los jerarcas liberales y a los dirigentes del golpe para un examen final del proyecto. En medio del debate, alguien hizo la pregunta ritual:

–¿Habrá derramamiento de sangre?

Nadie fue tan ingenuo o tan cínico para decir que no. Otros dirigentes explicaron que estaban tomadas las medidas máximas para que no lo hubiera, pero que no existían recetas mágicas para impedir lo imprevisible. Asustada por el tamaño de su propia conjura, la Dirección Liberal impartió sin discusión la contraorden. Muchos implicados que no la recibieron a tiempo fueron apresados o muertos en el intento. Otros le aconsejaron a Mendoza que siguiera solo hasta la toma del poder, y él no lo hizo por razones más éticas que políticas, pero ni el tiempo ni los medios le alcanzaron para prevenir a todos los implicados. Alcanzó a asilarse en la embajada de Venezuela y vivir cuatro años de exilio en Caracas, a salvo de un consejo de guerra que lo condenó en ausencia a veinticinco años de cárcel por sedición. Cincuenta y dos años después no me tiembla el pulso para escribir –sin su autorización– que se arrepintió por el resto de la vida en su exilio de Caracas, por el saldo desolador del conservatismo en el poder: no menos de trescientos mil muertos en veinte años.

Para mí también, en cierto modo, fue un momento crucial. Antes de dos meses había reprobado el tercer año de derecho y le puse término a mi compromiso con *El Universal*, pues no avizoraba el porvenir en lo uno ni en lo otro. El pretexto fue la liberación de mi tiempo para la novela que apenas empezaba, aunque en el fondo de mi alma sabía que no era ni verdad ni mentira, sino que el proyecto se me reveló de pronto como una fórmula retórica, con muy poco de lo bueno que había sabido utilizar de Faulkner y todo lo malo de mi inexperiencia. Pronto aprendí que contar cuentos paralelos a los que uno está escribiendo –sin revelar su esencia– es una parte valiosa de la concepción y la escritura. Pero ése no era entonces el caso, sino que a falta de algo que mostrar había inventado una novela hablada para entretener al auditorio y engañarme a mí mismo.

Esa toma de conciencia me obligó a repensar de punta a punta el proyecto que nunca tuvo más de cuarenta cuartillas salteadas, y sin embargo fue citado en revistas y periódicos –también por mí– e incluso se publicaron algunos anticipos críticos muy sesudos de lectores imaginativos. En el fondo, la razón de esta costumbre de contar proyectos paralelos no debería merecer reproches sino compasión: el terror de escribir puede ser tan insoportable como el de no escribir. En mi caso, además, estoy convencido de que contar la historia verdadera es de mala suerte. Me consuela, sin embargo, que alguna vez la historia oral podría ser mejor que la escrita, y sin saberlo estemos inventando un nuevo género que ya le hace falta a la literatura: la ficción de la ficción.

La verdad de verdad es que no sabía cómo seguir viviendo. Mi convalecencia en Sucre me sirvió para darme cuenta de que no sabía por dónde iba en la vida, pero no me dio pistas del buen rumbo ni ningún argumento nuevo para convencer a mis padres de que no se murieran si me tomaba la libertad de decidir por mi cuenta. De modo que me fui a Barranquilla con doscientos pesos que me había dado mi madre antes de regresar a Cartagena, escamoteados a los fondos domésticos.

El 15 de diciembre de 1949 entré en la librería Mundo a las cinco de la tarde para esperar a los amigos que no había vuelto a ver después de nuestra noche de mayo en que fui con el inolvidable señor Razzore. No llevaba más que un maletín de playa con otra muda de ropa y algunos libros y la carpeta de piel con mis borradores. Minutos después que yo llegaron todos a la librería, uno detrás del otro. Fue una bienvenida ruidosa sin Álvaro Cepeda, que seguía en Nueva York. Cuando se completó el grupo pasamos a los aperitivos, que ya no eran en el café Colombia junto a la librería, sino en uno reciente de amigos más cercanos en la acera de enfrente: el café Japy.

No tenía ningún rumbo, ni esa noche ni en el resto de mi vida. Lo raro es que nunca pensé que ese rumbo podía estar en Barranquilla, y si iba allí era sólo por hablar de literatura y para agradecer de cuerpo presente la remesa de libros que me habían mandado a Sucre. De lo primero nos sobró, pero nada de lo segundo, a pesar de que lo intenté muchas veces, porque el grupo tenía un terror sacramental a la costumbre de dar o recibir las gracias entre nosotros mismos.

Germán Vargas improvisó aquella noche una comida de doce personas, entre las que había de todo, desde periodistas, pintores y notarios, hasta el gobernador del departamento, un típico conservador barranquillero, con su manera propia de discernir y gobernar. La mayoría se retiró pasada la medianoche y el resto se desbarató a migajas, hasta que sólo quedamos Alfonso, Germán y yo, con el gobernador, más o menos en el sano juicio en que solíamos estar en las madrugadas de la adolescencia.

En las largas conversaciones de aquella noche había recibido una lección sorprendente sobre el modo de ser de los gobernantes de la ciudad en los años sangrientos. Calculaba que entre los estragos de esa política bárbara los menos alentadores eran un número impresionante de refugiados sin techo ni pan en las ciudades.

–A este paso –concluyó–, mi partido, con el apoyo de las armas, quedará sin adversario en las próximas elecciones y dueño absoluto del poder.

La única excepción era Barranquilla, de acuerdo con una cultura de convivencia política que los propios conservadores locales compartían, y que había hecho de ella un refugio de paz en el ojo del huracán. Quise hacerle un reparo ético, pero él me frenó en seco con un gesto de la mano.

–Perdón –dijo–, esto no quiere decir que estemos al margen de la vida nacional. Al contrario: justo por nuestro pacifismo, el drama social del país se nos ha venido metiendo en puntas de pies por la puerta de atrás, y ya lo tenemos aquí adentro.

Entonces supe que había unos cinco mil refugiados venidos del interior en la peor miseria y no sabían cómo rehabilitarlos ni dónde esconderlos para que no se hiciera público el problema. Por primera vez en la historia de la ciudad había patrullas militares que montaban guardia en lugares críticos, y todo el mundo las veía, pero el gobierno lo negaba y la censura impedía que se denunciaran en la prensa.

Al amanecer, después de embarcar casi a rastras al señor gobernador, fuimos al Chop Suey, el desayunadero de los grandes amanecidos. Alfonso compró en el quiosco de la esquina tres ejemplares de *El Heraldo*, en cuya página editorial había una nota firmada por Puck, su seudónimo en la columna interdiaria. Era sólo un saludo para mí, pero Germán le tomó el pelo porque la nota decía que yo estaba allí de vacaciones informales.

–Lo mejor hubiera sido decir que se queda a vivir aquí para no escribir una nota de saludo y después otra de despedida –se burló Germán–. Menos gasto para un periódico tan tacaño como *El Heraldo*.

Ya en serio, Alfonso pensaba que no le iría mal a su sección editorial un columnista más. Pero Germán estaba indomable a la luz del amanecer.

–Será un quintacolumnista porque ya tienen cuatro.

Ninguno de ellos consultó mi disposición, como yo lo deseaba, para decirle que sí. No se habló más del tema. Ni fue necesario, porque Alfonso me dijo esa noche que había hablado con la dirección del periódico y les parecía bien la idea de un nuevo columnista, siempre que fuera bueno pero sin muchas pretensiones. En todo caso no podían resolver nada hasta después de las fiestas del Año Nuevo. De modo que me quedé con el pretexto del empleo, aunque en febrero me dijeran que no.

7

Fue así como se publicó mi primera nota en la página editorial de *El Heraldo* de Barranquilla el 5 de enero de 1950. No quise firmarla con mi nombre para curarme en salud por si no lograba encontrarle el paso como había ocurrido en *El Universal*. El seudónimo no lo pensé dos veces: Septimus, tomado de Septimus Warren Smith, el personaje alucinado de Virginia Woolf en *La señora Dalloway*. El título de la columna –«La Jirafa»– era el sobrenombre confidencial con que sólo yo conocía a mi pareja única en los bailes de Sucre.

Me pareció que las brisas de enero soplaban más que nunca aquel año, y apenas se podía andar contra ellas en las calles castigadas hasta el amanecer. Los temas de conversación al levantarse eran los estragos de los vientos locos durante la noche, que arrastraban consigo sueños y gallineros y convertían en guillotinas voladoras las láminas de cinc de los techos.

Hoy pienso que aquellas brisas locas barrieron los rastrojos de un pasado estéril y me abrieron las puertas de una nueva vida. Mi relación con el grupo dejó de ser de complacencias y se convirtió en una complicidad profesional. Al principio comentábamos los temas en proyecto o intercambiábamos observaciones nada doctorales pero de no olvidar. La definitiva para mí fue la de una mañana en que entré en el café Japy cuando Germán Vargas estaba acabando de leer en silencio «La Jirafa» recortada del periódico del día. Los otros del grupo esperaban su veredicto en torno de la mesa con una especie de terror reverencial que hacía más denso el humo de la sala. Al terminar, sin mirarme siquiera, Germán la rompió en pedacitos sin decir una sola palabra y los revolvió entre la basura de colillas y fósforos quemados del cenicero. Nadie dijo nada, ni el humor de la mesa cambió, ni se comentó el episodio en ningún momento. Pero la lección me sirve todavía cuando me asalta por pereza o por prisa la tentación de escribir un párrafo por salir del paso.

En el hotel de lance donde viví casi un año, los propietarios terminaron por tratarme como a un miembro de la familia. Mi único patrimonio de entonces eran las sandalias históricas y dos mudas de ropa que lavaba en la ducha, y la carpeta de piel que me robé en el salón de té más respingado de Bogotá en los tumultos del 9 de abril. La llevaba conmigo a todas partes con los originales de lo que estuviera escribiendo, que era lo único que tenía para perder. No me habría arriesgado a dejarla ni bajo siete llaves en la caja blindada de un banco. La única persona a quien se la había confiado en mis primeras noches fue al sigiloso Lácides, el portero del hotel, que me la aceptó en garantía por el precio del cuarto. Les dio una pasada intensa a las tiras de papel escritas a máquina y enmarañadas de enmiendas, y la guardó en la gaveta del mostrador. La rescaté el día siguiente a la hora prometida y seguí cumpliendo con mis pagos con tanto rigor que me la recibía en prenda hasta por tres noches. Llegó a ser un acuerdo tan serio que algunas veces se la dejaba en el mostrador sin decirle más que las buenas noches, y yo mismo cogía la llave en el tablero y subía a mi cuarto.

Germán vivía pendiente a toda hora de mis carencias, hasta el punto de saber si no tenía dónde dormir y me daba a hurtadillas el peso y medio para la cama. Nunca supe cómo lo sabía. Gracias a mi buena conducta me hice a la confianza del personal del hotel, hasta el punto de que las putitas me prestaban para la ducha su jabón personal. En el puesto de mando, con sus tetas siderales y su cráneo de calabaza, presidía la vida su dueña y señora, Catalina la Grande. Su machucante de planta, el mulato Jonás San Vicente, había sido un trompetista de lujo hasta que le desbarataron la dentadura orificada en un asalto para robarle los casquetes. Maltrecho y sin fuelle para soplar tuvo que cambiar de oficio, y no podía conseguir otro mejor para su tranca de seis pulgadas que la cama de oro de Catalina la Grande. También ella tenía su tesoro íntimo que le sirvió para trepar en dos años desde las madrugadas miserables del muelle fluvial hasta su trono de mamasanta mayor. Tuve la suerte de conocer el ingenio y la mano suelta de ambos para hacer felices a sus amigos. Pero nunca entendieron por qué tantas veces no tenía el peso y medio para dormir, y sin embargo pasaban a recogerme gentes de mucho mundo en limusinas oficiales.

Otro paso feliz de aquellos días fue que terminé de copiloto único del Mono Guerra, un taxista tan rubio que parecía albino, y tan inteligente y simpático que lo habían elegido concejal honorario sin hacer campaña. Sus madrugadas en el barrio chino parecían de cine, porque él mismo se encargaba de enriquecerlas –y a veces enloquecerlas– con desplantes inspirados. Me avisaba cuando tenía alguna noche sin prisa, y la pasábamos juntos en el descalabrado barrio chino, donde nuestros padres y los padres de sus padres aprendieron a hacernos.

Nunca pude descubrir por qué, en medio de una vida tan sencilla, me hundí de pronto en un desgano imprevisto. Mi novela en curso –*La casa*–, a unos seis meses de haberla empezado, me pareció una farsa desangelada. Más era lo que hablaba de ella que lo que escribía, y en realidad lo poco coherente que tuve fueron los fragmentos que antes y después publiqué en «La Jirafa» y en *Crónica* cuando me quedaba sin tema. En la soledad de los fines de semana, cuando los otros se refugiaban en sus casas, me quedaba más solo que la mano izquierda en la ciudad desocupada. Era de una pobreza absoluta y de una timidez de codorniz, que trataba de contrarrestar con una altanería insoportable y una franqueza brutal. Sentía que sobraba en todas partes y aun algunos conocidos me lo hacían notar. Esto era más crítico en la sala de redacción de *El Heraldo*, donde escribía hasta diez horas continuas en un rincón apartado sin alternar con nadie, envuelto en la humareda de los cigarrillos bastos que fumaba sin pausas en una soledad sin alivio. Lo hacía a toda prisa, muchas veces hasta el amanecer, y en tiras de papel de imprenta que llevaba a todas partes en la carpeta de cuero.

En uno de los tantos descuidos de aquellos días la olvidé en un taxi, y lo entendí sin amarguras como una trastada más de mi mala suerte. No hice ningún esfuerzo por recuperarla, pero Alfonso Fuenmayor, alarmado por mi negligencia, redactó y publicó una nota al final de mi sección: «El último sábado se quedó olvidada una papelera en un automóvil de servicio público. En vista de que el dueño de esa papelera y el autor de esta sección son, coincidencialmente, una misma persona, ambos agradeceríamos a quien la tenga se sirva comunicarse con cualquiera de los dos. La papelera no contiene en absoluto objetos de valor: solamente «jirafas» inéditas». Dos días después alguien dejó mis borradores en la portería de *El Heraldo*, pero sin la carpeta, y con tres errores de ortografía corregidos con muy buena letra en tinta verde.

El sueldo diario me alcanzaba justo para pagar el cuarto, pero lo que menos me importaba en aquellos días era el abismo de la pobreza. Las muchas veces en que no pude pagarlo me iba a leer en el café Roma como lo que era en realidad: un solitario al garete en la noche del paseo Bolívar. A cualquier conocido le hacía un saludo de lejos, si es que me dignaba mirarlo, y seguía de largo hasta mi reservado habitual, donde muchas veces leí hasta que me espantaba el sol. Pues aun entonces seguía siendo un lector insaciable sin ninguna formación sistemática. Sobre todo de poesía, aun de la mala, pues en los peores ánimos estuve convencido de que la mala poesía conduce tarde o temprano a la buena.

En mis notas de «La Jirafa» me mostraba muy sensible a la cultura popular, al contrario de mis cuentos que más bien parecían acertijos kafkianos escritos por alguien que no sabía en qué país vivía. Sin embargo, la verdad de mi alma era que el drama de Colombia me llegaba como un eco remoto y sólo me conmovía cuando se desbordaba en ríos de sangre. Encendía un cigarrillo sin terminar el anterior, aspiraba el humo con las ansias de vida con que los asmáticos se beben el aire, y las tres cajetillas que consumía en un día se me notaban en las uñas y en una tos de perro viejo que perturbó mi juventud. En fin, era tímido y triste, como buen caribe, y tan celoso de mi intimidad que cualquier pregunta sobre ella la contestaba con un desplante retórico. Estaba convencido de que mi mala suerte era congénita y sin remedio, sobre todo con las mujeres y el dinero, pero no me importaba, pues creía que la buena suerte no me hacía falta para escribir bien. No me interesaban la gloria, ni la plata, ni la vejez, porque estaba seguro de que iba a morir muy joven y en la calle.

El viaje con mi madre para vender la casa de Aracataca me rescató de ese abismo, y la certidumbre de la nueva novela me indicó el horizonte de un porvenir distinto. Fue un viaje decisivo entre los numerosos de mi vida, porque me demostró en carne propia que el libro que había tratado de escribir era una pura invención retórica sin sustento alguno en una verdad poética. El proyecto, por supuesto, saltó en añicos al enfrentarlo con la realidad en aquel viaje revelador.

El modelo de una epopeya como la que yo soñaba no podía ser otro que el de mi propia familia, que nunca fue protagonista y ni siquiera víctima de algo, sino testigo inútil y víctima de todo. Empecé a escribirla a la hora misma del regreso, pues ya no me servía para nada la elaboración con recursos artificiales, sino la carga emocional que arrastraba sin saberlo y me había esperado intacta en la casa de los abuelos. Desde mi primer paso en las arenas ardientes del pueblo me había dado cuenta de que mi método no era el más feliz para contar aquel paraíso terrenal de la desolación y la nostalgia, aunque gasté mucho tiempo y trabajo para encontrar el método correcto. Los atafagos de *Crónica*, a punto de salir, no fueron un obstáculo, sino todo lo contrario: un freno de orden para la ansiedad.

Salvo Alfonso Fuenmayor –que me sorprendió en la fiebre creativa horas después de que empecé a escribirla– el resto de mis amigos creyó por mucho tiempo que seguía con el viejo proyecto de *La casa*. Decidí que así fuera por el temor pueril de que se descubriera el fracaso de una idea de la cual había hablado tanto como si fuera una obra maestra. Pero también lo hice por la superstición que todavía cultivo de contar una historia y escribir otra distinta para que no se sepa cuál es cuál. Sobre todo en las entrevistas de prensa, que al fin y al cabo son un género de ficción peligroso para escritores tímidos que no quieren decir más de lo que deben. Sin embargo, Germán Vargas debió descubrirlo con su perspicacia misteriosa, porque meses después del viaje de don Ramón a Barcelona se lo dijo en una carta: «Creo que Gabito ha abandonado el proyecto de *La casa* y está metido en otra novela». Don Ramón, por supuesto, lo sabía desde antes de irse.

Desde la primera línea tuve por cierto que el nuevo libro debía sustentarse con los recuerdos de un niño de siete años sobreviviente de la matanza pública de 1928 en la zona bananera. Pero lo descarté muy pronto, porque el relato quedaba limitado al punto de vista de un personaje sin bastantes recursos poéticos para contarlo. Entonces tomé conciencia de que mi aventura de leer *Ulises* a los veinte años, y más tarde *El sonido y la furia*, eran dos audacias prematuras sin futuro, y decidí releerlos con una óptica menos prevenida. En efecto, mucho de lo que me había parecido pedante o hermético en Joyce y Faulkner se me reveló entonces con una belleza y una sencillez aterradoras. Pensé en diversificar el monólogo con voces de todo el pueblo, como un coro griego narrador, al modo de *Mientras yo agonizo*, que son reflexiones de toda una familia interpuestas alrededor de un moribundo. No me sentí capaz de repetir su recurso sencillo de indicar los nombres de los protagonistas en cada parlamento, como en los textos de teatro, pero me dio la idea de usar sólo las tres voces del abuelo, la madre y el niño, cuyos tonos y destinos tan diferentes podían identificarse por sí solos. El abuelo de la novela no sería tuerto como el mío, pero era cojo; la madre absorta, pero inteligente, como la mía, y el niño inmóvil, asustado y pensativo, como lo fui siempre a su edad. No fue un hallazgo de creación, ni mucho menos, sino apenas un recurso técnico.

El nuevo libro no tuvo ningún cambio de fondo durante la escritura ni ninguna versión distinta de la original, salvo supresiones y remiendos durante unos dos años antes de su primera edición, casi por el vicio de seguir corrigiendo hasta morir. El pueblo –muy distinto del que yo tenía en el proyecto anterior– lo había visualizado en la realidad cuando volví a Aracataca con mi madre, pero este nombre –como me lo había advertido el muy sabio don Ramón– me pareció tan poco convincente como el de Barranquilla, pues también carecía del soplo mítico que buscaba para la novela. Así que decidí llamarlo con el nombre que sin duda conocía de niño, pero cuya carga mágica no se me había revelado hasta entonces: Macondo.

Tuve que cambiar el título de *La casa* –tan familiar entonces entre mis amigos– porque no tenía nada que ver con el nuevo proyecto, pero cometí el error de anotar en un cuaderno de escuela los títulos que se me iban ocurriendo mientras escribía, y llegué a tener más de ochenta. Por fin lo encontré sin buscarlo en la primera versión ya casi terminada, cuando cedí a la tentación de escribirle un prólogo de autor. El título me saltó a la cara, como el más desdeñoso y a la vez compasivo con que mi abuela, en sus rezagos de aristócrata, bautizó a la marabunta de la United Fruit Company: *La hojarasca*.

Los autores que me estimularon más para escribirla fueron los novelistas norteamericanos, y en especial los que me mandaron a Sucre los amigos de Barranquilla. Sobre todo por las afinidades de toda índole que encontraba entre las culturas del sur profundo y la del Caribe, con la que tengo una identificación absoluta, esencial e insustituible en mi formación de ser humano y escritor. Desde estas tomas de conciencia empecé a leer como un auténtico novelista artesanal, no sólo por placer, sino por la curiosidad insaciable de descubrir cómo estaban escritos los libros de los sabios. Los leía primero por el derecho, luego por el revés, y los sometía a una especie de destripamiento quirúrgico hasta desentrañar los misterios más recónditos de su estructura. Por lo mismo, mi biblioteca no ha sido nunca mucho más que un instrumento de trabajo, donde puedo consultar al instante un capítulo de Dostoievski, o precisar un dato sobre la epilepsia de Julio César o sobre el mecanismo de un carburador de automóvil. Tengo, incluso, un manual para cometer asesinatos perfectos, por si lo necesitara alguno de mis personajes desvalidos. El resto lo hicieron los amigos que me orientaban en mis lecturas y me prestaban los libros que debía leer en el momento justo, y los que han hecho las lecturas despiadadas de mis originales antes de publicarse.

Ejemplos como ése me dieron una nueva conciencia de mí mismo, y el proyecto de *Crónica* acabó de darme alas. Nuestra moral era tan alta que a pesar de los obstáculos insuperables llegamos a tener oficinas propias en un tercer piso sin ascensor, entre los pregones de las vivanderas y los autobuses sin ley de la calle San Blas, que era una feria turbulenta desde el amanecer hasta las siete de la noche. Apenas si cabíamos. Todavía no habían instalado el teléfono, y el aire acondicionado era una fantasía que podía costarnos más que el semanario, pero ya Fuenmayor había tenido tiempo de atiborrar la oficina con sus enciclopedias desmanteladas, sus recortes de prensa en cualquier idioma y sus célebres manuales de oficios raros. En su escritorio de director estaba la histórica Underwood que había rescatado con grave riesgo de su vida en el incendio de una embajada, y que hoy día es una joya en el Museo Romántico de Barranquilla. El otro escritorio único lo ocupaba yo, con una máquina prestada por *El Heraldo*, en mi condición flamante de jefe de redacción. Había una mesa de dibujo para Alejandro Obregón, Orlando Guerra y Alfonso Melo, tres pintores famosos que se comprometieron en su sano juicio a ilustrar gratis las colaboraciones, y así lo hicieron, primero por la generosidad congénita de todos, y al final porque no teníamos un céntimo disponible ni para nosotros mismos. El fotógrafo más constante y sacrificado fue Quique Scopell.

Aparte del trabajo de redacción, que era el propio de mi título, me correspondía también vigilar el proceso de armada y asistir al corrector de pruebas a pesar de mi ortografía de holandés. Puesto que subsistía con *El Heraldo* mi compromiso de continuar «La Jirafa», no tenía mucho tiempo para colaboraciones regulares en *Crónica*. Sí lo tenía, en cambio, para escribir mis cuentos en las horas muertas de la madrugada.

Alfonso, especialista en todos los géneros, puso el peso de su fe en los cuentos policíacos, por los cuales tenía una pasión sedienta. Los traducía o seleccionaba, y yo los sometía a un proceso de simplificación formal que habría de servirme para mi oficio. Consistía en ahorrar espacio por la eliminación no sólo de las palabras inútiles sino también de los hechos superfluos, hasta dejarlos en la pura esencia sin afectar su poder de convicción. Es decir, borrar todo lo que pudiera sobrar en un género drástico en el que cada palabra debería responder por toda la estructura. Éste fue un ejercicio de los más útiles en mis investigaciones sesgadas para aprender la técnica de contar un cuento.

Algunos de los mejores de José Félix Fuenmayor nos salvaron varios sábados, pero la circulación permanecía impávida. Sin embargo, la eterna tabla de salvación fue el temple de Alfonso Fuenmayor, a quien nunca se le reconocieron méritos de hombre de empresa, y se empeñó en la nuestra con una tenacidad superior a sus fuerzas, que él mismo trataba de desbaratar a cada paso con su terrible sentido del humor. Lo hacía todo, desde escribir los editoriales más lúcidos hasta las notas más inútiles, con el mismo tesón con que conseguía anuncios, créditos impensables y obras exclusivas de colaboradores difíciles. Pero fueron milagros estériles. Cuando los voceadores regresaban con la misma cantidad de ejemplares que se habían llevado para vender, intentábamos la distribución personal en las cantinas favoritas, desde El Tercer Hombre hasta las taciturnas del puerto fluvial, donde los escasos beneficios teníamos que cobrarlos en especies etílicas.

Uno de los colaboradores más puntuales, y sin duda el más leído, resultó ser el Vate Osío. Desde el primer número de *Crónica* fue uno de los infalibles, y su «Diario de una mecanógrafa», con el seudónimo de Dolly Melo, terminó por conquistar el corazón de los lectores. Nadie podía creer que tantos oficios dispersos fueran hechos con tanta gentileza por un mismo hombre.

Bob Prieto podía impedir el naufragio de *Crónica* con cualquier hallazgo médico o artístico de la Edad Media. Pero en materia de trabajo tenía una norma diáfana: si no pagan no hay producto. Muy pronto, por supuesto, y con el dolor en nuestras almas, no lo hubo.

De Julio Mario Santodomingo alcanzamos a publicar cuatro cuentos enigmáticos escritos en inglés, que Alfonso traducía con la ansiedad de un cazador de libélulas en las frondas de sus diccionarios raros, y que Alejandro Obregón ilustraba con un refinamiento de artista grande. Pero Julio Mario viajaba tanto, y con tantos destinos opuestos, que se volvió un socio invisible. Sólo Alfonso Fuenmayor supo dónde encontrarlo, y nos lo reveló con una frase inquietante:

–Cada vez que veo pasar un avión pienso que allí va Julio Mario Santodomingo.

El resto eran colaboradores ocasionales que en los últimos minutos del cierre –o del pago– nos mantenían con el alma en un hilo.

Bogotá se acercó a nosotros como iguales, pero ninguno de los amigos útiles hizo esfuerzos de ninguna clase para mantener a flote el semanario. Salvo Jorge Zalamea, que entendió las afinidades entre su revista y la nuestra, y nos propuso un pacto de intercambio de materiales que dio buenos resultados. Pero creo que en realidad nadie apreció lo que *Crónica* tenía ya de milagro. El consejo editorial eran dieciséis miembros escogidos por nosotros de acuerdo con los méritos reconocidos de cada uno, y todos eran seres de carne y hueso, pero tan poderosos y ocupados que bien podía dudarse de su existencia.

Crónica tuvo para mí la importancia lateral de obligarme a improvisar cuentos de emergencia para llenar espacios imprevistos en la angustia del cierre. Me sentaba a la máquina mientras linotipistas y armadores hacían lo suyo, e inventaba de la nada un relato del tamaño del hueco. Así escribí «De cómo Natanael hace una visita», que me resolvió un problema de urgencia al amanecer, y «Ojos de perro azul» cinco semanas después.

El primero de esos dos cuentos fue el origen de una serie con un mismo personaje, cuyo nombre tomé sin permiso de André Gide. Más tarde escribí «El final de Natanael» para resolver otro drama de última hora. Ambos formaron parte de una secuencia de seis, que archivé sin dolor cuando me di cuenta de que no tenían nada que ver conmigo. De los que me quedaron a medias recuerdo uno sin la menor idea de su argumento: «De cómo Natanael se viste de novia». El personaje no se me parece hoy a nadie que haya conocido, ni estaba fundado en vivencias propias o ajenas, ni puedo imaginarme siquiera cómo podía ser un cuento mío con un tema tan equívoco. Natanael, en definitiva, era un riesgo literario sin ningún interés humano. Es bueno recordar estos desastres para no olvidar que un personaje no se inventa de cero, como quise hacerlo con Natanael. Por fortuna la imaginación no me dio para llegar tan lejos de mí mismo y, por desgracia, también era un convencido de que el trabajo literario tenía que pagarse tan bien como pegar ladrillos, y si pagábamos bien y puntuales a los tipógrafos, con más razón había que pagarles a los escritores.

La mejor resonancia que teníamos de nuestro trabajo en *Crónica* nos llegaba en las cartas de don Ramón a Germán Vargas. Se interesaba por las noticias menos pensadas y por los amigos y hechos de Colombia, y Germán le mandaba recortes de prensa y le contaba en cartas interminables las noticias que prohibía la censura. Es decir, para él había dos *Crónicas*: la que hacíamos nosotros y la que le resumía Germán los fines de semana. Los comentarios entusiastas o severos de don Ramón sobre nuestros artículos eran nuestra avidez mayor.

Entre las varias causas con que quisieron explicarse los tropiezos de *Crónica*, y aun las incertidumbres del grupo, supe por casualidad que algunos los atribuían a mi mala suerte congénita y contagiosa. Como una prueba mortal se citaba mi reportaje sobre Berascochea, el futbolista brasileño, con el cual quisimos conciliar deporte y literatura en un género nuevo y fue el descalabro definitivo. Cuando me enteré de mi fama indigna ya estaba muy extendida entre los clientes del Japy. Desmoralizado hasta el tuétano la comenté con Germán Vargas, que ya la conocía, como el resto del grupo.

–Tranquilo, maestro –me dijo sin la menor duda–. Escribir como usted escribe sólo se explica por una buena suerte que no la derrota nadie.

No todo fueron malas noches. La del 27 de julio de 1950, en la casa de fiestas de la Negra Eufemia, tuvo un cierto valor histórico en mi vida de escritor. No sé por qué buena causa la dueña había ordenado un sancocho épico de cuatro carnes, y los alcaravanes alborotados por los olores montaraces extremaron los chillidos alrededor del fogón. Un cliente frenético agarró un alcaraván por el cuello y lo echó vivo en la olla hirviendo. El animal alcanzó apenas a lanzar un aullido de dolor con un aletazo final y se hundió en los profundos infiernos. El asesino bárbaro trató de agarrar otro, pero la Negra Eufemia estaba ya levantada del trono con todo su poder.

—¡Quietos, carajo —gritó—, que los alcaravanes les van a sacar los ojos!

Sólo a mí me importó, porque fui el único que no tuvo alma para probar el sancocho sacrílego. En vez de irme a dormir me precipité a la oficina de *Crónica* y escribí de un solo trazo el cuento de tres clientes de un burdel a quienes los alcaravanes les sacaron los ojos y nadie lo creyó. Tenía sólo cuatro cuartillas de tamaño oficio a doble espacio, y estaba contado en primera persona del plural por una voz sin nombre. Es de un realismo transparente y sin embargo el más enigmático de mis cuentos, que además me enfiló por un rumbo que estaba a punto de abandonar por no poder. Había empezado a escribir a las cuatro de la madrugada del viernes y terminé a las ocho de la mañana atormentado por un deslumbramiento de adivino. Con la complicidad infalible de Porfirio Mendoza, el armador histórico de *El Heraldo*, reformé el diagrama previsto para la edición de *Crónica* que circulaba el día siguiente. En el último minuto, desesperado por la guillotina del cierre, le dicté a Porfirio el título definitivo que acababa por fin de encontrar, y él lo escribió en directo en el plomo fundido: «La noche de los alcaravanes».

Para mí fue el principio de una nueva época, después de nueve cuentos que estaban todavía en el limbo metafísico y cuando no tenía ningún proyecto para proseguir con un género que no lograba atrapar. Jorge Zalamea lo reprodujo el mes siguiente en *Crítica*, excelente revista de poesía grande. He vuelto a leerlo cincuenta años después, antes de escribir este párrafo, y creo que no le cambiaría ni una coma. En medio del desorden sin brújula en que estaba viviendo, aquél fue el principio de una primavera.

El país, en cambio, entraba en barrena. Laureano Gómez había regresado de Nueva York para ser proclamado candidato conservador a la presidencia de la República. El liberalismo se abstuvo ante el imperio de la violencia, y Gómez fue elegido en solitario para el 7 de agosto de 1950. Puesto que el Congreso estaba clausurado, tomó posesión ante la Corte Suprema de Justicia.

Apenas si alcanzó a gobernar de cuerpo presente, pues a los quince meses se retiró de la presidencia por motivos reales de salud. Lo reemplazó el jurista y parlamentario conservador Roberto Urdaneta Arbeláez, en su condición de primer designado de la República. Los buenos entendedores lo interpretaron como una fórmula muy propia de Laureano Gómez para dejar el poder en otras manos, pero sin perderlo, y seguir gobernando desde su casa por interpuesta persona. Y en casos urgentes, por teléfono.

Pienso que el regreso de Álvaro Cepeda con su grado de la Universidad de Columbia, un mes antes del sacrificio del alcaraván, fue decisivo para sobrellevar los hados funestos de aquellos días. Volvió más despelucado y sin el bigote de cepillo, y más cerrero que cuando se fue. Germán Vargas y yo, que lo esperábamos hacía varios meses con el temor de que lo hubieran desbravado en Nueva York, nos moríamos de risa cuando lo vimos bajar del avión de saco y corbata y saludando desde la escalerilla con la primicia de Hemingway: *Al otro lado del río y entre los árboles*. Se lo arranqué de las manos, lo acaricié por ambos lados, y cuando quise preguntarle algo, Álvaro se me adelantó:

—¡Es una mierda!

Germán Vargas, ahogado de risa, me murmuró al oído: «Volvió igualito». Sin embargo, Álvaro nos aclaró después que su juicio sobre el libro era una broma, pues apenas empezaba a leerlo en el vuelo desde Miami. En todo caso, lo que nos levantó los ánimos fue que trajo más alborotado que antes el sarampión del periodismo, el cine y la literatura. En los meses siguientes, mientras volvió a aclimatarse, nos mantuvo con la fiebre a cuarenta grados.

Fue un contagio inmediato. «La Jirafa», que desde hacía meses giraba sobre sí misma dando palos de ciego, empezó a respirar con dos fragmentos saqueados del borrador de *La casa*. Uno era «El hijo del coronel», nunca nacido, y el otro era «Ny», una niña fugitiva a cuya puerta llamé muchas veces en busca de caminos distintos, y jamás contestó. También recobré mi interés de adulto por las tiras cómicas, no como pasatiempo dominical sino como un nuevo género literario condenado sin razón al cuarto de los niños. Mi héroe, en medio de tantos, fue Dick Tracy. Y además, cómo no, recuperé el culto del cine que me inculcó el abuelo y me alimentó don Antonio Daconte en Aracataca, y que Álvaro Cepeda convirtió en una pasión evangélica para un país donde las mejores películas se conocían por relatos de peregrinos. Fue una suerte que su regreso coincidiera con el estreno de dos obras maestras: *Intruder in the Dust*, dirigida por Clarence Brown sobre la novela de William Faulkner, y *El retrato de Jenny*, dirigida por William Dieterle sobre la novela de Robert Nathan. Ambas las comenté en «La Jirafa», después de largas discusiones con Álvaro Cepeda. Quedé tan interesado que empecé a ver el cine con otra óptica. Antes de conocerlo a él yo no sabía que lo más importante era el nombre del director, que es el último que aparece en los créditos. Para mí era una simple cuestión de escribir guiones y manejar actores, pues lo demás lo hacían los numerosos miembros del equipo. Cuando Álvaro regresó me dio un curso completo a base de gritos y ron blanco hasta el amanecer en las mesas de las peores cantinas, para enseñarme a golpes lo que le habían enseñado de cine en los Estados Unidos, y amanecíamos soñando despiertos con hacerlo en Colombia.

Aparte de esas explosiones luminosas la impresión de los amigos que seguíamos a Álvaro en su velocidad de crucero era que no tenía serenidad para sentarse a escribir. Quienes lo vivíamos de cerca no podíamos concebirlo sentado más de una hora en ningún escritorio. Sin embargo, dos o tres meses después de su regreso, Tita Manotas –su novia de muchos años y su esposa de toda la vida– nos llamó aterrorizada para contarnos que Álvaro había vendido su camioneta histórica y había olvidado en la guantera los originales sin copia de sus cuentos inéditos. No había hecho ningún esfuerzo por encontrarlos, con el argumento muy suyo de que eran «seis o siete cuentos de mierda». Amigos y corresponsales ayudamos a Tita en la busca de la camioneta varias veces revendida en todo el litoral caribe y tierra adentro hasta Medellín. Por fin la encontramos en un taller de Sincelejo, a unos doscientos kilómetros de distancia. Los originales en tiras de papel de imprenta, masticadas e incompletas, se los encomendamos a Tita por el temor de que Álvaro volviera a traspapelarlos por descuido o a propósito.

Dos de esos cuentos se publicaron en *Crónica* y los demás los guardó Germán Vargas durante unos dos años mientras se encontraba una solución editorial. La pintora Cecilia Porras, siempre fiel al grupo, los ilustró con unos dibujos inspirados que eran una radiografía de Álvaro vestido de todo lo que podía ser al mismo tiempo: chofer de camión, payaso de feria, poeta loco, estudiante de Columbia o cualquier otro oficio, menos de hombre común y corriente. El libro lo editó la librería Mundo con el título de *Todos estábamos a la espera*, y fue un acontecimiento editorial que sólo pasó inadvertido para la crítica doctoral. Para mí –y así lo escribí entonces– fue el mejor libro de cuentos que se había publicado en Colombia.

Alfonso Fuenmayor, por su parte, escribió comentarios críticos y de maestro de letras en periódicos y revistas, pero tenía un gran pudor de reunirlos en libros. Era un lector de una voracidad descomunal, apenas comparable a la de Álvaro Mutis o Eduardo Zalamea. Germán Vargas y él eran críticos tan drásticos, que lo fueron más con sus propios cuentos que con los del prójimo, pero su manía de encontrar valores jóvenes no les falló nunca. Fue la primavera creativa en que corrió el rumor insistente de que Germán se trasnochaba escribiendo cuentos magistrales, pero no se supo nada de ellos hasta muchos años después, cuando se encerró en el dormitorio de su casa paterna y los quemó horas antes de casarse con mi comadre Susana Linares, para estar seguro de que no serían leídos ni por ella. Se suponía que eran cuentos y ensayos, y quizás el borrador de una novela, pero Germán no dijo jamás una palabra sobre ellos ni antes ni después, y sólo en las vísperas de su boda tomó las precauciones drásticas para que no lo supiera ni la mujer que sería su esposa desde el día siguiente. Susana se dio cuenta, pero no entró en el cuarto para impedirlo, porque su suegra no se lo habría permitido. «En aquel tiempo –me dijo Susi años después con su humor atropellado– una novia no podía entrar antes de casarse en el dormitorio de su prometido.»

No había pasado un año cuando las cartas de don Ramón empezaron a ser menos explícitas, y cada vez más tristes y escasas. Entré en la librería Mundo el 7 de mayo de 1952, a las doce del día, y Germán no tuvo que decírmelo para darme cuenta de que don Ramón había muerto, dos días antes, en la Barcelona de sus sueños. El único comentario, a medida que llegábamos al café del mediodía, fue el mismo de todos:

–¡Qué vaina!

No fui consciente entonces de que estaba viviendo un año diferente de mi vida, y hoy no tengo dudas de que fue decisivo. Hasta entonces me había conformado con mi pinta de perdulario. Era querido y respetado por muchos, y admirado por algunos, en una ciudad donde cada quien vivía a su modo y acomodo. Hacía una vida social intensa, participaba en certámenes artísticos y sociales con mis sandalias de peregrino que parecían compradas para imitar a Álvaro Cepeda, con un solo pantalón de lienzo y dos camisas de diagonal que lavaba en la ducha.

De un día para otro, por razones diversas –y algunas demasiado frívolas– empecé a mejorar la ropa, me corté el pelo como recluta, me adelgacé el bigote y aprendí a usar unos zapatos de senador que me regaló sin estrenar el doctor Rafael Marriaga, miembro itinerante del grupo e historiador de la ciudad, porque le quedaban grandes. Por la dinámica inconsciente del arribismo social empecé a sentir que me ahogaba de calor en el cuarto del Rascacielos, como si Aracataca hubiera estado en Siberia, y a sufrir por los clientes de paso que hablaban en voz alta al levantarse y no me cansaba de refunfuñar porque las pájaras de la noche seguían arriando a sus cuartos cuadrillas enteras de marineros de agua dulce.

Hoy me doy cuenta de que mi catadura de mendigo no era por pobre ni por poeta sino porque mis energías estaban concentradas a fondo en la tozudez de aprender a escribir. Tan pronto como vislumbré el buen camino abandoné el Rascacielos y me mudé al apacible barrio del Prado, en el otro extremo urbano y social, a dos cuadras de la casa de Meira Delmar y a cinco del hotel histórico donde los hijos de los ricos bailaban con sus amantes vírgenes después de la misa del domingo. O como dijo Germán: empecé a mejorar para mal.

Vivía en la casa de las hermanas Ávila –Esther, Mayito y Toña–, a quienes había conocido en Sucre, y estaban empeñadas desde hacía tiempo en redimirme de la perdición. En vez del cubículo de cartón donde perdí tantas escamas de nieto consentido, tenía entonces una alcoba propia con baño privado y una ventana sobre el jardín, y las tres comidas diarias por muy poco más que mi sueldo de carretero. Compré un pantalón y media docena de camisas tropicales con flores y pájaros pintados, que por un tiempo me merecieron una fama secreta de maricón de buque. Amigos antiguos que no habían vuelto a cruzarse conmigo los encontraba entonces en cualquier parte. Descubrí con alborozo que citaban de memoria los despropósitos de «La Jirafa», eran fanáticos de *Crónica* por lo que ellos llamaban su pundonor deportivo y hasta leían mis cuentos sin acabar de entenderlos. Encontré a Ricardo González Ripoll, mi vecino de dormitorio en el Liceo Nacional, que se había instalado en Barranquilla con su diploma de arquitecto y en menos de un año había resuelto la vida con un Chevrolet cola de pato, de edad incierta, donde enlataba al amanecer hasta ocho pasajeros. Me recogía en casa a la prima noche tres veces por semana para irnos de parranda con nuevos amigos obsesionados por enderezar el país, unos con fórmulas de magia política y otros a trompadas con la policía.

Cuando se enteró de estas novedades, mi madre me mandó un recado muy suyo: «La plata llama plata». A los del grupo no les informé nada de la mudanza hasta una noche en que los encontré en la mesa del café Japy, y me agarré de la fórmula magistral de Lope de Vega: «Y me ordené, por lo que convenía el ordenarme a la desorden mía». No recuerdo una rechifla igual ni en el estadio de futbol. Germán apostó a que no se me ocurriría ni una sola idea concebida fuera del Rascacielos. Según Álvaro, no iba a sobrevivir a los retortijones de tres comidas diarias y a sus horas. Alfonso, en contravía, protestó por el abuso de intervenir en mi vida privada y le echó tierra al asunto con una discusión sobre la urgencia de tomar decisiones radicales para el destino de *Crónica*. Pienso que en el fondo se sentían culpables de mi desorden pero eran demasiado decentes para no agradecer mi decisión con un suspiro de alivio.

Al contrario de lo que podía esperarse, mi salud y mi moral mejoraron. Leía menos por la estrechez de mi tiempo, pero le subí el tono a «La Jirafa» y me forcé a seguir escribiendo *La hojarasca* en mi nuevo cuarto con la máquina rupestre que me prestó Alfonso Fuenmayor, y en los amaneceres que antes malgastaba con el Mono Guerra. En una tarde normal en la redacción del periódico podía escribir «La Jirafa», un editorial, algunas de mis tantas informaciones sin firma, condensar un cuento policíaco y escribir las notas de última hora para el cierre de *Crónica*. Por fortuna, en vez de hacerse fácil con los días, la novela en proceso empezó a imponerme sus criterios propios contra los míos y tuve la candidez de entenderlos como un síntoma de vientos propicios.

Tan resueltos estaban mis ánimos que improvisé de emergencia mi cuento número diez –«Alguien desordena estas rosas»–, porque sufrió un infarto grave el comentarista político al que habíamos reservado tres páginas de *Crónica* para un artículo de última hora. Sólo cuando corregí la prueba impresa de mi cuento descubrí que era otro drama estático de los que ya escribía sin darme cuenta. Esta contrariedad acabó de agravarme el remordimiento de haber despertado a un amigo poco antes de la medianoche para que me escribiera el artículo en menos de tres horas. Con ese ánimo de penitente escribí el cuento en el mismo tiempo, y el lunes volví a plantear en el consejo editorial la urgencia de echarnos a la calle para sacar la revista de su marasmo con reportajes de choque. Sin embargo, la idea –que era de todos– fue rechazada una vez más con un argumento favorable a mi felicidad: si nos echábamos a la calle, con la concepción idílica que teníamos del reportaje, la revista no volvería a salir a tiempo –si salía–. Debí entenderlo como un cumplido, pero nunca pude superar la mala idea de que la razón verdadera de ellos era el recuerdo ingrato de mi reportaje sobre Berascochea.

Un buen consuelo de aquellos días fue la llamada telefónica de Rafael Escalona, el autor de las canciones que se cantaban y se siguen cantando de este lado del mundo. Barranquilla era un centro vital, por el paso frecuente de los juglares de acordeón que conocíamos en las fiestas de Aracataca, y por su divulgación intensa en las emisoras de la costa caribe. Un cantante muy conocido entonces era Guillermo Buitrago, que se preciaba de mantener al día las novedades de la Provincia. Otro muy popular era Crescencio Salcedo, un indio descalzo que se plantaba en la esquina de la lunchería Americana para cantar a palo seco las canciones de las cosechas propias y ajenas, con una voz que tenía algo de hojalata, pero con un arte muy suyo que lo impuso entre la muchedumbre diaria de la calle San Blas. Buena parte de mi primera juventud la pasé plantado cerca de él, sin saludarlo siquiera, sin dejarme ver, hasta aprenderme de memoria su vasto repertorio de canciones de todos.

La culminación de esa pasión llegó a su clímax una tarde de sopor en que el teléfono me interrumpió cuando escribía «La Jirafa». Una voz igual a las de tantos conocidos de mi infancia me saludó sin fórmulas previas:

–Quihubo, hermano. Soy Rafael Escalona.

Cinco minutos después nos encontramos en un reservado del café Roma para entablar una amistad de toda la vida. Apenas si terminamos los saludos, porque empecé a exprimir a Escalona para que me cantara sus últimas canciones. Versos sueltos, con una voz muy baja y bien medida, que se acompañaba tamboreando con los dedos en la mesa. La poesía popular de nuestras tierras se paseaba con un vestido nuevo en cada estrofa. «Te voy a dar un ramo de nomeolvides para que hagas lo que dice el significado», cantaba. De mi parte, le demostré que sabía de memoria los mejores cantos de su tierra, tomados desde muy niño en el río revuelto de la tradición oral. Pero lo que más le sorprendió fue que yo le hablaba de la Provincia como si la conociera.

Días antes, Escalona había viajado en autobús de Villanueva a Valledupar, mientras componía de memoria la música y la letra de una nueva canción para los carnavales del domingo siguiente. Era su método maestro, porque no sabía escribir música ni tocar ningún instrumento. En alguno de los pueblos intermedios subió al bus un trovador errante de abarcas y acordeón, de los ya incontables que recorrían la región para cantar de feria en feria. Escalona lo sentó a su lado y le cantó al oído las dos únicas estrofas terminadas de su nueva canción.

El juglar descendió feliz en Villanueva, y Escalona siguió en el bus hasta Valledupar, donde tuvo que acostarse a sudar la fiebre de cuarenta grados de un resfriado común. Tres días después fue domingo de carnaval, y la canción inconclusa, que Escalona le había cantado en secreto al amigo casual, barrió con toda la música vieja y nueva desde Valledupar hasta el cabo de la Vela. Sólo él supo quién la divulgó mientras sudaba su fiebre de carnaval, y quién le puso el nombre: «La vieja Sara».

La historia es verídica, pero no es rara en una región y en un gremio donde lo más natural es lo asombroso. El acordeón, que no es un instrumento propio ni generalizado en Colombia, es popular en la provincia de Valledupar, tal vez importado de Aruba y Curazao. Durante la segunda guerra mundial se interrumpió la importación de Alemania, y los que ya estaban en la Provincia sobrevivieron por el cuidado de sus dueños nativos. Uno de ellos fue Leandro Díaz, un carpintero que no sólo era un compositor genial y un maestro del acordeón, sino el único que supo repararlos mientras duró la guerra, a pesar de ser ciego de nacimiento. El modo de vida de esos juglares propios es cantar de pueblo en pueblo los hechos graciosos y simples de la historia cotidiana, en fiestas religiosas o paganas, y muy sobre todo en el desmadre de los carnavales. El de Rafael Escalona era un caso distinto. Hijo del coronel Clemente Escalona, sobrino del célebre obispo Celedón y bachiller del liceo de Santa Marta que lleva su nombre, empezó a componer desde muy niño para escándalo de la familia, que consideraba el cantar con acordeón como un oficio de menestrales. No sólo era el único juglar graduado de bachiller, sino uno de los pocos que sabían leer y escribir en aquellos tiempos, y el hombre más altivo y enamoradizo que existió jamás. Pero no es ni será el último: ahora los hay por cientos y cada vez más jóvenes. Bill Clinton lo entendió así en los días finales de su presidencia, cuando escuchó a un grupo de niños de escuela primaria que viajaron desde la Provincia a cantar para él en la Casa Blanca.

Por aquellos días de buena fortuna me encontré por casualidad con Mercedes Barcha, la hija del boticario de Sucre a la que le había propuesto matrimonio desde sus trece años. Y al contrario de las otras veces, me aceptó por fin una invitación para bailar el domingo siguiente en el hotel del Prado. Sólo entonces supe que se había mudado a Barranquilla con su familia por la situación política, cada vez más opresiva. Demetrio, su padre, era un liberal de racamandaca que no se amilanó con las primeras amenazas que le hicieron cuando se recrudeció la persecución y la ignominia social de los pasquines. Sin embargo, ante la presión de los suyos, remató las pocas cosas que le quedaban en Sucre e instaló la farmacia en Barranquilla, en los límites del hotel del Prado. Aunque tenía la edad de mi papá, mantuvo siempre conmigo una amistad juvenil que solíamos recalentar en la cantina de enfrente y más de una vez terminamos en borracheras de galeote con el grupo completo en El Tercer Hombre. Mercedes estudiaba entonces en Medellín y sólo iba con la familia en las vacaciones de Navidad. Siempre fue divertida y amable conmigo, pero tenía un talento de ilusionista para escabullirse de preguntas y respuestas y no dejarse concretar sobre nada. Tuve que aceptarlo como una estrategia más piadosa que la indiferencia o el rechazo, y me conformaba con que me viera con su padre y sus amigos en la cantina de enfrente. Si él no vislumbró mi interés en aquellas vacaciones ansiosas fue por ser el secreto mejor guardado en los primeros veinte siglos de la cristiandad. En varias ocasiones se vanaglorió en El Tercer Hombre de la frase que ella me había citado en Sucre en nuestro primer baile: «Mi papá dice que todavía no ha nacido el príncipe que se casará conmigo». Tampoco supe si ella se lo creyó, pero se comportaba como si lo creyera, hasta las vísperas de aquella Navidad en que aceptó que nos encontráramos el domingo siguiente en el baile matinal del hotel del Prado. Soy tan supersticioso que atribuí su resolución al peinado y el bigote de artista que me había hecho el peluquero, y al vestido de lino crudo y la corbata de seda comprados para la ocasión en un remate de turcos. Seguro de que iría con su padre, como a todas partes, invité también a mi hermana Aida Rosa, que pasaba sus vacaciones conmigo. Pero Mercedes se presentó sola en alma, y bailó con una naturalidad y tanta ironía que cualquier propuesta seria iba a parecerle ridícula. Aquel día se inauguró la temporada inolvidable de mi compadre Pacho Galán, creador glorioso del merecumbé que se bailó durante años y fue el origen de nuevos aires caribes todavía vivos. Ella bailaba muy bien la música de moda, y aprovechaba su maestría para sortear con argucias mágicas las propuestas con que la acosaba. Me parece que su táctica era hacerme creer que no me tomaba en serio, pero con tanta habilidad que yo encontraba siempre el modo de seguir adelante.

A las doce en punto se asustó por la hora y me dejó plantado en la mitad de la pieza, pero no quiso que la acompañara ni a la puerta. A mi hermana le pareció tan extraño, que de algún modo se sintió culpable, y todavía me pregunto si aquel mal ejemplo no tendría algo que ver con su determinación repentina de ingresar en el convento de las salesianas de Medellín. Mercedes y yo, desde aquel día, terminamos por inventarnos un código personal con el cual nos entendíamos sin decirnos nada, y aun sin vernos.

Volví a tener noticias de ella al cabo de un mes, el 22 de enero del año siguiente, con un mensaje escueto que me dejó en *El Heraldo*: «Mataron a Cayetano». Para nosotros sólo podía ser uno: Cayetano Gentile, nuestro amigo de Sucre, médico inminente, animador de bailes y enamorado de oficio. La versión inmediata fue que lo habían matado a cuchillo dos hermanos de la maestrita de la escuela de Chaparral que le vimos llevar en su caballo. En el curso del día, de telegrama en telegrama, tuve la historia completa.

Todavía no eran tiempos de teléfonos fáciles, y las llamadas personales de larga distancia se tramitaban con telegramas previos. Mi reacción inmediata fue de reportero. Decidí viajar a Sucre para escribirlo, pero en el periódico lo interpretaron como un impulso sentimental. Y hoy lo entiendo, porque ya desde entonces los colombianos nos matábamos los unos a los otros por cualquier motivo, y a veces los inventábamos para matarnos, pero los crímenes pasionales estaban reservados para lujos de ricos en las ciudades. Me pareció que el tema era eterno y empecé a tomar datos de testigos, hasta que mi madre descubrió mis intenciones sigilosas y me rogó que no escribiera el reportaje. Al menos mientras estuviera viva la madre de Cayetano, doña Julieta Chimento, que para colmo de razones era su comadre de sacramento, por ser madrina de bautismo de Hernando, mi hermano número ocho. Su razón –imprescindible en un buen reportaje– era de mucho peso. Dos hermanos de la maestra habían perseguido a Cayetano cuando trató de refugiarse en su casa, pero doña Julieta se había precipitado a cerrar la puerta de la calle, porque creyó que el hijo ya estaba en su dormitorio. Así que el que no pudo entrar fue él, y lo asesinaron a cuchillo contra la puerta cerrada.

Mi reacción inmediata fue sentarme a escribir el reportaje del crimen pero encontré toda clase de trabas. Lo que me interesaba ya no era el crimen mismo sino el tema literario de la responsabilidad colectiva. Pero ningún argumento convenció a mi madre y me pareció una falta de respeto escribir sin su permiso. Sin embargo, desde aquel día no pasó uno en que no me acosaran los deseos de escribirlo. Empezaba a resignarme, muchos años después, mientras esperaba la salida de un avión en el aeropuerto de Argel. La puerta de la sala de primera clase se abrió de repente y entró un príncipe árabe con la túnica inmaculada de su alcurnia y en el puño una hembra espléndida de halcón peregrino, que en vez del capirote de cuero de la cetrería clásica llevaba uno de oro con incrustaciones de diamantes. Por supuesto, me acordé de Cayetano Gentile, que había aprendido de su padre las bellas artes de la altanería, al principio con gavilanes criollos y luego con ejemplares magníficos trasplantados de la Arabia Feliz. En el momento de su muerte tenía en la hacienda una halconera profesional, con dos primas y un torzuelo amaestrados para la caza de perdices, y un neblí escocés adiestrado para la defensa personal. Yo conocía entonces la entrevista histórica que George Plimpton le hizo a Ernest Hemingway en *The Paris Review* sobre el proceso de convertir un personaje de la vida real en un personaje de novela. Hemingway le contestó: «Si yo explicara cómo se hace eso, algunas veces sería un manual para los abogados especialistas en casos de difamación». Sin embargo, desde aquella mañana providencial en Argel, mi situación era la contraria: no me sentía con ánimos para seguir viviendo en paz si no escribía la historia de la muerte de Cayetano.

Mi madre siguió firme en su determinación de impedirlo contra todo argumento, hasta treinta años después del drama, cuando ella misma me llamó a Barcelona para darme la mala noticia de que Julieta Chimento, la madre de Cayetano, había muerto sin reponerse todavía de la falta del hijo. Pero esa vez, con su moral a toda prueba, mi madre no encontró razones para impedir el reportaje.

–Sólo una cosa te suplico como madre –me dijo–. Trátalo como si Cayetano fuera hijo mío.

El relato, con el título de *Crónica de una muerte anunciada*, se publicó dos años después. Mi madre no lo leyó por un motivo que conservo como otra joya suya en mi museo personal: «Una cosa que salió tan mal en la vida no puede salir bien en un libro».

El teléfono de mi escritorio había sonado a las cinco de la tarde una semana después de la muerte de Cayetano, cuando empezaba a escribir mi tarea diaria en *El Heraldo*. Llamaba mi papá, acabado de llegar a Barranquilla sin anunciarse, y me esperaba de urgencia en el café Roma. La tensión de su voz me asustó, pero más me alarmé de verlo como nunca, desarreglado y sin afeitar, con el vestido azul celeste del 9 de abril masticado por el bochorno de la carretera, y sostenido apenas por la rara placidez de los vencidos.

Quedé tan abrumado que no me siento capaz de transmitir la angustia y la lucidez con que papá me informó del desastre familiar. Sucre, el paraíso de la vida fácil y las muchachas bellas, había sucumbido al embate sísmico de la violencia política. La muerte de Cayetano no era más que un síntoma.

–Tú no te das cuenta de lo que es aquel infierno porque vives en este oasis de paz –me dijo–. Pero los que todavía estamos vivos allá es porque Dios nos conoce.

Era uno de los pocos miembros del Partido Conservador que no habían tenido que esconderse de los liberales enardecidos después del 9 de abril, y ahora los mismos suyos que se acogieron a su sombra lo repudiaban por su tibieza. Me pintó un cuadro tan aterrador –y tan real– que justificaba de sobra su determinación atolondrada de abandonarlo todo para llevarse la familia a Cartagena. Yo no tenía razón ni corazón contra él, pero pensé que podía entretenerlo con una solución menos radical que la mudanza inmediata.

Hacía falta tiempo para pensar. Nos tomamos dos refrescos en silencio, cada cual en lo suyo, y él recobró su idealismo febril antes de terminar y me dejó sin habla. «Lo único que me consuela de toda esta vaina –dijo con un suspiro trémulo– es la felicidad de que puedas por fin terminar tus estudios.» Nunca le dije cuánto me conmovió aquella dicha fantástica por una causa tan trivial. Sentí un soplo helado en el vientre, fulminado por la idea perversa de que el éxodo de la familia no era más que una astucia suya para obligarme a ser abogado. Lo miré directo a los ojos y eran dos remansos atónitos. Me daba cuenta de que estaba tan indefenso y ansioso que no me obligaría a nada, ni me negaría nada, pero tenía bastante fe en su Divina Providencia para creer que podía rendirme por cansancio. Y más aún: con el mismo ánimo cautivo me reveló que me había conseguido un empleo en Cartagena, y tenía todo listo para mi posesión el lunes siguiente. Un gran empleo, me explicó, al que sólo tenía que asistir cada quince días para cobrar el sueldo.

Era mucho más de lo que yo podía digerir. Con los dientes apretados le adelanté algunas reticencias que lo prepararan para una negativa final. Le conté la larga conversación con mi madre en el viaje a Aracataca de la que nunca recibí ningún comentario suyo, pero entendí que su indiferencia por el tema era la mejor respuesta. Lo más triste era que yo le jugaba con los dados compuestos, porque sabía que no sería aceptado en la universidad por haber perdido dos materias del segundo año, que nunca rehabilité, y otras tres irrecuperables en el tercero. Se lo había ocultado a la familia por evitarle un disgusto inútil y no quise imaginar siquiera cuál sería la reacción de papá si se lo contaba aquella tarde. Al principio de la conversación había resuelto no ceder a ninguna debilidad del corazón porque me dolía que un hombre tan bondadoso tuviera que dejarse ver por sus hijos en semejante estado de derrota. Sin embargo, me pareció que era hacerle demasiada confianza a la vida. Al final me entregué a la fórmula fácil de pedirle una noche de gracia para pensar.

–De acuerdo –dijo él–, siempre que no pierdas de vista que tienes en tus manos la suerte de la familia.

La condición sobraba. Era tan consciente de mi debilidad, que cuando lo despedí en el último autobús, a las siete de la noche, tuve que sobornar al corazón para no irme en el asiento de al lado. Para mí era claro que se había cerrado el ciclo, y que la familia volvía a ser tan pobre que sólo podía sobrevivir con el concurso de todos.

No era una buena noche para decidir nada. La policía había desalojado por la fuerza a varias familias de refugiados del interior que estaban acampados en el parque de San Nicolás huyendo de la violencia rural. Sin embargo, la paz del café Roma era inexpugnable. Los refugiados españoles me preguntaban siempre qué sabía de don Ramón Vinyes, y siempre les decía en broma que sus cartas no llevaban noticias de España sino preguntas ansiosas por las de Barranquilla. Desde que murió no volvieron a mencionarlo pero mantenían en la mesa su silla vacía. Un contertulio me felicitó por «La Jirafa» del día anterior que le había recordado de algún modo el romanticismo desgarrado de Mariano José de Larra, y nunca supe por qué. El profesor Pérez Domenech me sacó del apuro con una de sus frases oportunas: «Espero que no siga también el mal ejemplo de pegarse un tiro». Creo que no lo habría dicho si hubiera sabido hasta qué punto podía ser cierto aquella noche.

Media hora después llevé del brazo a Germán Vargas hasta el fondo del café Japy. Tan pronto como nos sirvieron le dije que tenía que hacerle una consulta urgente. Él se quedó a mitad de camino con el pocillo que estaba a punto de probar –idéntico a don Ramón–, y me preguntó alarmado:

–¿Para dónde se va?

Su clarividencia me impresionó.

–¡Cómo carajo lo sabe! –le dije.

No lo sabía, pero lo había previsto, y pensaba que mi renuncia sería el final de *Crónica*, y una irresponsabilidad grave que pesaría sobre mí por el resto de mi vida. Me dio a entender que era poco menos que una traición, y nadie tenía más derecho que él para decírmelo. Nadie sabía qué hacer con *Crónica* pero todos éramos conscientes de que Alfonso la había mantenido en un momento crucial, incluso con inversiones superiores a sus posibilidades, de modo que nunca logré quitarle a Germán la mala idea de que mi mudanza irremediable era una sentencia de muerte para la revista. Estoy seguro de que él, que lo entendía todo, sabía que mis motivos eran ineludibles, pero cumplió con el deber moral de decirme lo que pensaba.

Al día siguiente, mientras me llevaba a la oficina de *Crónica*, Álvaro Cepeda dio una muestra conmovedora de la crispación que le causaban las borrascas íntimas de los amigos. Sin duda ya conocía por Germán mi decisión de irme y su timidez ejemplar nos salvó a ambos de cualquier argumento de salón.

–Qué carajo –me dijo–. Irse para Cartagena no es irse para ninguna parte. Lo jodido sería irse para Nueva York, como me tocó a mí, y aquí estoy completito.

Era la clase de respuestas parabólicas que le servían en casos como el mío para saltarse las ganas de llorar. Por lo mismo no me sorprendió que prefiriera hablar por primera vez del proyecto de hacer cine en Colombia, que habríamos de continuar sin resultados por el resto de nuestras vidas. Lo rozó como un modo sesgado de dejarme con alguna esperanza, y frenó en seco entre la muchedumbre atascada y los ventorrillos de cacharros de la calle San Blas.

–¡Ya le dije a Alfonso –me gritó desde la ventanilla– que mande al carajo la revista y hagamos una como *Time*!

La conversación con Alfonso no fue fácil para mí ni para él porque teníamos una aclaración atrasada desde hacía unos seis meses, y ambos sufríamos de una especie de tartamudez mental en ocasiones difíciles. Ocurrió que en uno de mis berrinches pueriles en la sala de armada había quitado mi nombre y mi título de la bandera de *Crónica*, como una metáfora de renuncia formal, y cuando la tormenta pasó me olvidé de reponerlos. Nadie cayó en la cuenta antes que Germán Vargas dos semanas después, y lo comentó con Alfonso. También para él fue una sorpresa. Porfirio, el jefe de armada, les contó cómo había sido el berrinche, y ellos acordaron dejar las cosas como estaban hasta que yo les diera mis razones. Para desgracia mía, lo olvidé por completo hasta el día en que Alfonso y yo nos pusimos de acuerdo para que me fuera de *Crónica*. Cuando terminamos, me despidió muerto de risa con una broma típica de las suyas, fuerte pero irresistible.

–La suerte –dijo– es que ni siquiera tenemos que quitar su nombre de la bandera.

Sólo entonces reviví el incidente como una cuchillada y sentí que la tierra se hundía bajo mis pies, no por lo que Alfonso había dicho de un modo tan oportuno, sino porque se me hubiera olvidado aclararlo. Alfonso, como era de esperarse, me dio una explicación de adulto. Si era el único entuerto que no habíamos ventilado no era decente dejarlo en el aire sin explicación. El resto lo haría Alfonso con Álvaro y Germán, y si hubiera que salvar el barco entre todos también yo podría volver en dos horas. Contábamos como reserva extrema con el consejo editorial, una especie de Divina Providencia que nunca habíamos logrado sentar a la larga mesa de nogal de las grandes decisiones.

Los comentarios de Germán y Álvaro me infundieron el valor que me hacía falta para irme. Alfonso comprendió mis razones y las recibió como un alivio, pero de ningún modo dio a entender que *Crónica* pudiera acabarse con mi renuncia. Al contrario, me aconsejó que tomara la crisis con calma, me tranquilizó con la idea de construirle una base firme con el consejo editorial, y ya me avisaría cuando pudiera hacerse algo que en realidad valiera la pena.

Fue el primer indicio que tuve de que Alfonso concebía la posibilidad inverosímil de que *Crónica* se acabara. Y así fue, sin pena ni gloria, el 28 de junio, al cabo de cincuenta y ocho números en catorce meses. Sin embargo, medio siglo después, tengo la impresión de que la revista fue un acontecimiento importante del periodismo nacional. No quedó una colección completa, sólo los seis primeros números, y algunos recortes en la biblioteca catalana de don Ramón Vinyes.

Una casualidad afortunada para mí fue que en la casa donde vivía querían cambiar los muebles de sala, y me los ofrecieron a precio de subasta. La víspera del viaje, en mi arreglo de cuentas con *El Heraldo*, aceptaron anticiparme seis meses de «La Jirafa». Con parte de esa plata compré los muebles de Mayito para nuestra casa de Cartagena, porque sabía que la familia no llevaba los de Sucre ni tenía modo de comprar otros. No puedo omitir que con cincuenta años más de uso siguen bien conservados y en servicio, porque la madre agradecida no permitió que los vendieran.

Una semana después de la visita de mi padre me mudé para Cartagena con la única carga de los muebles y poco más de lo que llevaba puesto. Al contrario de la primera vez, sabía cómo hacer cuanto hiciera falta, conocía a todo el que necesitara en Cartagena, y quería de todo corazón que a la familia le fuera bien, pero que a mí me fuera mal como castigo por mi falta de carácter.

La casa estaba en un buen lugar del barrio de la Popa, a la sombra del convento histórico que siempre ha parecido a punto de desbarrancarse. Los cuatro dormitorios y los dos baños de la planta baja estaban reservados para los padres y los once hijos, yo el mayor, de casi veintiséis años, y Eligio el menor, de cinco. Todos bien criados en la cultura caribe de las hamacas y las esteras en el piso y las camas para cuantos tuvieron lugar.

En la planta alta vivía el tío Hermógenes Sol, hermano de mi padre, con su hijo Carlos Martínez Simahan. La casa entera no era suficiente para tantos, pero el alquiler estaba moderado por los negocios del tío con la propietaria, de quien sólo sabíamos que era muy rica y la llamaban la Pepa. La familia, con su implacable don de burla, no tardó en encontrar la dirección perfecta con aires de cuplé: «La casa de la Pepa en el pie de la Popa».

La llegada de la prole es para mí un recuerdo misterioso. Se había ido la luz en media ciudad, y tratábamos de preparar la casa en las tinieblas para acostar a los niños. Con mis hermanos mayores nos reconocíamos por las voces, pero los menores habían cambiado tanto desde mi última visita, que sus ojos enormes y tristes me espantaban a la luz de las velas. El desorden de baúles, bultos y hamacas colgadas en las tinieblas lo sufrí como un 9 de abril doméstico. Sin embargo, la impresión mayor la sentí cuando traté de mover un talego sin forma que se me escapaba de las manos. Eran los restos de la abuela Tranquilina que mi madre había desenterrado y los llevaba para depositarlos en el osario de San Pedro Claver, donde están los de mi padre y la tía Elvira Carrillo en una misma cripta.

Mi tío Hermógenes Sol era el hombre providencial en aquella emergencia. Lo habían nombrado secretario general de la Policía Departamental en Cartagena y su primera disposición radical fue abrir una brecha burocrática para salvar a la familia. Incluido yo, el descarriado político con una reputación de comunista que no me había ganado por mi ideología sino por mi modo de vestir. Había empleos para todos. A papá le dieron un cargo administrativo sin responsabilidad política. A mi hermano Luis Enrique lo nombraron detective y a mí me dieron una canonjía en las oficinas del Censo Nacional que el gobierno conservador se empeñaba en hacer, tal vez para tener alguna idea de cuántos adversarios quedábamos vivos. El costo moral del empleo era más peligroso para mí que el costo político, porque cobraba el sueldo cada dos semanas y no podía dejarme ver por el sector en el resto del mes para evitar preguntas. La justificación oficial, no sólo para mí sino para unos ciento y tantos empleados más, era que estaba en comisión fuera de la ciudad.

El café Moka, frente a las oficinas del censo, permanecía atestado de falsos burócratas de los pueblos vecinos que sólo iban para cobrar. No hubo un céntimo para mi uso personal durante el tiempo en que firmé la nómina porque mi sueldo era sustancial y se iba completo para el presupuesto doméstico. Mientras tanto, papá había tratado de matricularme en la facultad de derecho, y se dio de bruces con la verdad que yo le había ocultado. El solo hecho de que él lo supiera me hizo tan feliz como si me hubieran entregado el diploma. Mi felicidad era aún más merecida, porque en medio de tantas contrariedades y trapisondas había encontrado por fin el tiempo y el espacio para terminar la novela.

Mi entrada en *El Universal* me la hicieron sentir como un regreso a casa. Eran las seis de la tarde, la hora más movida, y el silencio abrupto que mi entrada provocó en los linotipos y las máquinas de escribir se me anudó en la garganta. Al maestro Zabala no le había pasado un minuto en sus mechones de indio. Como si nunca me hubiera ido me pidió el favor de que le escribiera una nota editorial que tenía atrasada. Mi máquina la ocupaba un primíparo adolescente que se cayó por la prisa atolondrada con que me cedió el asiento. Lo primero que me sorprendió fue la dificultad de una nota anónima con la circunspección editorial, después de unos dos años de desafueros con «La Jirafa». Llevaba escrita una cuartilla cuando se acercó a saludarme el director López Escauriaza. Su flema británica era un lugar común en tertulias de amigos y caricaturas políticas, y me impresionó su rubor de alegría al saludarme con un abrazo. Cuando terminé la nota, Zabala me esperaba con un papelito donde el director había hecho cuentas para proponerme un sueldo de ciento veinte pesos al mes por notas editoriales. Me impresionó tanto la cifra, insólita por la fecha y el lugar, que ni siquiera contesté ni di las gracias sino que me senté a escribir dos notas más, embriagado por la sensación de que la Tierra giraba en realidad alrededor del sol.

Era como haber vuelto a los orígenes. Los mismos temas corregidos en rojo liberal por el maestro Zabala, sincopados por la misma censura de un censor ya vencido por las astucias impías de la redacción, las mismas mediasnoches de bisté a caballo con patacones en La Cueva y el mismo tema de componer el mundo hasta el amanecer en el paseo de los Mártires. Rojas Herazo había pasado un año vendiendo cuadros para mudarse a cualquier parte, hasta que se casó con Rosa Isabel, la grande, y se mudó para Bogotá. Al final de la noche me sentaba a escribir «La Jirafa» que mandaba a *El Heraldo* por el único medio moderno de entonces que era el correo ordinario, y con muy pocas faltas por fuerza mayor, hasta el pago de la deuda.

La vida con la familia completa, en condiciones azarosas, no es un dominio de la memoria sino de la imaginación. Los padres dormían en una alcoba de la planta baja con alguno de los menores. Las cuatro hermanas se sentían ya con derecho de tener una alcoba para cada una. En la tercera dormían Hernando y Alfredo Ricardo, al cuidado de Jaime, que los mantenía en estado de alerta con sus prédicas filosóficas y matemáticas. Rita, que andaba por los catorce años, estudiaba hasta la medianoche en la puerta de la calle bajo la luz del poste público, para ahorrar la de la casa. Aprendía de memoria las lecciones cantándolas en voz alta y con la gracia y la buena dicción que todavía conserva. Muchas rarezas de mis libros vienen de sus ejercicios de lectura, con la mula que va al molino y el chocolate del chico de la cachucha chica y el adivino que se dedica a la bebida. La casa era más viva y sobre todo más humana desde la medianoche, entre ir a la cocina a tomar agua, o al excusado para urgencias líquidas o sólidas, o colgar hamacas entrecruzadas a distintos niveles en los corredores. Yo vivía en el segundo piso con Gustavo y Luis Enrique –cuando el tío y su hijo se instalaron en su casa familiar–, y más tarde con Jaime, sometido a la penitencia de no pontificar sobre nada después de las nueve de la noche. Una madrugada nos tuvo despiertos durante varias horas el balido cíclico de un cordero huérfano. Gustavo dijo exasperado:

–Parece un faro.

No lo olvidé nunca, porque era la clase de símiles que en aquel tiempo atrapaba al vuelo en la vida real para la novela inminente.

Fue la casa más viva de las varias de Cartagena, que se fueron degradando al mismo tiempo que los recursos de la familia. Buscando barrios más baratos fuimos descendiendo de clase hasta la casa del Toril, donde se aparecía de noche el espanto de una mujer. Tuve la suerte de no estar allí, pero los solos testimonios de padres y hermanos me causaban tanto terror como si hubiera estado. Mis padres dormitaban la primera noche en el sofá de la sala, y vieron a la aparecida que pasó sin mirarlos de un dormitorio a otro, con un vestido de florecitas rojas y el cabello corto sostenido detrás de las orejas con moños colorados. Mi madre la describió hasta por las pintas de su vestido y el modelo de sus zapatos. Papá negaba que la hubiera visto para no impresionar más a la esposa ni asustar a los hijos, pero la familiaridad con que la aparecida se movía por la casa desde el atardecer no permitía ignorarla. Mi hermana Margot despertó una madrugada y la vio en la baranda de su cama escrutándola con una mirada intensa. Pero lo que más la impresionó fue el pavor de ser vista desde otra vida.

El domingo, a la salida de misa, una vecina le confirmó a mi madre que en aquella casa no vivía nadie desde hacía muchos años por el descaro de la mujer fantasma que alguna vez apareció en el comedor a pleno día mientras la familia almorzaba. Al día siguiente salió mi madre con dos de los menores en busca de una casa para mudarse y la encontró en cuatro horas. Sin embargo, a la mayoría de los hermanos les costó trabajo conjurar la idea de que el fantasma de la muerta se había mudado con ellos.

En la casa del pie de la Popa, a pesar del mucho tiempo de que disponía, era tanto el gusto que me sobraba para escribir, que los días se me quedaban cortos. Allí reapareció Ramiro de la Espriella, con su diploma de doctor en leyes, más político que nunca y entusiasmado con sus lecturas de novelas recientes. Sobre todo por *La piel*, de Curzio Malaparte, que se había convertido aquel año en un libro clave de mi generación. La eficacia de la prosa, el vigor de la inteligencia y la concepción truculenta de la historia contemporánea nos atrapaban hasta el amanecer. Sin embargo, el tiempo nos demostró que Malaparte estaba destinado a ser un ejemplo útil de virtudes distintas de las que yo deseaba, y terminaron por derrotar su imagen. Todo lo contrario de lo que nos sucedió casi al mismo tiempo con Albert Camus.

Los De la Espriella vivían entonces cerca de nosotros y tenían una bodega familiar que saqueaban en botellas inocentes para llevarlas a nuestra casa. Contra el consejo de don Ramón Vinyes, les leía entonces largos trozos de mis borradores a ellos y a mis hermanos, en el estado en que se encontraban y todavía sin desbrozar, y en las mismas tiras de papel de imprenta de todo lo que escribí en las noches insomnes de *El Universal*.

Por esos días volvieron Álvaro Mutis y Gonzalo Mallarino, pero tuve el pudor afortunado de no pedirles que leyeran el borrador sin terminar y todavía sin título. Quería encerrarme sin pausas para hacer la primera copia en cuartillas oficiales antes de la última corrección. Tenía unas cuarenta páginas más que la versión prevista, pero aún ignoraba que eso pudiera ser un tropiezo grave. Pronto supe que sí: soy esclavo de un rigor perfeccionista que me fuerza a hacer un cálculo previo de la longitud del libro, con un número exacto de páginas para cada capítulo y para el libro en total. Una sola falla notable de estos cálculos me obligaría a reconsiderar todo, porque hasta un error de mecanografía me altera como un error de creación. Pensaba que este método absoluto se debía a un criterio exacerbado de la responsabilidad, pero hoy sé que era un simple terror, puro y físico.

En cambio, desoyendo otra vez a don Ramón Vinyes, le hice llegar a Gustavo Ibarra el borrador completo, aunque todavía sin título, cuando lo di por terminado. Dos días después me invitó a su casa. Lo encontré en un mecedor de bejuco en la terraza del mar, bronceado al sol y relajado en ropa de playa, y me conmovió la ternura con que acariciaba mis páginas mientras me hablaba. Un verdadero maestro, que no me dictó una cátedra sobre el libro ni me dijo si le parecía bien o mal, sino que me hizo tomar conciencia de sus valores éticos. Al terminar me observó complacido y concluyó con su sencillez cotidiana:

–Esto es el mito de Antígona.

Por mi expresión se dio cuenta de que se me habían ido las luces, y cogió de sus estantes el libro de Sófocles y me leyó lo que quería decir. La situación dramática de mi novela, en efecto, era en esencia la misma de Antígona, condenada a dejar insepulto el cadáver de su hermano Polinices por orden del rey Creonte, tío de ambos. Yo había leído *Edipo en Colona* en el volumen que el mismo Gustavo me había regalado por los días en que nos conocimos, pero recordaba muy mal el mito de Antígona para reconstruirlo de memoria dentro del drama de la zona bananera, cuyas afinidades emocionales no había advertido hasta entonces. Sentí el alma revuelta por la felicidad y la desilusión. Aquella noche volví a leer la obra, con una rara mezcla de orgullo por haber coincidido de buena fe con un escritor tan grande y de dolor por la vergüenza pública del plagio. Después de una semana de crisis turbia decidí hacer algunos cambios de fondo que dejaran a salvo mi buena fe, todavía sin darme cuenta de la vanidad sobrehumana de modificar un libro mío para que no pareciera de Sófocles. Al final –resignado– me sentí con el derecho moral de usar una frase suya como un epígrafe reverencial, y así lo hice.

La mudanza a Cartagena nos protegió a tiempo del deterioro grave y peligroso de Sucre, pero la mayoría de los cálculos resultaron ilusorios, tanto por la escasez de los ingresos como por el tamaño de la familia. Mi madre decía que los hijos de los pobres comen más y crecen más rápido que los de los ricos, y para demostrarlo bastaba el ejemplo de su propia casa. Los sueldos de todos no hubieran bastado para vivir sin sobresaltos.

El tiempo se hizo cargo de lo demás. Jaime, por otra confabulación familiar, se hizo ingeniero civil, el único de una familia que apreciaba un diploma como un título nobiliario. Luis Enrique se hizo maestro de contabilidad y Gustavo se graduó de topógrafo, y ambos siguieron siendo los mismos guitarristas y cantantes de serenatas ajenas. Yiyo nos sorprendió desde muy niño con una vocación literaria bien definida y por su carácter fuerte, del cual nos había dado una muestra precoz a los cinco años cuando lo sorprendieron tratando de prenderle fuego a un armario de ropa con la ilusión de ver a los bomberos apagando el incendio dentro de la casa. Más tarde, cuando él y su hermano Cuqui fueron invitados por condiscípulos mayores a fumar marihuana, Yiyo la rechazó asustado. El Cuqui, en cambio, que siempre fue curioso y temerario, la aspiró a fondo. Años después, náufrago en el tremedal de la droga, me contó que desde aquel primer viaje se había dicho: «¡Mierda! No quiero hacer nada más que esto en la vida». En los cuarenta años siguientes, con una pasión sin porvenir, no hizo más que cumplir la promesa de morir en su ley. A los cincuenta y dos años se le fue la mano en su paraíso artificial y lo fulminó un infarto masivo.

Nanchi –el hombre más pacífico del mundo– siguió en el ejército después de su servicio militar obligatorio, se esmeró en toda clase de armas modernas y participó en numerosos simulacros, pero nunca tuvo la ocasión en una de nuestras tantas guerras crónicas. Así que se conformó con el oficio de bombero cuando salió del ejército, pero tampoco allí tuvo la ocasión de apagar un solo incendio en más de cinco años. Sin embargo, nunca se sintió frustrado, por un sentido del humor que lo consagró en familia como un maestro del chiste instantáneo, y le permitió ser feliz por el solo hecho de estar vivo.

Yiyo, en los años más difíciles de la pobreza, se hizo escritor y periodista a puro pulso, sin haber fumado nunca ni haberse tomado un trago de más en su vida. Su vocación literaria arrasadora y su creatividad sigilosa se impusieron contra la adversidad. Murió a los cincuenta y cuatro años, con tiempo apenas para publicar un libro de más de seiscientas páginas con una investigación magistral sobre la vida secreta de *Cien años de soledad*, que había trabajado durante años sin que yo lo supiera, y sin solicitarme nunca una información directa.

Rita, apenas adolescente, supo aprovechar la lección del escarmiento ajeno. Cuando volví a la casa de mis padres al cabo de una larga ausencia, la encontré padeciendo el mismo purgatorio de todas por sus amores con un moreno apuesto, serio y decente, cuya única incompatibilidad con ella eran dos cuartas y media de estatura. Esa misma noche encontré a mi padre oyendo las noticias en la hamaca del dormitorio. Bajé el volumen del radio, me senté en la cama de enfrente y le pregunté con mi derecho de primogenitura qué pasaba con los amores de Rita. Él me disparó la respuesta que sin duda tenía prevista desde siempre.

–Lo único que pasa es que el tipo es un ratero.

Justo lo que me esperaba.

–¿Ratero de qué? –le pregunté.

–Ratero ratero –me dijo él, todavía sin mirarme.

–¿Pero qué se ha robado? –le pregunté sin compasión.

Él siguió sin mirarme.

–Bueno –suspiró por fin–. Él no, pero tiene un hermano preso por robo.

–Entonces no hay problema –le dije con una imbecilidad fácil–, porque Rita no quiere casarse con él sino con el que no está preso.

No replicó. Su honradez a toda prueba había sobrepasado sus límites desde la primera respuesta, pues ya sabía también que no era cierto el rumor del hermano preso. Sin más argumentos, trató de aferrarse al mito de la dignidad.

–Está bien, pero que se casen de una vez, porque no quiero noviazgos largos en esta casa.

Mi réplica fue inmediata y con una falta de caridad que nunca me he perdonado:

–Mañana, a primera hora.

–¡Hombre! Tampoco hay que exagerar –me replicó papá sobresaltado pero ya con su primera sonrisa–. Esa muchachita no tiene todavía ni qué ponerse.

La última vez que vi a la tía Pa, a sus casi noventa años, fue una tarde de un calor infame en que llegó a Cartagena sin anunciarse. Iba de Riohacha en un taxi expreso con una maletita de escolar, de luto cerrado y con un turbante de trapo negro. Entró feliz, con los brazos abiertos, y gritó para todos:

–Vengo a despedirme porque ya me voy a morir.

La acogimos no sólo por ser quien era, sino porque sabíamos hasta qué punto conocía sus negocios con la muerte. Se quedó en la casa, esperando su hora en el cuartito de servicio, el único que aceptó para dormir, y allí murió en olor de castidad a una edad que calculábamos en ciento y un años.

Aquella temporada fue la más intensa en *El Universal.* Zabala me orientaba con su sabiduría política para que mis notas dijeran lo que debían sin tropezar con el lápiz de la censura, y por primera vez le interesó mi vieja idea de escribir reportajes para el periódico. Pronto surgió el tema tremendo de los turistas atacados por los tiburones en las playas de Marbella. Sin embargo, lo más original que se le ocurrió al municipio fue ofrecer cincuenta pesos por cada tiburón muerto, y al día siguiente no alcanzaban las ramas de los almendros para exhibir los capturados durante la noche. Héctor Rojas Herazo, muerto de risa, escribió desde Bogotá en su nueva columna de *El Tiempo* una nota de burla sobre la pifia de aplicar a la caza del tiburón el método manido de agarrar el rábano por las hojas. Esto me dio la idea de escribir el reportaje de la cacería nocturna. Zabala me apoyó entusiasmado, pero mi fracaso empezó desde el momento de embarcarme, cuando me preguntaron si me mareaba y contesté que no; si tenía miedo del mar y la verdad era que sí, pero también dije que no, y al final me preguntaron si sabía nadar –que debió haber sido lo primero– y no me atreví a decir la mentira de que sí sabía. De todos modos, en tierra firme y por una conversación de marineros, me enteré de que los cazadores iban hasta las Bocas de Ceniza, a ochenta y nueve millas náuticas de Cartagena, y regresaban cargados de tiburones inocentes para venderlos como criminales de a cincuenta pesos. La noticia grande se acabó el mismo día, y a mí se me acabó la ilusión del reportaje. En su lugar, publiqué mi cuento número ocho: «Nabo, el negro que hizo esperar a los ángeles». Por lo menos dos críticos serios y mis amigos severos de Barranquilla lo juzgaron como un buen cambio de rumbo.

No creo que mi madurez política fuera bastante para afectarme, pero la verdad es que sufrí una recaída semejante a la anterior. Me sentí tan empantanado que mi única diversión era amanecer cantando con los borrachos en Las Bóvedas de las murallas, que habían sido burdeles de soldados durante la Colonia y más tarde una cárcel política siniestra. El general Francisco de Paula Santander había cumplido allí una condena de ocho meses, antes de ser desterrado a Europa por sus compañeros de causa y de armas.

El celador de aquellas reliquias históricas era un linotipista jubilado cuyos colegas activos se reunían con él después del cierre de los periódicos para celebrar el nuevo día todos los días con una damajuana de ron blanco clandestino compuesto por artes de cuatreros. Eran tipógrafos cultos por tradición familiar, gramáticos dramáticos y grandes bebedores de sábados. Me hice a su gremio.

El más joven de ellos se llamaba Guillermo Dávila y había logrado la proeza de trabajar en la costa a pesar de la intransigencia de algunos líderes regionales que se resistían a admitir cachacos en el gremio. Tal vez lo logró por arte de su arte, pues además de su buen oficio y su simpatía personal era un prestidigitador de maravillas. Nos mantenía deslumbrados con las travesuras mágicas de hacer salir pájaros vivos de las gavetas de los escritorios o dejarnos en blanco el papel en que estaba escrito el editorial que acabábamos de entregar a punto de cerrar la edición. El maestro Zabala, tan severo en el deber, se olvidaba por un instante de Paderewski y de la revolución proletaria, y pedía un aplauso para el mago, con la advertencia siempre reiterada y desobedecida de que fuera la última vez. Para mí, compartir con un mago la rutina diaria fue como descubrir por fin la realidad.

En uno de aquellos amaneceres en Las Bóvedas, Dávila me contó su idea de hacer un periódico de veinticuatro por veinticuatro –media cuartilla– que circulara gratis en las tardes a la hora atropellada del cierre del comercio. Sería el periódico más pequeño del mundo, para leer en diez minutos. Así fue. Se llamaba *Comprimido*, lo escribía yo en una hora a las once de la mañana, lo armaba y lo imprimía Dávila en dos horas y lo repartía un papelero temerario que no tenía respiro ni para vocearlo más de una vez.

Salió el martes 18 de setiembre de 1951 y es imposible concebir un éxito más arrasador ni más corto: tres números en tres días. Dávila me confesó que ni siquiera con un acto de magia negra habría podido concebir una idea tan grande a tan bajo costo, que cupiera en tan poco espacio, se ejecutara en tan poco tiempo y desapareciera con tanta rapidez. Lo más raro fue que por un instante del segundo día, embriagado por la rebatiña callejera y el fervor de los fanáticos, llegué a pensar que así de simple podía ser la solución de mi vida. El sueño duró hasta el jueves, cuando el gerente nos demostró que un número más nos dejaría en la quiebra, aun si hubiéramos resuelto publicar anuncios comerciales, pues tenían que ser tan pequeños y tan caros que no había solución racional. La misma concepción del periódico, que se fundaba en su tamaño, arrastraba consigo el germen matemático de su propia destrucción: era tanto más incosteable cuanto más se vendiera.

Quedé colgado de la lámpara. La mudanza para Cartagena había sido oportuna y útil después de la experiencia de *Crónica*, y además me dio un ambiente muy propicio para seguir escribiendo *La hojarasca*, sobre todo por la fiebre creativa con que se vivía en nuestra casa, donde lo más insólito parecía siempre posible. Me bastaría con evocar un almuerzo en que conversábamos con mi papá sobre la dificultad de muchos escritores para escribir sus memorias cuando ya no se acordaban de nada. El Cuqui, con apenas seis años, sacó la conclusión con una sencillez magistral:

–Entonces –dijo–, lo primero que un escritor debe escribir son sus memorias, cuando todavía se acuerda de todo.

No me atreví a confesar que con *La hojarasca* me estaba sucediendo lo mismo que con *La casa*: empezaba a interesarme más la técnica que el tema. Después de un año de haber trabajado con tanto júbilo, se me reveló como un laberinto circular sin entrada ni salida. Hoy creo saber por qué. El costumbrismo que tan buenos ejemplos de renovación ofreció en sus orígenes había terminado por fosilizar también los grandes temas nacionales que trataban de abrirle salidas de emergencia. El hecho es que ya no soportaba un minuto más la incertidumbre. Sólo me faltaban comprobaciones de datos y decisiones de estilo antes del punto final, y sin embargo no la sentía respirar. Pero estaba tan empantanado después de tanto tiempo de trabajo en las tinieblas, que veía zozobrar el libro sin saber dónde estaban las grietas. Lo peor era que en ese punto de la escritura no me servía la ayuda de nadie, porque las fisuras no estaban en el texto sino dentro de mí, y sólo yo podía tener ojos para verlas y corazón para sufrirlas. Tal vez por esa misma razón suspendí «La Jirafa» sin pensarlo demasiado cuando acabé de pagarle a *El Heraldo* el adelanto con el que había comprado los muebles.

Por desgracia, ni el ingenio, ni la resistencia, ni el amor fueron suficientes para derrotar la pobreza. Todo parecía a favor de ella. El organismo del censo se había terminado en un año y mi sueldo en *El Universal* no alcanzaba para compensarlo. No volví a la facultad de derecho, a pesar de las argucias de algunos maestros que se habían confabulado para sacarme adelante en contra de mi desinterés por su interés y su ciencia. El dinero de todos no alcanzaba en casa, pero el hueco era tan grande que mi contribución no fue nunca suficiente y la falta de ilusiones me afectaba más que la falta de plata.

–Si hemos de ahogarnos todos –dije al almuerzo en un día decisivo– dejen que me salve yo para tratar de mandarles aunque sea un bote de remos.

Así que la primera semana de diciembre me mudé de nuevo a Barranquilla, con la resignación de todos, y la seguridad de que el bote llegaría. Alfonso Fuenmayor debió imaginárselo al primer golpe de vista cuando me vio entrar sin anuncio en nuestra vieja oficina de *El Heraldo*, pues la de *Crónica* se había quedado sin recursos. Me miró como a un fantasma desde la máquina de escribir, y exclamó alarmado:

–¡Qué carajo hace usted aquí sin avisar!

Pocas veces en mi vida he contestado algo tan cerca de la verdad:

–Estoy hasta los huevos, maestro.

Alfonso se tranquilizó.

–¡Ah, bueno! –replicó con su mismo talante de siempre y con el verso más colombiano del himno nacional–. Por fortuna, así está la humanidad entera, que entre cadenas gime.

No demostró la mínima curiosidad por el motivo de mi viaje. Le pareció una suerte de telepatía, porque a todo el que le preguntaba por mí en los últimos meses le contestaba que en cualquier momento iba a llegar para quedarme. Se levantó feliz del escritorio mientras se ponía la chaqueta, porque yo le llegaba por casualidad como caído del cielo. Tenía media hora de retraso para un compromiso, no había terminado el editorial del día siguiente, y me pidió que se lo terminara. Apenas alcancé a preguntarle cúal era el tema, y me contestó desde el corredor a toda prisa con una frescura típica de nuestro modo de ser amigos.

–Léalo y ya verá.

Al día siguiente había otra vez dos máquinas de escribir frente a frente en la oficina de *El Heraldo*, y yo estaba escribiendo otra vez «La Jirafa» para la misma página de siempre. Y –¡cómo no!– al mismo precio. Y en las mismas condiciones privadas entre Alfonso y yo, en las que muchos editoriales tenían párrafos del uno o del otro, y era imposible distinguirlos. Algunos estudiantes de periodismo o literatura han querido diferenciarlos en los archivos y no lo han logrado, salvo en los casos de temas específicos, y no por el estilo sino por la información cultural.

En El Tercer Hombre me dolió la mala noticia de que habían matado a nuestro ladroncito amigo. Una noche como todas salió a hacer su oficio, y lo único que volvió a saberse de él sin más detalles fue que le habían dado un tiro en el corazón dentro de la casa donde estaba robando. El cuerpo fue reclamado por una hermana mayor, único miembro de la familia, y sólo nosotros y el dueño de la cantina asistimos a su entierro de caridad.

Volví a casa de las Ávila. Meira Delmar, otra vez vecina, siguió purificando con sus veladas sedantes mis malas noches de El Gato Negro. Ella y su hermana Alicia parecían gemelas por su modo de ser y por lograr que el tiempo se nos volviera circular cuando estábamos con ellas. De algún modo muy especial seguían en el grupo. Por lo menos una vez al año nos invitaban a una mesa de exquisiteces árabes que nos alimentaban el alma, y en su casa había veladas sorpresivas de visitantes ilustres, desde grandes artistas de cualquier género hasta poetas extraviados. Me parece que fueron ellas con el maestro Pedro Viaba quienes le pusieron orden a mi melomanía descarriada, y me enrolaron en la pandilla feliz del centro artístico.

Hoy me parece que Barranquilla me daba una perspectiva mejor sobre *La hojarasca*, pues tan pronto como tuve un escritorio con máquina emprendí la corrección con ímpetus renovados. Por esos días me atreví a mostrarle al grupo la primera copia legible a sabiendas de que no estaba terminada. Habíamos hablado tanto de ella que cualquier advertencia sobraba. Alfonso estuvo dos días escribiendo frente a mí sin mencionarla siquiera. Al tercer día, cuando terminamos las tareas al final de la tarde, puso sobre el escritorio el borrador abierto y leyó las páginas que tenía señaladas con tiras de papel. Más que un crítico, parecía rastreador de inconsecuencias y purificador de estilo. Sus observaciones fueron tan certeras que las utilicé todas, salvo una que a él le pareció traída de los cabellos, aun después de demostrarle que era un episodio real de mi infancia.

–Hasta la realidad se equivoca cuando la literatura es mala –dijo muerto de risa.

El método de Germán Vargas era que si el texto estaba bien no hacía comentarios inmediatos sino que daba un concepto tranquilizador, y terminaba con un signo de exclamación:

–¡Cojonudo!

Pero en los días siguientes seguía soltando ristras de ideas dispersas sobre el libro, que culminaban cualquier noche de farra en un juicio certero. Si el borrador no le parecía bien, citaba a solas al autor y se lo decía con tal franqueza y tanta elegancia, que al aprendiz no le quedaba más que dar las gracias de todo corazón a pesar de las ganas de llorar. No fue mi caso. El día menos pensado Germán me hizo entre broma y de veras un comentario sobre mis borradores que me devolvió el alma al cuerpo.

Álvaro había desaparecido del Japy sin la menor señal de vida. Casi una semana después, cuando menos lo esperaba, me cerró el paso con el automóvil en el paseo Bolívar, y me gritó con su mejor talante:

–Suba, maestro, que lo voy a joder por bruto.

Era su frase anestésica. Dimos vueltas sin rumbo fijo por el centro comercial abrasado por la canícula, mientras Álvaro soltaba a gritos un análisis más bien emocional pero impresionante de su lectura. Lo interrumpía cada vez que veía un conocido en los andenes para gritarle algún despropósito cordial o burlón, y reanudaba el raciocinio exaltado, con la voz erizada por el esfuerzo, los cabellos revueltos y aquellos ojos desorbitados que parecían mirarme por entre las rejas de un panóptico. Terminamos tomando cerveza helada en la terraza de Los Almendros, agobiados por las fanaticadas del Junior y el Sporting en la acera de enfrente, y al final nos atropelló la avalancha de energúmenos que escapaban del estadio desinflados por un indigno dos a dos. El único juicio definitivo sobre el borrador de mi libro me lo gritó Álvaro a última hora por la ventana del carro:

–¡De todos modos, maestro, todavía le queda mucho costumbrismo!

Yo, agradecido, alcancé a gritarle:

–¡Pero del bueno de Faulkner!

Y él puso término a todo lo no dicho ni pensado con una risotada fenomenal:

–¡No sea hijueputa!

Cincuenta años después, cada vez que me acuerdo de aquella tarde, vuelvo a oír la carcajada explosiva que resonó como un reguero de piedras en la calle en llamas.

Me quedó claro que a los tres les había gustado la novela, con sus reservas personales y tal vez justas, pero no lo dijeron con todas sus letras quizás porque les parecía un recurso fácil. Ninguno habló de publicarla, lo cual era también muy de ellos, para quienes lo importante era escribir bien. Lo demás era asunto de los editores.

Es decir: estaba otra vez en nuestra Barranquilla de siempre, pero mi desgracia era la conciencia de que aquella vez no tendría ánimos para perseverar con «La Jirafa». En realidad había cumplido su misión de imponerme una carpintería diaria para aprender a escribir desde cero, con la tenacidad y la pretensión encarnizada de ser un escritor distinto. En muchas ocasiones no podía con el tema, y lo cambiaba por otro cuando me daba cuenta de que todavía me quedaba grande. En todo caso, fue una gimnasia esencial para mi formación de escritor, con la certidumbre cómoda de que no era más que un material alimenticio sin ningún compromiso histórico.

La sola busca del tema diario me había amargado los primeros meses. No me dejaba tiempo para más: perdía horas escudriñando los otros periódicos, tomaba notas de conversaciones privadas, me extraviaba en fantasías que me maltrataban el sueño, hasta que me salió al encuentro la vida real. En ese sentido mi experiencia más feliz fue la de una tarde en que vi al pasar desde el autobús un letrero simple en la puerta de una casa: «Se venden palmas fúnebres».

Mi primer impulso fue tocar para averiguar los datos de aquel hallazgo, pero me venció la timidez. De modo que la vida misma me enseñó que uno de los secretos más útiles para escribir es aprender a leer los jeroglíficos de la realidad sin tocar una puerta para preguntar nada. Esto se me hizo mucho más claro mientras releía en años recientes las más de cuatrocientas «jirafas» publicadas, y de compararlas con algunos de los textos literarios a que dieron origen.

Por Navidades llegó de vacaciones la plana mayor de *El Espectador*, desde el director general, don Gabriel Cano, con todos los hijos: Luis Gabriel, el gerente; Guillermo, entonces subdirector; Alfonso, subgerente, y Fidel, el menor, aprendiz de todo. Llegó con ellos Eduardo Zalamea, Ulises, quien tenía un valor especial para mí por la publicación de mis cuentos y su nota de presentación. Tenían la costumbre de gozar en pandilla la primera semana del nuevo año en el balneario de Prado-mar, a diez leguas de Barranquilla, donde se tomaban el bar por asalto. Lo único que recuerdo con cierta precisión de aquella barahúnda es que Ulises en persona fue una de las grandes sorpresas de mi vida. Lo veía a menudo en Bogotá, al principio en El Molino y años después en El Automático, y a veces en la tertulia del maestro De Greiff. Lo recordaba por su semblante huraño y su voz de metal, de los cuales saqué la conclusión de que era un cascarrabias, que por cierto era la fama que tenía entre los buenos lectores de la ciudad universitaria. Por eso lo había eludido diversas ocasiones para no contaminar la imagen que me había inventado para mi uso personal. Me equivoqué. Era uno de los seres más afectuosos y serviciales que recuerdo, aunque comprendo que necesitaba un motivo especial de la mente o del corazón. Su materia humana no tenía nada de la de don Ramón Vinyes, Álvaro Mutis o León de Greiff, pero compartía con ellos la aptitud congénita de maestro a toda hora, y la rara suerte de haber leído todos los libros que se debían leer.

De los Cano jóvenes –Luis Gabriel, Guillermo, Alfonso y Fidel– llegaría a ser más que un amigo cuando trabajé como redactor de *El Espectador*. Sería temerario tratar de recordar algún diálogo de aquellas conversaciones de todos contra todos en las noches de Pradomar, pero también sería imposible olvidar su persistencia insoportable en la enfermedad mortal del periodismo y la literatura. Me hicieron otro de los suyos, como su cuentista personal, descubierto y adoptado por ellos y para ellos. Pero no recuerdo –como tanto se ha dicho– que alguien hubiera sugerido siquiera que me fuera a trabajar con ellos. No lo lamenté, porque en aquel mal momento no tenía la menor idea de cuál sería mi destino ni si me dieran a escogerlo.

Álvaro Mutis, entusiasmado por el entusiasmo de los Cano, volvió a Barranquilla cuando acababan de nombrarlo jefe de relaciones públicas de la Esso Colombiana, y trató de convencerme de que me fuera a trabajar con él en Bogotá. Su verdadera misión, sin embargo, era mucho más dramática: por un fallo aterrador de algún concesionario local habían llenado los depósitos del aeropuerto con gasolina de automóvil en vez de gasolina de avión, y era impensable que una nave abastecida con aquel combustible equivocado pudiera llegar a ninguna parte. La tarea de Mutis era enmendar el error en secreto absoluto antes del amanecer sin que se enteraran los funcionarios del aeropuerto, y mucho menos la prensa. Así se hizo. El combustible fue cambiado por el bueno en cuatro horas de whiskys bien conversados en los separos del aeropuerto local. Nos sobró tiempo para hablar de todo, pero el tema inimaginable para mí fue que la editorial Losada de Buenos Aires podía publicar la novela que yo estaba a punto de terminar. Álvaro Mutis lo sabía por la vía directa del nuevo gerente de la editorial en Bogotá, Julio César Villegas, un antiguo ministro de Gobierno del Perú asilado desde hacía poco en Colombia.

No recuerdo una emoción más intensa. La editorial Losada era una entre las mejores de Buenos Aires, que habían llenado el vacío editorial provocado por la guerra civil española. Sus editores nos alimentaban a diario con novedades tan interesantes y raras que apenas si teníamos tiempo para leerlas. Sus vendedores nos llegaban puntuales con los libros que nosotros encargábamos y los recibíamos como enviados de la felicidad. La sola idea de que una de ellas pudiera editar *La hojarasca* estuvo a punto de trastornarme. No acababa de despedir a Mutis en un avión abastecido con el combustible correcto, cuando corrí al periódico para hacer la revisión a fondo de los originales.

En los días sucesivos me dediqué de cuerpo entero al examen frenético de un texto que bien pudo salírseme de las manos. No eran más de ciento veinte cuartillas a doble espacio, pero hice tantos ajustes, cambios e invenciones, que nunca supe si quedó mejor o peor. Germán y Alfonso releyeron las partes más críticas y tuvieron el buen corazón de no hacerme reparos irredimibles. En aquel estado de ansiedad revisé la versión final con el alma en la mano y tomé la decisión serena de no publicarlo. En el futuro, aquello sería una manía. Una vez que me sentía satisfecho con un libro terminado, me quedaba la impresión desoladora de que no sería capaz de escribir otro mejor.

Por fortuna, Álvaro Mutis sospechó cuál era la causa de mi demora, y voló a Barranquilla para llevarse y enviar a Buenos Aires el único original en limpio, sin darme tiempo de una lectura final. Aún no existían las fotocopias comerciales y lo único que me quedó fue el primer borrador corregido en márgenes e interlíneas con tintas de colores distintos para evitar confusiones. Lo tiré a la basura y no recobré la serenidad durante los dos meses largos que demoró la respuesta.

Un día cualquiera me entregaron en *El Heraldo* una carta que se había traspapelado en el escritorio del jefe de redacción. El membrete de la editorial Losada de Buenos Aires me heló el corazón, pero tuve el pudor de no abrirla allí mismo sino en mi cubículo privado.

Gracias a eso me enfrenté sin testigos a la noticia escueta de que *La hojarasca* había sido rechazada. No tuve que leer el fallo completo para sentir el impacto brutal de que en aquel instante me iba a morir.

La carta era el veredicto supremo de don Guillermo de Torre, presidente del consejo editorial, sustentado con una serie de argumentos simples en los que resonaban la dicción, el énfasis y la suficiencia de los blancos de Castilla. El único consuelo fue la sorprendente concesión final: «Hay que reconocerle al autor sus excelentes dotes de observador y de poeta». Sin embargo, todavía hoy me sorprende que más allá de mi consternación y mi vergüenza, aun las objeciones más ácidas me parecieran pertinentes.

Nunca hice copia ni supe dónde quedó la carta después de circular varios meses entre mis amigos de Barranquilla, que apelaron a toda clase de razones balsámicas para tratar de consolarme. Por cierto que cuando traté de conseguir una copia para documentar estas memorias, cincuenta años después, no se encontraron rastros en la casa editorial de Buenos Aires. No recuerdo si se publicó como noticia, aunque nunca pretendí que lo fuera, pero sé que necesité un buen tiempo para recuperar el ánimo después de despotricar a gusto y de escribir alguna carta de rabia que fue publicada sin mi autorización. Esta infidencia me causó una pena mayor, porque mi reacción final había sido aprovechar lo que me fuera útil del veredicto, corregir todo lo corregible según mi criterio y seguir adelante.

El mejor aliento me lo dieron las opiniones de Germán Vargas, Alfonso Fuenmayor y Álvaro Cepeda. A Alfonso lo encontré en una fonda del mercado público, donde había descubierto un oasis para leer en el tráfago del comercio. Le consulté si dejaba mi novela como estaba, o si trataba de reescribirla con otra estructura, pues me parecía que en la segunda mitad perdía la tensión de la primera. Alfonso me escuchó con una cierta impaciencia, y me dio su veredicto.

–Mire, maestro –me dijo al fin, como todo un maestro–, Guillermo de Torre es tan respetable como él mismo se cree, pero no me parece muy al día en la novela actual.

En otras conversaciones ociosas de aquellos días me consoló con el precedente de que Guillermo de Torre había rechazado los originales de *Residencia en la Tierra*, de Pablo Neruda, en 1927. Fuenmayor pensaba que la suerte de mi novela podía haber sido otra si el lector hubiera sido Jorge Luis Borges, pero en cambio los estragos habrían sido peores si también la hubiera rechazado.

–Así que no joda más –concluyó Alfonso–. Su novela es tan buena como ya nos pareció, y lo único que usted tiene que hacer desde ya es seguir escribiendo.

Germán –fiel a su modo ponderado– me hizo el favor de no exagerar. Pensaba que ni la novela era tan mala para no publicarla en un continente donde el género estaba en crisis, ni era tan buena como para armar un escándalo internacional, cuyo único perdedor iba a ser un autor primerizo y desconocido. Álvaro Cepeda resumió el juicio de Guillermo de Torre con otra de sus lápidas floridas:

–Es que los españoles son muy brutos.

Cuando caí en la cuenta de que no tenía una copia limpia de mi novela, la editorial Losada me hizo saber por tercera o cuarta persona que tenían por norma no devolver originales. Por fortuna, Julio César Villegas había hecho una copia antes de enviar los míos a Buenos Aires, y me la hizo llegar. Entonces emprendí una nueva corrección sobre las conclusiones de mis amigos. Eliminé un largo episodio de la protagonista que contemplaba desde el corredor de las begonias un aguacero de tres días, que más tarde convertí en el «Monólogo de

Isabel viendo llover en Macondo». Eliminé un diálogo superfluo del abuelo con el coronel Aureliano Buendía poco antes de la matanza de las bananeras, y unas treinta cuartillas que entorpecían de forma y de fondo la estructura unitaria de la novela. Casi veinte años después, cuando los creía olvidados, partes de esos fragmentos me ayudaron a sustentar nostalgias a lo largo y lo ancho de *Cien años de soledad*.

Estaba a punto de superar el golpe cuando se publicó la noticia de que la novela colombiana escogida para ser publicada en lugar de la mía por la editorial Losada era *El Cristo de espaldas*, de Eduardo Caballero Calderón. Fue un error o una verdad amañada de mala fe, porque no se trataba de un concurso sino de un programa de la editorial Losada para entrar en el mercado de Colombia con autores colombianos, y mi novela no fue rechazada en competencia con otra sino porque don Guillermo de Torre no la consideró publicable.

Mi consternación fue mayor de lo que yo mismo reconocí entonces, y no tuve el coraje de padecerla sin convencerme a mí mismo. Así que le caí sin anunciarme a mi amigo desde la infancia, Luis Carmelo Correa, en la finca bananera de Sevilla –a pocas leguas de Cataca– donde trabajaba por aquellos años como controlador de tiempo y revisor fiscal. Estuvimos dos días recapitulando una vez más, como siempre, nuestra infancia común. Su memoria, su intuición y su franqueza me resultaban tan reveladoras que me causaban un cierto pavor. Mientras hablábamos, él arreglaba con su caja de herramientas los desperfectos de la casa, y yo lo escuchaba en una hamaca mecida por la brisa tenue de las plantaciones. La Nena Sánchez, su esposa, nos corregía disparates y olvidos, muerta de risa en la cocina. Al final, en un paseo de reconciliación por las calles desiertas de Aracataca, comprendí hasta qué punto había recuperado mi salud de ánimo, y no me quedó la menor duda de que *La hojarasca* –rechazada o no– era el libro que yo me había propuesto escribir después del viaje con mi madre.

Alentado por aquella experiencia fui en busca de Rafael Escalona a su paraíso de Valledupar, tratando de escarbar mi mundo hasta las raíces. No me sorprendió, porque todo lo que encontraba, todo lo que ocurría, toda la gente que me presentaban era como si ya lo hubiera vivido, y no en otra vida, sino en la que estaba viviendo. Más adelante, en uno de mis tantos viajes, conocí al coronel Clemente Escalona, el padre de Rafael, que desde el primer día me impresionó por su dignidad y su porte de patriarca a la antigua. Era delgado y recto como un junco, de piel curtida y huesos firmes, y de una dignidad a toda prueba. Desde muy joven me había perseguido el tema de las angustias y el decoro con el que mis abuelos esperaron hasta el fin de sus largos años la pensión de veterano. Sin embargo, cuatro años después, cuando por fin escribía el libro en un viejo hotel de París, la imagen que tuve siempre en la memoria no era la de mi abuelo, sino la de don Clemente Escalona, como la repetición física del coronel que no tenía quien le escribiera.

Por Rafael Escalona supe que Manuel Zapata Olivella se había instalado como médico de pobres en la población de La Paz, a pocos kilómetros de Valledupar, y para allá nos fuimos. Llegamos al atardecer, y algo había en el aire que impedía respirar. Zapata y Escalona me recordaron que apenas veinte días antes el pueblo había sido víctima de un asalto de la policía que sembraba el terror en la región para imponer la voluntad oficial. Fue una noche de horror. Mataron sin discriminación, y les prendieron fuego a quince casas.

Por la censura férrea no habíamos conocido la verdad. Sin embargo, tampoco entonces tuve oportunidad de imaginarlo. Juan López, el mejor músico de la región, se había ido para no volver desde la noche negra. A Pablo, su hermano menor, le pedimos en su casa que tocara para nosotros, y nos dijo con una simplicidad impávida:

–Nunca más en mi vida volveré a cantar.

Entonces supimos que no sólo él, sino todos los músicos de la población habían guardado sus acordeones, sus tamboras, sus guacharacas, y no volvieron a cantar por el dolor de sus muertos. Era comprensible, y el propio Escalona, que era maestro de muchos, y Zapata Olivella, que empezaba a ser el médico de todos, no lograron que nadie cantara.

Ante nuestra insistencia, los vecinos acudieron a dar sus razones, pero en el fondo de sus almas sentían que el duelo no podía durar más. «Es como haberse muerto con los muertos», dijo una mujer que llevaba una rosa roja en la oreja. La gente la apoyó. Entonces Pablo López debió sentirse autorizado para torcerle el cuello a su pena, pues sin decir una palabra entró en su casa y salió con el acordeón. Cantó como nunca, y mientras cantaba empezaron a llegar otros músicos. Alguien abrió la tienda de enfrente y ofreció tragos por su cuenta. Las otras se abrieron de par en par al cabo de un mes de duelo, y se encendieron las luces, y todos cantamos. Media hora después todo el pueblo cantaba. En la plaza desierta salió el primer borracho en un mes y empezó a cantar a voz en cuello una canción de Escalona, dedicada al propio Escalona, en homenaje a su milagro de resucitar el pueblo.

Por fortuna, la vida seguía en el resto del mundo. Dos meses después del rechazo de los originales conocí a Julio César Villegas, que había roto con la editorial Losada, y lo habían nombrado representante para Colombia de la editorial González Porto, vendedores a plazos de enciclopedias y libros científicos y técnicos. Villegas era el hombre más alto y más fuerte, y el más recursivo ante los peores escollos de la vida real, consumidor desmedido de los whiskys más caros, conversador ineludible y fabulista de salón. La noche de nuestro primer encuentro en la suite presidencial del hotel del Prado salí trastabillando con un maletín de agente viajero atiborrado de folletos de propaganda y muestras de enciclopedias ilustradas, libros de medicina, derecho e ingeniería de la editorial González Porto. Desde el segundo whisky había aceptado convertirme en vendedor de libros a plazos en la provincia de Padilla, desde Valledupar hasta La Guajira. Mi ganancia era el anticipo en efectivo del veinte por ciento, que debía alcanzarme para vivir sin angustias después de pagar mis gastos, incluido el hotel.

Éste es el viaje que yo mismo he vuelto legendario por mi defecto incorregible de no medir a tiempo mis adjetivos. La leyenda es que fue planeado como una expedición mítica en busca de mis raíces en la tierra de mis mayores, con el mismo itinerario romántico de mi madre llevada por la suya para ponerla a salvo del telegrafista de Aracataca. La verdad es que el mío no fue uno sino dos viajes muy breves y atolondrados.

En el segundo sólo volví a los pueblos en torno de Valledupar. Una vez allí, por supuesto, tenía previsto seguir hasta el cabo de la Vela con el mismo itinerario de mi madre enamorada, pero sólo llegué a Manaure de la Sierra, a La Paz y a Villanueva, a unas pocas leguas de Valledupar. No conocí entonces San Juan del César, ni Barrancas, donde se casaron mis abuelos y nació mi madre, y donde el coronel Nicolás Márquez mató a Medardo Pacheco; ni conocí Riohacha, que es el embrión de mi tribu, hasta 1984, cuando el presidente Belisario Betancur mandó desde Bogotá un grupo de amigos invitados a inaugurar las minas de hierro del Cerrejón. Fue el primer viaje a mi Guajira imaginaria, que me pareció tan mítica como la había descrito tantas veces sin conocerla, pero no pienso que fuera por mis falsos recuerdos sino por la memoria de los indios comprados por mi abuelo por cien pesos cada uno para la casa de Aracataca. Mi mayor sorpresa, desde luego, fue la primera visión de Riohacha, la ciudad de arena y sal donde nació mi estirpe desde los tatarabuelos, donde mi abuela vio a la virgen de los Remedios apagar el horno con un soplo helado cuando el pan estaba a punto de quemársele, donde mi abuelo hizo sus guerras y sufrió prisión por un delito de amor, y donde fui concebido en la luna de miel de mis padres.

En Valledupar no dispuse de mucho tiempo para vender libros. Vivía en el hotel Wellcome, una estupenda casa colonial bien conservada en el marco de la plaza grande, que tenía una larga enramada de palma en el patio con rústicas mesas de bar y hamacas colgadas en los horcones. Víctor Cohen, el propietario, vigilaba como un cancerbero el orden de la casa, tanto como su reputación moral amenazada por los forasteros disipados. Era también un purista de la lengua que declamaba de memoria a Cervantes con ceceos y seseos castellanos, y ponía en tela de juicio la moral de García Lorca. Hice buenas migas con él por su dominio de don Andrés Bello, por su declamación rigurosa de los románticos colombianos, y unas migas muy malas por su obsesión de impedir que se contrariaran los códigos morales en el ámbito puro de su hotel. Todo esto empezó de manera muy fácil por ser él un viejo amigo de mi tío Juan de Dios y se complacía en evocar sus recuerdos.

Para mí fue una lotería aquel galpón del patio, porque las muchas horas que me sobraban se me iban leyendo en una hamaca bajo el bochorno del mediodía. En tiempos de hambruna llegué a leer desde tratados de cirugía hasta manuales de contabilidad, sin pensar que habrían de servirme para mis aventuras de escritor. El trabajo era casi espontáneo, porque la mayoría de los clientes pasaban de algún modo por el cedal de los Iguarán y los Cotes, y a mí me bastaba con una visita que se prolongaba hasta el almuerzo evocando tramoyas de familia. Algunos firmaban el contrato sin leerlo para estar a tiempo con el resto de la tribu que nos esperaba para almorzar a la sombra de los acordeones. Entre Valledupar y La Paz hice mi cosecha grande en menos de una semana y regresé a Barranquilla con la emoción de haber estado en el único lugar del mundo que de veras entendía.

El 13 de junio muy temprano iba en el autobús hacia no sé dónde cuando me enteré de que las Fuerzas Armadas se habían tomado el poder ante el desorden que reinaba en el gobierno y en el país entero. El 6 de setiembre del año anterior, una turba de pandilleros conservadores y policías en uniforme habían prendido fuego en Bogotá a los edificios de *El Tiempo* y *El Espectador*, los dos diarios más importantes del país, y atacaron a bala las residencias del ex presidente Alfonso López Pumarejo y de Carlos Lleras Restrepo, presidente de la Dirección Liberal. Este último, reconocido como un político de carácter duro, alcanzó a intercambiar disparos con sus agresores, pero al final se vio obligado a escapar por las bardas de una casa vecina. La situación de violencia oficial que padecía el país desde el 9 de abril se había vuelto insostenible.

Hasta la madrugada de aquel 13 de junio, cuando el general de división Gustavo Rojas Pinilla sacó del palacio al presidente encargado, Roberto Urdaneta Arbeláez. Laureano Gómez, el presidente titular en uso de buen retiro por disposición de sus médicos, reasumió entonces el mando en silla de ruedas, y trató de darse un golpe a sí mismo y gobernar los quince meses que le faltaban para su término constitucional. Pero Rojas Pinilla y su plana mayor habían llegado para quedarse.

El respaldo nacional fue inmediato y unánime a la decisión de la Asamblea Constituyente que legitimó el golpe militar. Rojas Pinilla fue investido de poderes hasta el término del periodo presidencial, en agosto del año siguiente, y Laureano Gómez viajó con su familia a Benidorm, en la costa levantina de España, dejando detrás la impresión ilusoria de que sus tiempos de rabias habían terminado. Los patriarcas liberales proclamaron su apoyo a la reconciliación nacional con un llamado a sus copartidarios en armas en todo el país. La foto más significativa que publicaron los periódicos en los días siguientes fue la de los liberales de avanzada que cantaron una serenata de novios bajo el balcón de la alcoba presidencial. El homenaje lo encabezó don Roberto García Peña, director de *El Tiempo*, y uno de los opositores más encarnizados del régimen depuesto.

En todo caso, la foto más emocionante de aquellos días fue la fila interminable de guerrilleros liberales que entregaron las armas en los llanos orientales, comandados por Guadalupe Salcedo, cuya imagen de bandolero romántico había tocado a fondo el corazón de los colombianos castigados por la violencia oficial. Era una nueva generación de guerreros contra el régimen conservador, identificados de algún modo como un rezago de la guerra de los Mil Días, que mantenían relaciones nada clandestinas con los dirigentes legales del partido liberal.

Al frente de ellos, Guadalupe Salcedo había difundido a todos los niveles del país, a favor o en contra, una nueva imagen mítica. Tal vez por eso –a los siete años de su rendición– fue acribillado a tiros por la policía en algún lugar de Bogotá, que nunca ha sido precisado, ni establecidas a ciencia cierta las circunstancias de su muerte.

La fecha oficial es el 6 de junio de 1977, y el cuerpo fue depositado en ceremonia solemne en una cripta numerada del cementerio central de Bogotá con asistencia de políticos conocidos. Pues Guadalupe Salcedo, desde sus cuarteles de guerra, mantuvo relaciones no sólo políticas sino sociales con los dirigentes del liberalismo en desgracia. Sin embargo, hay por lo menos ocho versiones distintas de su muerte, y no faltan incrédulos de aquella época y de ésta que todavía se pregunten si el cadáver era el suyo y si en realidad está en la cripta donde fue sepultado.

Con aquel estado de ánimo emprendí el segundo viaje de negocios a la Provincia, después de confirmar con Villegas que todo estaba en orden. Como la vez anterior, hice mis ventas muy rápidas en Valledupar con una clientela convencida de antemano. Me fui con Rafael Escalona y Poncho Cotes para Villanueva, La Paz, Patillal y Manaure de la Sierra para visitar a veterinarios y agrónomos. Algunos habían hablado con compradores de mi viaje anterior y me esperaban con pedidos especiales. Cualquier hora era buena para armar la fiesta con los mismos clientes y sus alegres compadres, y amanecíamos cantando con los acordeoneros grandes sin interrumpir compromisos ni pagar créditos urgentes porque la vida cotidiana seguía su ritmo natural en el fragor de la parranda. En Villanueva estuvimos con un acordeonero y dos cajistas que al parecer eran nietos de alguno que escuchábamos de niños en Aracataca. De ese modo, lo que había sido una adicción infantil se me reveló en aquel viaje como un oficio inspirado que había de acompañarme hasta siempre.

Esa vez conocí Manaure, en el corazón de la sierra, un pueblo hermoso y tranquilo, histórico en la familia porque fue allí donde llevaron a temperar a mi madre cuando era niña, por unas fiebres tercianas que habían resistido a toda clase de brebajes. Tanto había oído hablar de Manaure, de sus tardes de mayo y ayunos medicinales, que cuando estuve por primera vez me di cuenta de que lo recordaba como si lo hubiera conocido en una vida anterior.

Estábamos tomando una cerveza helada en la única cantina del pueblo cuando se acercó a nuestra mesa un hombre que parecía un árbol, con polainas de montar y al cinto un revólver de guerra. Rafael Escalona nos presentó, y él se quedó mirándome a los ojos con mi mano en la suya.

–¿Tiene algo que ver con el coronel Nicolás Márquez? –me preguntó.

–Soy su nieto –le dije.

–Entonces –dijo él–, su abuelo mató a mi abuelo.

Es decir, era el nieto de Medardo Pacheco, el hombre que mi abuelo había matado en franca lid. No me dio tiempo de asustarme, porque lo dijo de un modo muy cálido, como si también ésa fuera una manera de ser parientes. Estuvimos de parranda con él durante tres días y tres noches en su camión de doble fondo, bebiendo brandy caliente y comiendo sancochos de chivo en memoria de los abuelos muertos. Pasaron varios días antes de que me confesara la verdad: se había puesto de acuerdo con Escalona para asustarme, pero no tuvo corazón para seguir las bromas de los abuelos muertos. En realidad se llamaba José Prudencio Aguilar, y era un contrabandista de oficio, derecho y de buen corazón. En homenaje suyo, para no ser menos, bauticé con su nombre al rival que José Arcadio Buendía mató con una lanza en la gallera de *Cien años de soledad*.

Lo malo fue que al final de aquel viaje de nostalgias no habían llegado todavía los libros vendidos, sin los cuales no podía cobrar mis anticipos. Me quedé sin un céntimo y el metrónomo del hotel andaba más deprisa que mis noches de fiesta. Víctor Cohen empezó a perder la poca paciencia que le quedaba por causa de los infundios de que la plata de su deuda la despilfarraba con chiflamicas de baja estofa y guarichas de mala muerte. Lo único que me devolvió el sosiego fueron los amores contrariados de *El derecho de nacer*, la novela radial de don Félix B. Caignet, cuyo impacto popular revivió mis viejas ilusiones con la literatura de lágrimas. La lectura inesperada de *El viejo y el mar*, de Hemingway, que llegó de sorpresa en la revista *Life en Español*, acabó de restablecerme de mis quebrantos.

En el mismo correo llegó el cargamento de libros que debía entregar a sus dueños para cobrar mis anticipos. Todos pagaron puntuales, pero ya debía en el hotel más del doble de lo que había ganado, y Villegas me advirtió que no tendría ni un clavo más antes de tres semanas. Entonces hablé en serio con Víctor Cohen y él aceptó un vale con un fiador. Como Escalona y su pandilla no estaban a la mano, un amigo providencial me hizo el favor sin compromisos, sólo porque le había gustado un cuento mío publicado en *Crónica*. Sin embargo, a la hora de la verdad no pude pagarle a nadie.

El vale se volvió histórico años después cuando Víctor Cohen lo mostraba a sus amigos y visitantes, no como un documento acusador sino como un trofeo. La última vez que lo vi tenía casi cien años y era espigado y lúcido, y con el humor intacto. En el bautizo de un hijo de mi comadre Consuelo Araujonoguera, del cual fui padrino, volví a ver el vale impagado casi cincuenta años después. Víctor Cohen se lo mostró a todo el que quiso verlo, con la gracia y la fineza de siempre. Me sorprendió la pulcritud del documento escrito por él, y la enorme voluntad de pagar que se notaba en la desfachatez de mi firma. Víctor lo celebró aquella noche bailando un paseo vallenato con una elegancia colonial como nadie lo había bailado desde los años de Francisco el Hombre. Al final, muchos amigos me agradecieron que no hubiera pagado a tiempo el vale que dio origen a aquella noche impagable.

La magia seductora del doctor Villegas daría todavía para más, pero no con los libros. No es posible olvidar la maestría señorial con que toreaba a los acreedores y la felicidad con que ellos entendían sus razones para no pagar a tiempo. El más tentador de sus temas de entonces tenía que ver con la novela *Se han cerrado los caminos*, de la escritora barranquillera Olga Salcedo de Medina, que había provocado un alboroto más social que literario pero con escasos precedentes regionales. Inspirado por el éxito de *El derecho de nacer*, que seguí con atención creciente durante todo el mes, había pensado que estábamos en presencia de un fenómeno popular que los escritores no podíamos ignorar. Sin mencionar siquiera la deuda pendiente se lo había comentado a Villegas a mi regreso de Valledupar, y él me propuso que escribiera la adaptación con la malicia bastante para triplicar el vasto auditorio ya amarrado por el drama radial de Félix B. Caignet.

Hice la adaptación para la transmisión radiofónica en una encerrona de dos semanas que me parecieron mucho más reveladoras de lo previsto, con medidas de diálogos, grados de intensidad y situaciones y tiempos fugaces que no se parecían a nada de cuanto había escrito antes. Con mi inexperiencia en el diálogo –que sigue sin ser mi fuerte–, la prueba fue valiosa y más la agradecí por el aprendizaje que por la ganancia. Sin embargo, tampoco en eso tenía quejas, porque Villegas me adelantó la mitad en efectivo y se comprometió a cancelarme la deuda anterior con los primeros ingresos de la radionovela.

Se grabó en la emisora Atlántico, con el mejor reparto regional posible y dirigida sin experiencia ni inspiración por el mismo Villegas. Para narrador le habían recomendado a Germán Vargas, como un locutor distinto por el contraste de su sobriedad con la estridencia de la radio local. La primera sorpresa grande fue que Germán aceptó, y la segunda fue que desde el primer ensayo él mismo llegó a la conclusión de que no era el indicado. Villegas en persona asumió entonces la carga de la narración con su cadencia y los silbos andinos que acabaron de desnaturalizar aquella aventura temeraria.

La radionovela pasó completa con más penas que glorias, y fue una cátedra magistral para mis ambiciones insaciables de narrador en cualquier género. Asistí a las grabaciones, que eran hechas en directo sobre el disco virgen con una aguja de arado que iba dejando copos de filamentos negros y luminosos, casi intangibles, como cabellos de ángel. Cada noche me llevaba un buen puñado que repartía entre mis amigos como un trofeo insólito. Entre tropiezos y chapucerías sin cuento, la radionovela salió al aire a tiempo con una fiesta descomunal muy propia del promotor.

Nadie logró inventarse un argumento de cortesía para hacerme creer que la obra le gustaba, pero tuvo una buena audiencia y una pauta de publicidad suficiente para salvar la cara. A mí, por fortuna, me dio nuevos bríos en un género que me parecía disparado hacia horizontes impensables. Mi admiración y gratitud por don Félix B. Caignet llegaron al punto de pedirle una entrevista privada unos diez años después, cuando viví unos meses en La Habana como redactor de la agencia cubana Prensa Latina. Pero a pesar de toda clase de razones y pretextos, nunca se dejó ver, y sólo me quedó de él una lección magistral que leí en alguna entrevista suya: «La gente siempre quiere llorar: lo único que yo hago es darle el pretexto». Las magias de Villegas, por su parte, no dieron para más. Se le enredó todo también con la editorial González Porto –como antes con Losada– y no hubo modo de arreglar nuestras últimas cuentas, porque dejó tirados sus sueños de grandeza para volver a su país.

Álvaro Cepeda Samudio me sacó del purgatorio con su vieja idea de convertir *El Nacional* en el periódico moderno que había aprendido a hacer en los Estados Unidos. Hasta entonces, aparte de sus colaboraciones ocasionales en *Crónica*, que siempre fueron literarias, sólo había tenido ocasión de practicar su grado de la Universidad de Columbia con los comprimidos ejemplares que mandaba al *Sporting News*, de Saint Louis, Missouri. Por fin, en 1953 nuestro amigo Julián Davis Echandía, que había sido el primer jefe de Álvaro, lo llamó para que se hiciera cargo del manejo integral de su periódico vespertino, *El Nacional*. El propio Álvaro lo había embullado con el proyecto astronómico que le presentó a su regreso de Nueva York, pero una vez capturado el mastodonte me llamó para que lo ayudara a cargarlo sin títulos ni deberes definidos, pero con el primer sueldo adelantado que me alcanzó para vivir aun sin cobrarlo completo.

Fue una aventura mortal. Álvaro había hecho el plan íntegro con modelos de los Estados Unidos. Como Dios en las alturas quedaba Davis Echandía, precursor de los tiempos heroicos del periodismo sensacionalista local y el hombre menos descifrable que conocí, bueno de nacimiento y más sentimental que compasivo. El resto de la nómina eran grandes periodistas de choque, de la cosecha brava, todos amigos entre sí y colegas de muchos años. En teoría, cada quien tenía su órbita bien definida, pero más allá de ella no se supo nunca quién hizo qué para que el enorme mastodonte técnico no lograra dar ni el primer paso. Los pocos números que lograron salir fueron el resultado de un acto heroico, pero nunca se supo de quién. A la hora de entrar en prensa las planchas estaban empasteladas. Desaparecía el material urgente, y los buenos enloquecíamos de rabia. No recuerdo una vez en que el diario saliera a tiempo y sin remiendos, por los demonios agazapados que teníamos en los talleres. Nunca se supo qué pasó. La explicación que prevaleció fue quizás la menos perversa: algunos veteranos anquilosados no pudieron tolerar el régimen renovador y se confabularon con sus almas gemelas hasta que consiguieron desbaratar la empresa.

Álvaro se fue de un portazo. Yo tenía un contrato que había sido una garantía en condiciones normales, pero en las peores era una camisa de fuerza. Ansioso de sacar algún provecho del tiempo perdido intenté armar al correr de la máquina cualquier cosa válida con cabos sueltos que me quedaban de intentos anteriores. Retazos de *La casa*, parodias del Faulkner truculento de *Luz de agosto*, de las lluvias de pájaros muertos de Nathaniel Hawthorne, de los cuentos policíacos que me habían hastiado por repetitivos, y de algunos moretones que todavía me quedaban del viaje a Aracataca con mi madre. Fui dejándolos fluir a su antojo en mi oficina estéril, donde no quedaba más que el escritorio descascarado y la máquina de escribir con el último aliento, hasta llegar de un solo tirón al título final: «Un día después del sábado». Otro de los pocos cuentos míos que me dejaron satisfecho desde la primera versión.

En *El Nacional* me abordó un vendedor volante de relojes de pulso. Nunca había tenido uno, por razones obvias en aquellos años, y el que me ofrecía era de un lujo aparatoso y caro. El mismo vendedor me confesó entonces que era miembro del Partido Comunista encargado de vender relojes como anzuelos para pescar contribuyentes.

–Es como comprar la revolución a plazos –me dijo.

Le contesté de buena índole:

–La diferencia es que el reloj me lo dan enseguida y la revolución no.

El vendedor no tomó muy bien el mal chiste y terminé comprando un reloj más barato, sólo por complacerlo, y con un sistema de cuotas que él mismo pasaría a cobrar cada mes. Fue el primer reloj que tuve, y tan puntual y duradero que todavía lo guardo como reliquia de aquellos tiempos.

Por esos días volvió Álvaro Mutis con la noticia de un vasto presupuesto de su empresa para la cultura y la aparición inminente de la revista *Lámpara*, su órgano literario. Ante su invitación a colaborar le propuse un proyecto de emergencia: la leyenda de La Sierpe. Pensé que si algún día quería contarla no debía ser a través de ningún prisma retórico sino rescatada de la imaginación colectiva como lo que era: una verdad geográfica e histórica. Es decir –por fin–, un gran reportaje.

–Usted haga lo que le salga por donde quiera –me dijo Mutis–. Pero hágalo, que es el ambiente y el tono que buscamos para la revista.

Se la prometí para dos semanas más tarde. Antes de irse al aeropuerto había llamado a su oficina de Bogotá, y ordenó el pago adelantado. El cheque que me llegó por correo una semana después me dejó sin aliento. Más aún cuando fui a cobrarlo y el cajero del banco se inquietó con mi aspecto. Me hicieron pasar a una oficina superior, donde un gerente demasiado amable me preguntó dónde trabajaba. Le contesté que escribía en *El Heraldo*, de acuerdo con mi costumbre, aunque ya entonces no fuera cierto. Nada más. El gerente examinó el cheque en el escritorio, lo observó con un aire de desconfianza profesional y por fin sentenció:

–Se trata de un documento perfecto.

Esa misma tarde, mientras empezaba a escribir «La Sierpe», me anunciaron una llamada del banco. Llegué a pensar que el cheque no era confiable por cualesquiera de las incontables razones posibles en Colombia. Apenas logré tragarme el nudo de la garganta cuando el funcionario del banco, con la cadencia viciosa de los andinos, se excusó de no haber sabido a tiempo que el mendigo que cobró el cheque era el autor de «La Jirafa».

Mutis volvió otra vez a fin de año. Apenas si saboreó el almuerzo por ayudarme a pensar en algún modo estable y para siempre de ganar más sin cansancio. El que a los postres le pareció mejor fue hacerles saber a los Cano que yo estaría disponible para *El Espectador*, aunque seguía crispándome la sola idea de volver a Bogotá. Pero Álvaro no daba tregua cuando se trataba de ayudar a un amigo.

–Hagamos una vaina –me dijo–, le voy a mandar los pasajes para que vaya cuando quiera y como quiera a ver qué se nos ocurre.

Era demasiado para decir que no, pero estaba seguro de que el último avión de mi vida había sido el que me sacó de Bogotá después del 9 de abril. Además, las escasas regalías de la radionovela y la publicación destacada del primer capítulo de «La Sierpe» en la revista *Lámpara* me habían valido algunos textos de publicidad que me alcanzaron además para mandarle un barco de alivio a la familia de Cartagena. De modo que una vez más resistí a la tentación de mudarme a Bogotá.

Álvaro Cepeda, Germán y Alfonso, y la mayoría de los contertulios del Japy y del café Roma, me hablaron en buenos términos de «La Sierpe» cuando se publicó en *Lámpara* el primer capítulo. Estaban de acuerdo en que la fórmula directa del reportaje había sido la más adecuada para un tema que estaba en la peligrosa frontera de lo que no podía creerse. Alfonso, con su estilo entre broma y de veras me dijo entonces algo que no olvidé nunca: «Es que la credibilidad, mi querido maestro, depende mucho de la cara que uno ponga para contarlo». Estuve a punto de revelarles las propuestas de trabajo de Álvaro Mutis, pero no me atreví, y hoy sé que fue por el miedo de que me las aprobaran. Había vuelto a insistir varias veces, incluso después de que me hizo una reservación en el avión y la cancelé a última hora. Me dio su palabra de que no estaba haciendo una diligencia de segunda mano para *El Espectador* ni para ningún otro medio escrito o hablado. Su único propósito –insistió hasta el final– era el deseo de conversar sobre una serie de colaboraciones fijas para la revista y examinar algunos detalles técnicos sobre la serie completa de «La Sierpe», cuyo segundo capítulo debía salir en el número inminente. Álvaro Mutis se mostraba seguro de que esa clase de reportajes podían ser un puntillazo al costumbrismo chato en sus propios terrenos. De todos los motivos que me había planteado hasta entonces, éste fue el único que me dejó pensando.

Un martes de lloviznas lúgubres me di cuenta de que no podría irme aunque lo quisiera porque no tenía más ropa que mis camisas de bailarín. A las seis de la tarde no encontré a nadie en la librería Mundo y me quedé esperando en la puerta, con una pelota de lágrimas por el crepúsculo triste que empezaba a padecer. En la acera opuesta había una vitrina de ropa formal que no había visto nunca aunque estaba allí desde siempre, y sin pensar en lo que hacía crucé la calle San Blas bajo las cenizas de la llovizna, y entré con paso firme en la tienda más cara de la ciudad. Compré un vestido clerical de paño azul de medianoche, perfecto para el espíritu de la Bogotá de aquel tiempo; dos camisas blancas de cuello duro, una corbata de rayas diagonales y un par de zapatos de los que puso de moda el actor José Mojica antes de hacerse santo. Los únicos a quienes les conté que me iba fueron Germán, Álvaro y Alfonso, que lo aprobaron como una decisión sensata con la condición de que no regresara cachaco.

Lo celebramos en El Tercer Hombre con el grupo en pleno hasta el amanecer, como la fiesta anticipada de mi próximo cumpleaños, pues Germán Vargas, que era el guardián del santoral, informó que el 6 de marzo próximo yo iba a cumplir veintisiete años. En medio de los buenos augurios de mis amigos grandes, me sentí dispuesto a comerme crudos los setenta y tres que me faltaban todavía para cumplir los primeros cien.

8

El director de *El Espectador*, Guillermo Cano, me llamó por teléfono cuando supo que estaba en la oficina de Álvaro Mutis, cuatro pisos arriba de la suya, en un edificio que acababan de estrenar a unas cinco cuadras de su antigua sede. Yo había llegado la víspera y me disponía a almorzar con un grupo de amigos suyos, pero Guillermo me insistió en que antes pasara a saludarlo. Así fue. Después de los abrazos efusivos de estilo en la capital del buen decir, y algún comentario sobre la noticia del día, me agarró del brazo y me apartó de sus compañeros de redacción. «Óigame una vaina, Gabriel –me dijo con una inocencia insospechable–, ¿por qué no me hace el favorzote de escribirme una notita editorial que me está faltando para cerrar el periódico?» Me indicó con el pulgar y el índice el tamaño de medio vaso de agua, y concluyó:

–Así de grande.

Más divertido que él le pregunté dónde podía sentarme, y me señaló un escritorio vacío con una máquina de escribir de otros tiempos. Me acomodé sin más preguntas, pensando un tema bueno para ellos, y allí permanecí sentado en la misma silla, con el mismo escritorio y la misma máquina, en los dieciocho meses siguientes.

Minutos después de mi llegada salió de la oficina contigua Eduardo Zalamea Borda, el subdirector, absorto en un legajo de papeles. Se espantó al reconocerme.

–¡Hombre, don Gabo! –casi gritó, con el nombre que había inventado para mí en Barranquilla como apócope de Gabito, y que sólo él usaba. Pero esta vez se generalizó en la redacción y siguieron usándolo hasta en letras de molde: Gabo.

No recuerdo el tema de la nota que me encargó Guillermo Cano, pero conocía muy bien desde la Universidad Nacional el estilo dinástico de *El Espectador*. Y en especial el de la sección «Día a día» de la página editorial, que gozaba de un prestigio merecido, y decidí imitarlo con la sangre fría con que Luisa Santiaga se enfrentaba a los demonios de la adversidad. La terminé en media hora, le hice algunas correcciones a mano y se la entregué a Guillermo Cano, que la leyó de pie por encima del arco de sus lentes de miope. Su concentración no parecía sólo suya sino de toda una dinastía de antepasados de cabellos blancos, iniciada por don Fidel Cano, el fundador del periódico en 1887, continuada por su hermano don Luis, consolidada por su hijo don Gabriel, y recibida ya madura en el torrente sanguíneo por su nieto Guillermo, que acababa de asumir la dirección general a los veintitrés años. Igual que lo habrían hecho sus antepasados, hizo algunas revisiones salteadas por varias dudas menores, y terminó con el primer uso práctico y simplificado de mi nuevo nombre:

–Muy bien, Gabo.

La noche del regreso me había dado cuenta de que Bogotá no volvería a ser la misma para mí mientras sobrevivieran mis recuerdos. Como muchas catástrofes grandes del país, el 9 de abril había trabajado más para el olvido que para la historia. El hotel Granada fue arrasado en su parque centenario y ya empezaba a crecer en su lugar el edificio demasiado nuevo del Banco de la República. Las antiguas calles de nuestros años no parecían de nadie sin los tranvías iluminados, y la esquina del crimen histórico había perdido su grandeza en los espacios ganados por los incendios. «Ahora sí parece una gran ciudad», dijo asombrado alguien que nos acompañaba. Y acabó de desgarrarme con la frase ritual:

–Hay que darle gracias al nueve de abril.

En cambio, nunca había estado mejor que en la pensión sin nombre donde me instaló Álvaro Mutis. Una casa embellecida por la desgracia a un lado del parque nacional, donde la primera noche no pude soportar la envidia por mis vecinos de cuarto que hacían el amor como si fuera una guerra feliz. Al día siguiente, cuando los vi salir no podía creer que fueran ellos: una niña escuálida con un vestido de orfanato público y un señor de gran edad, platinado y con dos metros de estatura, que bien podía ser su abuelo. Pensé que me había equivocado, pero ellos mismos se encargaron de confirmármelo todas las noches siguientes con sus muertes a gritos hasta el amanecer.

El Espectador publicó mi nota en la página editorial y en el lugar de las buenas. Pasé la mañana en las grandes tiendas comprando ropa que Mutis me imponía con el fragoroso acento inglés que inventaba para divertir a los vendedores. Almorzamos con Gonzalo Mallarino y con otros escritores jóvenes invitados para presentarme en sociedad. No volví a saber nada de Guillermo Cano hasta tres días después, cuando me llamó a la oficina de Mutis.

–Oiga Gabo, ¿qué pasó con usted? –me dijo con una severidad mal imitada de director en jefe–. Ayer cerramos atrasados esperando su nota.

Bajé a la redacción para conversar con él, y todavía no sé cómo seguí escribiendo notas sin firma todas las tardes durante más de una semana, sin que nadie me hablara de empleo ni de sueldo. En las tertulias de descanso los redactores me trataban como uno de los suyos, y de hecho lo era sin imaginarme hasta qué punto.

La sección «Día a día», nunca firmada, la encabezaba de rutina Guillermo Cano, con una nota política. En un orden establecido por la dirección, iba después la nota con tema libre de Gonzalo González, que además llevaba la sección más inteligente y popular del periódico –«Preguntas y respuestas»–, donde absolvía cualquier duda de los lectores con el seudónimo de Gog, no por Giovanni Papini sino por su propio nombre. A continuación publicaban mis notas, y en muy escasas ocasiones alguna especial de Eduardo Zalamea, que ocupaba a diario el mejor espacio de la página editorial –«La ciudad y el mundo»– con el seudónimo de Ulises, no por Homero –como él solía precisarlo–, sino por James Joyce.

Álvaro Mutis debía hacer un viaje de trabajo a Puerto Príncipe por los primeros días del nuevo año, y me invitó a que lo acompañara. Haití era entonces el país de mis sueños después de haber leído *El reino de este mundo*, de Alejo Carpentier. Aún no le había contestado el 18 de febrero, cuando escribí una nota sobre la reina madre de Inglaterra perdida en la soledad del inmenso palacio de Buckingham. Me llamó la atención que la publicaran en el primer lugar de «Día a día» y se hubiera comentado bien en nuestras oficinas. Esa noche, en una fiesta de pocos en casa del jefe de redacción, José Salgar, Eduardo Zalamea hizo un comentario aún más entusiasta. Algún infidente benévolo me dijo más tarde que esa opinión había disipado las últimas reticencias para que la dirección me hiciera la oferta formal de un empleo fijo.

Al día siguiente muy temprano me llamó Álvaro Mutis a su oficina para darme la triste noticia de que estaba cancelado el viaje a Haití. Lo que no me dijo fue que lo había decidido por una conversación casual con

Guillermo Cano, en la que éste le pidió de todo corazón que no me llevara a Puerto Príncipe. Álvaro, que tampoco conocía Haití, quiso saber el motivo. «Pues cuando lo conozcas –le dijo Guillermo– vas a entender que ésa es la vaina que más puede gustarle a Gabo en el mundo.» Y remató la tarde con una verónica magistral:

–Si Gabo va a Haití no regresará más nunca.

Álvaro entendió, canceló el viaje, y me lo hizo saber como una decisión de su empresa. Así que nunca conocí Puerto Príncipe, pero no supe los motivos reales hasta hace muy pocos años, cuando Álvaro me los contó en una más de nuestras interminables memoraciones de abuelos. Guillermo, por su parte, una vez que me tuvo amarrado con un contrato en el periódico, me reiteró durante años que pensara en el gran reportaje de Haití, pero nunca pude ir ni le dije por qué.

Jamás se me hubiera pasado por la mente la ilusión de ser redactor de planta de *El Espectador*. Entendía que publicaran mis cuentos, por la escasez y la pobreza del género en Colombia, pero la redacción diaria en un vespertino era un desafío bien distinto para alguien poco curtido en el periodismo de choque. Con medio siglo de edad, criado en una casa alquilada y en las maquinarias sobrantes de *El Tiempo* –un periódico rico, poderoso y prepotente–, *El Espectador* era un modesto vespertino de dieciséis páginas apretujadas, pero sus cinco mil ejemplares mal contados se los arrebataban a los voceadores casi en las puertas de los talleres, y se leían en media hora en los cafés taciturnos de la ciudad vieja. Eduardo Zalamea Borda en persona había declarado a través de la BBC de Londres que era el mejor periódico del mundo. Pero lo más comprometedor no era la declaración misma, sino que casi todos los que lo hacían y muchos de quienes lo leían estaban convencidos de que era cierto.

Debo confesar que el corazón me dio un salto al día siguiente de la cancelación del viaje a Haití, cuando Luis Gabriel Cano, el gerente general, me citó en su despacho. La entrevista, con todo su formalismo, no duró cinco minutos. Luis Gabriel tenía una reputación de hombre hosco, generoso como amigo y tacaño como buen gerente, pero me pareció y siguió pareciéndome siempre muy concreto y cordial. Su propuesta en términos solemnes fue que me quedara en el periódico como redactor de planta para escribir sobre información general, notas de opinión, y cuanto fuera necesario en los atafagos de última hora, con un sueldo mensual de novecientos pesos. Me quedé sin aire. Cuando lo recobré volví a preguntarle cuánto, y me lo repitió letra por letra: novecientos. Fue tanta mi impresión, que unos meses después, hablando de esto en una fiesta, mi querido Luis Gabriel me reveló que había interpretado mi sorpresa como un gesto de rechazo. La última duda la había expresado don Gabriel, por un temor bien fundado: «Está tan flaquito y pálido que se nos puede morir en la oficina». Así ingresé como redactor de planta en *El Espectador*, donde consumí la mayor cantidad de papel de mi vida en menos de dos años.

Fue una casualidad afortunada. La institución más temible del periódico era don Gabriel Cano, el patriarca, que se constituyó por determinación propia en el inquisidor implacable de la redacción. Leía con su lupa milimétrica hasta la coma menos pensada de la edición diaria, señalaba con tinta roja los tropiezos de cada artículo y exhibía en un tablero los recortes castigados con sus comentarios demoledores. El tablero se impuso desde el primer día como «El Muro de la Infamia», y no recuerdo un redactor que hubiera escapado a su plumón sangriento.

La promoción espectacular de Guillermo Cano como director de *El Espectador* a los veintitrés años no parecía ser el fruto prematuro de sus méritos personales, sino más bien el cumplimiento de una predestinación que estaba escrita desde antes de su nacimiento. Por eso mi primera sorpresa fue comprobar que era de veras el director, cuando muchos pensábamos desde fuera que no era más que un hijo obediente. Lo que más me llamó la atención fue la rapidez con que reconocía la noticia.

A veces tenía que enfrentarse a todos, aun sin muchos argumentos, hasta que lograba convencerlos de su verdad. Era una época en la que el oficio no lo enseñaban en las universidades sino que se aprendía al pie de la vaca, respirando tinta de imprenta, y *El Espectador* tenía los maestros mejores y de buen corazón pero de mano dura. Guillermo Cano había empezado allí desde las primeras letras, con notas taurinas tan severas y eruditas que su vocación dominante no parecía ser de periodista sino de novillero. Así que la experiencia más dura de su vida debió ser la de verse ascendido de la noche a la mañana, sin escalones intermedios, de estudiante primíparo a maestro mayor. Nadie que no lo conociera de cerca hubiera podido vislumbrar, detrás de sus maneras suaves y un poco evasivas, la terrible determinación de su carácter. Con la misma pasión se empeñó en batallas vastas y peligrosas, sin detenerse jamás ante la certidumbre de que aun detrás de las causas más nobles puede acechar la muerte.

No he vuelto a conocer a nadie más refractario a la vida pública, más reacio a los honores personales, más esquivo a los halagos del poder. Era hombre de pocos amigos, pero los pocos eran muy buenos, y yo me sentí uno de ellos desde el primer día. Tal vez contribuyó a eso el hecho de ser uno de los menores en una sala de redacción de veteranos rejugados, lo cual creó entre nosotros dos un sentido de la complicidad que no desfalleció nunca. Lo que esa amistad tuvo de ejemplar fue su capacidad de prevalecer sobre nuestras contradicciones. Los desacuerdos políticos eran muy hondos y lo fueron cada vez más a medida que se descomponía el mundo, pero siempre supimos encontrar un territorio común donde seguir luchando juntos por las causas que nos parecían justas.

La sala de redacción era enorme, con escritorios en ambos lados, y en un ambiente presidido por el buen humor y la broma dura. Allí estaba Darío Bautista, una rara especie de contraministro de Hacienda, que desde el primer canto de los gallos se dedicaba a amargarles la aurora a los funcionarios más altos, con las cábalas casi siempre certeras de un porvenir siniestro. Estaba el redactor judicial, Felipe González Toledo, un reportero de nacimiento que muchas veces se adelantó a la investigación oficial en el arte de desbaratar un entuerto y esclarecer un crimen. Guillermo Lanao, que atendía varios ministerios, conservó el secreto de ser niño hasta su más tierna vejez. Rogelio Echeverría, un poeta de los grandes, responsable de la edición matutina, a quien nunca vimos a la luz del día. Mi primo Gonzalo González, con una pierna enyesada por un mal partido de futbol, tenía que estudiar para contestar preguntas sobre todo, y terminó por volverse especialista en todo. A pesar de haber sido en la universidad un futbolista de primera fila, tenía una fe interminable en el estudio teórico de cualquier cosa por encima de la experiencia. La demostración estelar nos la dio en el campeonato de bolos de los periodistas, cuando se dedicó a estudiar en un manual las leyes físicas del juego en vez de practicar como nosotros en la canchas hasta el amanecer, y fue el campeón del año.

Con semejante nómina la sala de redacción era un eterno recreo, siempre sujeto al lema de Darío Bautista o Felipe González Toledo: «El que se emputa se jode».

Todos conocíamos los temas de los otros y ayudábamos hasta donde se pedía o se podía. Era tal la participación común, que casi puede decirse que se trabajaba en voz alta. Pero cuando las cosas se ponían duras no se oía respirar. Desde el único escritorio atravesado en el fondo del salón mandaba José Salgar, que solía recorrer la redacción, informando e informándose de todo, mientras se desfogaba del alma con su terapia de malabarista.

Creo que la tarde en que Guillermo Cano me llevó de mesa en mesa a lo largo del salón para presentarme en sociedad, fue la prueba de fuego para mi timidez invencible. Perdí el habla y se me desarticularon las rodillas cuando Darío Bautista bramó sin mirar a nadie con su temible voz de trueno:

–¡Llegó el genio!

No se me ocurrió nada más que hacer una media vuelta teatral con el brazo tendido hacia todos, y les dije lo menos gracioso que me salió del alma:

–Para servir a ustedes.

Todavía sufro el impacto de la rechifla general, pero también siento el alivio de los abrazos y las buenas palabras con que cada uno me dio su bienvenida. Desde ese instante fui uno más de aquella comunidad de tigres caritativos, con una amistad y un espíritu de cuerpo que nunca decayó. Toda información que necesitara para una nota, por mínima que fuera, se la solicitaba al redactor correspondiente, y nunca me faltó a su hora.

Mi primera lección grande de reportero la recibí de Guillermo Cano y la vivió la redacción en pleno una tarde en que cayó sobre Bogotá un aguacero que la mantuvo en estado de diluvio universal durante tres horas sin tregua. El torrente de aguas revueltas de la avenida Jiménez de Quesada arrastró cuanto encontraba a su paso en la pendiente de los cerros, y dejó en las calles un rastro de catástrofe. Los automóviles de toda clase y el transporte público quedaron paralizados donde los sorprendió la emergencia, y miles de transeúntes se refugiaron a los trompicones en los edificios inundados hasta que no hubo lugar para más. Los redactores del periódico, sorprendidos por el desastre en el momento del cierre, contemplábamos el triste espectáculo desde los ventanales sin saber qué hacer, como niños castigados con las manos en los bolsillos. De pronto, Guillermo Cano pareció despertar de un sueño sin fondo, se volvió hacia la redacción paralizada y gritó:

—¡Este aguacero es noticia!

Fue una orden no impartida que se cumplió al instante. Los redactores corrimos a nuestros puestos de combate, para conseguir por teléfono los datos atropellados que nos indicaba José Salgar para escribir a pedazos entre todos el reportaje del aguacero del siglo. Las ambulancias y radiopatrullas llamadas para casos urgentes quedaron inmovilizadas por los vehículos embotellados en medio de las calles. Las cañerías domésticas estaban bloqueadas por las aguas y no bastó la totalidad del cuerpo de bomberos para conjurar la emergencia. Barrios enteros debieron ser evacuados a la fuerza por la ruptura de una represa urbana. En otros estallaron las alcantarillas. Las aceras estaban ocupadas por ancianos inválidos, enfermos y niños asfixiados. En medio del caos, cinco propietarios de botes de motor para pescar los fines de semana organizaron un campeonato en la avenida Caracas, la más atafagada de la ciudad. Estos datos recogidos al instante los repartía José Salgar a los redactores, que los elaborábamos para la edición especial improvisada sobre la marcha. Los fotógrafos, ensopados aún con los impermeables, procesaban las fotos en caliente. Poco antes de las cinco, Guillermo Cano escribió la síntesis magistral de uno de los aguaceros más dramáticos de que se tuvo memoria en la ciudad. Cuando escampó por fin, la edición improvisada de *El Espectador* circuló como todos los días, con apenas una hora de retraso.

Mi relación inicial con José Salgar fue la más difícil pero siempre creativa como ninguna otra. Creo que él tenía el problema contrario del mío: siempre andaba tratando de que sus reporteros de planta dieran el do de pecho, mientras yo ansiaba que me pusiera en la onda. Pero mis otros compromisos con el periódico me mantenían atado y ya no me quedaban más horas que las de los domingos. Me parece que Salgar me puso el ojo como reportero, mientras los otros me lo habían puesto para el cine, los comentarios editoriales y los asuntos culturales, porque siempre había sido señalado como cuentista. Pero mi sueño era ser reportero desde los primeros pasos en la costa, y sabía que Salgar era el mejor maestro, pero me cerraba las puertas quizás con la esperanza de que yo las tumbara para entrar a la fuerza. Trabajábamos muy bien, cordiales y dinámicos, y cada vez que le pasaba un material, escrito de acuerdo con Guillermo Cano y aun con Eduardo Zalamea, él lo aprobaba sin reticencias, pero no perdonaba el ritual. Hacía el gesto arduo de descorchar una botella a la fuerza, y me decía más en serio de lo que él mismo parecía creer:

–Tuérzale el cuello al cisne.

Sin embargo, nunca fue agresivo. Todo lo contrario: un hombre cordial, forjado a fuego vivo, que había subido por la escalera del buen servicio, desde repartir el café en los talleres a los catorce años, hasta convertirse en el jefe de redacción con más autoridad profesional en el país. Creo que él no podía perdonarme que me desperdiciara en malabarismos líricos, en un país donde hacían falta tantos reporteros de choque. Yo pensaba, en cambio, que ningún género de prensa estaba mejor hecho que el reportaje para expresar la vida cotidiana. Sin embargo, hoy sé que la terquedad con que ambos tratábamos de hacerlo fue el mejor aliciente que tuve para cumplir el sueño esquivo de ser reportero.

La ocasión me salió al paso a las once y veinte minutos de la mañana del 9 de junio de 1954, cuando regresaba de visitar a un amigo en la cárcel Modelo de Bogotá. Tropas del ejército armadas como para una guerra mantenían a raya una muchedumbre estudiantil en la carrera Séptima, a dos cuadras de la misma esquina en que seis años antes habían asesinado a Jorge Eliécer Gaitán. Era una manifestación de protesta por la muerte de un estudiante el día anterior por efectivos del batallón Colombia entrenados para la guerra de Corea, y el primer choque callejero de civiles contra el gobierno de las Fuerzas Armadas. Desde donde yo estaba sólo se oían los gritos de la discusión entre los estudiantes que trataban de proseguir hasta el Palacio Presidencial y los militares que lo impedían. En medio de la multitud no alcanzamos a entender lo que se gritaban, pero la tensión se percibía en el aire. De pronto, sin advertencia alguna, se oyó una ráfaga de metralla y otras dos sucesivas. Varios estudiantes y algunos transeúntes fueron muertos en el acto. Los sobrevivientes que trataron de llevar heridos al hospital fueron disuadidos a culatazos de fusil. La tropa desalojó el sector y cerró las calles. En la estampida volví a vivir en unos segundos todo el horror del 9 de abril, a la misma hora y en el mismo lugar.

Subí casi a la carrera las tres cuadras empinadas hacia la casa de *El Espectador* y encontré a la redacción en zafarrancho de combate. Conté atragantado lo que había podido ver en el sitio de la matanza, pero el que menos sabía estaba ya escribiendo al vuelo la primera crónica sobre la identidad de los nueve estudiantes muertos y el estado de los heridos en los hospitales. Estaba seguro de que me ordenarían contar el atropello por ser el único que lo vio, pero Guillermo Cano y José Salgar estaban ya de acuerdo en que debía ser un informe colectivo en el que cada quien pusiera lo suyo. El redactor responsable, Felipe González Toledo, le impondría la unidad final.

–Esté tranquilo –me dijo Felipe, preocupado por mi desilusión–. La gente sabe que aquí todos trabajamos en todo aunque no lleve firma.

Por su parte, Ulises me consoló con la idea de que la nota editorial que yo debía escribir podía ser lo más importante por tratarse de un gravísimo problema de orden público. Tuvo razón, pero fue una nota tan delicada y tan comprometedora de la política del periódico, que se escribió a varias manos en los niveles más altos. Creo que fue una lección justa para con todos, pero a mí me pareció descorazonadora. Aquél fue el final de la luna de miel entre el gobierno de las Fuerzas Armadas y la prensa liberal. Había empezado ocho meses antes con la toma del poder por el general Rojas Pinilla, que le permitió un suspiro de alivio al país después del baño de sangre de dos gobiernos conservadores sucesivos, y duró hasta aquel día. Para mí fue también una prueba de fuego en mis sueños de reportero raso.

Poco después se publicó la foto del cadáver de un niño sin dueño que no habían podido identificar en el anfiteatro de Medicina Legal y me pareció igual a la de otro niño desaparecido que se había publicado días antes. Se las mostré al jefe de la sección judicial, Felipe González Toledo, y él llamó a la madre del primer niño que aún no había sido encontrado. Fue una lección para siempre. La madre del niño desaparecido nos esperaba a Felipe y a mí en el vestíbulo del anfiteatro. Me pareció tan pobre y disminuida que hice un esfuerzo supremo del corazón para que el cadáver no fuera el de su niño. En el largo sótano glacial, bajo una iluminación intensa, había unas veinte mesas dispuestas en batería con cadáveres como túmulos de piedra bajo sábanas percudidas. Los tres seguimos al guardián parsimonioso hasta la penúltima mesa del fondo. Bajo el extremo de la sábana sobresalían las suelas de unas botitas tristes, con las herraduras de los tacones muy gastadas por el uso. La mujer las reconoció, se puso lívida, pero se sobrepuso con su último aliento hasta que el guardián quitó la sábana con una revolera de torero. El cuerpo de unos nueve años, con los ojos abiertos y atónitos, tenía la misma ropa arrastrada con que lo encontraron muerto de varios días en una zanja del camino. La madre lanzó un aullido y se derrumbó dando gritos por el suelo. Felipe la levantó, la dominó con murmullos de consuelo, mientras yo me preguntaba si todo aquello merecía ser el oficio con que yo soñaba. Eduardo Zalamea me confirmó que no. También él pensaba que la crónica roja, con tanto arraigo en los lectores, era una especialidad difícil que requería una índole propia y un corazón a toda prueba. Nunca más la intenté.

Otra realidad bien distinta me forzó a ser crítico de cine. Nunca se me había ocurrido que pudiera serlo, pero en el teatro Olympia de don Antonio Daconte en Aracataca y luego en la escuela ambulante de Álvaro Cepeda había vislumbrado los elementos de base para escribir notas de orientación cinematográfica con un criterio más útil que el usual hasta entonces en Colombia. Ernesto Volkening, un gran escritor y crítico literario alemán radicado en Bogotá desde la guerra mundial, transmitía por la Radio Nacional un comentario sobre películas de estreno, pero estaba limitado a un auditorio de especialistas. Había otros comentaristas excelentes pero ocasionales en torno del librero catalán Luis Vicens, radicado en Bogotá desde la guerra española. Fue él quien fundó el primer cineclub en complicidad con el pintor Enrique Grau y el crítico Hernando Salcedo, y con la diligencia de la periodista Gloria Valencia de Castaño Castillo, que tuvo la credencial número uno. Había en el país un público inmenso para las grandes películas de acción y los dramas de lágrimas, pero el cine de calidad estaba circunscrito a los aficionados cultos y los exhibidores se arriesgaban cada vez menos con películas que duraban tres días en cartel. Rescatar un público nuevo de esa muchedumbre sin rostro requería una pedagogía difícil pero posible para promover una clientela accesible a las películas de calidad y ayudar a los exhibidores que querían pero no lograban financiarlas. El inconveniente mayor era que éstos mantenían sobre la prensa la amenaza de suspender los anuncios de cine –que eran un ingreso sustancial para los periódicos– como represalia por la crítica adversa. *El Espectador* fue el primero que asumió el riesgo, y me encomendó la tarea de comentar los estrenos de la semana más como una cartilla elemental para aficionados que como un alarde pontifical. Una precaución tomada por acuerdo común fue que llevara siempre mi pase de favor intacto, como prueba de que entraba con el boleto comprado en la taquilla.

Las primeras notas tranquilizaron a los exhibidores porque comentaban películas de una buena muestra de cine francés. Entre ellas, *Puccini*, una extensa recapitulación de la vida del gran músico; *Cumbres doradas*, que era la historia bien contada de la cantante Grace Moore, y *La fiesta de Enriqueta*, una comedia pacífica de Jean Dellanoi. Los empresarios que encontrábamos a la salida del teatro nos manifestaban su complacencia por nuestras notas críticas. Álvaro Cepeda, en cambio, me despertó a las seis de la mañana desde Barranquilla cuando se enteró de mi audacia.

–¡Cómo se le ocurre criticar películas sin permiso mío, carajo! –me gritó muerto de risa en el teléfono–. ¡Con lo bruto que es usted para el cine!

Se convirtió en mi asistente constante, por supuesto, aunque nunca estuvo de acuerdo con la idea de que no se trataba de hacer escuela sino de orientar a un público elemental sin formación académica. La luna de miel con los empresarios tampoco fue tan dulce como pensamos al principio. Cuando nos enfrentamos al cine comercial puro y simple, hasta los más comprensivos se quejaron de la dureza de nuestros comentarios. Eduardo Zalamea y Guillermo Cano tuvieron la suficiente habilidad para distraerlos por teléfono, hasta fines de abril, cuando un exhibidor con ínfulas de líder nos acusó en una carta abierta de estar amedrentando al público para perjudicar sus intereses. Me pareció que el nudo del problema era que el autor de la carta no conocía el significado de la palabra amedrentar, pero me sentí al borde de la derrota, porque no creí posible que en la crisis de crecimiento en que estaba el periódico, don Gabriel Cano renunciara a los anuncios de cine por el puro placer estético. El mismo día en que se recibió la carta convocó a sus hijos y a Ulises para una reunión urgente, y di por hecho que la sección quedaría muerta y sepultada. Sin embargo, al pasar frente a mi escritorio después de la reunión, don Gabriel me dijo sin precisar el tema y con una malicia de abuelo:

–Esté tranquilo, tocayito.

Al día siguiente apareció en «Día a día» la respuesta al productor, escrita por Guillermo Cano en un deliberado estilo doctoral, y cuyo final lo decía todo: «No se amedrenta al público ni mucho menos se perjudican los intereses de nadie al publicar en la prensa una crítica cinematográfica seria y responsable, que se asemeje un poco a la de otros países y rompa las viejas y perjudiciales pautas del elogio desmedido a lo bueno, igual que a lo malo». No fue la única carta ni nuestra única respuesta. Funcionarios de los cines nos abordaban con reclamos agrios y recibíamos cartas contradictorias de lectores despistados. Pero todo fue inútil: la columna sobrevivió hasta que la crítica de cine dejó de ser ocasional en el país, y se convirtió en una rutina de la prensa y la radio.

A partir de entonces, en poco menos de dos años, publiqué setenta y cinco notas críticas, a las cuales habría que cargarles las horas empleadas en ver las películas. Además de unas seiscientas notas editoriales, una noticia firmada o sin firmar cada tres días, y por lo menos ochenta reportajes entre firmados y anónimos. Las colaboraciones literarias se publicaron desde entonces en el «Magazine Dominical», del mismo periódico, entre ellas varios cuentos y la serie completa de «La Sierpe», que se había interrumpido en la revista *Lámpara* por discrepancias internas.

Fue la primera bonanza de mi vida pero sin tiempo para disfrutarla. El apartamento que alquilé amueblado y con servicio de lavandería no era más que un dormitorio con un baño, teléfono y desayuno en la cama, y una ventana grande con la llovizna eterna de la ciudad más triste del mundo. Sólo lo usé para dormir desde las tres de la madrugada, al cabo de una hora de lectura, hasta los noticieros de radio de la mañana para orientarme con la actualidad del nuevo día.

No dejé de pensar con cierta inquietud que era la primera vez que tenía un lugar fijo y propio para vivir pero sin tiempo ni siquiera para darme cuenta. Estaba tan ocupado en sortear mi nueva vida, que mi único gasto notable fue el bote de remos que cada fin de mes le mandé puntual a la familia. Sólo hoy caigo en la cuenta de que apenas si tuve tiempo de ocuparme de mi vida privada. Tal vez porque sobrevivía dentro de mí la idea de las madres caribes, de que las bogotanas se entregaban sin amor a los costeños sólo por cumplir el sueño de vivir frente al mar. Sin embargo, en mi primer apartamento de soltero en Bogota lo logré sin riesgos, desde que pregunté al portero si estaban permitidas las visitas de amigas de medianoche, y él me dio su respuesta sabia:

–Está prohibido, señor, pero yo no veo lo que no debo.

A fines de julio, sin aviso previo, José Salgar se plantó frente a mi mesa mientras escribía una nota editorial y me miró con un largo silencio. Interrumpí en mitad de una frase, y le dije intrigado:

–¡Qué es la vaina!

Él ni siquiera parpadeó, jugando al bolero invisible con su lápiz de color, y con una sonrisa diabólica cuya intención se notaba demasiado. Me explicó sin preguntárselo que no me había autorizado el reportaje de la matanza de estudiantes en la carrera Séptima porque era una información difícil para un primíparo. En cambio, me ofreció por su cuenta y riesgo el diploma de reportero, de un modo directo pero sin el menor ánimo de desafío, si era capaz de aceptarle una propuesta mortal:

–¿Por qué no se va a Medellín y nos cuenta qué carajo fue lo que pasó allá?

No fue fácil entenderlo, porque me estaba hablando de algo que había sucedido hacía más de dos semanas, lo cual permitía sospechar que fuera un fiambre sin salvación. Se sabía que el 12 de julio en la mañana había habido un derrumbe de tierras en La Media Luna, un lugar abrupto en el norte de Medellín, pero el escándalo de la prensa, el desorden de las autoridades y el pánico de los damnificados habían causado unos embrollos administrativos y humanitarios que no dejaban ver la realidad. Salgar no me pidió que tratara de establecer lo que había pasado hasta donde fuera posible, sino que me ordenó de plano reconstruir toda la verdad sobre el terreno, y nada más que la verdad, en el mínimo de tiempo. Sin embargo, algo en su modo de decirlo me hizo pensar que por fin me soltaba la rienda.

Hasta entonces, lo único que el mundo entero sabía de Medellín era que allí había muerto Carlos Gardel, carbonizado en una catástrofe aérea. Yo sabía que era una tierra de grandes escritores y poetas, y que allí estaba el colegio de la Presentación donde Mercedes Barcha había empezado a estudiar aquel año. Ante una misión tan delirante, ya no me parecía nada irreal reconstruir pieza por pieza la hecatombe de una montaña. Así que aterricé en Medellín a las once de la mañana, con una tormenta tan pavorosa que alcancé a hacerme la ilusión de ser la última víctima del derrumbe.

Dejé la maleta en el hotel Nutibara con ropa para dos días y una corbata de emergencia, y me eché a la calle, en una ciudad idílica todavía encapotada por los saldos de la borrasca. Álvaro Mutis me acompañó para ayudarme a sobrellevar el miedo al avión, y me dio pistas de gente bien colocada en la vida de la ciudad. Pero la verdad sobrecogedora era que no tenía ni idea de por dónde empezar. Caminé al azar por las calles radiantes bajo la harina de oro de un sol espléndido después de la tormenta, y al cabo de una hora tuve que refugiarme en el primer almacén porque volvió a llover por encima del sol. Entonces empecé a sentir dentro del pecho los primeros aleteos del pánico. Traté de reprimirlos con la fórmula mágica de mi abuelo en medio del combate, pero el miedo al miedo acabó de tumbarme la moral. Me di cuenta de que nunca sería capaz de hacer lo que me habían encargado y no había tenido el coraje para decirlo. Entonces comprendí que lo único sensato era escribirle una carta de agradecimiento a Guillermo Cano, y regresar a Barranquilla al estado de gracia en que me encontraba hacía seis meses.

Con el inmenso alivio de haber salido del infierno tomé un taxi para regresar al hotel. El noticiero del mediodía hizo un largo comentario a dos voces como si los derrumbes hubieran sido ayer. El chofer se desahogó casi a gritos contra la negligencia del gobierno y el mal manejo de los auxilios a los damnificados, y de algún modo me sentí culpable de su justa rabia. Pero entonces había vuelto a escampar y el aire se hizo diáfano y fragante por la explosión de flores en el parque Berrío. De pronto, no sé por qué, sentí el zarpazo de la locura.

–Hagamos una cosa –le dije al chofer–: Antes de pasar por el hotel, lléveme al lugar de los derrumbes.

–Pero allá no hay nada que ver –me dijo él–. Sólo las velas encendidas y las crucecitas para los muertos que no pudieron desenterrar.

Así caí en la cuenta de que tanto las víctimas como los sobrevivientes eran de distintos lugares de la ciudad, y éstos la habían atravesado en masa para rescatar los cuerpos de los caídos en el primer derrumbe. La tragedia grande fue cuando los curiosos desbordaron el lugar y otra parte de la montaña se deslizó en una avalancha arrasadora. De modo que los únicos que pudieron contar el cuento fueron los pocos que escaparon de los derrumbes sucesivos y estaban vivos en el otro extremo de la ciudad.

–Entiendo –le dije al chofer tratando de dominar el temblor de la voz–. Lléveme a donde están los vivos.

Dio media vuelta en mitad de la calle y se disparó en el sentido opuesto. Su silencio no sólo debía ser el resultado de la velocidad de ahora, sino la esperanza de convencerme con sus razones.

El principio del hilo eran dos niños de ocho y once años que habían salido de su casa a cortar leña el martes 12 de julio a las siete de la mañana. Se habían alejado unos cien metros cuando sintieron el estropicio de la avalancha de tierra y rocas que se precipitaba sobre ellos por el flanco del cerro. Apenas alcanzaron a escapar. En la casa quedaron atrapadas sus tres hermanas menores con su madre y un hermanito recién nacido. Los únicos sobrevivientes fueron los dos niños que acababan de salir y el padre de todos, que había salido temprano a su oficio de arenero a diez kilómetros de la casa.

El lugar era un peladero inhóspito sobre la carretera de Medellín a Rionegro, que a las ocho de la mañana no tenía habitantes para más víctimas. Las emisoras de radio difundieron la noticia exagerada con tantos detalles sangrientos y clamores urgentes que los primeros voluntarios llegaron antes que los bomberos. Al mediodía hubo otros dos derrumbes sin víctimas, que aumentaron el nerviosismo general, y una emisora local se instaló a transmitir en directo desde el lugar del desastre. A esa hora estaban allí la casi totalidad de los habitantes de los pueblos y los barrios vecinos, más los curiosos de toda la ciudad atraídos por los clamores de la radio, y los pasajeros que se bajaban de los autobuses interurbanos más para estorbar que para servir. Además de los pocos cuerpos que habían quedado en la mañana, había entonces otros trescientos de los derrumbes sucesivos. Sin embargo, a punto de anochecer, más de dos mil espontáneos seguían prestando auxilios atolondrados a los sobrevivientes. Al atardecer no quedaba espacio fácil ni para respirar. La muchedumbre era densa y caótica a las seis, cuando se precipitó otra avalancha arrasadora de seiscientos mil metros cúbicos, con un estruendo colosal que causó tantas víctimas como si hubiera sido en el parque Berrío de Medellín. Una catástrofe tan rápida que el doctor Javier Mora, secretario de Obras Públicas del municipio, encontró entre los escombros el cadáver de un conejo que no tuvo tiempo de escapar.

Dos semanas después, cuando llegué al lugar, sólo setenta y cuatro cadáveres habían sido rescatados, y numerosos sobrevivientes estaban a salvo. La mayoría no fueron víctimas de los derrumbes sino de la imprudencia y la solidaridad desordenada. Como en los terremotos, tampoco fue posible calcular el número de personas con problemas que aprovecharon la ocasión de desaparecer sin dejar huellas, para escapar a las deudas o cambiar de mujer. Sin embargo, también la buena suerte puso su parte, pues una investigación posterior demostró que desde el primer día, mientras se intentaban los rescates, estuvo a punto de desprenderse una masa de rocas capaz de generar otra avalancha de cincuenta mil metros cúbicos. Más de quince días después, con la ayuda de los sobrevivientes reposados, pude reconstruir la historia que no habría sido posible en su momento por las inconveniencias y torpezas de la realidad.

Mi tarea se redujo a rescatar la verdad perdida en un embrollo de suposiciones contrapuestas y reconstruir el drama humano en el orden en que había ocurrido, y al margen de todo cálculo político y sentimental. Álvaro Mutis me había puesto en el camino recto cuando me mandó con la publicista Cecilia Warren, que me ordenó los datos con que regresé del lugar del desastre. El reportaje se publicó en tres capítulos, y tuvo al menos el mérito de despertar el interés con dos semanas de retraso en una noticia olvidada, y de poner orden en el desmadre de la tragedia.

Sin embargo, mi mejor recuerdo de aquellos días no es lo que hice sino lo que estuve a punto de hacer, gracias a la imaginación delirante de mi viejo compinche de Barranquilla, Orlando Rivera, Figurita, a quien me encontré de manos a boca en uno de los pocos respiros de la investigación. Vivía en Medellín desde hacía unos meses, y era feliz recién casado con Sol Santamaría, una monja encantadora y de espíritu libre que él había ayudado a salir de un convento de clausura después de siete años de pobreza, obediencia y castidad. En una borrachera de las nuestras, Figurita me reveló que había preparado con su esposa y por su cuenta y riesgo un plan magistral para sacar a Mercedes Barcha de su internado. Un párroco amigo, famoso por sus artes de casamentero, estaría listo para casarnos a cualquier hora. La única condición, por supuesto, era que Mercedes estuviera de acuerdo, pero no encontramos el modo de consultarlo con ella dentro de las cuatro paredes de su cautiverio. Hoy más que nunca me remuerde la furia de no haber tenido arrestos para vivir aquel drama de folletín. Mercedes, por su parte, no se enteró del plan hasta cincuenta y tantos años después, cuando lo leyó en los borradores de este libro.

Fue una de las últimas veces que vi a Figurita. En el carnaval de 1960, disfrazado de tigre cubano, resbaló de la carroza que lo llevaba de regreso a su casa de Baranoa después de la batalla de flores, y se desnucó en el pavimento tapizado con los escombros y desperdicios del carnaval.

La segunda noche de mi trabajo sobre los derrumbes de Medellín me esperaban en el hotel dos redactores del diario *El Colombiano* –tan jóvenes que lo eran más que yo–, con el ánimo resuelto de hacerme una entrevista por mis cuentos publicados hasta entonces. Les costó trabajo convencerme, porque desde entonces tenía y sigo teniendo un prejuicio tal vez injusto contra las entrevistas, entendidas como una sesión de preguntas y respuestas donde ambas partes hacen esfuerzos por mantener una conversación reveladora. Padecí ese prejuicio en los dos diarios en que había trabajado, y sobre todo en *Crónica*, donde traté de contagiarles mis reticencias a los colaboradores. Sin embargo, concedí aquella primera entrevista para *El Colombiano*, y fue de una sinceridad suicida.

Hoy es incontable el número de entrevistas de que he sido víctima a lo largo de cincuenta años y en medio mundo, y todavía no he logrado convencerme de la eficacia del género, ni de ida ni de vuelta. La inmensa mayoría de las que no he podido evitar sobre cualquier tema deberán considerarse como parte importante de mis obras de ficción, porque sólo son eso: fantasías sobre mi vida. En cambio, las considero invaluables, no para publicar, sino como material de base para el reportaje, que aprecio como el género estelar del mejor oficio del mundo.

De todos modos los tiempos no estaban para ferias. El gobierno del general Rojas Pinilla, ya en conflicto abierto con la prensa y gran parte de la opinión pública, había coronado el mes de setiembre con la determinación de repartir el remoto y olvidado departamento del Chocó entre sus tres prósperos vecinos: Antioquia, Caldas y Valle. A Quibdó, la capital, sólo podía llegarse desde Medellín por una carretera de un solo sentido y en tan mal estado que hacían falta más de veinte horas para ciento sesenta kilómetros. Las condiciones de hoy no son mejores.

En la redacción del periódico dábamos por hecho que no había mucho que hacer para impedir el descuartizamiento decretado por un gobierno en malos términos con la prensa liberal. Primo Guerrero, el corresponsal veterano de *El Espectador* en Quibdó, informó al tercer día que una manifestación popular de familias enteras, incluidos los niños, había ocupado la plaza principal con la determinación de permanecer allí a sol y sereno hasta que el gobierno desistiera de su propósito. Las primeras fotos de las madres rebeldes con sus niños en brazos fueron languideciendo al paso de los días por los estragos de la vigilia en la población expuesta a la intemperie. Estas noticias las reforzábamos a diario en la redacción con notas editoriales o declaraciones de políticos e intelectuales chocoanos residentes en Bogotá, pero el gobierno parecía resuelto a ganar por la indiferencia. Al cabo de varios días, sin embargo, José Salgar se acercó a mi escritorio con su lápiz de titiritero y sugirió que me fuera a investigar qué era lo que en realidad estaba sucediendo en el Chocó. Traté de resistir con la poca autoridad que había ganado por el reportaje de Medellín, pero no me alcanzó para tanto. Guillermo Cano, que escribía de espaldas a nosotros, gritó sin mirarnos:

–¡Váyase, Gabo, que las del Chocó son mejores que las que usted quería ver en Haití!

De modo que me fui sin preguntarme siquiera cómo podía escribirse un reportaje sobre una manifestación de protesta que se negaba a la violencia. Me acompañó el fotógrafo Guillermo Sánchez, quien desde hacía meses me atormentaba con la cantaleta de que hiciéramos juntos reportajes de guerra. Harto de tanto oírlo, le había gritado:

–¡Cuál guerra, carajo!

–No se haga el pendejo, Gabo –me soltó de un golpe la verdad–, que a usted mismo le oigo decir a cada rato que este país está en guerra desde la Independencia.

En la madrugada del martes 21 de setiembre se presentó en la redacción vestido más como un guerrero que como un reportero gráfico, con cámaras y bolsos colgados por todo el cuerpo para irnos a cubrir una guerra amordazada. La primera sorpresa fue que al Chocó se llegaba desde antes de salir de Bogotá por un aeropuerto secundario sin servicios de ninguna clase, entre escombros de camiones muertos y aviones oxidados. El nuestro, todavía vivo por artes de magia, era uno de los Catalina legendarios de la segunda guerra mundial operado para carga por una empresa civil. No tenía sillas. El interior era escueto y sombrío, con pequeñas ventanas nubladas y cargado de bultos de fibras para fabricar escobas. Éramos los únicos pasajeros. El copiloto en mangas de camisa, joven y apuesto como los aviadores de cine, nos enseñó a sentarnos en los bultos de carga que le parecieron más confortables. No me reconoció, pero yo sabía que había sido un beisbolista notable de las ligas de La Matuna en Cartagena.

El decolaje fue aterrador, aun para un pasajero tan rejugado como Guillermo Sánchez, por el bramido atronador de los motores y el estrépito de chatarra del fuselaje, pero una vez estabilizado en el cielo diáfano de la sabana se deslizó con los redaños de un veterano de guerra. Sin embargo, más allá de la escala de Medellín nos sorprendió un aguacero diluviano sobre una selva enmarañada entre dos cordilleras y tuvimos que entrarle de frente. Entonces vivimos lo que tal vez muy pocos mortales han vivido: llovió dentro del avión por las goteras del fuselaje. El copiloto amigo, saltando por entre los bultos de escobas, nos llevó los periódicos del día para que los usáramos como paraguas. Yo me cubrí con el mío hasta la cara no tanto para protegerme del agua como para que no me vieran llorar de terror.

Al término de unas dos horas de suerte y azar el avión se inclinó sobre su izquierda, descendió en posición de ataque sobre una selva maciza y dio dos vueltas exploratorias sobre la plaza principal de Quibdó. Guillermo Sánchez, preparado para captar desde el aire la manifestación exhausta por el desgaste de las vigilias, no encontró sino la plaza desierta. El anfibio destartalado dio una última vuelta para comprobar que no había obstáculos vivos ni muertos en el río Atrato apacible y completó el acuatizaje feliz en el sopor del mediodía.

La iglesia remendada con tablas, las bancas de cemento embarradas por los pájaros y una mula sin dueño que triscaba de las ramas de un árbol gigantesco eran los únicos signos de la existencia humana en la plaza polvorienta y solitaria que a nada se parecía tanto como a una capital africana. Nuestro primer propósito era tomar fotos urgentes de la muchedumbre en pie de protesta y enviarlas a Bogotá en el avión de regreso, mientras atrapábamos información suficiente de primera mano que pudiéramos transmitir por telégrafo para la edición de mañana. Nada de eso era posible, porque no pasó nada.

Recorrimos sin testigos la muy larga calle paralela al río, bordeada de bazares cerrados por el almuerzo y residencias con balcones de madera y techos oxidados. Era el escenario perfecto pero faltaba el drama. Nuestro buen colega Primo Guerrero, corresponsal de *El Espectador*, hacía la siesta a la bartola en una hamaca primaveral bajo la enramada de su casa, como si el silencio que lo rodeaba fuera la paz de los sepulcros. La franqueza con que nos explicó su desidia no podía ser más objetiva. Después de las manifestaciones de los primeros días la tensión había decaído por falta de temas. Se montó entonces una movilización de todo el pueblo con técnicas teatrales, se hicieron algunas fotos que no se publicaron por no ser muy creíbles y se pronunciaron los discursos patrióticos que en efecto sacudieron el país, pero el gobierno permaneció imperturbable. Primo Guerrero, con una flexibilidad ética que quizás hasta Dios se la haya perdonado, mantuvo la protesta viva en la prensa a puro pulso de telegramas.

Nuestro problema profesional era simple: no habíamos emprendido aquella expedición de Tarzán para informar que la noticia no existía. En cambio, teníamos a la mano los medios para que fuera cierta y cumpliera su propósito. Primo Guerrero propuso entonces armar una vez más la manifestación portátil, y a nadie se le ocurrió una idea mejor. Nuestro colaborador más entusiasta fue el capitán Luis A. Cano, el nuevo gobernador nombrado por la renuncia airada del anterior, y tuvo la entereza de demorar el avión para que el periódico recibiera a tiempo las fotos calientes de Guillermo Sánchez. Fue así como la noticia inventada por necesidad terminó por ser la única cierta, magnificada por la prensa y la radio de todo el país y atrapada al vuelo por el gobierno militar para salvar la cara. Esa misma noche se inició una movilización general de los políticos chocoanos –algunos de ellos muy influyentes en ciertos sectores del país– y dos días después el general Rojas Pinilla declaró cancelada su propia determinación de repartir el Chocó a pedazos entre sus vecinos.

Guillermo Sánchez y yo no regresamos a Bogotá de inmediato porque convencimos al periódico de que nos permitiera recorrer el interior del Chocó para conocer a fondo la realidad de aquel mundo fantástico. Al cabo de diez días de silencio, cuando entramos curtidos por el sol y cayéndonos de sueño en la sala de redacción, José Salgar nos recibió feliz pero en su ley.

–¿Ustedes saben –nos preguntó con su certeza imbatible– cuánto hace que se acabó la noticia del Chocó?

La pregunta me enfrentó por primera vez a la condición mortal del periodismo. En efecto, nadie había vuelto a interesarse por el Chocó desde que se publicó la decisión presidencial de no descuartizarlo. Sin embargo, José Salgar me apoyó en el riesgo de cocinar lo que pudiera de aquel pescado muerto.

Lo que tratamos de transmitir en cuatro largos episodios fue el descubrimiento de otro país inconcebible dentro de Colombia, del cual no teníamos conciencia. Una patria mágica de selvas floridas y diluvios eternos, donde todo parecía una versión inverosímil de la vida cotidiana. La gran dificultad para la construcción de vías terrestres era una enorme cantidad de ríos indómitos, pero tampoco había más de un puente en todo el territorio. Encontramos una carretera de setenta y cinco kilómetros a través de la selva virgen, construida a costos enormes para comunicar la población de Itsmina con la de Yuto, pero que no pasaba por la una ni por la otra como represalia del constructor por sus pleitos con los dos alcaldes.

En alguno de los pueblos del interior el agente postal nos pidió llevarle a su colega de Itsmina el correo de seis meses. Una cajetilla de cigarrillos nacionales costaba allí treinta centavos, como en el resto del país, pero cuando se demoraba la avioneta semanal de abastecimiento los cigarrillos aumentaban de precio por cada día de retraso, hasta que la población se veía forzada a fumar cigarrillos extranjeros que terminaban por ser más baratos que los nacionales. Un saco de arroz costaba quince pesos más que en el sitio de cultivo porque lo llevaban a través de ochenta kilómetros de selva virgen a lomo de mulas que se agarraban como gatos a las faldas de la montaña. Las mujeres de las poblaciones más pobres cernían oro y platino en los ríos mientras sus hombres pescaban, y los sábados les vendían a los comerciantes viajeros una docena de pescados y cuatro gramos de platino por sólo tres pesos.

Todo esto ocurría en una sociedad famosa por sus ansias de estudiar. Pero las escuelas eran escasas y dispersas, y los alumnos tenían que viajar varias leguas todos los días a pie y en canoa para ir y volver. Algunas estaban tan desbordadas que un mismo local se usaba los lunes, miércoles y viernes para varones, y los martes, jueves y sábados para niñas. Por fuerza de los hechos eran las más democráticas del país, porque el hijo de la lavandera, que apenas si tenía qué comer, asistía a la misma escuela que el hijo del alcalde.

Muy pocos colombianos sabíamos entonces que en pleno corazón de la selva chocoana se levantaba una de las ciudades más modernas del país. Se llamaba Andagoya, en la esquina de los ríos San Juan y Condoto, y tenía un sistema telefónico perfecto, muelles para barcos y lanchas que pertenecían a la misma ciudad de hermosas avenidas arboladas. Las casas, pequeñas y limpias, con grandes espacios alambrados y pintorescas escalinatas de madera en el portal, parecían sembradas en el césped. En el centro había un casino con cabaret-restaurante y un bar donde se consumían licores importados a menor precio que en el resto del país. Era una ciudad habitada por hombres de todo el mundo, que habían olvidado la nostalgia y vivían allí mejor que en su tierra bajo la autoridad omnímoda del gerente local de la Chocó Pacífico. Pues Andagoya, en la vida real, era un país extranjero de propiedad privada, cuyas dragas saqueaban el oro y el platino de sus ríos prehistóricos y se los llevaban en un barco propio que salía al mundo entero sin control de nadie por las bocas del río San Juan.

Ése era el Chocó que quisimos revelar a los colombianos sin resultado alguno, pues una vez pasada la noticia todo volvió a su lugar, y siguió siendo la región más olvidada del país. Creo que la razón es evidente: Colombia fue desde siempre un país de identidad caribe abierto al mundo por el cordón umbilical de Panamá. La amputación forzosa nos condenó a ser lo que hoy somos: un país de mentalidad andina con las condiciones propicias para que el canal entre los dos océanos no fuera nuestro sino de los Estados Unidos.

El ritmo semanal de la redacción habría sido mortal de no ser porque los viernes en la tarde, a medida que nos liberábamos de la tarea, nos concentrábamos en el bar del hotel Continental, en la acera de enfrente, para un desahogo que solía prolongarse hasta el amanecer. Eduardo Zalamea bautizó aquellas noches con un nombre propio: los «viernes culturales». Era mi única oportunidad de conversar con él para no perder el tren de las novedades literarias del mundo, que mantenía al minuto con su capacidad de lector descomunal. Los sobrevivientes en aquellas tertulias de alcoholes infinitos y desenlaces imprevisibles –además de dos o tres amigos eternos de Ulises– éramos los redactores que no nos asustábamos de destorcerle el cuello al cisne hasta el amanecer.

Siempre me había llamado la atención que Zalamea no hubiera hecho nunca ninguna observación sobre mis notas, aunque muchas eran inspiradas en las suyas. Sin embargo, cuando se establecieron los «viernes culturales» dio rienda suelta a sus ideas sobre el género. Me confesó que estaba en desacuerdo con los criterios de muchas de mis notas y me sugería otras, pero no en un tono de jefe a su discípulo sino de escritor a escritor.

Otro refugio frecuente después de las funciones del cineclub eran las veladas de medianoche en el apartamento de Luis Vicens y su esposa Nancy, a pocas cuadras de *El Espectador*. Él, colaborador de Marcel Colin Reval, jefe de redacción de la revista *Cinématographie française* en París, había cambiado sus sueños de cine por el buen oficio de librero en Colombia, a causa de las guerras de Europa. Nancy se comportaba como una anfitriona mágica capaz de aumentar para doce un comedor de cuatro. Se habían conocido poco después de que él llegó a Bogotá, en 1937, en una cena familiar. Sólo quedaba en la mesa un lugar junto a Nancy, que vio entrar horrorizada al último invitado, con el cabello blanco y una piel de alpinista curtido por el sol. «¡Qué mala suerte! –se dijo–. Ahora me tocó al lado este polaco que ni español sabrá.» Estuvo a punto de acertar en el idioma, porque el recién llegado hablaba el castellano en un catalán crudo cruzado de francés, y ella era una boyacense resabiada y de lengua suelta. Pero se entendieron tan bien desde el primer saludo que se quedaron a vivir juntos para siempre.

Sus veladas se improvisaban después de los grandes estrenos de cine en un apartamento atiborrado con una mezcla de todas las artes, donde no cabía un cuadro más de los pintores primerizos de Colombia, algunos de los cuales serían famosos en el mundo. Sus invitados eran escogidos entre lo más granado de las artes y las letras, y los del grupo de Barranquilla aparecían de vez en cuando. Yo entré como en casa propia desde la aparición de mi primera crítica de cine, y cuando salía del periódico antes de la medianoche me iba a pie las tres cuadras y los obligaba a trasnocharse. La maestra Nancy, que además de cocinera excelsa era una casamentera encarnizada, improvisaba cenas inocentes para ligarme con las muchachas más atractivas y libres del mundo artístico, y no me perdonó nunca a mis veintiocho años cuando le dije que mi vocación verdadera no era de escritor ni periodista sino de solterón invencible.

Álvaro Mutis, en los huecos que le quedaban de sus viajes mundiales, completó por lo alto mi ingreso a la comunidad cultural. En su condición de jefe de relaciones públicas de la Esso Colombiana organizaba almuerzos en los restaurantes más caros, con lo que en realidad valía y pesaba en las artes y las letras, y muchas veces con invitados de otras ciudades del país. El poeta Jorge Gaitán Durán, que andaba con la obsesión de hacer una gran revista literaria que costaba una fortuna, lo resolvió en parte con los fondos de Álvaro Mutis para el fomento de la cultura. Álvaro Castaño Castillo y su esposa, Gloria Valencia, trataban de fundar desde hacía años una emisora consagrada por completo a la buena música y a los programas culturales al alcance de la mano. Todos les tomábamos el pelo por la irrealidad de su proyecto, menos Álvaro Mutis, que hizo todo lo que pudo para ayudarlos. Así fundaron la emisora HJCK, «El mundo en Bogotá», con un transmisor de 500 vatios que era el mínimo de aquel tiempo. Aún no existía la televisión en Colombia, pero Gloria Valencia inventó el prodigio metafísico de hacer por radio un programa de desfiles de modas.

El único reposo que me permitía en aquellos tiempos de atafagos fueron las lentas tardes de los domingos en casa de Álvaro Mutis, que me enseñó a escuchar la música sin prejuicios de clase. Nos tirábamos en la alfombra oyendo con el corazón a los grandes maestros sin especulaciones sabias. Fue el origen de una pasión que había empezado en la salita escondida de la Biblioteca Nacional, y nunca más nos olvidó. Hoy he escuchado tanta música como he podido conseguir, sobre todo la romántica de cámara que tengo como la cumbre de las artes. En México, mientras escribía *Cien años de soledad* –entre 1965 y 1966–, sólo tuve dos discos que se gastaron de tanto ser oídos: los *Preludios* de Debussy y *Qué noche la de aquel día*, de los Beatles. Más tarde, cuando por fin tuve en Barcelona casi tantos como siempre quise, me pareció demasiado convencional la clasificación alfabética, y adopté para mi comodidad privada el orden por instrumentos: el chelo, que es mi favorito, de Vivaldi a Brahms; el violín, desde Corelli hasta Schönberg; el clave y el piano, de Bach a Bartók. Hasta descubrir el milagro de que todo lo que suena es música, incluidos los platos y los cubiertos en el lavadero, siempre que cumplan la ilusión de indicarnos por dónde va la vida.

Mi límite era que no podía escribir con música porque le ponía más atención a lo que escuchaba que a lo que escribía, y todavía hoy asisto a muy pocos conciertos, porque siento que en la butaca se establece una especie de intimidad un poco impúdica con vecinos ajenos. Sin embargo, con el tiempo y las posibilidades de tener buena música en casa, aprendí a escribir con un fondo musical acorde con lo que escribo. Los nocturnos de Chopin para los episodios reposados, o los sextetos de Brahms para las tardes felices. En cambio, no volví a escuchar a Mozart durante años, desde que me asaltó la idea perversa de que Mozart no existe, porque cuando es bueno es Beethoven y cuando es malo es Haydn.

En los años en que evoco estas memorias he logrado el milagro de que ninguna clase de música me estorbe para escribir, aunque tal vez no sea consciente de otras virtudes, pues la mayor sorpresa me la dieron dos músicos catalanes, muy jóvenes y acuciosos, que creían haber descubierto afinidades sorprendentes entre *El otoño del patriarca*, mi sexta novela, y el *Tercer concierto para piano* de Béla Bartók. Es cierto que lo escuchaba sin misericordia mientras escribía, porque me creaba un estado de ánimo muy especial y un poco extraño, pero nunca pensé que hubiera podido influirme hasta el punto de que se notara en mi escritura. No sé cómo se enteraron de aquella debilidad los miembros de la Academia Sueca que lo pusieron de fondo en la entrega de mi premio. Lo agradecí en el alma, por supuesto, pero si me lo hubieran preguntado –con toda mi gratitud y mis respetos por ellos y por Béla Bartók– me habría gustado alguna de las romanzas naturales de Francisco el Hombre en las fiestas de mi infancia.

No hubo en Colombia por aquellos años un proyecto cultural, un libro por escribir o un cuadro para pintar que no pasara antes por la oficina de Mutis. Fui testigo de su diálogo con un pintor jóven que tenía todo listo para hacer su periplo de rigor por Europa, pero le faltaba el dinero para el viaje. Álvaro no alcanzó siquiera a escucharle el cuento completo, cuando sacó del escritorio la carpeta mágica.

–Aquí está el pasaje –dijo.

Yo asistía deslumbrado a la naturalidad con que hacía estos milagros sin el mínimo alarde de poder. Por eso me pregunto todavía si no tuvo algo que ver con la solicitud que me hizo en un cóctel el secretario de la Asociación Colombiana de Escritores y Artistas, Óscar Delgado, de que participara en el concurso nacional de cuento que estaba a punto de ser declarado desierto. Lo dijo tan mal que la propuesta me pareció indecorosa, pero alguien que la oyó me precisó que en un país como el nuestro no se podía ser escritor sin saber que los concursos literarios son simples pantomimas sociales. «Hasta el premio Nobel», concluyó sin la menor malicia, y sin pensarlo siquiera me puso en guardia desde entonces para otra decisión descomunal que me salió al paso veintisiete años después.

El jurado del concurso de cuento eran Hernando Téllez, Juan Lozano y Lozano, Pedro Gómez Valderrama y otros tres escritores y críticos de las grandes ligas. Así que no hice consideraciones éticas ni económicas, sino que pasé una noche en la corrección final de «Un día después del sábado», el cuento que había escrito en Barranquilla por un golpe de inspiración en las oficinas de *El Nacional*. Después de reposar más de un año en la gaveta me pareció capaz de encandilar a un buen jurado. Así fue, con la gratificación descomunal de tres mil pesos.

Por esos mismos días, y sin ninguna relación con el concurso, me cayó en la oficina don Samuel Lisman Baum, agregado cultural de la Embajada de Israel, quien acababa de inaugurar una empresa editorial con un libro de poemas del maestro León de Greiff: *Fárrago Quinto Mamotreto*. La edición era presentable y las noticias sobre Lisman Baum eran buenas. Así que le di una copia muy remendada de *La hojarasca* y lo despaché a las volandas con el compromiso de hablar después. Sobre todo de plata, que al final –por cierto– fue de lo único que nunca hablamos. Cecilia Porras pintó una portada novedosa –que tampoco logró cobrar–, con base en mi descripción del personaje del niño. El taller gráfico de *El Espectador* regaló el cliché para las carátulas en colores.

No volví a saber nada hasta unos cinco meses después, cuando la editorial Sipa de Bogotá –que nunca había oído nombrar– me llamó al periódico para decirme que la edición de cuatro mil ejemplares estaba lista para la distribución, pero no sabían qué hacer con ella porque nadie daba razón de Lisman Baum. Ni los mismos reporteros del periódico pudieron encontrar el rastro ni lo ha encontrado nadie hasta el sol de hoy. Ulises le propuso a la imprenta que vendiera los ejemplares a las librerías con base en la campaña de prensa que él mismo inició con una nota que todavía no acabo de agradecerle. La crítica fue excelente, pero la mayor parte de la edición se quedó en la bodega y nunca se estableció cuántas copias se vendieron, ni recibí de nadie ni un céntimo por regalías.

Cuatro años después, Eduardo Caballero Calderón, que dirigía la Biblioteca Básica de Cultura Colombiana, incluyó una edición de bolsillo de *La hojarasca* para una colección de obras que se vendieron en puestos callejeros de Bogotá y otras ciudades. Pagó los derechos pactados, escasos pero puntuales, que tuvieron para mí el valor sentimental de ser los primeros que recibí por un libro. La edición tenía entonces algunos cambios que no identifiqué como míos ni me cuidé de que no se incluyeran en ediciones siguientes. Casi trece años más tarde, cuando pasé por Colombia después del lanzamiento de *Cien años de soledad* en Buenos Aires, encontré en los puestos callejeros de Bogotá numerosos ejemplares sobrantes de la primera edición de *La hojarasca* a un peso cada una. Compré cuantos pude cargar. Desde entonces he encontrado en librerías de América Latina otros saldos dispersos que trataban de vender como libros históricos. Hace unos dos años, una agencia inglesa de libros antiguos vendió por tres mil dólares un ejemplar firmado por mí de la primera edición de *Cien años de soledad*.

Ninguno de esos casos me distrajo ni un instante de mi trapiche de periodista. El éxito inicial de los reportajes en serie nos había obligado a buscar pienso para alimentar a una fiera insaciable. La tensión diaria era insostenible, no sólo en la identificación y la búsqueda de los temas, sino en el curso de la escritura, siempre amenazada por los encantos de la ficción. En *El Espectador* no había duda: la materia prima invariable del oficio era la verdad y nada más que la verdad, y eso nos mantenía en una tensión invivible. José Salgar y yo terminamos en un estado de vicio que no nos permitía un instante de paz ni en los reposos del domingo.

En 1956 se supo que el papa Pío XII sufría un ataque de hipo que podía costarle la vida. El único antecedente que recuerdo es el cuento magistral «P & O», de Somerset Maugham, cuyo protagonista murió en mitad del océano Índico de un ataque de hipo que lo agotó en cinco días, mientras del mundo entero le llegaban toda clase de recetas extravagantes, pero creo que no lo conocía en aquella época. Los fines de semana no nos atrevíamos a ir demasiado lejos en nuestras excursiones por los pueblos de la sabana porque el periódico estaba dispuesto a lanzar una edición extraordinaria en caso de la muerte del Papa. Yo era partidario de que tuviéramos la edición lista, con sólo los vacíos para llenar con los primeros cables de la muerte. Dos años después, siendo corresponsal en Roma, todavía se esperaba el desenlace del hipo papal.

Otro problema irresistible en el periódico era la tendencia a sólo ocuparnos de temas espectaculares que pudieran arrastrar cada vez más lectores, y yo tenía la más modesta de no perder de vista a otro público menos servido que pensaba más con el corazón. Entre los pocos que logré encontrar, conservo el recuerdo del reportaje más sencillo que me atrapó al vuelo a través de la ventana de un autobús. En el portón de una hermosa casa colonial en el número 567 de la carrera Octava en Bogotá había un letrero que se menospreciaba a sí mismo: «Oficina de Rezagos del Correo Nacional». No recuerdo en absoluto que algo se me hubiera perdido por aquellos desvíos, pero me bajé del tranvía y llamé a la puerta. El hombre que me abrió era el responsable de la oficina con seis empleados metódicos, cubiertos por el óxido de la rutina, cuya misión romántica era encontrar a los destinatarios de cualquier carta mal dirigida.

Era una bella casa, enorme y polvorienta, de techos altos y paredes carcomidas, corredores oscuros y galerías atiborradas de papeles sin dueño. Del promedio de cien cartas rezagadas que entraban todos los días, por lo menos diez habían sido bien franqueadas pero los sobres estaban en blanco y no tenían siquiera el nombre del remitente. Los empleados de la oficina las conocían como las «cartas para el hombre invisible», y no ahorraban esfuerzos para entregarlas o devolverlas. Pero el ceremonial para abrirlas en busca de pistas era de un rigor burocrático más bien inútil pero meritorio.

El reportaje de una sola entrega se publicó con el título de «El cartero llama mil veces», con un subtítulo: «El cementerio de las cartas perdidas». Cuando Salgar lo leyó, me dijo: «A este cisne no hay que torcerle el cuello porque ya nació muerto». Lo publicó, con el despliegue exacto, ni mucho ni poco, pero se le notaba en el gesto que estaba tan dolido como yo por la amargura de lo que pudo ser. Rogelio Echeverría, tal vez por ser poeta, lo celebró de buen talante pero con una frase que no olvidé nunca: «Es que Gabo se agarra hasta de un clavo caliente».

Me sentí tan desmoralizado, que por mi cuenta y riesgo –y sin contárselo a Salgar– decidí encontrar a la destinataria de una carta que me había merecido una atención especial. Estaba franqueada en el leprocomio de Agua de Dios, y dirigida a «la señora de luto que va todos los días a la misa de cinco en la iglesia de las Aguas». Después de hacer toda clase de averiguaciones inútiles con el párroco y sus ayudantes, seguí entrevistando a los fieles de la misa de cinco durante varias semanas sin resultado alguno. Me sorprendió que las más asiduas eran tres muy mayores y siempre de luto cerrado, pero ninguna tenía nada que ver con el leprocomio de Agua de Dios. Fue un fracaso del cual tardé en reponerme, no sólo por amor propio ni por hacer una obra de caridad, sino porque estaba convencido de que detrás de la historia misma de aquella mujer de luto había otra historia apasionante.

A medida que zozobraba en los pantanos del reportaje, mi relación con el grupo de Barranquilla se fue haciendo más intensa. Sus viajes a Bogotá no eran frecuentes, pero yo los asaltaba por teléfono a cualquier hora en cualquier apuro, sobre todo a Germán Vargas, por su concepción pedagógica del reportaje. Los consultaba en cada apuro, que eran muchos, o ellos me llamaban cuando había motivos para felicitarme. A Álvaro Cepeda lo tuve siempre como un condiscípulo en la silla de al lado. Después de las burlas cordiales de ida y vuelta que fueron siempre de rigor dentro del grupo, me sacaba del pantano con una simplicidad que nunca dejó de asombrarme. En cambio, mis consultas con Alfonso Fuenmayor eran más literarias. Tenía la magia certera para salvarme de apuros con ejemplos de grandes autores o para dictarme la cita salvadora rescatada de su arsenal sin fondo. Su broma maestra fue cuando le pedí el título para una nota sobre los vendedores de comidas callejeras acosados por las autoridades de Higiene. Alfonso me soltó la respuesta inmediata:

–El que vende comida no se muere de hambre.

Se la agradecí en el alma, y me pareció tan oportuna que no pude resistir la tentación de preguntarle de quién era. Alfonso me paró en seco con la verdad que yo no recordaba:

–Es suya, maestro.

En efecto, la había improvisado en alguna nota sin firma, pero la había olvidado. El cuento circuló durante años entre los amigos de Barranquilla, a quienes nunca pude convencer de que no había sido una broma.

Un viaje ocasional de Álvaro Cepeda a Bogotá me distrajo por unos días de la galera de las noticias diarias. Llegó con la idea de hacer una película de la cual sólo tenía el título: *La langosta azul.* Fue un error certero, porque Luis Vicens, Enrique Grau y el fotógrafo Nereo López se lo tomaron en serio. No volví a saber del proyecto hasta que Vicens me mandó un borrador del guión para que pusiera algo de mi parte sobre la base original de Álvaro. Algo puse yo que hoy no recuerdo, pero la historia me pareció divertida y con la dosis suficiente de locura para que pareciera nuestra.

Todos hicieron un poco de todo, pero el papá por derecho propio fue Luis Vicens, que impuso muchas de las cosas que le quedaban de sus pinitos de París. Mi problema era que me encontraba en medio de alguno de aquellos reportajes prolijos que no me dejaban tiempo para respirar, y cuando logré liberarme ya la película estaba en pleno rodaje en Barranquilla.

Es una obra elemental, cuyo mérito mayor parece ser el dominio de la intuición, que era tal vez el ángel tutelar de Álvaro Cepeda. En uno de sus numerosos estrenos domésticos de Barranquilla estuvo el director italiano Enrico Fulchignoni, que nos sorprendió con el alcance de su compasión: la película le pareció muy buena. Gracias a la tenacidad y la buena audacia de Tita Manotas, la esposa de Álvaro, lo que todavía queda de *La langosta azul* le ha dado la vuelta al mundo en festivales temerarios.

Esas cosas nos distraían a ratos de la realidad del país, que era terrible. Colombia se consideraba libre de guerrillas desde que las Fuerzas Armadas se tomaron el poder con la bandera de la paz y la concordia entre los partidos. Nadie dudó de que algo había cambiado, hasta la matanza de estudiantes en la carrera Séptima. Los militares, ansiosos de razones, quisieron probarnos a los periodistas que había una guerra distinta de la eterna entre liberales y conservadores. En ésas andábamos cuando José Salgar se acercó a mi escritorio con una de sus ideas terroríficas:

–Prepárese para conocer la guerra.

Los invitados a conocerla, sin mayores detalles, fuimos puntuales a las cinco de la madrugada para ir a la población de Villarrica, a ciento ochenta y tres kilómetros de Bogotá. El general Rojas Pinilla estaba pendiente de nuestra visita, a mitad de camino, en uno de sus reposos frecuentes en la base militar de Melgar, y había prometido una rueda de prensa que terminaría antes de las cinco de la tarde, con tiempo de sobra para regresar con fotos y noticias de primera mano.

Los enviados de *El Tiempo* eran Ramiro Andrade, con el fotógrafo Germán Caycedo; unos cuatro más que no he podido recordar, y Daniel Rodríguez y yo por *El Espectador*. Algunos llevaban ropas de campaña, pues fuimos advertidos de que tal vez tuviéramos que dar algunos pasos dentro de la selva.

Fuimos hasta Melgar en automóvil y allí nos repartimos en tres helicópteros que nos llevaron por un cañón estrecho y solitario de la cordillera central, con altos flancos afilados. Lo que más me impresionó, sin embargo, fue la tensión de los jóvenes pilotos que eludían ciertas zonas donde la guerrilla había derribado un helicóptero y averiado otro el día anterior. Al cabo de unos quince minutos intensos aterrizamos en la plaza enorme y desolada de Villarrica, cuya alfombra de caliche no parecía bastante firme para soportar el peso del helicóptero. Alrededor de la plaza había casas de madera con tiendas en ruinas y residencias de nadie, salvo una recién pintada que había sido el hotel del pueblo hasta que se implantó el terror.

Al frente del helicóptero se divisaban las estribaciones de la cordillera y el techo de cinc de la única casa apenas visible entre las brumas de la cornisa. Según el oficial que nos acompañaba, allí estaban los guerrilleros con armas de suficiente poder para tumbarnos, de modo que debíamos correr hasta el hotel en zigzag y con el torso inclinado como una precaución elemental contra posibles disparos desde la cordillera. Sólo cuando llegamos allí caímos en la cuenta de que el hotel estaba convertido en cuartel.

Un coronel con arreos de guerra, de una apostura de artista de cine y una simpatía inteligente, nos explicó sin alarmas que en la casa de la cordillera estaba la avanzada de la guerrilla hacía varias semanas y desde allí habían intentado varias incursiones nocturnas contra el pueblo. El ejército estaba seguro de que algo intentarían cuando vieran los helicópteros en la plaza, y las tropas estaban preparadas. Sin embargo, al cabo de una hora de provocaciones, incluso desafíos con altavoces, los guerrilleros no dieron señales de vida. El coronel, desalentado, envió una patrulla de exploración para asegurarse de que todavía quedaba alguien en la casa.

La tensión se relajó. Los periodistas salimos del hotel y exploramos las calles vecinas, incluso las menos guarnecidas alrededor de la plaza. El fotógrafo y yo, junto con otros, iniciamos el ascenso a la cordillera por una tortuosa cornisa de herradura. En la primera curva había soldados tendidos entre la maleza en posición de tiro. Un oficial nos aconsejó que regresáramos a la plaza, pues cualquier cosa podía suceder, pero no hicimos caso. Nuestro propósito era subir hasta encontrar alguna avanzada guerrillera que nos salvara el día con una noticia grande.

No hubo tiempo. De pronto se escucharon varias órdenes simultáneas y enseguida una descarga cerrada de los militares. Nos echamos a tierra cerca de los soldados y éstos abrieron fuego contra la casa de la cornisa. En la confusión instantánea perdí de vista a Rodríguez, que corrió en busca de una posición estratégica para su visor. El tiroteo fue breve pero muy intenso y en su lugar quedó un silencio letal.

Habíamos vuelto a la plaza cuando alcanzamos a ver una patrulla militar que salía de la selva llevando un cuerpo en angarillas. El jefe de la patrulla, muy excitado, no permitió que se tomaran fotos. Busqué con la vista a Rodríguez y lo vi aparecer, unos cinco metros a mi derecha, con la cámara lista para disparar. La patrulla no lo había visto. Entonces viví el instante más intenso, entre la duda de gritarle que no hiciera la foto por temor de que le dispararan por inadvertencia, o el instinto profesional de tomarla a cualquier precio. No tuve tiempo, pues en el mismo instante se oyó el grito fulminante del jefe de la patrulla:

–¡Esa foto no se toma!

Rodríguez bajó la cámara sin prisa y se acercó a mi lado. El cortejo pasó tan cerca de nosotros que sentíamos la ráfaga ácida de los cuerpos vivos y el silencio del muerto. Cuando acabaron de pasar, Rodríguez me dijo al oído:

–Tomé la foto.

Así fue, pero nunca se publicó. La invitación había terminado en desastre. Hubo dos heridos más de la tropa y estaban muertos por lo menos dos guerrilleros que ya habían sido arrastrados hasta el refugio. El coronel cambió su ánimo por una expresión tétrica. Nos dio la información simple de que la visita estaba cancelada, que disponíamos de media hora para almorzar, y que enseguida viajaríamos a Melgar por carretera, pues los helicópteros estaban reservados para los heridos y los cadáveres. Las cantidades de unos y otros no fueron reveladas nunca.

Nadie volvió a mencionar la conferencia de prensa del general Rojas Pinilla. Pasamos de largo en un jeep para seis frente a su casa de Melgar y llegamos a Bogotá después de la medianoche. La sala de redacción nos esperaba en pleno, pues de la Oficina de Información y Prensa de la presidencia de la República habían llamado para informar sin más detalles que llegaríamos por tierra, pero no precisaron si vivos o muertos.

Hasta entonces la única intervención de la censura militar había sido por la muerte de los estudiantes en el centro de Bogotá. No había un censor dentro de la redacción después de que el último del gobierno anterior renunció casi en lágrimas cuando no pudo soportar las primicias falsas y las gambetas de burla de los redactores. Sabíamos que la Oficina de Información y Prensa no nos perdía de vista, y con frecuencia nos mandaban por teléfono advertencias y consejos paternales. Los militares, que al principio de su gobierno desplegaban una cordialidad académica ante la prensa, se volvieron invisibles o herméticos. Sin embargo, un cabo suelto siguió creciendo solo y en silencio, e infundió la certidumbre nunca comprobada ni desmentida de que el jefe de aquel embrión guerrillero del Tolima era un muchacho de veintidós años que hizo carrera en su ley, cuyo nombre no ha podido confirmarse ni desmentirse: Manuel Marulanda Vélez o Pedro Antonio Marín, Tirofijo. Cuarenta y tantos años después, Marulanda –consultado para este dato en su campamento de guerra– contestó que no recordaba si en realidad era él.

No fue posible conseguir una noticia más. Yo andaba ansioso por descubrirla desde que regresé de Villarrica, pero no encontraba una puerta. La Oficina de Información y Prensa de la presidencia nos estaba vedada, y el ingrato episodio de Villarrica yacía sepultado bajo la reserva militar. Había echado la esperanza al cesto de la basura, cuando José Salgar se plantó frente a mi escritorio, fingiendo la sangre fría que nunca tuvo, y me mostró un telegrama que acababa de recibir.

–Aquí está lo que usted no vio en Villarrica –me dijo.

Era el drama de una muchedumbre de niños sacados de sus pueblos y veredas por las Fuerzas Armadas sin plan preconcebido y sin recursos, para facilitar la guerra de exterminio contra la guerrilla del Tolima. Los habían separado de sus padres sin tiempo para establecer quién era hijo de quién, y muchos de ellos mismos no sabían decirlo. El drama había empezado con una avalancha de mil doscientos adultos conducidos a distintas poblaciones del Tolima, después de nuestra visita a Melgar, e instalados de cualquier manera y luego abandonados a la mano de Dios. Los niños, separados de sus padres por simples consideraciones logísticas y dispersos en varios asilos del país, eran unos tres mil de distintas edades y condiciones. Sólo treinta eran huérfanos de padre y madre, y entre éstos un par de gemelos con trece días de nacidos. La movilización se hizo en absoluto secreto, al amparo de la censura de prensa, hasta que el corresponsal de *El Espectador* nos telegrafió las primeras pistas desde Ambalema, a doscientos kilómetros de Villarrica.

En menos de seis horas encontramos trescientos menores de cinco años en el Amparo de Niños de Bogotá, muchos de ellos sin filiación. Helí Rodríguez, de dos años, apenas si pudo dictar su nombre. No sabía nada de nada, ni dónde se encontraba, ni por qué, ni sabía los nombres de sus padres ni pudo dar ninguna pista para encontrarlos. Su único consuelo era que tenía derecho a permanecer en el asilo hasta los catorce años. El presupuesto del orfanato se alimentaba de ochenta centavos mensuales que le daba por cada niño el gobierno departamental. Diez se fugaron la primera semana con el propósito de colarse de polizones en los trenes del Tolima, y no pudimos hallar ningún rastro de ellos.

A muchos les hicieron en el asilo un bautismo administrativo con apellidos de la región para poder distinguirlos, pero eran tantos, tan parecidos y móviles que no se distinguían en el recreo, sobre todo en los meses más fríos, cuando tenían que calentarse corriendo por corredores y escaleras. Fue imposible que aquella dolorosa visita no me obligara a preguntarme si la guerrilla que había matado al soldado en el combate habría podido hacer tantos estragos entre los niños de Villarrica.

La historia de aquel disparate logístico fue publicada en varias crónicas sucesivas sin consultar a nadie. La censura guardó silencio y los militares replicaron con la explicación de moda: los hechos de Villarrica eran parte de una amplia movilización comunista contra el gobierno de las Fuerzas Armadas, y éstas estaban obligadas a proceder con métodos de guerra. Me bastó una línea de esa comunicación para que se me metiera en mente la idea de conseguir la información directa de Gilberto Vieira, secretario general del Partido Comunista, a quien nunca había visto.

No recuerdo si el paso siguiente lo hice autorizado por el periódico o si fue por iniciativa propia, pero recuerdo muy bien que intenté varias gestiones inútiles para lograr un contacto con algún dirigente del Partido Comunista clandestino que pudiera informarme sobre la situación de Villarrica. El problema principal era que el cerco del régimen militar en torno a los comunistas clandestinos no tenía precedentes. Entonces hice contacto con algún amigo comunista, y dos días después apareció frente a mi escritorio otro vendedor de relojes que andaba buscándome para cobrarme las cuotas que no alcancé a pagar en Barranquilla. Le pagué las que pude, y le dije como al descuido que necesitaba hablar de urgencia con alguno de sus dirigentes grandes, pero me contestó con la fórmula conocida de que él no era el camino ni sabría decirme quién lo era. Sin embargo, esa misma tarde, sin anuncio previo, me sorprendió en el teléfono una voz armoniosa y despreocupada:

–Hola, Gabriel, soy Gilberto Vieira.

A pesar de haber sido el más destacado de los fundadores del Partido Comunista, Vieira no había tenido hasta entonces ni un minuto de exilio ni de cárcel. Sin embargo, a pesar del riesgo de que ambos teléfonos estuvieran intervenidos, me dio la dirección de su casa secreta para que lo visitara esa misma tarde.

Era un apartamento con una sala pequeña atiborrada de libros políticos y literarios, y dos dormitorios en un sexto piso de escaleras empinadas y sombrías adonde se llegaba sin aliento, no sólo por la altura sino por la conciencia de estar entrando en uno de los misterios mejor guardados del país. Vieira vivía con su esposa, Cecilia, y con una hija recién nacida. Como la esposa no estaba en casa, él mantenía al alcance de su mano la cuna de la niña, y la mecía muy despacio cuando se desgañitaba de llanto en las pausas muy largas de la conversación, que lo mismo eran de política que de literatura, aunque sin mucho sentido del humor. Era imposible concebir que aquel cuarentón rosado y calvo, de ojos claros e incisivos y labia precisa, fuera el hombre más buscado por los servicios secretos del país.

De entrada me di cuenta de que estaba al corriente de mi vida desde que compré el reloj en *El Nacional* de Barranquilla. Leía mis reportajes en *El Espectador* e identificaba mis notas anónimas para tratar de interpretar sus segundas intenciones. Sin embargo, estuvo de acuerdo en que el mejor servicio que podía prestarle al país era seguir en esa línea sin dejarme comprometer por nadie en ninguna clase de militancia política.

Se instaló en el tema tan pronto como tuve ocasión de revelarle el motivo de mi visita. Estaba al corriente de la situación de Villarrica, como si hubiera estado allí, y de la cual no pudimos publicar ni una letra por la censura oficial. Sin embargo, me dio datos importantes para entender que aquél era el preludio de una guerra crónica al cabo de medio siglo de escaramuzas casuales. Su lenguaje, en aquel día y en aquel lugar, tenía más ingredientes del mismo Jorge Eliécer Gaitán que de su Marx de cabecera, para una solución que no parecía ser la del proletariado en el poder sino una especie de alianza de desamparados contra las clases dominantes. La fortuna de aquella visita no fue sólo la clarificación de lo que estaba sucediendo, sino un método para entenderlo mejor. Así se lo expliqué a Guillermo Cano y a Zalamea, y dejé la puerta entreabierta, por si alguna vez aparecía la cola del reportaje inconcluso. Sobra decir que Vieira y yo hicimos una muy buena relación de amigos que nos facilitó los contactos aun en los tiempos más duros de su clandestinidad.

Otro drama de adultos crecía soterrado hasta que las malas noticias rompieron el cerco, en febrero de 1954, cuando se publicó en la prensa que un veterano de Corea había empeñado sus condecoraciones para comer. Era sólo uno de los más de cuatro mil que habían sido reclutados al azar en otro de los momentos inconcebibles de nuestra historia, cuando cualquier destino era mejor que nada para los campesinos expulsados a bala de sus tierras por la violencia oficial. Las ciudades superpobladas por los desplazados no ofrecían ninguna esperanza. Colombia, como se repitió casi todos los días en notas editoriales, en la calle, en los cafés, en las conversaciones familiares, era una república invivible. Para muchos campesinos desplazados y numerosos muchachos sin perspectiva, la guerra de Corea era una solución personal. Allí fue de todo, revuelto, sin discriminaciones precisas y apenas por sus condiciones físicas, casi como vinieron los españoles a descubrir la América. Al regresar a Colombia, gota a gota, ese grupo heterogéneo tuvo por fin un distintivo común: veteranos. Bastó con que algunos protagonizaran una reyerta para que la culpa recayera en todos. Se les cerraron las puertas con el argumento fácil de que no tenían derecho a empleo porque eran desequilibrados mentales. En cambio, no hubo suficientes lágrimas para los incontables que regresaron convertidos en dos mil libras de cenizas.

La noticia del que empeñó las condecoraciones mostró un contraste brutal con otra publicada diez meses antes, cuando los últimos veteranos regresaron al país con casi un millón de dólares en efectivo, que al ser cambiados en los bancos hicieron bajar el precio del dólar en Colombia de tres pesos con treinta centavos a dos pesos con noventa. Sin embargo, más bajaba el prestigio de los veteranos cuanto más se enfrentaban a la realidad de su país. Antes del regreso se habían publicado versiones dispersas de que recibirían becas especiales para carreras productivas, que tendrían pensiones de por vida y facilidades para quedarse a vivir en los Estados Unidos. La verdad fue la contraria: poco después de la llegada fueron dados de baja en el ejército, y lo único que les quedó en el bolsillo a muchos de ellos fueron los retratos de las novias japonesas que se quedaron esperándolos en los campamentos del Japón, donde los llevaban a descansar de la guerra.

Era imposible que aquel drama nacional no me hiciera recordar el de mi abuelo el coronel Márquez, a la espera eterna de su pensión de veterano. Llegué a pensar que aquella mezquindad fuera una represalia contra un coronel subversivo en guerra encarnizada contra la hegemonía conservadora. Los sobrevivientes de Corea, en cambio, habían luchado contra la causa del comunismo y en favor de las ansias imperiales de los Estados Unidos. Y sin embargo, a su regreso, no aparecían en las páginas sociales sino en la crónica roja. Uno de ellos, que mató a bala a dos inocentes, les preguntó a sus jueces: «¿Si en Corea maté a cien, por qué no puedo matar a diez en Bogotá?».

Este hombre, igual que otros delincuentes, había llegado a la guerra cuando ya estaba firmado el armisticio. Sin embargo, muchos como él fueron víctimas también del machismo colombiano, que se manifestó en el trofeo de matar a un veterano de Corea. No se habían cumplido tres años desde que regresó el primer contingente, y ya los veteranos víctimas de muerte violenta pasaban de una docena. Por diversas causas, varios habían muerto en altercados inútiles poco tiempo después del regreso. Uno de ellos murió apuñalado en una reyerta por repetir una canción en un tocadiscos de cantina. El sargento Cantor, que había hecho honor a su apellido cantando y acompañándose con la guitarra en los descansos de la guerra, fue muerto a bala semanas después del regreso. Otro veterano fue apuñalado también en Bogotá, y para enterrarlo hubo que organizar una colecta entre los vecinos. A Ángel Fabio Goes, que había perdido en la guerra un ojo y una mano, lo mataron tres desconocidos que nunca fueron capturados.

Recuerdo –como si hubiera sido ayer– que estaba escribiendo el último capítulo de la serie cuando sonó el teléfono en mi escritorio y reconocí al instante la voz radiante de Martina Fonseca:

–¿Aló?

Abandoné el artículo en mitad de la página por los tumbos de mi corazón, y atravesé la avenida para encontrarme con ella en el hotel Continental después de doce años sin verla. No fue fácil distinguirla desde la puerta entre las otras mujeres que almorzaban en el comedor repleto, hasta que ella me hizo una señal con el guante. Estaba vestida con el gusto personal de siempre, con un abrigo de ante, un zorro marchito en el hombro y un sombrero de cazador, y los años empezaban a notársele demasiado en la piel de ciruela maltratada por el sol, los ojos apagados, y toda ella disminuida por los primeros signos de una vejez injusta. Ambos debimos darnos cuenta de que doce años eran muchos a su edad, pero los soportamos bien. Había tratado de rastrearla en mis primeros años de Barranquilla, hasta que supe que vivía en Panamá, donde su Vaporino era práctico del canal, pero no fue por orgullo sino por timidez que no le toqué el punto.

Creo que acababa de almorzar con alguien que la había dejado sola para atenderme la visita. Nos tomamos tres tazas mortales de café y nos fumamos juntos medio paquete de cigarrillos bastos buscando a tientas el camino para conversar sin hablar, hasta que se atrevió a preguntarme si alguna vez había pensado en ella. Sólo entonces le dije la verdad: no la había olvidado nunca, pero su despedida había sido tan brutal que me cambió el modo de ser. Ella fue más compasiva que yo:

–No olvido nunca que para mí eres como un hijo.

Había leído mis notas de prensa, mis cuentos y mi única novela, y me habló de ellos con una perspicacia lúcida y encarnizada que sólo era posible por el amor o el despecho. Sin embargo, yo no hice más que eludir las trampas de la nostalgia con la cobardía mezquina de que sólo los hombres somos capaces. Cuando logré por fin aliviar la tensión me atreví a preguntarle si había tenido el hijo que quería.

–Nació –dijo ella con alegría–, y ya está terminando la primaria.

–¿Negro como su padre? –le pregunté con la mezquindad propia de los celos.

Ella apeló a su buen sentido de siempre. «Blanco como su madre –dijo–. Pero el papá no se fue de la casa como yo temía sino que se acercó más a mí.» Y ante mi ofuscación evidente me confirmó con una sonrisa mortal:

–No te preocupes: es de él. Y además dos hijas iguales como si fueran una sola.

Se alegró de haber venido, me entretuvo con algunos recuerdos que nada tenían que ver conmigo, y tuve la vanidad de pensar que esperaba de mí una respuesta más íntima. Pero también, como todos los hombres, me equivoqué de tiempo y lugar. Miró el reloj cuando ordené el cuarto café y otro paquete de cigarrillos, y se levantó sin preámbulos.

–Bueno, niño, estoy feliz de haberte visto –dijo. Y concluyó–: Ya no aguantaba más haberte leído tanto sin saber cómo eres.

–¿Y cómo soy? –me atreví a preguntar.

–¡Ah, no! –rió ella con toda el alma–, eso no lo sabrás nunca.

Sólo cuando recobré el aliento frente a la máquina de escribir caí en la cuenta de las ansias de verla que había tenido siempre y del terror que me impidió quedarme con ella por todo el resto de nuestras vidas. El mismo terror desolado que muchas veces volví a sentir desde aquel día cuando sonaba el teléfono.

El nuevo año de 1955 empezó para los periodistas el 28 de febrero con la noticia de que ocho marineros del destructor *Caldas* de la Armada Nacional habían caído al mar y desaparecido durante una tormenta cuando faltaban dos horas escasas para llegar a Cartagena. Había zarpado cuatro días antes de Mobile, Alabama, después de permanecer allí varios meses para una reparación reglamentaria.

Mientras la redacción en pleno escuchaba en suspenso el primer boletín radial del desastre, Guillermo Cano se había vuelto hacia mí en su silla giratoria, y me mantuvo en la mira con una orden lista en la punta de la lengua. José Salgar, de paso para los talleres, se paró también frente a mí con los nervios templados por la noticia. Yo había vuelto una hora antes de Barranquilla, donde preparé una información sobre el eterno drama de las Bocas de Ceniza, y ya empezaba otra vez a preguntarme a qué hora saldría el próximo avión a la costa para escribir la primicia de los ocho náufragos. Sin embargo, pronto quedó claro en el boletín de radio que el destructor llegaría a Cartagena a las tres de la tarde sin noticias nuevas, pues no habían recuperado los cuerpos de los ocho marinos ahogados. Guillermo Cano se desinfló.

–Qué vaina, Gabo –dijo–. Se nos ahogó la chiva.

El desastre quedó reducido a una serie de boletines oficiales, y la información se manejó con los honores de rigor a los caídos en servicio, pero nada más. A fines de la semana, sin embargo, la marina reveló que uno de ellos, Luis Alejandro Velasco, había llegado exhausto a una playa de Urabá, insolado pero recuperable, después de permanecer diez días a la deriva sin comer ni beber en una balsa sin remos. Todos estuvimos de acuerdo en que podía ser el reportaje del año si lográbamos tenerlo a solas, así fuera por media hora.

No fue posible. La marina lo mantuvo incomunicado mientras se recuperaba en el hospital naval de Cartagena. Allí estuvo con él durante unos minutos fugaces un astuto redactor de *El Tiempo*, Antonio Montaña, que se coló en el hospital disfrazado de médico. A juzgar por los resultados, sin embargo, sólo obtuvo del náufrago unos dibujos a lápiz sobre su posición en el barco cuando fue arrastrado por la tormenta y unas declaraciones descosidas con las cuales quedó claro que tenía órdenes de no contar el cuento. «Si yo hubiera sabido que era un periodista lo hubiera ayudado», declaró Velasco días después. Una vez recuperado, y siempre al amparo de la marina, concedió una entrevista al corresponsal de *El Espectador* en Cartagena, Lácides Orozco, que no pudo llegar a donde queríamos para saber cómo fue que un golpe de viento pudo causar semejante desastre con siete muertos.

Luis Alejandro Velasco, en efecto, estaba sometido a un compromiso férreo que le impedía moverse o expresarse con libertad, aun después de que lo trasladaron a la casa de sus padres en Bogotá. Cualquier aspecto técnico o político nos lo resolvía con una maestría cordial el teniente de fragata Guillermo Fonseca, pero con igual elegancia eludía datos esenciales para lo único que nos interesaba entonces, que era la verdad de la aventura. Sólo por ganar tiempo escribí una serie de notas de ambiente sobre el regreso del náufrago a casa de sus padres, cuando sus acompañantes de uniforme me impidieron una vez más hablar con él, mientras le autorizaban una entrevista insulsa para una emisora local. Entonces fue evidente que estábamos en manos de maestros en el arte oficial de enfriar la noticia, y por primera vez me conmocionó la idea de que estaban ocultando a la opinión pública algo muy grave sobre la catástrofe. Más que una sospecha, hoy lo recuerdo como un presagio.

Era un marzo de vientos glaciales y la llovizna polvorienta aumentaba la carga de mis remordimientos. Antes de enfrentarme a la sala de redacción abrumado por la derrota me refugié en el vecino hotel Continental y ordené un trago doble en el mostrador del bar solitario. Me lo tomaba a sorbos lentos, sin quitarme siquiera el grueso abrigo ministerial, cuando sentí una voz muy dulce casi en el oído:

–El que bebe solo muere solo.

–Dios te oiga, bella –contesté con el alma en la boca, convencido de que era Martina Fonseca.

La voz dejó en el aire un rastro de gardenias tibias, pero no era ella. La vi salir por la puerta giratoria y desaparecer con su inolvidable paraguas amarillo en la avenida embarrada por la llovizna. Después de un segundo trago atravesé yo también la avenida y llegué a la sala de redacción sostenido a pulso por los dos primeros tragos. Guillermo Cano me vio entrar y soltó un grito alegre para todos:

–¡A ver qué chiva nos trae el gran Gabo!

Le repliqué con la verdad:

–Nada más que un pescado muerto.

Entonces me di cuenta de que los burlones inclementes de la redacción habían empezado a quererme cuando me vieron pasar en silencio arrastrando el sobretodo ensopado, y ninguno tuvo corazón para empezar la rechifla ritual.

Luis Alejandro Velasco siguió disfrutando de su gloria reprimida. Sus mentores no sólo le permitían sino que le patrocinaban toda clase de perversiones publicitarias. Recibió quinientos dólares y un reloj nuevo para que contara por radio la verdad de que el suyo había soportado el rigor de la intemperie. La fábrica de sus zapatos de tenis le pagó mil dólares por contar que los suyos eran tan resistentes que no había podido desbaratarlos para tener algo que masticar. En una misma jornada pronunciaba un discurso patriótico, se dejaba besar por una reina de la belleza y se mostraba a los huérfanos como ejemplo de moral patriótica. Empezaba a olvidarlo el día memorable en que Guillermo Cano me anunció que lo tenía en su oficina dispuesto a firmar un contrato para contar su aventura completa. Me sentí humillado.

–Ya no es un pescado muerto sino podrido –insistí.

Por primera y única vez me negué a hacer para el periódico algo que era mi deber. Guillermo Cano se resignó a la realidad y despachó al náufrago sin explicaciones. Más tarde me contó que después de despedirlo en su oficina había empezado a reflexionar y no logró explicarse a sí mismo lo que acababa de hacer. Entonces le ordenó al portero que le mandara al náufrago de regreso, y me llamó por teléfono con la notificación inapelable de que le había comprado los derechos exclusivos del relato completo.

No era la primera vez ni había de ser la última en que Guillermo se empecinara en un caso perdido y terminara coronado con la razón. Le advertí deprimido pero con el mejor estilo posible que sólo haría el reportaje por obediencia laboral pero no le pondría mi firma. Sin haberlo pensado, aquélla fue una determinación casual pero certera para el reportaje, pues me obligaba a contarlo en la primera persona del protagonista, con su modo propio y sus ideas personales, y firmado con su nombre. Así me preservaba de cualquier otro naufragio en tierra firme. Es decir, sería el monólogo interior de una aventura solitaria, al pie de la letra, como la había hecho la vida. La decisión fue milagrosa, porque Velasco resultó ser un hombre inteligente, con una sensibilidad y una buena educación inolvidables y un sentido del humor a su tiempo y en su lugar. Y todo eso, por fortuna, sometido a un carácter sin grietas.

La entrevista fue larga, minuciosa, en tres semanas completas y agotadoras, y la hice a sabiendas de que no era para publicar en bruto sino para ser cocinada en otra olla: un reportaje. La empecé con un poco de mala fe tratando de que el náufrago cayera en contradicciones para descubrirle sus verdades encubiertas, pero pronto estuve seguro de que no las tenía. Nada tuve que forzar. Aquello era como pasearme por una pradera de flores con la libertad suprema de escoger las preferidas. Velasco llegaba puntual a las tres de la tarde a mi escritorio de la redacción, revisábamos las notas precedentes y proseguíamos en orden lineal. Cada capítulo que me contaba lo escribía yo en la noche y se publicaba en la tarde del día siguiente. Habría sido más fácil y seguro escribir primero la aventura completa y publicarla ya revisada y con todos los detalles comprobados a fondo. Pero no había tiempo. El tema iba perdiendo actualidad cada minuto y cualquier otra noticia ruidosa podía derrotarlo.

No usamos grabadora. Estaban acabadas de inventar y las mejores eran tan grandes y pesadas como una máquina de escribir, y el hilo magnético se embrollaba como un dulce de cabello de ángel. La sola transcripción era una proeza. Aún hoy sabemos que las grabadoras son muy útiles para recordar, pero no hay que descuidar nunca la cara del entrevistado, que puede decir mucho más que su voz, y a veces todo lo contrario. Tuve que conformarme con el método rutinario de las notas en cuadernos de escuela, pero gracias a eso creo no haber perdido una palabra ni un matiz de la conversación, y pude profundizar mejor a cada paso. Los dos primeros días fueron difíciles, porque el náufrago quería contar todo al mismo tiempo. Sin embargo, aprendió muy pronto por el orden y el alcance de mis preguntas, y sobre todo por su propio instinto de narrador y su facilidad congénita para entender la carpintería del oficio.

Para preparar al lector antes de echarlo al agua decidimos empezar el relato por los últimos días del marino en Mobile. También acordamos no terminarlo en el momento de pisar tierra firme, sino cuando llegara a Cartagena ya aclamado por las muchedumbres, que era el punto en que los lectores podían seguir por su cuenta el hilo de la narración con los datos ya publicados. Esto nos daba catorce capítulos para mantener el suspenso durante dos semanas.

El primero se publicó el 5 de abril de 1955. La edición de *El Espectador*, precedida de anuncios por radio, se agotó en pocas horas. El nudo explosivo se planteó al tercer día cuando decidimos destapar la causa verdadera del desastre, que según la versión oficial había sido una tormenta. En busca de una mayor precisión le pedí a Velasco que la contara con todos sus detalles. Él estaba ya tan familiarizado con nuestro método común que vislumbré en sus ojos un fulgor de picardía antes de contestarme:

–El problema es que no hubo tormenta.

Lo que hubo –precisó– fue unas veinte horas de vientos duros, propios de la región en aquella época del año, que no estaban previstos por los responsables del viaje. La tripulación había recibido el pago de varios sueldos atrasados antes de zarpar y se lo gastaron a última hora en toda clase de aparatos domésticos para llevarlos a casa. Algo tan imprevisto que nadie debió alarmarse cuando rebasaron los espacios interiores del barco y amarraron en cubierta las cajas más grandes: neveras, lavadoras eléctricas, estufas. Una carga prohibida en un barco de guerra, y en una cantidad que ocupó espacios vitales de la cubierta. Tal vez se pensó que en un viaje sin carácter oficial, de menos de cuatro días y con excelentes pronósticos del tiempo no era para tratarlo con demasiado rigor. ¿Cuántas veces no se habían hecho otros y seguirían haciéndose sin que nada ocurriera? La mala suerte para todos fue que unos vientos apenas más fuertes que los anunciados convulsionaron el mar bajo un sol espléndido, hicieron escorar la nave mucho más de lo previsto y rompieron las amarras de la carga mal estibada. De no haber sido un barco tan marinero como el *Caldas* se habría ido a pique sin misericordia, pero ocho de los marinos de guardia en cubierta cayeron por la borda. De modo que la causa mayor del accidente no fue una tormenta, como habían insistido las fuentes oficiales desde el primer día, sino lo que Velasco declaró en su reportaje: la sobrecarga de aparatos domésticos mal estibados en la cubierta de una nave de guerra.

Otro aspecto que se había mantenido debajo de la mesa era qué clase de balsas estuvieron al alcance de los que cayeron en el mar y de los cuales sólo Velasco se salvó. Se supone que debía haber a bordo dos clases de balsas reglamentarias que cayeron con ellos. Eran de corcho y lona, de tres metros de largo por uno y medio de ancho, con una plataforma de seguridad en el centro y dotadas de víveres, agua potable, remos, caja de primeros auxilios, elementos de pesca y navegación, y una Biblia. En esas condiciones, diez personas podían sobrevivir a bordo durante ocho días aun sin los elementos de pesca. Sin embargo, en el *Caldas* se había embarcado también un cargamento de balsas menores sin ninguna clase de dotación. Por los relatos de Velasco, parece que la suya era una de las que no tenían recursos. La pregunta que quedará flotando para siempre es cuántos otros náufragos lograron abordar otras balsas que no los llevaron a ninguna parte.

Éstas habían sido, sin duda, las razones más importantes que demoraron las explicaciones oficiales del naufragio. Hasta que cayeron en la cuenta de que era una pretensión insostenible porque el resto de la tripulación estaba ya descansando en sus casas y contando el cuento completo en todo el país. El gobierno insistió hasta el final en su versión de la tormenta y la oficializó en declaraciones terminantes en un comunicado formal. La censura no llegó al extremo de prohibir la publicación de los capítulos restantes. Velasco, por su parte, mantuvo hasta donde pudo una ambigüedad leal, y nunca se supo que lo hubieran presionado para que no revelara verdades, ni nos pidió ni nos impidió que las reveláramos.

Después del quinto capítulo se había pensado en hacer un sobretiro de los cuatro primeros para atender la demanda de los lectores que querían coleccionar el relato completo. Don Gabriel Cano, a quien no habíamos visto por la redacción en aquellos días frenéticos, descendió de su palomar y fue derecho a mi escritorio.

–Dígame una cosa, tocayito –me preguntó–, ¿cuántos capítulos va a tener el náufrago?

Estábamos en el relato del séptimo día, cuando Velasco se había comido una tarjeta de visita como único manjar a su alcance, y no pudo desbaratar sus zapatos a mordiscos para tener algo que masticar. De modo que nos faltaban otros siete capítulos. Don Gabriel se escandalizó.

–No, tocayito, no –reaccionó crispado–. Tienen que ser por lo menos cincuenta capítulos.

Le di mis argumentos, pero los suyos se fundaban en que la circulación del periódico estaba a punto de doblarse. Según sus cálculos podía aumentar hasta una cifra sin precedentes en la prensa nacional. Se improvisó una junta de redacción, se estudiaron los detalles económicos, técnicos y periodísticos y se acordó un límite razonable de veinte capítulos. O sea: seis más de los previstos.

Aunque mi firma no figuraba en los capítulos impresos, el método de trabajo había trascendido, y una noche en que fui a cumplir con mi deber de crítico de cine se suscitó en el vestíbulo del teatro una animada discusión sobre el relato del náufrago. La mayoría eran amigos con quienes intercambiaba ideas en los cafés vecinos después de la función. Sus opiniones me ayudaban a clarificar las mías para la nota semanal. En relación con el náufrago, el deseo general –con muy escasas excepciones– era que se prolongara lo más posible.

Una de esas excepciones fue un hombre maduro y apuesto, con un precioso abrigo de pelo de camello y un sombrero melón, que me siguió unas tres cuadras desde el teatro cuando yo volvía solo para el periódico. Lo acompañaba una mujer muy bella, tan bien vestida como él, y un amigo menos impecable. Se quitó el sombrero para saludarme y se presentó con un nombre que no retuve. Sin más vueltas me dijo que no podía estar de acuerdo con el reportaje del náufrago, porque le hacía el juego directo al comunismo. Le expliqué sin exagerar demasiado que yo no era más que el transcriptor del cuento contado por el propio protagonista. Pero él tenía sus ideas propias, y pensaba que Velasco era un infiltrado en las Fuerzas Armadas al servicio de la URSS. Tuve entonces la intuición de que estaba hablando con un alto oficial del ejército o la marina y me entusiasmó la idea de una clarificación. Pero al parecer sólo quería decirme eso.

–Yo no sé si usted lo hace a conciencia o no –me dijo–, pero sea como sea le está haciendo un mal favor al país por cuenta de los comunistas.

Su deslumbrante esposa hizo un gesto de alarma y trató de llevárselo del brazo con una súplica en voz muy baja: «¡Por favor, Rogelio!». Él terminó la frase con la misma compostura con que había empezado:

–Créame, por favor, que sólo me permito decirle esto por la admiración que siento por lo que usted escribe.

Volvió a darme la mano y se dejó llevar por la esposa atribulada. El acompañante, sorprendido, no acertó a despedirse.

Fue el primero de una serie de incidentes que nos pusieron a pensar en serio sobre los riesgos de la calle. En una cantina pobre detrás del periódico, que servía a obreros del sector hasta la madrugada, dos desconocidos habían intentado días antes una agresión gratuita contra Gonzalo González, que se tomaba allí el último café de la noche. Nadie entendía qué motivos podían tener contra el hombre más pacífico del mundo, salvo que lo hubieran confundido conmigo por nuestros modos y modas caribes y las dos *g* de su seudónimo: Gog. De todas maneras, la seguridad del periódico me advirtió que no saliera solo de noche en una ciudad cada vez más peligrosa. Para mí, por el contrario, era tan confiable que me iba caminando hasta mi apartamento cuando terminaba mi horario.

Una madrugada de aquellos días intensos sentí que me había llegado la hora con la granizada de vidrios de un ladrillo lanzado desde la calle contra la ventana de mi dormitorio. Era Alejandro Obregón, que había perdido las llaves del suyo y no encontró amigos despiertos ni lugar en ningún hotel. Cansado de buscar dónde dormir, y de tocar el timbre averiado, resolvió su noche con un ladrillo de la construcción vecina. Apenas si me saludó para no acabar de despertarme cuando le abrí la puerta, y se tiró bocarriba a dormir en el suelo físico hasta el mediodía.

La rebatiña para comprar el periódico en la puerta de *El Espectador* antes de que saliera a la calle era cada vez mayor. Los empleados del centro comercial se demoraban para comprarlo y leer el capítulo en el autobús.

Pienso que el interés de los lectores empezó por motivos humanitarios, siguió por razones literarias y al final por consideraciones políticas, pero sostenido siempre por la tensión interna del relato. Velasco me contó episodios que sospeché inventados por él, y encontró significados simbólicos o sentimentales, como el de la primera gaviota que no se quería ir. El de los aviones, contado por él, era de una belleza cinematográfica. Un amigo navegante me preguntó cómo era que yo conocía tan bien el mar, y le contesté que no había hecho sino copiar al pie de la letra las observaciones de Velasco. A partir de un cierto punto ya no tuve nada que agregar.

El comando de la marina no estaba del mismo humor. Poco antes del final de la serie dirigió al periódico una carta de protesta por haber juzgado con criterio mediterráneo y en forma poco elegante una tragedia que podía suceder dondequiera que operaran unidades navales. «A pesar del luto y el dolor que embargan a siete respetables hogares colombianos y a todos los hombres de la armada –decía la carta– no se tuvo inconveniente alguno en llegar al folletín de cronistas neófitos en la materia, plagado de palabras y conceptos antitécnicos e ilógicos, puestos en boca del afortunado y meritorio marinero que valerosamente salvó su vida.» Por tal motivo, la armada solicitó la intervención de la Oficina de Información y Prensa de la presidencia de la República a fin de que aprobara –con la ayuda de un oficial naval– las publicaciones que sobre el incidente se hicieran en el futuro. Por fortuna, cuando llegó la carta estábamos en el capítulo penúltimo, y pudimos hacernos los desentendidos hasta la semana siguiente.

Previendo la publicación final del texto completo, le habíamos pedido al náufrago que nos ayudara con la lista y las direcciones de otros compañeros suyos que tenían cámaras fotográficas, y éstos nos mandaron una colección de fotos tomadas durante el viaje. Había de todo, pero la mayoría eran de grupos en cubierta, y al fondo se veían las cajas de artículos domésticos –refrigeradores, estufas, lavadoras– con sus marcas de fábrica destacadas. Ese golpe de suerte nos bastó para desmentir los desmentidos oficiales. La reacción del gobierno fue inmediata y terminante, y el suplemento rebasó todos los precedentes y pronósticos de circulación. Pero Guillermo Cano y José Salgar, invencibles, sólo tenían una pregunta:

–¿Y ahora qué carajo vamos a hacer?

En aquel momento, mareados por la gloria, no teníamos respuesta. Todos los temas nos parecían banales.

Quince años después de publicado el relato en *El Espectador*, la editorial Tusquets de Barcelona lo publicó en un libro de pastas doradas, que se vendió como si fuera para comer. Inspirado en un sentimiento de justicia y en mi admiración por el marino heroico, escribí al final del prólogo: «Hay libros que no son de quien los escribe sino de quien los sufre, y éste es uno de ellos. Los derechos de autor, en consecuencia, serán para quien los merece: el compatriota anónimo que debió padecer diez días sin comer ni beber en una balsa para que este libro fuera posible».

No fue una frase vana, pues los derechos del libro fueron pagados íntegros a Luis Alejandro Velasco por la editorial Tusquets, por instrucciones mías, durante catorce años. Hasta que el abogado Guillermo Zea Fernández, de Bogotá, lo convenció de que los derechos le pertenecían a él [por ley], a sabiendas de que no eran suyos, sino por una decisión mía en homenaje a su heroísmo, su talento de narrador y su amistad.

La demanda contra mí fue presentada en el Juzgado 22 Civil del Circuito de Bogotá. Mi abogado y amigo Alfonso Gómez Méndez dio entonces a la editorial

Tusquets la orden de suprimir el párrafo final del prólogo en las ediciones sucesivas y no pagar a Luis Alejandro Velasco ni un céntimo más de los derechos hasta que la justicia decidiera. Así se hizo. Al cabo de un largo debate que incluyó pruebas documentales, testimoniales y técnicas, el juzgado decidió que el único autor de la obra era yo, y no accedió a las peticiones que el abogado de Velasco había pretendido. Por consiguiente, los pagos que se le hicieron hasta entonces por disposición mía no habían tenido como fundamento el reconocimiento del marino como coautor, sino la decisión voluntaria y libre de quien lo escribió. Los derechos de autor, también por disposición mía, fueron donados desde entonces a una fundación docente.

No nos fue posible encontrar otra historia como aquélla, porque no era de las que se inventan en el papel. Las inventa la vida, y casi siempre a golpes. Lo aprendimos después, cuando intentamos escribir una biografía del formidable ciclista antioqueño Ramón Hoyos, coronado aquel año campeón nacional por tercera vez. Lo lanzamos con el estruendo aprendido en el reportaje del marino y lo prolongamos hasta los diecinueve capítulos, antes de darnos cuenta de que el público prefería a Ramón Hoyos escalando montañas y llegando primero a la meta, pero en la vida real.

Una mínima esperanza de recuperación la vislumbramos una tarde en que Salgar me llamó por teléfono para que me reuniera con él de inmediato en el bar del hotel Continental. Allí estaba, con un viejo y serio amigo suyo, que acababa de presentarle a su acompañante, un albino absoluto en ropas de obrero, con una cabellera y unas cejas tan blancas que parecía deslumbrado hasta en la penumbra del bar. El amigo de Salgar, que era un empresario conocido, lo presentó como un ingeniero de minas que estaba haciendo excavaciones en un terreno baldío a doscientos metros de *El Espectador*, en busca de un tesoro de fábula que había pertenecido al general Simón Bolívar. Su acompañante –muy amigo de Salgar como lo fue mío desde entonces– nos garantizó la verdad de la historia. Era sospechosa por su sencillez: cuando el Libertador se disponía a continuar su último viaje desde Cartagena, derrotado y moribundo, se supone que prefirió no llevar un cuantioso tesoro personal que había acumulado durante las penurias de sus guerras como una reserva merecida para una buena vejez. Cuando se disponía a continuar su viaje amargo –no se sabe si a Caracas o a Europa– tuvo la prudencia de dejarlo escondido en Bogotá, bajo la protección de un sistema de códigos lacedomónicos muy propio de su tiempo, para encontrarlo cuando le fuera necesario y desde cualquier parte del mundo. Recordé estas noticias con una ansiedad irresistible mientras escribía *El general en su laberinto*, donde la historia del tesoro habría sido esencial, pero no logré los suficientes datos para hacerla creíble, y en cambio me pareció deleznable como ficción. Esa fortuna de fábula, nunca rescatada por su dueño, era lo que el buscador buscaba con tanto ahínco. No entendí por qué nos la habían revelado, hasta que Salgar me explicó que su amigo, impresionado por el relato del náufrago, quiso ponernos en antecedentes para que la siguiéramos al día hasta que pudiera publicarse con igual despliegue.

Fuimos al terreno. Era el único baldío al occidente del parque de los Periodistas y muy cerca de mi nuevo apartamento. El amigo nos explicó sobre un mapa colonial las coordenadas del tesoro en detalles reales de los cerros de Monserrate y Guadalupe. La historia era fascinante y el premio sería una noticia tan explosiva como la del náufrago, y con mayor alcance mundial.

Seguimos visitando el lugar con cierta frecuencia para mantenernos al día, escuchábamos al ingeniero durante horas interminables a base de aguardiente y limón, y nos sentíamos cada vez más lejos del milagro, hasta que pasó tanto tiempo que no nos quedó ni la ilusión. Lo único que pudimos sospechar más tarde fue que el cuento del tesoro no era más que una pantalla para explotar sin licencia una mina de algo muy valioso en pleno centro de la capital. Aunque era posible que también ésa fuera otra pantalla para mantener a salvo el tesoro del Libertador.

No eran los mejores tiempos para soñar. Desde el relato del náufrago me habían aconsejado que permaneciera un tiempo fuera de Colombia mientras se aliviaba la situación por las amenazas de muerte, reales o ficticias, que nos llegaban por diversos medios. Fue lo primero en que pensé cuando Luis Gabriel Cano me preguntó sin preámbulos qué pensaba hacer el miércoles próximo. Como no tenía ningún plan me dijo con su flema de costumbre que preparara mis papeles para viajar como enviado especial del periódico a la Conferencia de los Cuatro Grandes, que se reunía la semana siguiente en Ginebra.

Lo primero que hice fue llamar por teléfono a mi madre. La noticia le pareció tan grande que me preguntó si me refería a alguna finca que se llamaba Ginebra. «Es una ciudad de Suiza», le dije. Sin inmutarse, con su serenidad interminable para asimilar los estropicios menos pensados de sus hijos, me preguntó hasta cuándo estaría allá, y le contesté que volvería a más tardar en dos semanas. En realidad iba sólo por los cuatro días que duraba la reunión. Sin embargo, por razones que no tuvieron nada que ver con mi voluntad, no me demoré dos semanas sino casi tres años. Entonces era yo quien necesitaba el bote de remos aunque sólo fuera para comer una vez al día, pero me cuidé bien de que no lo supiera la familia. Alguien pretendió en alguna ocasión perturbar a mi madre con la perfidia de que su hijo vivía como un príncipe en París después de engañarla con el cuento de que sólo estaría allá dos semanas.

–Gabito no engaña a nadie –le dijo ella con una sonrisa inocente–, lo que pasa es que a veces hasta Dios tiene que hacer semanas de dos años.

Nunca había caído en la cuenta de que era un indocumentado tan real como los millones desplazados por la violencia. No había votado nunca por falta de una cédula de ciudadanía. En Barranquilla me identificaba con mi credencial de redactor de *El Heraldo*, donde tenía una falsa fecha de nacimiento para eludir el servicio militar, del cual era infractor desde hacía dos años. En casos de emergencia me identificaba con una tarjeta postal que me dio la telegrafista de Zipaquirá. Un amigo providencial me puso en contacto con el gestor de una agencia de viajes que se comprometió a embarcarme en el avión en la fecha indicada, mediante el pago adelantado de doscientos dólares y mi firma al calce de diez hojas en blanco de papel sellado. Así me enteré por carambola de que mi saldo bancario era una cantidad sorprendente que no había tenido tiempo de gastarme por mis afanes de reportero. El único gasto, aparte de los míos personales que no sobrepasaban los de un estudiante pobre, era el envío mensual del bote de remos para la familia.

La víspera del vuelo, el gestor de la agencia de viajes cantó frente a mí el nombre de cada documento a medida que los ponía sobre el escritorio para que no los confundiera: la cédula de identidad, la libreta militar, los recibos de paz y salvo con la oficina de impuestos y los certificados de vacuna contra la viruela y la fiebre amarilla. Al final me pidió una propina adicional para el muchacho escuálido que se había vacunado las dos veces a nombre mío, como se vacunaba a diario desde hacía años para los clientes apresurados.

Viajé a Ginebra con el tiempo justo para la conferencia inaugural de Eisenhower, Bulganin, Eden y Faure, sin más idiomas que el castellano y viáticos para un hotel de tercera clase, pero bien respaldado por mis reservas bancarias. El regreso estaba previsto para unas cinco semanas, pero no sé por qué rara premonición repartí entre los amigos todo lo que era mío en el apartamento, incluida una estupenda biblioteca de cine que había reunido en dos años con la asesoría de Álvaro Cepeda y Luis Vicens.

El poeta Jorge Gaitán Durán llegó a despedirse cuando estaba rompiendo papeles inútiles, y tuvo la curiosidad de revisar la canasta de la basura por si encontraba algo que pudiera servirle para su revista. Rescató tres o cuatro cuartillas rasgadas por la mitad y las leyó apenas mientras las armaba como un rompecabezas sobre el escritorio. Me preguntó de dónde habían salido y le contesté que era el «Monólogo de Isabel viendo llover en Macondo», eliminado en el primer borrador de *La hojarasca*. Le advertí que no era inédito, porque lo habían publicado en *Crónica* y en el «Magazine Dominical» de *El Espectador*, con el mismo título puesto por mí y con una autorización que no recordaba haber dado deprisa en un ascensor. A Gaitán Durán no le importó y lo publicó en el siguiente número de la revista *Mito*.

La despedida de la víspera en casa de Guillermo Cano fue tan tormentosa que cuando llegué al aeropuerto ya se había ido el avión de Cartagena, donde dormiría esa noche para despedirme de la familia. Por fortuna alcancé otro al mediodía. Hice bien, porque el ambiente doméstico se había distendido desde la última vez, y mis padres y hermanos se sentían capaces de sobrevivir sin el bote de remos que yo iba a necesitar más que ellos en Europa.

Viajé a Barranquilla por carretera al día siguiente muy temprano para tomar el vuelo de París a las dos de la tarde. En la terminal de buses de Cartagena me encontré con Lácides, el portero inolvidable del Rascacielos, a quien no veía desde entonces. Se me echó encima con un abrazo de verdad y los ojos en lágrimas, sin saber qué decir ni cómo tratarme. Al final de un intercambio atropellado, porque su autobús llegaba y el mío se iba, me dijo con un fervor que me dio en el alma:

–Lo que no entiendo, don Gabriel, es por qué no me dijo nunca quién era usted.

–Ay, mi querido Lácides –le contesté, más adolorido que él–, no podía decírselo porque todavía hoy ni yo mismo sé quién soy yo.

Horas después, en el taxi que me llevaba al aeropuerto de Barranquilla bajo el ingrato cielo más transparente que ningún otro del mundo, caí en la cuenta de que estaba en la avenida Veinte de Julio. Por un reflejo que ya formaba parte de mi vida desde hacía cinco años miré hacia la casa de Mercedes Barcha. Y allí estaba, como una estatua sentada en el portal, esbelta y lejana, y puntual en la moda del año con un vestido verde de encajes dorados, el cabello cortado como alas de golondrinas y la quietud intensa de quien espera a alguien que no ha de llegar. No pude eludir el frémito de que iba a perderla para siempre un jueves de julio a una hora tan temprana, y por un instante pensé en parar el taxi para despedirme, pero preferí no desafiar una vez más a un destino tan incierto y persistente como el mío.

En el avión en vuelo seguía castigado por los retortijones del arrepentimiento. Existía entonces la buena costumbre de poner en el respaldo del asiento delantero algo que en buen romance todavía se llamaba recado de escribir. Una hoja de esquela con ribetes dorados y su cubierta del mismo papel de lino rosa, crema o azul, y a veces perfumado. En mis pocos viajes anteriores los había usado para escribir poemas de adioses que convertía en palomitas de papel y las echaba al vuelo al bajar del avión. Escogí uno azul celeste y le escribí mi primera carta formal a Mercedes sentada en el portal de su casa a las siete de la mañana, con el traje verde de novia sin dueño y el cabello de golondrina incierta, sin sospechar siquiera para quién se había vestido al amanecer. Le había escrito otras notas de juguete que improvisaba al azar y sólo recibía respuestas verbales y siempre elusivas cuando nos encontrábamos por casualidad. Aquéllas no pretendían ser más que cinco líneas para darle la noticia oficial de mi viaje. Sin embargo, al final agregué una posdata que me cegó como un relámpago al mediodía en el instante de firmar: «Si no recibo contestación a esta carta antes de un mes, me quedaré a vivir para siempre en Europa». Me permití apenas el tiempo para pensarlo otra vez antes de echar la carta a las dos de la madrugada en el buzón del desolado aeropuerto de Montego Bay. Ya era viernes. El jueves de la semana siguiente, cuando entré en el hotel de Ginebra al cabo de otra jornada inútil de desacuerdos internacionales, encontré la carta de respuesta.